# NORD
## ET
# SUD

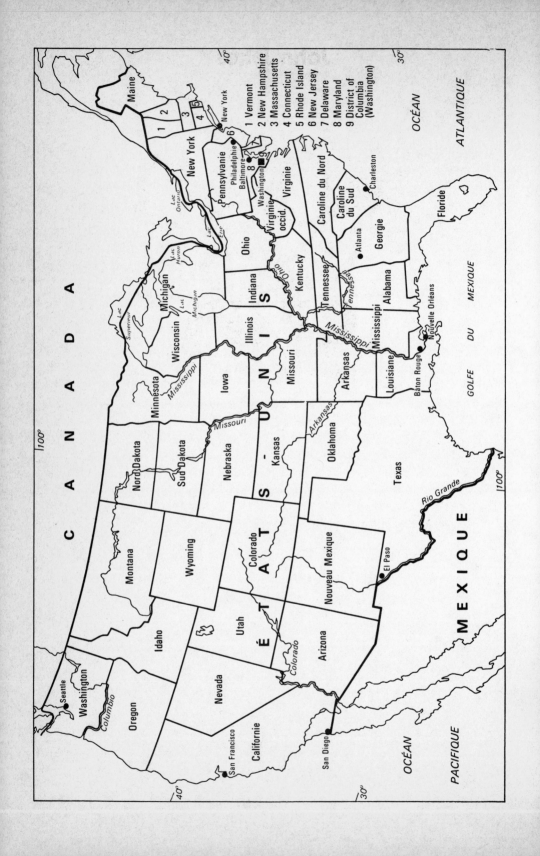

# John Jakes

# NORD ET SUD

roman

LIBRE EXPRESSION
PRESSES DE LA CITÉ

*Le titre original de cet ouvrage est :*
NORTH AND SOUTH
traduit de l'américain
par France-Marie Watkins

Dépôt légal:
4e trimestre 1983

ISSBN 2-89111-166-4

*Tu as éloigné de moi amis et compagnons ;
Je n'ai pour compagnie que les ténèbres !...*
PSAUME 88

PROLOGUE

## DEUX DESTINS SE CROISENT

### 1686 : *Le garçon du charbonnier*

— Il est grand temps que le gosse prenne mon nom, déclara Windom après le souper.

C'était pour lui une obsession, qui revenait quand il avait bu. Près du maigre feu, la mère du gamin, Bess Windom, referma la Bible sur ses genoux. Comme tous les soirs, elle lisait. En regardant remuer ses lèvres, Joe, son fils, observait sa lente progression. Quand Windom lança sa réflexion, elle savourait son verset favori du cinquième chapitre de Saint Matthieu : « Heureux les persécutés pour la justice, car le royaume des cieux est à eux. »

Joe Moffat, assis, adossé à un coin de la cheminée, taillait un petit bateau de bois. Il avait douze ans, la charpente trapue de sa mère, de larges épaules, des cheveux châtain clair et des yeux d'un bleu si pâle qu'ils paraissaient parfois incolores.

Windom considéra son beau-fils d'un œil maussade. Une averse de printemps crépitait sur le toit de chaume. Sous les yeux de Windom le charbon de bois avait laissé des cernes. Cette poussière noircissait aussi ses ongles cassés. C'était un raté, une brute de quarante ans. Quand il n'était pas ivre, il fendait du bois et le laissait se consumer pendant deux semaines en piles de vingt pieds de haut, pour faire du charbon de bois destiné aux petites fabriques situées le long de la rivière. C'était un travail sale, méprisé : les mères du voisinage menaçaient leurs enfants désobéissants d'être enlevés par le charbonnier.

Joe ne répondit rien et se contenta se soutenir le regard de Windom qui remarqua le tapotement de l'index du gamin sur le manche du couteau. Décidément ce gosse avait un sacré caractère. Par moments, il inquiétait son beau-père. Ses silences, considérés comme une manifestation familière de défi, le faisaient enrager.

Pourtant, Joe risqua :

— J'aime bien mon nom, dit-il, et il retourna à l'ébauche de son bateau.

— Bon Dieu d'insolent ! cria Windom d'une voix graillonneuse et, renversant son tabouret, il se rua vers le garçon.

Bess se jeta entre eux.

7

— Laisse-le, Thad. Aucun bon disciple du Sauveur ne ferait de mal à un enfant.

— Qui veut faire du mal à qui ? Regarde-le !

Joe était debout et reculait contre la cheminée. Il respirait rapidement. Le regard fixe, il tenait le couteau à la hauteur de sa taille, prêt à frapper de bas en haut.

Lentement, Windom desserra son poing, s'éloigna gauchement et redressa son tabouret. Comme toujours, quand la peur et le ressentiment s'emparaient de lui, c'était contre Bess qu'il se tournait. Le gosse se réinstalla près du feu en se demandant pendant combien de temps il parviendrait à supporter tout cela.

— J'en ai assez de t'entendre parler du Seigneur, Bess, gronda Windom. Tu n'arrêtes pas de dire qu'il va sauver les pauvres. Ton premier mari était cinglé de mourir pour ces sornettes. Quand ton cher Jésus viendra se salir les mains à m'aider au charbon, alors je croirai en lui, mais pas avant.

Il tendit le bras vers la bouteille de gin.

Cette nuit-là, couché sur sa paillasse, derrière le rideau élimé qui cachait leur lit, Joe dut écouter Windom injurier sa mère et la battre. Bess sanglota et son fils serra les poings. Mais ensuite, Bess gémit différemment... la dispute se résolvait à la manière habituelle. Joe, cyniquement, pensa qu'il en était toujours ainsi.

Certes, il ne reprochait pas à sa pauvre mère de vouloir un peu de paix, de sécurité et d'amour mais elle avait choisi un mauvais homme. Longtemps après que le lit caché eut cessé de grincer, le garçon resta éveillé, rêvant de tuer le charbonnier.

Jamais il n'accepterait le nom de son beau-père ; il deviendrait meilleur que lui. Son attitude de défi était sa manière d'exprimer sa foi dans la possibilité d'une autre vie pour lui-même : une vie comme celle d'Andrew Archer, le maître de forges chez qui Windom l'avait mis en apprentissage deux ans plus tôt.

Parfois, cependant, Joe perdait courage, ses espoirs, sa confiance en lui, lui semblaient des rêves irréalisables. Qu'était-il sinon de la poussière sale comme les vêtements jamais débarrassés des traces de charbon de bois que Windom rapportait à la maison. Et s'il ne comprenait pas le crime pour lequel son père avait trouvé la mort en Ecosse, il savait que c'était un fait qui le souillait.

« Heureux ceux qui sont persécutés... ». Ce n'était pas étonnant que ce soit le verset favori de Bess.

Le père de Joe, un fermier écossais à la longue figure sévère dont il se souvenait à peine, avait été un Covenantaire (ceux qui résistaient au roi Charles II d'Ecosse) convaincu. Il était mort après de nombreuses applications des poucettes et du brodequin, durant ce que Bess appelait le « temps des tueries », les premiers mois du gouvernement du duc d'York, celui-là même qui venait d'être couronné roi d'Angleterre sous le nom de Jacques II. Le duc avait juré d'éliminer les presbytériens et d'établir l'Eglise épiscopale dans le pays longtemps troublé par les querelles des adversaires politiques et religieux profondément engagés.

Des amis s'étaient précipités pour annoncer l'horrible mort de Robert Moffat et avertir sa femme de s'enfuir. Ce qu'elle fit avec son fils unique, une heure à peine avant l'arrivée des hommes d'armes du duc, qui incendièrent tous les bâtiments de la ferme. Après des mois d'errance, la mère et le fils avaient atteint les collines du sud du Shropshire. Là, plus par fatigue que pour toute autre raison, Bess avait décidé de s'arrêter.

Les hautes terres boisées au sud et à l'ouest de la sinueuse Severn paraissaient rustiques et sûres. Elle loua un cottage avec ce qui lui restait de l'argent sauvé d'Écosse. Elle accepta des travaux pénibles et, au bout de deux ans, rencontra et épousa Windom. Elle feignit même de se convertir à la religion officielle, car si Robert Moffat avait bien inculqué à sa femme sa ferveur religieuse, il ne lui avait pas donné le courage de résister aux autorités. Sa religion devint un credo de résignation face à la misère.

C'est une foi de faiblesse et sans valeur, jugeait avec mépris le jeune garçon. Il n'en voulait pas, lui. L'homme qu'il tenait à imiter était l'esprit fort Archer, qui habitait une belle maison sur la colline au-dessus de la rivière.

Le vieux Giles, à la fonderie, ne disait-il pas que Joe avait l'intelligence et la volonté pour arriver à une réussite semblable ? Ne le répétait-il pas souvent, ces derniers temps ?

Joe voulait croire Giles. Il le croyait même tant qu'il ne remarquait pas la poussière de charbon de bois sous ses propres ongles et qu'il n'entendait pas les autres apprentis se moquer de lui aux cris de « Sale Joe, noir comme un Africain ! ».

Alors, il retrouvait l'inanité de ses rêves et se moquait de sa stupidité jusqu'à ce que ses yeux pâles se remplissent de larmes honteuses, mais impossibles à retenir.

Le vieux Giles Hazard, un célibataire, était un des trois hommes les plus importants à la fonderie Archer. Il était responsable de la raffinerie, cette forge au charbon de bois dans laquelle la fonte, refondue, était débarrassée de l'excès de carbone et des autres éléments qui la rendaient trop friable pour les fers à cheval, les jantes de roues et les lames de charrues. Giles Hazard, à la voix bourrue, avait tendance à faire travailler ses hommes et ses apprentis comme des esclaves. Il avait vécu toute sa vie à dix minutes de marche de la fonderie et commencé à y travailler à neuf ans.

C'était un petit homme corpulent, débordant d'énergie malgré son poids. Physiquement, il ressemblait à Joe, en beaucoup plus vieux. Peut-être était-ce pour cela qu'il traitait le gamin comme un fils. Il lui apprenait non seulement le travail du fer mais aussi son histoire.

— Le fer règne sur le monde, mon garçon. Il laboure la terre et enjambe les continents... Il gagne aussi les guerres.

Les fonderies Archer fabriquaient des boulets pour la marine royale.

Un jour, Giles leva sa grosse tête ronde vers le ciel.

— Le fer est venu sur la terre de Dieu sait où. Le fer des météores est connu depuis les origines.

— Qu'est-ce qu'un météore, maître Hazard ? demanda vivement le jeune garçon.

— Une étoile filante, répondit Giles en souriant. Tu as bien dû en voir.

Pensif, Joe hocha la tête. Giles racontait souvent l'histoire de la fabrication du fer. Il parlait des *stückofen* et des *flussofen* qui existaient en Allemagne depuis le xe siècle, des hauts fourneaux qui s'étaient répandus en France au xve, des Wallons de Belgique qui avaient mis au point les procédés de raffinage une soixantaine d'années plus tôt.

— Mais tout ça n'est qu'une seconde sur la grande horloge du fer. Saint Dunstan travaillait le fer, il y a sept cents ans. Il avait une forge dans sa chambre à Glastonbury, paraît-il. Les pharaons égyptiens étaient enterrés avec des amulettes de fer et des lames de dagues parce que le métal était rare et précieux. Et puissant. J'ai lu qu'il y avait des dagues à Babylone et en Mésopotamie, plusieurs millénaires avant le Christ.

— Je ne sais pas très bien lire...

— Quelqu'un devrait t'apprendre, grommela Giles. Ou tu devrais t'apprendre tout seul.

Le gamin réfléchit, puis murmura :

— Je voulais dire, je n'ai jamais entendu ce mot que vous avez employé. *Millé...* quelque chose.

— Millénaire. Un millénaire, c'est mille ans.

— Ah !

Giles fut heureux de voir Joe enregistrer l'information. Il poursuivit :

— On peut apprendre beaucoup de choses en lisant. Pas tout, mais beaucoup, surtout si l'on veut devenir autre chose qu'un charbonnier.

Joe comprit. Il hocha la tête.

— Tu ne sais pas lire du tout ? demanda Giles.

— Si... Juste un peu. Ma mère a essayé de m'apprendre avec la Bible. J'aime bien les histoires des héros, Samson, David. Mais ça n'a pas plu à Windom, alors elle s'est arrêtée.

Giles proposa :

— Si tu restais une demi-heure de plus, tous les soirs, j'essaierais de t'aider.

— Windom ne voudra pas...

— Tu n'as qu'à mentir. S'il te demande pourquoi tu es en retard, raconte-lui n'importe quoi... si toutefois tu veux vraiment devenir quelqu'un... autre chose qu'un charbonnier.

— Vous croyez que je peux, maître Hazard ?

— Et toi ?

— Oui.

— Alors tu y arriveras. La course est gagnée par la volonté, pas par la rapidité.

Cette conversation avait eu lieu l'été précédent. Pendant l'automne et l'hiver, Giles donna des leçons au gamin. Il s'y prit bien, si bien que Joe ne put s'empêcher de faire part de son savoir à sa mère. Un soir que Windom était absent, à boire dans une taverne, il lui montra un livre qu'il avait rapporté en cachette, un livre intitulé *Metallum Martis*, dont l'auteur était Dud Dudley, qui venait de mourir, fils bâtard du cinquième Lord Dudley.

Dud Dudley prétendait avoir réussi à extraire du fer par fusion avec du charbon minéral, comme le lut Joe au cours de sa laborieuse démonstration à Bess.

Les yeux de sa mère étincelèrent d'admiration, mais la lueur s'éteignit vite.

— Le savoir est une chose merveilleuse, Joe. Mais il peut aussi conduire à un orgueil excessif. Le centre de ta vie doit être Jésus.

Cela n'était pas l'avis de Joe mais il n'en dit rien.

— Il n'y a que deux choses importantes dans cette vie, reprit-elle. L'amour du fils de Dieu et l'amour du prochain comme celui que j'éprouve pour toi.

Et elle le serra brusquement contre elle. Il l'entendit pleurer, la sentit frissonner. L'affreuse époque des tueries avait ruiné tous ses espoirs sauf celui du paradis, avait tué toutes ses loyautés sauf celle qu'elle conservait envers son fils et le Sauveur en qui, lui, perdait confiance. Cela le désolait, mais il avait décidé de vivre sa propre vie.

Ils ne parlèrent pas à Windom de ces leçons, mais, bientôt, un soupçon de fierté se devina dans les manières de Bess, et son mari en prit ombrage. Par un soir d'été, peu de temps après la querelle au sujet du nom, Joe rentra chez lui et trouva sa mère meurtrie et ensanglantée, à demi inconsciente par terre. Windom était parti. Elle ne voulut rien expliquer, mais elle supplia son fils de ne pas mettre à exécution les menaces qu'il lança violemment contre son beau-père.

Alors que les collines du Shropshire se teintaient d'or et de rouge à l'approche d'un nouvel automne, les progrès de Joe satisfirent tant Giles qu'il prit une mesure audacieuse.

— Je vais parler au maître et lui demander de te laisser passer une heure par semaine avec le précepteur qui habite au manoir. Les fils d'Archer ne peuvent pas l'occuper constamment. Je suis sûr que le maître permettra qu'on t'enseigne un peu de mathématiques, peut-être même du latin.

— Pourquoi le ferait-il ? Je ne suis rien du tout.

Giles rit en ébouriffant les cheveux du gamin.

— Il sera heureux d'avoir un employé loyal et bien instruit, sans pratiquement rien débourser. C'est une raison. L'autre, c'est qu'Archer est un honnête homme. Il y en a quelques-uns dans ce monde.

Joe n'y crut pas vraiment, jusqu'à ce que Giles lui annonçât que le maître consentait. Dans sa joie, il oublia sa prudence habituelle en courant chez lui ce soir-là. Un épais brouillard enveloppait la rivière et les collines et il arriva au cottage, glacé. Windom était là, sale et à moitié ivre. Joe, tellement heureux à l'idée que quelqu'un avait une bonne opinion de lui, négligea les regards avertisseurs de sa mère et annonça sa grande nouvelle, qui ne plut pas du tout au beau-père.

— Nom de Dieu, pourquoi ce jeune vaurien aurait besoin d'un maître ? gronda-t-il en toisant Joe avec un mépris qui poignarda le garçon. Il est ignorant ! Aussi ignorant que moi.

Bess tordait son tablier entre ses mains, ne sachant comment éviter le piège créé par le garçon haletant. Elle se dirigea rapidement vers le feu et fit tomber le tisonnier. Joe regarda fixement son beau-père et répliqua :

— Plus maintenant. Le vieux Giles m'a appris.

— Quoi ?

— A lire. A m'améliorer.

Windom ricana en se fourrant un doigt dans le nez. Après y avoir fourragé, il essuya son doigt sur sa culotte et pouffa.

— Foutu temps perdu. Pas besoin de livres pour travailler dans la fonderie.

— Si, si on veut devenir riche comme maître Archer.

— Quoi ? Parce que tu crois que tu seras riche un jour ?

Joe pâlit et lança :

— J'aime mieux aller en enfer que d'être aussi pauvre et stupide que vous !

Windom poussa un rugissement et se jeta sur le gamin. Bess cessa de tourner nerveusement le ragoût du chaudron accroché dans l'âtre. Les mains tendues, elle courut vers son mari.

— Il ne le pensait pas, Thad ! Sois miséricordieux comme Jésus a...

— Bigote imbécile, je le traiterai comme je veux ! cria Windom en la frappant brutalement.

Elle vacilla, se cogna durement l'épaule contre la cheminée et poussa un cri.

La douleur détruisit quelque peu son allégeance au Sauveur. Elle ouvrit de grands yeux, aperçut le tisonnier tombé, s'en empara et le leva pour menacer son mari. C'était un geste pitoyable mais Windom choisit d'y voir une redoutable menace. Il se tourna vers elle.

Effrayé, furieux, Joe voulut retenir son beau-père. Windom le repoussa violemment. Bess, affolée, se cramponnait au tisonnier, incapable de le tenir fermement. Windom n'eut pas de mal à le lui arracher et à le lui abattre par deux fois sur la tempe. Elle tomba de tout son long, le sang ruisselant sur sa joue.

Joe la regarda un instant puis, saisi d'une fureur incontrôlable, voulut attraper le tisonnier. Windom le lança contre le mur. Joe se précipita vers l'âtre, saisit la chaîne du chaudron et jeta le ragoût bouillant à la tête de Windom qui hurla, en plaquant les mains sur ses yeux échaudés.

Joe avait les mains brûlées mais le sentait à peine. Il souleva le chaudron vide et l'abattit sur la tête de Windom. Quand l'homme tomba et se tut, Joe lui enroula la chaîne autour du cou et tira de toutes ses forces jusqu'à ce qu'elle pénétrât dans les chairs. Windom cessa enfin de ruer et ne bougea plus.

Alors Joe courut dans le brouillard et vomit. Ses mains commençaient à lui faire mal. Il se rendait soudain compte de ce qu'il avait fait. Il avait envie de fondre en larmes, de s'enfuir, mais il se força à rentrer dans le cottage. Il vit le dos de sa mère se soulever légèrement. Elle était vivante !

Après bien des efforts, il parvint à la relever. Elle marmonnait des mots incohérents et riait de temps en temps. Il l'enveloppa dans un châle et la soutint le long des sentiers embrumés jusqu'au cottage de Giles Hazard, à une demi-lieue de là. En chemin, elle trébucha plusieurs fois mais, à force de supplications, Joe réussit à la faire repartir.

Giles, une chandelle à la main, ouvrit sa porte en grommelant. Il se hâta de coucher Bess dans son lit encore chaud, l'examina et se redressa, en se frottant le menton.

— Je cours chercher un médecin, dit Joe. Où vais-je le trouver ?

Le vieux Giles ne put dissimuler son inquiétude.

— Elle est trop grièvement blessée pour qu'un médecin lui fasse du bien.

Cette nouvelle atterra le garçon et ses larmes coulèrent enfin.

— Ce n'est pas possible !

— Regarde-la. Elle respire à peine. Quant au barbier qui soigne dans cette région, il est illettré. Il ne peut rien pour elle et il ne fera que poser des questions indiscrètes sur ses blessures.

Ce propos était en soi une question car Joe avait seulement dit qu'elle avait été battue par Windom.

— Nous ne pouvons qu'attendre, marmonna Giles.

— Et prier Jésus, conclut Joe dans sa détresse.

Giles mit une bouilloire sur le feu. Joe s'agenouilla près du lit et, les mains jointes, pria de tout son être.

La prière ne fut pas entendue. La respiration de Bess Windom devint plus faible, plus lente. Elle survécut jusqu'à ce que le petit jour perçât la brume de la rivière. Alors, doucement, Giles toucha l'épaule de Joe et le secoua pour le réveiller.

— Assieds-toi près du feu, dit-il en tirant la couverture sur la figure meurtrie et paisible de Bess. Tout est fini pour elle. Elle est partie retrouver son Jésus et nous ne pouvons plus rien. Pour toi, c'est autre chose. Ton beau-père est mort, n'est-ce pas ?

Joseph baissa la tête.

— C'est ce que je pensais. Autrement, tu ne serais pas venu ici. Il se serait occupé d'elle.

Toute la peine de l'adolescent jaillit dans un cri.

— Je suis heureux de l'avoir tué !

— Je n'en doute pas, mais il n'empêche que tu es un assassin. Archer n'emploiera pas un assassin et je ne pourrai pas le lui reprocher. Malgré tout... Je ne veux pas te voir pendu ou écartelé. Que faire ?

Il marcha un moment de long en large.

— On va rechercher Joe Moffat, pas vrai ? Alors tu dois devenir quelqu'un d'autre.

Sa décision prise, il chercha une feuille de papier et rédigea une déclaration selon laquelle le porteur, son neveu Joe Hazard, était en mission pour une affaire de famille. Après une brève hésitation, il signa de son propre nom, en ajoutant les mots *Oncle et Tuteur* soulignés d'un superbe paraphe ; les arabesques semblaient donner une authenticité au document.

Il promit d'enterrer chrétiennement Bess et déclara que Joe ne devait pas s'attarder pour l'aider. Puis, lui donnant deux shillings, du pain enveloppé dans un petit balluchon, le conseil d'éviter les grandes routes et une longue étreinte paternelle, il ouvrit la porte et envoya un jeune ex-Joe Moffat, désorienté, se perdre dans la campagne voilée de brume.

Joe se dirigea, résolument, vers le port de Bristol sur l'Avon. Pas une fois il ne fut interpellé, pas une fois il n'eut à montrer le document si bien préparé par Giles. Ce qui prouve, pensa-t-il, à quel point le monde se soucie peu de Thad Windom.

Il pleurait la perte de sa mère mais n'éprouvait pas le moindre remords d'avoir tué son beau-père. Il avait fait ce qu'il devait, la vengeance étant devenue la compagne de la nécessité.

En route, il se surprit à nourrir de nouvelles pensées bizarres, la plupart sur la religion. Il savait qu'il ne pourrait jamais avoir la foi de sa mère dans un Christ doux, clément et apparemment impuissant, mais il se découvrait une certaine sympathie pour l'Ancien Testament. Bess lui avait lu de nombreuses histoires d'hommes forts, courageux, que l'audace n'effrayait pas. Il se sentait une parenté avec eux et avec leur Dieu, qui se renforçait à mesure qu'il marchait à travers champs et forêts vers le grand port de l'ouest de l'Angleterre.

Après plusieurs faux départs, il fit la connaissance du maître d'un navire qui ferait bientôt voile vers le Nouveau Monde, une région du globe où beaucoup d'Anglais trouvaient une seconde chance en ces temps troublés. L'homme, le capitaine Smollet, avait une jambe de bois et son vaisseau s'appelait le *Gull of Portsmouth*. Sa proposition fut toute simple.

— Tu me signes un contrat d'engagement. En échange, je te ferai faire la traversée et je te nourrirai à mon bord. Nous relâcherons à Bridgetown, aux Barbades, et puis nous continuerons jusqu'aux colonies d'Amérique. On a besoin de bons ouvriers, là-bas. Si tu connais le travail du fer aussi bien que tu le prétends, je n'aurai pas de mal à te placer.

Le capitaine observa Joe par-dessus la chope de bière qu'il portait à sa bouche. Le garçon n'était pas choqué par le dur marché du capitaine, il l'admettait même. Un homme résolu à réussir devait faire des choix difficiles. Il en avait été de même pour les héros de l'Ancien Testament. Abraham. Moïse. Ils lui serviraient de modèles.

— Alors, Hazard, quelle est ta réponse ?

— Vous ne m'avez pas dit pendant combien de temps il me faudra servir.

Smollet sourit.

— Il y en a qui sont tellement empressés, ou si coupables de crimes passés (à quoi Joe resta impassible) qu'ils oublient de le demander avant que nous sortions de l'estuaire. L'engagement est de sept ans.

Joe eut d'abord envie de protester, de refuser, mais il se ravisa. Smollet, prenant son silence pour un refus, haussa les épaules et se leva en jetant quelques pièces sur la table.

Ce ne sera pas facile, pensait Joe, d'être lié à un homme pendant sept ans, comme un esclave. Cependant, il pourrait mettre ce temps à profit pour s'instruire, de tout en général comme l'avait préconisé Giles et aussi de tous les aspects de son métier. Au bout de sept ans, il serait un homme libre, dans un pays neuf où l'on avait besoin de bons ouvriers du fer et où personne n'aurait jamais entendu parler de Thad Windom.

A la porte de l'auberge, le capitaine Smollet s'arrêta en entendant Joe.

— Je signerai, déclara ce dernier.

Ce soir-là, il pleuvait quand il se hâta le long du quai vers le *Gull of Portsmouth*. De la lumière brillait aux fenêtres du gaillard d'arrière, dans la chambre du capitaine. Il sourit, en pensant à Smollet. Quelle canaille ! Il n'a posé que deux ou trois questions indifférentes sur mes antécédents. Craignant que l'offre d'engagement ne soit retirée, le garçon avait montré le document de Giles. Smollet l'avait parcouru avec indifférence et ri en le rendant.

— Une affaire de famille. Qui t'emmène jusqu'aux colonies. Par exemple !

Leurs regards s'étaient croisés. Smollet savait que Joe était un fugitif et il s'en moquait. Joe admira son manque de scrupules et ne l'en apprécia que plus.

Sept ans, ce n'était pas si long, après tout.

Cette pensée en tête, Joe s'arrêta au sommet d'un escalier plongeant dans l'eau. Il descendit quelques marches, se retint d'une main au bois gluant et trempa l'autre dans la mer, trois fois. Il fit de même avec la seconde main. S'il y avait eu sur lui du sang symbolique, il en était lavé. Une vie nouvelle commençait pour lui.

Il examina ses doigts ruisselants à la lumière des lanternes d'un bateau et rit tout haut. Toute trace de poussière de charbon de bois avait disparu de sous ses ongles.

En sifflotant, il monta à bord du navire de Smollet, le cœur léger. Sur le point de se mettre en servage pour sept ans, il affrontait cette perspective avec une sensation de liberté.

Dans le Nouveau Monde, tout serait différent pour Joe Mof... non, Joe Hazard. Dieu l'aiderait. Son Dieu, qui devenait d'heure en heure plus familier, était une divinité qui favorisait les courageux et ne réprouvait pas la hardiesse. Ce serait un ami.


## 1687 : *L'aristocrate*

Au printemps de l'année suivante, au-delà des mers et dans la colonie royale de Caroline, quelqu'un d'autre rêvait de faire fortune.

Pour celui-là, l'ambition était une faim dévorante. Il avait connu la richesse, la puissance, la sécurité, mais la sécurité s'était révélée illusoire, et la fortune, et aussi la puissance, avaient été emportées comme les sables étincelants de Charles Town quand une marée d'équinoxe les submergeait.

Charles de Main avait trente ans. Avec sa ravissante femme Jeanne, il était là depuis deux ans. La Caroline n'était envahie par les Européens que depuis dix-sept ans ; tous ses deux ou trois mille citoyens blancs étaient relativement de nouveaux venus.

Parmi les colons, dominait un groupe d'aventuriers originaires des Barbades. Ces hommes s'étaient installés dans le village de Charles Town et avaient vite accédé à la puissance sous les Lords Propriétaires, aristocrates anglais qui avaient fondé la colonie comme une entreprise financière. Ces Barbadiens se jugeaient supérieurs, mais Charles les considérait comme des utopistes. Ils rêvaient d'un paradis agricole où ils s'enrichiraient en produisant de la soie, du sucre, du tabac et du coton. Lui était plus réaliste. Les basses-terres de la côte de la Caroline étaient trop humides pour l'agriculture traditionnelle. Les étés y étaient torrides et, seuls, les plus endurcis y survivaient. Pour le moment, l'unique prospérité de la colonie — pour ce qu'elle valait — venait de trois sources : les fourrures, comme celles qui passaient par le poste de troc de Charles, le bétail et une nouvelle forme de richesse qu'il ramenait de l'arrière-pays sous la menace du fusil.

Des Indiens destinés à l'esclavage.

Il était impossible de prétendre que Charles de Main avait été attiré vers cette contrée de marécages et de dunes par son aspect physique ou commercial. Jeanne et lui y avaient échoué, fuyant la vallée de la Loire où Charles était le quatorzième duc de sa lignée.

Il s'était marié à vingt ans et avait pris la direction des vignobles de sa famille. Pendant quelques années, la vie du jeune couple fut idyllique, la seule ombre étant que Jeanne n'avait pas d'enfant. Mais ce fut leur religion familiale qui causa leur perte.

Quand Louis XIV révoqua l'Edit de Nantes en 1685, la trêve précaire entre catholiques et protestants prit fin. Comme tous les huguenots, Charles de Main et sa femme furent bientôt menacés par les purges qui ravageaient leur terre natale. Il leur fut formellement interdit de quitter la France mais, comme des centaines d'autres protestants, ils cherchèrent un moyen d'évasion.

15

Dans le village dépendant du beau château aux tours rondes des Main, se trouvait un certain homme de loi nommé Emilion, qui pratiquait le vol et la délation derrière une pieuse façade. Il savait ce que rapporteraient, en Angleterre, les bons vins du château et convoitait ses vignobles. Pour les obtenir, il soudoya un palefrenier, afin qu'il dénonçât son maître et sa maîtresse.

Emilion soupçonnait les Main de vouloir s'enfuir et le palefrenier ne tarda pas à voir des signes de préparatifs. Un mot d'Emilion en haut lieu suffit. Le soir du départ des Main, leur carrosse n'était pas à un quart de lieue du château quand les autorités galopèrent à sa poursuite.

Charles enlaça sa jeune femme terrifiée et lui murmura des mots tendres pour l'empêcher de penser à ce qui suivrait leur arrestation : la question, par laquelle les protestants hérétiques étaient forcés d'abjurer leur foi. Un autre huguenot de la région, surpris alors qu'il se ruait vers la côte, était mort dans d'horribles tortures.

Le jeune duc et sa femme restèrent en prison dix-sept jours. Ils furent soumis à la question et marqués au fer rouge ; ni l'un ni l'autre ne céda mais, vers la fin, Jeanne commença à perdre la raison.

Ils seraient morts dans les oubliettes de Chalonnes sans l'oncle de Charles, à Paris. C'était un homme politique habile, capable de changer d'opinion comme de pourpoint brodé. Il connaissait quelques hommes influents dont les principes catholiques ne s'étendaient pas à leur bourse. Des pots-de-vin furent distribués, et une certaine poterne laissée entrouverte. Charles et Jeanne de Main s'évadèrent de Nantes dans la cale d'un vieux bateau de pêche qui faillit sombrer dans les eaux tumultueuses de la Manche.

A Londres, d'autres réfugiés huguenots les orientèrent vers la Caroline. La tolérance religieuse de cette colonie en faisait un havre pour les gens de leur foi. Quelques mois plus tard, déprimé par la chaleur et l'arrogance avec laquelle on le reçut après sa traversée, le jeune aristocrate se demanda si le voyage, et même la vie, valaient tant d'efforts. Charles Town ne portait pas nécessairement bonheur aux nommés Charles. Du moins, ce fut ce qu'il pensa alors.

Il abandonna sa particule, pour marquer le commencement de sa nouvelle vie dans un pays neuf. Bientôt, son pessimisme le quitta. En Caroline, il se sentit libéré des nombreux principes qui le liaient quand il portait un titre. Il en profita.

Il avait survécu à la torture — les cicatrices de ses jambes et de son torse en témoignaient —, donc il survivrait aussi à la pauvreté. Un homme de loi cupide avait volé son château et ses terres mais il posséderait d'autres terres et — lui ou ses descendants — il construirait une autre belle maison. A condition que Jeanne lui donne un héritier.

Pauvre Jeanne ! Ses yeux gris étaient aussi clairs et beaux que jamais mais une longue mèche blanche dans ses cheveux blonds révélait ce qu'elle avait souffert en prison, tout comme avaient disparu son charmant sourire de petite fille et sa manière de fredonner et de rire en réponse à toute question sérieuse. Elle reconnaissait parfois son mari mais croyait qu'ils étaient encore en France. Son esprit avait moins bien tenu que son corps...

La perte de sa raison n'avait pas atténué sa passion pour son mari, mais leurs étreintes ne produisaient pas d'enfant. Cela, ainsi que l'âge avançant, empêchait Charles de dormir. A trente ans, à cette époque, un homme était vieux ; à quarante, on pouvait dire qu'il avait vécu une longue vie.

Le mal qu'il s'était donné pour fonder son petit poste de troc sur un gué de la rivière Cooper, au-dessus de Charles Town, l'avait également changé physiquement. Il ne ressemblait plus à un aristocrate. Il était encore grand, mais un peu voûté et la pauvreté, le travail, la fatigue avaient marqué ses traits, naguère altiers.

Son sourire gai, insouciant, était devenu presque faux, cruel, et d'ailleurs il souriait rarement. Sa noblesse de maintien avait disparu sans laisser de traces. Tassé comme il l'était à présent sur le dos d'un petit poney des marais fléchissant sous son poids, il avait l'air d'une grossière parodie de lui-même.

En fait, il ressemblait à peine à un homme blanc. Ses cheveux, noirs comme ses yeux, tombaient sur son dos, attachés par un bout de chiffon rouge. Il avait la peau aussi basanée que les huit êtres humains à demi nus qui se traînaient derrière lui, les fers aux pieds. Malgré la chaleur étouffante de la matinée de printemps, Charles portait un pantalon de daim et une veste de vieux cuir craquelé. Deux pistolets chargés et deux couteaux étaient fichés dans sa ceinture perlée. Un mousquet reposait en travers de ses genoux. Un marchand d'esclaves devait être prudent et bon tireur.

C'était la quatrième expédition de Charles dans les villages cherokees de l'arrière-pays montagneux. Sans la vente occasionnelle de quelques Indiens, il aurait fait faillite. Le petit poste au bord de la rivière ne rapportait pas assez, même si les boutiquiers de Charles Town achetaient toutes les fourrures qu'il pouvait soutirer aux membres de ces mêmes tribus qu'il s'en allait piller en d'autres occasions.

Les sept hommes et la femme enchaînés avaient tous une vingtaine d'années. Ils étaient beaux, forts, et avaient les plus magnifiques cheveux noirs qu'il eût jamais vus. La fille surtout était séduisante et elle avait de beaux seins. Charles avait déjà remarqué qu'elle le regardait souvent, mais il était convaincu que ses grands yeux calmes dissimulaient surtout un désir de lui trancher la gorge.

Charles tournait le dos aux captifs parce qu'il avait, en queue de colonne, un assistant, aussi armé que lui. C'était un solide métis trapu, un Indien yamasee d'une tribu du nord, engendré probablement par quelque Espagnol remonté de Floride. Il était arrivé au poste de troc l'année précédente, connaissant déjà un peu de français, et prétendait n'avoir d'autre ambition que de faire la guerre aux tribus ennemies.

Il paraissait content de travailler pour Charles, peut-être parce qu'il y avait une trentaine de tribus différentes disséminées dans toute la Caroline, qui se faisaient toutes la guerre. Ainsi le métis, qui se faisait appeler King Sebastian, était à son affaire.

King Sebastian avait une figure scélérate et, comme beaucoup d'Indiens, il aimait se pavaner dans des défroques d'homme blanc. Ce jour-là, il portait une culotte malpropre en satin jadis rose et un habit de brocart vert bouteille ouvert sur un torse de barrique ruisselant de sueur, le tout surmonté d'un grand turban orné de fausses pierreries.

Il adorait son travail. De temps en temps, il talonnait son poney pour rejoindre les captifs et en poussait un ou deux dans l'arrière-train avec son mousquet. Cela provoquait généralement des regards haineux, ce qui faisait rire le métis qui menaçait, comme à présent :

— Attention, petit frère, sinon je me sers de ce bâton de feu pour faire de toi moins qu'un homme.

— Attention toi-même, gronda Charles en français, en arrêtant son poney pour laisser passer la colonne, et en remarquant que les regards des captifs paraissaient anormalement hostiles. J'aimerais conduire ce lot intact au marché, si ça ne te fait rien.

King Sebastian n'aimait pas la critique. Il passa sa colère sur les captifs, en fouettant un traînard avec la cravache qui ne le quittait jamais. Charles laissa faire à regret.

Le marché était une vente aux enchères, clandestine, dans la campagne au-dessus de Charles Town. Depuis plusieurs années, le trafic des esclaves indiens était illégal dans la colonie mais restait une entreprise lucrative et encore courante.

Les risques étaient relativement minimes. Les prisonniers de Charles, par exemple, avaient été enlevés sous la menace du mousquet dans un carré de melons, au crépuscule. Les Cherokees étaient à la fois des guerriers et des cultivateurs. Quand on les surprenait dans leurs champs des contreforts de la montagne, ils étaient capturés assez facilement. Naturellement, le danger n'était jamais totalement absent.

Peu d'Indiens mouraient au cours de la marche vers la côte, alors qu'un grand nombre de Noirs importés d'Afrique en passant par Bridgetown ne survivaient pas à la longue traversée. De plus, on ne devenait négrier que si l'on possédait des navires ou au moins un capital. Charles n'avait pour toute fortune que son poste de troc, son poney et ses armes.

Ce soir-là, ils firent un feu de camp, moins pour se chauffer que pour éloigner les insectes. King Sebastian prit le premier quart de veille.

Charles s'allongea, ses armes disposées sur sa poitrine, et ferma les yeux. A moitié assoupi, il songea aux moyens de refaire fortune. Il savait qu'il devait changer de direction. Il ne gagnait pas assez d'argent, il joignait à peine les deux bouts. De plus, l'isolement du poste n'était pas bon pour Jeanne, même dans son triste état mental. Elle méritait mieux et il tenait à le lui donner. Il l'aimait profondément.

Cependant, impossible d'éviter les questions pratiques. S'il refaisait fortune, qui en hériterait ? Sa pauvre femme à qui il restait fidèle — la seule honnêteté qu'il eût encore — était non seulement folle, mais stérile.

Il allait s'endormir quand un bruit de chaînes le réveilla. Il ouvrit les yeux au moment où King Sebastian criait un avertissement.

Le métis aussi s'était assoupi et maintenant les huit Indiens, les chaînes de leurs chevilles et de leurs poignets tendues entre eux, se précipitaient sur leurs ravisseurs.

Terrifié, Charles saisit un de ses pistolets. *Dieu, faites que la poudre ne soit pas humide !* Le coup ne partit pas. Il prit l'autre pistolet.

Le Cherokee à l'extrémité gauche de la rangée s'était armé d'une pierre. Il la lança sur King Sebastian qui essayait d'ajuster son mousquet. Le métis se baissa, la pierre le frappa à la tempe, pas très violemment, mais quand le mousquet tonna, la balle alla se perdre dans la nuit.

L'Indien le plus proche de Charles leva son pied nu pour lui ruer dans la gorge et il l'aurait écrasée si Charles n'avait pas roulé sur lui-même, levé la main droite et pressé la détente. Le coup partit cette fois. La balle pénétra sous le menton de l'Indien et lui emporta le sommet du crâne.

Cet horrible spectacle brisa la révolte mais le combat ne cessa pas immédiatement. Charles fut obligé de tirer sur un deuxième Indien et King Sebastian en tua un troisième avec son mousquet avant que les quatre autres s'éloignent en traînant avec eux la fille et les cadavres. Les cheveux d'un des morts passèrent sur les braises et prirent feu.

Charles tremblait. Il avait la figure noircie de terre et de poudre, le corps éclaboussé du sang et des débris de cervelle du premier Indien. Pour souper, il avait mangé de la viande fortement salée, qui refusa maintenant de rester dans son estomac.

Quand il revint des buissons, il trouva King Sebastian occupé à corriger les quatre captifs encore en vie, à grands coups de cravache. Il avait retiré les trois morts de la chaîne, mais sans se soucier des clefs des fers. Il s'était servi de son couteau. Dans la nuit, d'énormes busards noirs s'attaquaient déjà aux cadavres.

Le métis tirait la fille par les cheveux.

— La garce aussi mérite une punition !

Un instant, en plongeant les yeux dans le corsage béant de la robe de daim, Charles vit les seins bruns. Cette vue l'émut. La poitrine était ronde, belle, pleine de vie. Observant King Sebastian avec méfiance, elle changea de position. La robe retomba et cacha son corps.

Charles saisit au vol le poignet du métis. A la lueur des braises, sa figure ensanglantée ressemblait à celle d'un Cherokee peinturluré pour la guerre.

— C'est toi qui mérites une punition, dit-il. C'est toi qui t'es endormi en montant la garde.

King Sebastian eut l'air de vouloir se retourner contre son employeur. Charles continua à le regarder fixement. L'Indienne ne connaissait pas un mot de français mais elle comprit ce que disait Charles. Elle n'osa pas sourire. Une lueur de gratitude apparut cependant dans ses yeux.

Une minute s'écoula. Une autre. Le métis écrasa un moustique sur son cou et se détourna. L'incident était clos.

Pas tout à fait. Charles en restait profondément secoué. Même après son tour de veille, quand Sebastian prit la relève, il ne put dormir. Son bref affrontement avec la mort lui rappelait qu'il n'avait pas de fils. Trois frères étaient morts au berceau. Une sœur avait disparu au-delà des Pyrénées au début des troubles. Il était le dernier de sa lignée.

Quand il s'endormit enfin, il fit des rêves étranges où les terres fertiles des Cherokees se mêlaient aux jeunes seins de l'Indienne.

Le lendemain au début de l'après-midi, ils arrivèrent au poste de troc sur la Cooper, une des deux rivières rappelant Anthony Ashley Cooper, comte de Shaftesbury, l'un des premiers Propriétaires.

Jeanne allait bien. Charles se promena avec elle au bord de l'eau. Il la tenait enlacée tandis qu'elle babillait comme un enfant, en regardant un héron blanc perché sur une patte près de la berge. Elle mérite mieux que cela, se répéta-t-il. Elle mérite une belle maison, la protection de serviteurs.

Dans la matinée, il se prépara à partir pour la côte. Il avait l'intention de prendre la route vers midi avec les Indiens et quelques ballots de fourrures à vendre. Pour se rendre aux enchères clandestines, il comptait éviter les pistes principales où sa contrebande humaine risquait d'être vue.

Une demi-heure avant son départ, Jeanne se précipita dans le poste en criant. Il ne comprit rien à ses avertissements mais King Sebastian apparut bientôt, l'air effrayé. Il ne trouvait plus ses mots en français.

— Qui arrive ? interrompit impatiemment Charles. Des messieurs ? Des nababs ? C'est ça que tu veux dire ?

Le métis hocha la tête et leva une main, tous les doigts écartés.

— Des tas.

Charles eut froid au ventre. Vite, ils poussèrent les esclaves vers la grange faite de rondins et de planches de cyprès. Fébrilement, Charles enchaîna les quatre hommes et la fille dans une des stalles des poneys pendant que Sebastian les bâillonnait avec des chiffons. Si les captifs faisaient le moindre bruit, l'opération serait découverte et Charles, perdu.

Les yeux fulgurants des captifs lui disaient que c'était bien ce qu'ils espéraient. Sur son ordre, le métis vérifia une seconde fois les bâillons.

Pour tout aggraver, le chef des visiteurs, un Anglais élégant nommé Moore, faisait partie du conseil du gouvernement de la colonie. Il voyageait dans ce qu'il appelait le « damné arrière-pays pestilentiel » avec quatre serviteurs noirs, à la recherche d'un terrain pour une résidence d'été loin de la côte infestée de fièvres.

Moore resta trois heures. Charles était sur des charbons ardents. A un moment donné, il perçut un bruit de ferraille et un choc sourd dans la grange, mais Moore, qui n'arrêtait pas de parler, n'entendit rien.

Quand un des serviteurs aperçut des chaînes et des fers sous le comptoir, Charles dut faire rapidement travailler son imagination.

— Je les ai acceptés en troc contre un fusil, prétendit-il. Un type méfiant qui se disait en route pour la Virginie. A l'automne dernier, c'était...

Moore n'accorda pas un regard aux chaînes et aux menottes. Avec toute l'arrogance d'un Anglais, il ne cessait de critiquer le climat, la campagne primitive et le Nouveau Monde en général. A quatre heures, quand il fit un peu plus frais, il s'en alla entraînant son escorte. Charles se servit une rasade de gin tiède, l'avala d'un trait, embrassa Jeanne et courut à la grange.

King Sebastian montait la garde à la porte. A l'intérieur, Charles trouva les quatre Indiens qui regardaient la fille avec rage. Son bâillon avait glissé autour de son cou. Elle aurait pu crier.

Elle posa sur Charles ce même regard intense et il comprit enfin. Peut-être avait-il compris dès le début mais le remords, la pensée de Jeanne, lui avaient interdit de se l'avouer. Il tourna les talons et sortit rapidement sous le soleil.

Le commerce des esclaves devenait trop dangereux. Cette certitude, à retardement, ne quitta pas Charles quand il partit le lendemain matin. Elle resta avec lui le long des pistes marécageuses du bas-pays et elle était encore là, comme un farfadet perché sur son épaule, quand il atteignit la côte.

La clairière s'étendait en dehors de la palissade entourant Charles Town. Le site avait été soigneusement choisi, pas assez près pour être aisément détecté, pas loin pour rendre le chemin trop dangereux la nuit. On y arrivait en longeant la Cooper pendant une dizaine de minutes. Une demi-douzaine d'hommes y était déjà réunis, des planteurs de la région cherchant désespérément une culture lucrative dont les bénéfices exauceraient leurs rêves en Caroline. Jusque-là, cette recherche avait échoué. La colonie était une entreprise déficitaire.

Néanmoins ils persistaient à prétendre que leur vie était idéale. Ils échangeaient les derniers potins de la ville. Ils félicitèrent Charles de ce qu'il apportait, mais sans trop s'approcher de lui. Son odeur, tout autant que sa lignée, les offensait.

Des torches plantées dans le sol sablonneux éclairaient d'une lumière fumeuse la table de vente en rondins. Un commissaire-priseur, autre gentleman éminemment respectable, dirigeait les enchères en échange d'un petit pourcentage sur l'ensemble de la vente. En ville, Charles avait entendu cet homme pérorer contre l'esclavage des Indiens. Ce genre de propos était courant. La plupart des hommes présents avaient possédé au moins un esclave indien. Ils ne s'élevaient pas contre l'immoralité de l'esclavage mais craignaient surtout que le commerce avec les Indiens soit compromis si jamais les tribus s'unissaient pour se révolter contre cette pratique.

Cela ne les empêchait pas d'être là ce soir. De sales hypocrites, pensait Charles.

Un par un, les quatre Indiens mâles furent vendus. Chacun rapporta un prix plus élevé que le précédent. Charles se tenait à l'écart et son ressentiment se calmait tandis qu'il tirait sur sa pipe en terre et évaluait ses bénéfices.

Il écoutait les conversations. Un homme parlait d'envoyer son nouvel achat aux Indes Occidentales pour l' « acclimater », comme il disait, c'est-à-dire le briser. Un autre évoquait les nouvelles concessions de terres accordées le long des rivières avoisinantes.

— Oui, mais à quoi sert de posséder des terres si l'on ne peut pas payer sa redevance et si l'on n'accepte aucun produit à la place des espèces ?

— Il se pourrait qu'il y en ait une maintenant, dit le premier en montrant un petit sac rebondi.

Les autres se pressèrent autour de lui avec curiosité. Même Charles s'approcha pour écouter ; la vente s'interrompit pendant que l'homme au sac répondait aux questions.

— Ce sont des graines, de Madagascar. Le même genre de graines qui poussent si bien dans ces jardins saturés d'eau de Charles Town.

— Est-ce que c'est du riz comme celui que le capitaine Thurber a donné au docteur Woodward l'année dernière ? demanda un autre gentleman surexcité.

Thurber était le capitaine d'un brigantin qui avait relâché à Charles Town pour des réparations ; Charles avait entendu parler de ce riz.

L'homme au sac le remit dans sa poche.

— Oui. Il exige un terrain humide. Beaucoup de gens sont intéressés par ses possibilités. Tout à coup, il y eut une ruée sur les terrains. On a l'impression qu'un usage lucratif a été découvert pour ces maudites basses-terres.

— Oui, mais quel Blanc supporterait de travailler dans des marécages ? demanda le sceptique.

— Pas un seul, Manigault. Il faudrait des hommes accoutumés à une chaleur intense et à des conditions presque intolérables... Des Africains. Beaucoup plus que nous n'en avons actuellement dans la colonie.

A ce moment précis, Charles se fixa un nouveau but. Il ne mettrait pas un shilling dans de la marchandise pour son poste. Quoi qu'il en coûtât, il consulterait un de ces avocats marrons, il paierait pour apprendre comment se faire attribuer une concession de terres par ici, près de la mer. Il étudierait ce qu'il venait d'entendre sur la graine de Madagascar. Il était, avant tout et surtout, un homme de la terre. S'il avait cultivé la vigne, il saurait cultiver le riz.

Mais la main-d'œuvre posait un problème. Il connaissait la nature inhospitalière de ces basses-terres. Il ne tiendrait pas un mois en travaillant, plongé jusqu'à la taille dans une eau porteuse de miasmes, sans parler des alligators.

La solution était évidente : un esclave noir, deux, si ses gains le permettaient. Un homme fait ce qu'il doit.

— Messieurs, messieurs, s'exclama le commissaire-priseur. Tous ces propos nous distraient de la plus belle vente de la soirée.

Montant sur la table, il souleva la robe de daim pour exhiber le corps de la jeune Indienne. Les hommes firent soudain attention.

*Un homme fait ce qu'il doit.* Le même principe s'applique au problème des héritiers, décréta Charles. S'il voulait se refaire une fortune en Caroline — et il avait enfin une lueur de cet espoir qui lui manquait depuis des années —, il devait accepter certaines réalités. Il n'avait aucune intention de quitter sa bien aimée Jeanne mais, en même temps, il ne pouvait plus être d'une fidélité scrupuleuse.

— Messieurs, qui va ouvrir les enchères pour ce joli brin de fille indigène ? Qui me donnera un prix pour...

— Arrêtez !

Des deux bras, Charles écarta le groupe. Plus droit qu'il ne l'avait été depuis longtemps, il soutint le regard agacé du commissaire-priseur.

— J'ai changé d'idée. Elle n'est pas à vendre.

Lentement, il se tourna vers la fille. Sa robe était retombée. Elle posait sur lui ses grands yeux noirs. Elle comprenait.

Charles n'eut pas l'imprudence d'essayer de passer la nuit dans un hôtel de Charles Town. Même les plus sordides, en bas, près de la pointe de la péninsule où les deux rivières se rejoignaient pour former un fleuve se jetant dans l'océan, n'accepteraient pas un homme blanc accompagné d'une Indienne qui n'était manifestement pas son esclave.

Il trouva une combe isolée non loin de la palissade. Malgré le risque des serpents et la menace des insectes, il y étala ses couvertures, plaça ses armes chargées à portée de sa main, s'allongea à côté de l'Indienne dans la nuit moite et la prit.

Il ne connaissait que quelques mots rudimentaires de son dialecte, dont pas un n'était un mot d'amour. Cependant, elle devinait son désir et ne demandait qu'à y céder. Il avait la bouche sur ses lèvres, une main sur son ventre : c'était ce qu'elle avait voulu dès le premier instant. Il l'avait lu dans ses yeux et n'avait su le comprendre.

Charles était un amant accompli, tendre quand il le fallait. L'art amoureux, la courtoisie n'avaient pas été complètement oubliés en lui. La folie de Jeanne et son besoin de considération les avaient protégés. Pourtant, cette fois, son style changea. Le lent rythme régulier fut remplacé par une ardeur plus rapide, plus volontaire. Son excitation s'accrut, celle de l'Indienne aussi. La passivité devint passion. Etendus sur cette terre humide et fertile, cent espèces vivantes bourdonnant ou criant autour d'eux, sous un ciel étincelant d'étoiles, ils s'étreignirent éperdument.

Cette nuit-là, Charles planta sa graine aussi méthodiquement qu'il allait planter le riz qui ferait la fortune des Main.

A cette époque, Charles Town se composait de moins de cent maisons rudimentaires et bâtiments de commerce. Beaucoup de Barbadiens parlaient de construire ces spacieuses demeures aérées caractéristiques des îles d'où ils venaient, mais, pour cela, il fallait une meilleure économie, un avenir plus florissant. L'apparente distinction de la ville était manifestement feinte et plus qu'un peu misérable.

Ce ne fut pas l'impression qu'eut Charles le lendemain matin. Le temps était clair et ensoleillé, l'air rafraîchi par un léger vent de nord-est soufflant de la rade. Il longea les rues descendant vers le port, l'Indienne le suivant à un pas. Il avait changé d'allure, son attitude exprimait maintenant la certitude, la force.

Il remarqua cependant les regards méprisants des personnes de bon ton : une liaison avec une femme de couleur, qu'elle soit noire ou peau-rouge, était acceptable, mais l'étaler en public était une autre affaire.

L'attitude générale lui inspira de nouvelles idées. La plupart des Caroliniens étaient d'un snobisme infernal à propos de leur ascendance. Si lui, Charles, avait un enfant que l'on saurait à moitié cherokee, jamais ni lui ni l'enfant ne seraient acceptés dans leurs cercles, quelle que soit la fortune qu'il aurait accumulée, et même si sa lignée valait dix fois la leur.

Rapidement, il chercha une ruse. Il savait que la jeune Indienne serait bientôt enceinte, il y veillerait. Une fois que cela commencerait à se voir, il s'arrangerait pour la maintenir dans l'arrière-pays ; il l'installerait dans une cabane en rondins, à l'abri de tous les regards, sauf des siens et peut-être de ceux de King Sebastian. Il lui assurerait qu'ainsi elle serait plus en sécurité.

Puis il annoncerait à Jeanne qu'il avait l'intention d'adopter un enfant mâle. Pas un instant, il ne douta que l'Indienne lui donnerait un fils, tout comme il ne douta jamais qu'il aurait à affronter et à dominer sa fureur quand il lui enlèverait l'enfant. Il était un homme, ce qui lui donnait l'avantage ; il était blanc, ce qui en était un autre. Il irait jusqu'à la contraindre par la force, s'il le fallait. Il y avait bien peu de choses que Charles n'aurait pas fait pour obtenir la continuité de sa lignée et la sécurité future de tout garçon portant son nom. Plus tard, il ferait passer l'enfant, aux yeux des étrangers, pour le fils orphelin de sa sœur.

Il se renseigna sur l'arrivée de navires apportant des Africains à vendre. On n'en attendait pas avant trois semaines. Le seul vaisseau important du port était un navire de commerce en provenance de Bridgetown, le *Gull of Portsmouth*, transportant quelques passagers.

Charles passa près d'un groupe de cinq jeunes gens qui paraissaient fascinés par l'animation du petit port. Il reconnut en eux des engagés à leur air de chien battu, à l'exception d'un gamin trapu aux larges épaules, aux cheveux châtain clair, dont les yeux brillaient comme de la glace au soleil et qui marchait avec une certaine assurance fanfaronne.

Lorsqu'ils se croisèrent sur le chemin, le garçon lié par contrat s'étonna de cet homme barbu aux vêtements grossiers mais à l'allure aristocratique, et l'ancien marchand, le futur propriétaire d'esclaves se demanda comment un être humain acceptait volontairement de se mettre en esclavage.

Un matelot se penchant à la rambarde du navire cria :

— A bord, les gosses, à bord ! La marée reflue. Vous aurez encore de quoi bavarder à Penn !

Les garçons remontèrent précipitamment à bord et l'aristocrate, sa femme cherokee le suivant avec des yeux pleins d'adoration, disparut dans la foule. Sous le soleil matinal, ils s'étaient déjà oubliés les uns comme les autres.

# LIVRE PREMIER

# L'APPEL DU TAMBOUR

*... Dans les guerres futures, la Nation devra compter sur l'Académie pour l'art de conduire le courage à la victoire.*

Le ministre de la Guerre
JOHN C. CALHOUN, à SYLVANUS THAYER,
surintendant, U.S. Military Academy.
(West Point) 1818.

# CHAPITRE PREMIER

— UN COUP DE MAIN POUR
vous aider à charger ça à bord, jeune homme ?

Le débardeur souriait mais il n'y avait pas d'amabilité dans ses yeux, rien que de la cupidité inspirée par la vue d'un étranger.

Quelques instants plus tôt, le cocher de l'omnibus d'Astor House avait jeté sur le quai la malle déjà mal en point. Harry l'avait saisie par la dernière poignée de corde encore solide et ne l'avait traînée que sur quelques pas quand le débardeur s'était placé entre lui et la passerelle.

C'était par une belle matinée ensoleillée de juin 1842, et Harry redoutait déjà la journée qui l'attendait. Le sourire fixe et le regard dur du débardeur ne firent qu'aggraver sa nervosité, tout comme l'apparition de deux camarades de l'homme.

La crainte et la lâcheté, cependant, sont deux choses différentes et Harry n'avait pas l'intention de laisser la première s'incliner devant la seconde. On l'avait averti que New York grouillait de toutes sortes de voleurs et il comprit qu'il en rencontrait un. Il ôta son chapeau haut de forme taupé et s'épongea le front avec un mouchoir de fine batiste.

Harry Main avait seize ans et mesurait près d'un mètre quatre-vingt-dix. Sa minceur accentuait sa haute taille et lui conférait une certaine grâce de mouvements. Il avait une longue figure banale mais le bon teint d'un garçon qui vit beaucoup au grand air et au soleil. Son nez était fin et patricien, ses cheveux ondulés châtain foncé. Il avait des yeux marron, assez enfoncés, souvent cernés par la fatigue quand il avait mal dormi, comme la nuit précédente. Ces ombres donnaient à son visage une expression mélancolique. Mais il n'avait pas du tout un caractère porté à la mélancolie, comme le prouvait son sourire fréquent. Il était cependant de nature réfléchie, et ne s'engageait jamais à la légère.

Impatient, le débardeur posa un pied sur la malle.

— Hé ! j'ai demandé...

— Je vous ai entendu, monsieur, mais je peux porter cette malle moi-même.

— Ecoutez-moi ça, ricana un des autres. D'où tu viens, hé ! bouseux ?

C'était l'accent d'Harry qui le trahissait, car ses vêtements étaient loin d'être ceux d'un campagnard.

— De la Caroline du Sud.

Son cœur battit plus vite. Il avait devant lui trois hommes adultes, rudes et musclés, mais il refusa de se laisser impressionner et abaissa de nouveau sa main vers la poignée de corde. Le premier débardeur lui empoigna le bras.

— Que non ! Ou nous la mettons sur le vapeur ou tu t'en vas à West Point sans elle, fiston !

Harry fut stupéfait par la menace et tout aussi étonné que l'on eût si aisément deviné sa destination. Il songea qu'il devait réfléchir et se mettre en meilleure position pour traiter avec ces brutes. Il secoua violemment son bras pour le dégager. Après un délai voulu, l'homme le lâcha. Alors, Harry se redressa et se servit de ses deux mains pour remettre son chapeau.

Trois passagères, deux jolies filles et une femme plus âgée, apparurent. Elles ne pouvaient l'aider. Puis, un petit homme en uniforme descendit de la passerelle. Ce doit être un responsable de la compagnie, pensa Harry.

— Combien, pour la charger à bord ? demanda-t-il froidement.

Derrière lui, des roues de voiture grincèrent, des sabots claquèrent sur les pavés. Il entendit des voix joyeuses, des rires. D'autres passagers arrivaient.

— Deux dollars, ricana le débardeur.

— C'est huit fois plus qu'un tarif normal.

— Possible, soldat. Mais c'est le prix, répliqua l'autre en rigolant.

— Si ça te plaît pas, lança le deuxième, va te plaindre au maire !

La chaleur, autant que la tension, faisait transpirer Harry. Il se pencha de nouveau vers sa malle.

— Je refuse de vous payer un seul...

Le premier débardeur le repoussa.

— Alors, la malle reste là.

Une expression sévère masqua la peur d'Harry.

— Monsieur, ne posez plus les mains sur moi.

Ces mots trop polis exaspérèrent l'homme qui s'élança en avant. Harry avait prévu son attaque et il enfonça son poing droit dans le ventre du débardeur.

— Ça suffit ! cria soudain l'homme en uniforme, mais un autre débardeur le poussa si violemment qu'il faillit être jeté à l'eau.

Le premier individu saisit les oreilles d'Harry et les tordit, puis, il lui envoya un coup de genou dans le bas-ventre. Harry partit à la renverse et tomba contre quelqu'un qui venait de surgir derrière lui, quelqu'un qui l'évita et se rua les poings levés sur les trois voyous.

Il n'est guère plus âgé que moi, jugea Harry en fonçant dans la mêlée. L'inconnu plus petit, trapu, frappait avec férocité. Harry bondit, ensanglanta un nez, eut la joue labourée par des ongles sales. Apparemment, les méthodes de bagarre de la frontière du Sud avaient atteint New York.

Le premier débardeur tenta de fourrer son pouce dans l'œil d'Harry. Une longue canne à pommeau d'or s'abattit sur lui et lui entailla le front. Il chancela en poussant un cri.

— Scélérats ! rugit un homme. Où sont les autorités ?

— William, ne vous énervez pas ! s'exclama une femme.

Le jeune homme trapu bondit sur la malle d'Harry, prêt à repartir à l'assaut. L'homme en uniforme s'étant relevé fut rejoint par deux matelots du vapeur. Les débardeurs reculèrent devant ces renforts inattendus et, après quelques jurons qui firent pousser des cris scandalisés aux dames, ils quittèrent promptement le quai et disparurent dans une ruelle.

Harry respira. Son sauveur abandonna la malle. Ses beaux vêtements étaient à peine fripés.

— Je vous remercie infiniment de votre assistance, monsieur, dit Harry, sa politesse dissimulant sa nervosité en présence de Yankees apparemment fort prospères.

Le jeune homme sourit largement.

— Nous les avions presque corrigés, décida-t-il.

Harry sourit aussi. L'inconnu lui arrivait à peine à l'épaule. Sans avoir un pouce de graisse, il paraissait gros, avec sa large figure ronde. Il avait perdu son chapeau et ses cheveux châtains, plus clairs que ceux d'Harry, étaient striés de mèches décolorées par le soleil. Ses yeux pâles, couleur de glace, étaient sauvés de la sévérité par un pétillement de malice. Son sourire y contribuait aussi, bien que ceux à qui il ne plaisait pas l'eussent sans doute trouvé arrogant.

— En effet, répliqua Harry, entrant dans le mensonge.

— Ridicule, intervint un homme pâle et corpulent, de trois ou quatre ans plus âgé que le sauveur d'Harry. Vous auriez tous deux pu vous faire blesser ou même tuer.

Le garçon trapu s'adressa à Harry.

— Mon frère ne fait jamais rien de plus dangereux que de se couper les ongles, lança-t-il gaiement.

La dame qui avait crié, forte et âgée d'une quarantaine d'années, protesta.

— George, ne sois pas insolent avec Stanley. Il a raison. Tu es beaucoup trop impétueux.

C'est donc toute une famille, pensa Harry, et il porta la main au bord de son chapeau.

— Que nous ayons gagné ou perdu, vous m'avez tous aidé dans un moment difficile. Je vous remercie encore.

— Je vais vous donner un coup de main avec cette malle, dit George. Vous prenez ce bateau, n'est-ce pas ?

— Oui, jusqu'à l'Académie militaire.

— Vous venez de recevoir votre affectation ?

— Oui. Il y a deux mois.

— Tiens, répliqua George avec un nouveau sourire, moi aussi. Il tendit la main et poursuivit : Je me présente, George Hazard. Je viens de Pennsylvanie, d'une petite ville dont vous n'avez jamais entendu parler, Lehigh Station.

— Harry Main. De Saint-George, Caroline du Sud.

Ils se dévisagèrent aimablement. Harry sentit que ce petit Yankee belliqueux allait être un ami.

A quelques pas derrière eux, le père de George reprochait sévèrement au personnage officiel d'être resté inactif pendant la bagarre. L'autre déclinait toute responsabilité dans ce qui se passait sur le quai. Hazard père s'exclama :

— J'ai votre nom. Il y aura une enquête, je puis vous le promettre !

La mine furieuse, il rejoignit sa famille. Sa femme le calma de son mieux. George s'éclaircit la gorge et, avec aisance, procéda aux présentations.

William Hazard était un homme sévère, impressionnant, à la figure ridée. On lui donnait dix ans de plus que sa femme, ce qui était faux. En plus des parents et de deux fils aînés, il y avait une sœur, Virgilia, et un petit garçon de six à sept ans. Sa mère l'appelait William; George, Billy. Le gamin semblait gêné par son col haut qui frôlait ses oreilles et contemplait son frère George avec une admiration évidente.

— Comme Stanley est l'aîné, il va reprendre la direction de la fonderie, expliqua George tandis qu'Harry et lui portaient la malle à bord du vapeur. Il n'a jamais été question qu'il fasse autre chose.

— Une fonderie ?

— Oui. Notre famille fabrique du fer depuis six générations. La société s'appelait les Forges Hazard mais mon père a changé le nom et maintenant c'est Hazard Fer.

— Cela intéresserait mon propre frère. Il est passionné par tout ce qui est mécanique ou scientifique.

— Vous êtes aussi un cadet ? demanda le père de George en montant à bord avec le reste de la famille.

— Oui, monsieur. Mon frère Cooper a refusé l'affectation à l'Académie, alors je l'ai acceptée à sa place.

Harry n'en dit pas plus; il jugeait inutile de révéler des querelles de famille, de raconter à des inconnus que Cooper, qu'il admirait, ne cessait de décevoir et d'irriter leur père avec ses manières indépendantes.

— Alors, c'est vous le plus heureux, jeune homme, déclara Hazard père, appuyé sur sa canne à pommeau d'or. Certains prétendent que l'Académie est un havre pour aristocrates, mais c'est un canard. La véritable nature de l'Académie est la suivante : c'est la source de la meilleure éducation scientifique d'Amérique.

Il ponctuait chaque phrase d'une espèce de point d'exclamation verbal. Cet homme parle par déclarations, pensa Harry.

La sœur s'avança. C'était une fille peu souriante d'une vingtaine d'années, la figure carrée marquée par la petite vérole, de formes généreuses, presque trop potelées pour sa robe de broderie anglaise au corsage serré. Des gants et une capote garnie de fleurs complétaient sa toilette.

— Voudriez-vous avoir la bonté de me répéter votre prénom, Mr Main ? demanda-t-elle.

— Harry, répondit-il, comprenant soudain pourquoi elle n'était pas mariée, et il épela son nom.

Il expliqua que ses ancêtres étaient de vieux colons de la Caroline du Sud et qu'il était le troisième de la famille à s'appeler Harry, nom huguenot assez courant dont on ne prononçait pas l'H.

— Puis-je demander de quoi s'occupe votre famille ? insista-t-elle, un défi dans ses yeux noirs.

Aussitôt, Harry fut sur la défensive; il devina où elle voulait en venir.

— Elle possède une plantation de riz, mademoiselle. Assez importante et jugée prospère.

— Je présume que vous avez aussi des esclaves ?

Il ne souriait plus.

— Oui, mademoiselle, plus de cent cinquante. On ne peut cultiver le riz sans eux.

— Tant que le Sud perpétuera l'esclavage des Noirs, Mr Main, la région demeurera arriérée.

La mère posa une main sur le bras de sa fille.

— Virgilia, ce n'est ni le moment ni le lieu pour ce genre de discussion. Ta réflexion est impolie et manque de charité chrétienne. Tu connais à peine ce jeune homme.

La jeune fille cligna des yeux, en manière d'excuses, les seules auxquelles Harry aurait droit.

— Les visiteurs à terre. Les visiteurs à terre, s'il vous plaît!

Une sonnerie stridente retentit. George se précipita, embrassa Billy, sa mère, son père. Il serra la main de Stanley et dit tout juste au revoir à Virgilia.

Bientôt, le vapeur quitta l'appontement. Sur le quai, la famille agitait des mouchoirs. Elle disparut quand le bateau remonta le fleuve en amont. Les deux jeunes voyageurs, soudain livrés à eux-mêmes, se regardèrent.

George Hazard, dix-sept ans, se sentit obligé de faire des excuses au jeune homme du Sud. Il ne comprenait pas sa sœur aînée mais la soupçonnait d'en vouloir au monde entier parce qu'elle n'était pas un homme, avec les droits et toutes les possibilités d'un homme. Sa colère la mettait à l'écart de la société; elle était trop brusque pour harponner un soupirant.

Il ne comprenait pas non plus ses opinions. Jamais il n'avait beaucoup réfléchi à l'esclavage. Cela existait, même si beaucoup de gens assuraient que c'était un mal, et il n'allait certainement pas maudire quiconque pour cette raison.

Les roues à aubes brassaient l'eau étincelante de soleil. Les quais et les maisons de New York disparurent bientôt. George observait Harry du coin de l'œil. Dans un sens, il lui rappelait Stanley : *Réfléchis d'abord et n'agis qu'après avoir mûrement réfléchi.* Leur différence pourtant était importante. Le sourire d'Harry était naturel, sincère, celui de Stanley pincé et visiblement forcé. George déclara :

— Ma sœur a été très impolie.

— Elle est abolitionniste?

— Je ne crois pas, pas active, en tout cas, encore qu'elle en serait capable. J'espère que vous n'avez pas été trop vexé par ses réflexions. Ne les prenez pas à cœur, elle serait impertinente avec n'importe qui, venant de vos régions. Vous êtes probablement le premier homme du Sud qu'elle rencontre. Nous n'en voyons pas beaucoup en Pennsylvanie, et j'avoue que moi-même je n'en ai jamais rencontré.

— Vous en trouverez pas mal à l'Académie.

— Tant mieux. J'ai hâte de savoir comment ils sont vraiment. Je me suis fait une idée, vous savez...

— Quel genre d'idée?

— Les Sudistes sont des gens qui mangent du porc, se battent au couteau et fouettent leurs nègres.

La description offensa Harry, mais il s'efforça d'y voir une tentative de plaisanterie.

— Cela peut être vrai pour certains Sudistes, mais certainement pas pour tous. C'est ainsi que naissent les malentendus, probablement... Moi aussi, je me suis fait une idée des Yankees.

— Je m'en doutais, lança George. Laquelle?

— Un Yankee est toujours prêt à inventer un nouvel appareil ou à traîner son voisin en justice. C'est un homme retors qui veut vous vendre des couteaux ou de la quincaillerie, mais qui préfère surtout vous écorcher.

George éclata de rire.

— J'ai connu deux ou trois Yankees comme ça.

— Mon père dit qu'aujourd'hui les Yankees veulent gouverner tout le pays.

George ne pouvait laisser passer cela.

— Comme la Virginie l'a gouverné pendant si longtemps ?

Les mains d'Harry se crispèrent sur la lisse vernie.

— Ecoutez..., commença-t-il.

— Non, regardez plutôt !

Le jeune Pennsylvanien désireux de trouver un ami imposait un changement de conversation. Il désignait l'arrière, où deux jeunes passagères pouffaient sous leurs ombrelles. La femme âgée qui les accompagnait s'était endormie sur un banc.

George proposa :

— Si nous allions leur parler ?

Harry rougit et secoua la tête.

— Allez-y si vous voulez. Je n'ai pas tellement l'habitude de faire le joli cœur.

— Ça ne vous plaît pas ?

— Je ne sais pas comment m'y prendre, avoua Harry, tout penaud.

— Ma foi, je vous conseille d'apprendre, sinon vous raterez le meilleur de la vie... Dans le fond, je n'irai pas leur parler non plus. Je ne pourrais pas arriver à grand-chose, entre ici et West Point !

Accoudé à la rambarde, George se tut, s'abandonnant enfin à l'anxiété qui le tenaillait depuis qu'il avait quitté sa maison. Sa famille allait s'attarder à New York, son père pour y traiter une affaire, les autres pour profiter des plaisirs des restaurants, des musées et des théâtres, tandis que lui voguait vers un avenir incertain, et solitaire. Même s'il supportait la rigoureuse discipline de l'Académie, il se passerait deux ans avant qu'il ne revoie Lehigh Station, car les cadets n'avaient droit qu'à une seule permission, entre leurs deuxième et troisième années.

A mesure que le vapeur remontait le courant, des falaises s'élevaient de chaque côté, vertes du feuillage d'été, sans aucune apparence d'habitations humaines sur les hauteurs. Le bateau avançait à travers un désert et, pour cette raison, George apprécia la compagnie d'un garçon destiné à connaître les mêmes incertitudes que lui et, à moins qu'il ne se trompât, les mêmes angoisses devant l'avenir.


CHAPITRE II


LE VAPEUR PROGRESSAIT dans les Highlands de l'Hudson. Vers une heure de l'après-midi, il doubla la pointe qui donnait à l'Académie son nom le plus courant, West Point. Harry chercha au loin le célèbre monument au grand ingénieur Kosciusko, mais le feuillage le cachait.

Alors que le bateau manœuvrait pour s'amarrer à la jetée Nord, les deux jeunes gens eurent une vue spectaculaire des gorges de l'Hudson s'étendant vers le nord. D'anciens glaciers avaient taillé des terrasses aux flancs des montagnes et créé les pics avec lesquels Harry s'était familiarisé par la lecture. Il les indiqua : le mont Taurus derrière eux sur le rive droite, Crow-Nest à l'ouest et, plus loin en amont, la chaîne de Shawangunk.

— Là-bas derrière, là où nous avons longé l'île de la Constitution, les Américains avaient tendu une chaîne pour empêcher la navigation, pendant la Révolution. Fort Clinton était là-haut sur la pointe. Il portait le nom du général anglais. Les ruines de Fort Putnam sont par là-bas.

— L'histoire vous intéresse ?

— Oui. Plusieurs Main se sont battus pendant la Révolution. L'un d'eux était avec Marion, le Renard des Marais.

— Je pense que des Hazard se sont battus aussi. En Pennsylvanie, nous ne nous occupons guère de ces choses-là.

Une irritation se devinait dans la voix de George. Il la sentit et s'efforça d'en plaisanter.

— Mais je comprends maintenant pourquoi vous n'avez pas de temps pour les filles. Vous êtes toujours en train de lire, sans doute.

Harry rougit et George leva une main.

— Ne le prenez pas mal ! Ce que vous dites est intéressant. Mais êtes-vous toujours aussi sérieux ?

— Qu'y a-t-il de mal à ça ? Vous feriez bien d'être sérieux aussi, si vous voulez tenir pendant votre premier camp d'été.

George s'assombrit.

— Vous avez raison.

Les jeunes passagères agitèrent la main quand Harry et George quittèrent le vapeur. La chaleur devenait accablante ; George ôta sa redingote.

Deux soldats en uniforme attendaient sur le quai. Le premier, plutôt lourdaud, s'appuyait contre une carriole à un cheval. Il portait une tunique à boutons de cuivre, un pantalon et des gants, blancs mais pas propres, et il était coiffé d'un képi plat décoré d'un insigne doré. Un grand sabre pendait à son ceinturon.

Harry et George étaient les seuls arrivants. Les hommes d'équipage jetèrent sans ménagements leurs bagages sur le quai. Pendant que les nouveaux venus regardaient autour d'eux, la passerelle fut rapidement relevée. Des sonneries tintèrent, les roues à aubes tournèrent et un coup de sifflet strident annonça le départ.

Le plus petit des deux soldats, en uniforme un peu moins négligé, posa une main sur la poignée de son sabre et s'avança. Lui aussi portait un képi rond. Il avait une figure ridée et un très net accent irlandais.

— Caporal Owens, Armée des Etats-Unis. Prévôt du poste.

— Nous sommes les nouveaux cadets de première...

— Non, monsieur !

— Pardon ? murmura George, interloqué.

— Vous n'êtes rien, monsieur. Pour être un cadet de première année, vous devez passer les examens d'entrée. Jusque-là, vous êtes tous deux des inférieurs. Vous êtes des *objets*. Ne l'oubliez pas et agissez en conséquence.

George se hérissa.

— Tout ici a son rang et son étiquette, n'est-ce pas ?

— Précisément, monsieur, répliqua Owens en reniflant. L'Académie accorde un grand prix au rang. Même les divers services de l'armée ont le leur. Les ingénieurs sont l'élite. Le summum. C'est pourquoi les cadets aux meilleures notes entrent dans le génie. Les plus mauvais deviennent dragons. N'oubliez pas ça et agissez en conséquence.

Quel ours ! pensa Harry. Owens ne lui plaisait pas. Il apprit plus tard que peu de cadets l'appréciaient. Le caporal indiqua la carriole.

— Placez vos bagages là-dedans, prenez ce sentier jusqu'au sommet et présentez-vous au rapport au bureau de l'adjudant.

George demanda où était ce bureau mais Owens ne répondit pas.

Les deux nouveaux venus gravirent donc le sentier sinueux jusqu'à la Plaine, grande esplanade dénudée exposée au soleil, déprimante et poussiéreuse. Harry ressentait déjà le mal du pays. Il essaya de le surmonter en se rappelant pourquoi il était là : l'Académie lui offrait sa meilleure chance d'obtenir ce qu'il voulait depuis son enfance : faire une carrière militaire.

Si George était déçu, il le cachait bien. Tandis qu'Harry examinait les divers bâtiments de pierre à l'extrémité de la Plaine, lui s'intéressait à une petite bâtisse de bois immédiatement sur leur gauche, et plus particulièrement à quelques visiteuses qui bavardaient et observaient l'esplanade, de l'ombre de la véranda.

— Des filles, observa-t-il. Ce doit être l'hôtel. Je me demande si je pourrai y acheter des cigares.

— Les cadets ne fument pas. C'est la règle.

— Je la tournerai.

Harry était impressionné par l'ensemble de l'Académie mais les bâtiments avaient un aspect austère, ce qui était normal, bien sûr. En tout cas, cela donnait un démenti flagrant aux critiques qui prétendaient que les cadets y étaient dorlotés. D'ailleurs, West Point ne pouvait guère être une citadelle d'indolence puisque chaque année, en juin, quatre-vingt-dix à cent jeunes gens y entraient alors que quarante à cinquante seulement en sortaient brevetés quatre ans plus tard. Harry et son nouvel ami avaient un long chemin à parcourir avant de devenir membres à part entière de la classe de 1846.

Vieille de quarante ans à peine, l'institution avait réussi à surmonter pas mal d'oppositions de la part du Congrès et du public. L'excellence de son instruction était maintenant reconnue, tant en Amérique qu'en Europe, mais une bonne réputation académique ne vaut pas la faveur du public. L'Académie affrontait perpétuellement des accusations d'élitisme : on affirmait qu'elle était une école faite uniquement pour les fils de familles riches et influentes. Sous le gouvernement du président Jackson, le représentant du Tennessee, David Crockett, avait proposé un projet de loi qui aurait démantelé West Point si elle avait été votée.

L'Académie avait été fondée en 1802, mais elle avait dû attendre la guerre de 1812 pour obtenir un certain soutien du Congrès et du gouvernement. Pendant cette guerre, une grande partie de l'état-major s'était révélée incompétente. En conséquence, un nouveau surintendant avait été nommé en 1817. Le commandant Sylvanus Thayer avait amélioré rapidement le programme militaire et universitaire. Depuis cette époque, des officiers remarquables étaient sortis de West Point. Harry avait souvent entendu son père parler de Robert Lee, du génie. Lee avait été cadet vers la fin des années 1820.

Cependant, les talents militaires des diplômés des dernières décennies n'avaient jamais été démontrés à une population sceptique car il n'y avait pas eu de guerre, et sans guerre, impossible de vérifier les affirmations de West Point sur la valeur de son programme. Ce scepticisme était alimenté par l'attitude de nombreux cadets, car rares étaient ceux qui envisageaient une longue carrière dans l'armée. La plupart cherchaient à entrer à West Point uniquement pour profiter d'un excellent enseignement. La loi actuelle n'exigeait que quatre ans de service armé après la fin des études. A bord du vapeur, George avait confié à Harry qu'il avait l'intention d'accomplir ses quatre ans et de retourner à la vie civile. Il n'était donc pas surprenant que l'on prétendît que c'était un crime de dépenser l'argent des contribuables pour des jeunes gens qui n'avaient aucune intention de rembourser cette dette par un long service.

A l'extrémité de la Plaine, des cris s'élevaient, Harry et George virent rapidement de quoi il s'agissait : des cadets en uniforme aboyaient des ordres dans une ruelle poussiéreuse devant les deux casernes de pierre. D'autres jeunes gens en tenues civiles disparates se mettaient tant bien que mal en place sous ce harcèlement. Leur maladresse révélait des nouveaux.

Un tambour battit on ne sait où, sur un rythme saccadé. Un cadet en magnifique uniforme se dirigeait vers l'hôtel. George leva une main pour attirer son attention.

— Excusez-moi.

Le cadet s'arrêta, très raide, et le toisa d'un air dur.

— Vous m'avez adressé la parole, monsieur ?

Il rugissait plus qu'il ne parlait. George parvint à garder le sourire.

— Oui. Nous cherchons le...

— Si vous êtes un nouveau, monsieur, glapit l'autre, ôtez votre chapeau, monsieur. Vous aussi, monsieur. Découvrez-vous toujours en vous adressant à un supérieur, messieurs. Maintenant vous, monsieur, dit-il de nouveau à George. Que m'avez-vous dit, monsieur ?

Intimidé par les cris et par l'avalanche de *monsieur*, George arriva à peine à demander le chemin du bureau de l'adjudant.

— Par là, monsieur. Je vous reverrai, monsieur. Soyez-en certain, monsieur.

Le cadet s'éloigna et les deux amis échangèrent un regard de détresse. Ils venaient de faire connaissance avec le style de West Point et cela ne plaisait ni à l'un ni à l'autre.

Le secrétaire de l'adjudant était aussi irlandais, mais plus aimable que le premier. Il prit leurs papiers d'engagement. Un second assistant les soulagea de leur argent de poche et nota la somme dans un registre. Puis on leur intima l'ordre d'aller se présenter au sergent-cadet Stribling, dans la salle quatorze, de la caserne Sud.

Près de la caserne, tous deux s'arrêtèrent un instant près de la pompe commune et regardèrent des groupes de jeunes gens faisant l'exercice sur la Plaine. Harry et George virent que c'étaient des nouveaux, car ils étaient encore en civil. L'Irlandais avait répondu à la question d'Harry sur les uniformes :

— Vous n'en avez pas avant de devenir officiellement un plébéien, mon vieux. Et vous n'êtes pas un plébéien avant d'avoir passé l'examen d'entrée.

On appelait « plébéiens », ou « plèbes », les étudiants de première année.

Sur l'esplanade, les futurs cadets exécutaient maladroitement les ordres et trébuchaient souvent. Les cadets instructeurs n'en hurlaient que davantage. Bientôt, ces nouveaux furent remplacés par des membres du bataillon de cadets, en uniforme. Leur exercice fut si précis et si bien synchronisé qu'Harry comprit ce qui lui restait à apprendre.

Ils trouvèrent enfin le cadet Stribling — pantalon blanc immaculé, tunique grise soutachée de noir, trois rangées de boutons dorés en forme de balles de fusil — qui les houspilla verbalement, tout comme le premier cadet, puis les expédia à l'intendance où on leur remit leur fourniment : un seau et un balai, une louche en fer blanc, un morceau de savon, un bouquin de mathématiques, une ardoise et des couvertures. Celles-ci étaient si neuves qu'elles empestaient encore le suint : odeur traditionnelle des plèbes.

Leur chambrée, au deuxième étage de la caserne Sud, n'avait rien d'un havre pour amateurs de luxe : une seule fenêtre, quelques étagères et une immense cheminée contre un mur. Harry se demanda si cette salle conservait un peu de chaleur par les nuits d'hiver neigeuses. Il n'avait vu qu'une seule chute de neige dans sa vie, et elle n'avait tenu que deux heures au sol, mais il n'était plus en Caroline du Sud...

George examina les étroits lits de fer d'un œil professionnel. Les pieds sont mal fondus, déclara-t-il. Un nouvel appel de tambour, différent du premier, monta vers eux dans l'air lourd. George fit une grimace.

— Ce tambour a l'air de ponctuer toutes les activités, par ici. Je me fais déjà l'effet d'un sacré esclave de ses roulements.

— Tu crois que c'est l'appel du souper ? demanda Harry, plein d'espoir.

— Je l'espère bien. Je meurs de faim.

Mais ce n'était pas encore l'heure du repas. En bas, ils reçurent l'ordre d'aller assister à la parade du soir. Une fanfare attaqua une marche et Harry oublia sa faim.

Les baïonnettes des mousquets étincelaient dans la lumière rougeoyante du couchant. Les drapeaux et les plumets des officiers s'agitaient au vent. Le défilé et la musique firent battre le cœur du jeune Carolinien et sa nostalgie s'envola, il fut presque heureux d'être là. West Point, après tout, exauçait un rêve d'enfant.

Il ne se souvenait pas du moment où il avait décidé de devenir soldat, mais il savait très bien pourquoi il avait une si haute opinion de ce métier. C'était prestigieux — beaucoup plus que la vie d'un planteur de riz — et important dans l'ordre universel du monde. Beaucoup de gens méprisaient les militaires, mais personne ne pouvait nier que les généraux et leurs armées changeaient fréquemment la forme de pays entiers et modifiaient le cours de l'Histoire.

En grandissant, il avait lu d'innombrables livres sur Alexandre, Hannibal, Gengis Khan et Bonaparte, dont l'ombre apocalyptique avait dominé l'Europe moins de trente ans plus tôt. Ses lectures et ses rêves, où se mêlaient le danger et la gloire, la noblesse et le sang, avaient inspiré sa vocation. Il vouait une reconnaissance éternelle à son frère aîné qui avait refusé l'engagement.

Après l'impressionnante cérémonie du soir, le tambour les appela de nouveau, cette fois pour dîner. Le cadet Stribling commandait le peloton des nouveaux qui entrèrent au pas cadencé dans le réfectoire mais en formation désordonnée. Dans la salle, tout le monde resta debout jusqu'à ce que le capitaine-cadet donne l'ordre de s'asseoir.

Le peloton fut placé à une table bancale réservée aux nouveaux. A d'autres tables, Harry remarqua cependant de nouveaux cadets assis parmi des anciens. Il en conclut que ces *objets-là* étaient arrivés la veille. Les élèves de dernière année occupaient les meilleures places en bout de table. Ensuite, sur les côtés, venaient ceux de troisième année, puis de deuxième, les « yearlings », et enfin les plèbes. Finalement, au milieu, l'endroit le plus éloigné des plats, il y avait les nouveaux, intimidés, qu'Harry avait observés. Les anciens échangeaient des réflexions désobligeantes sur eux et ils étaient lents à leur passer les plats. Harry fut heureux de ne pas être ce soir à l'une de ces tables.

Quelqu'un leur apprit que le principal repas de la journée était celui de midi. Le soir, ils n'avaient droit qu'à des restes, du bœuf bouilli et des pommes de terre à l'eau. Ils s'en moquaient, ils avaient trop faim. Et puis, il y avait des suppléments délicieux : du bon pain de ménage, du beurre de campagne, de l'excellent café.

Après le dîner, le capitaine-cadet donna l'ordre de se lever. Cadets et nouveaux retournèrent en rangs aux casernes, des fifres s'ajoutant à la cadence des tambours. George et Harry étalèrent leurs couvertures sur leur lit de fer. L'expression maussade de George révélait à quel point il se demandait ce qu'il faisait dans cet endroit de solitude et de réglementation.

Entre la retraite et l'extinction des feux, deux anciens passèrent pour se présenter. L'un d'eux, un grand gaillard nommé Barnard Bee, était de la Caroline du Sud, ce qui fit plaisir à Harry. George fut accueilli par un cadet de son Etat natal, Winfield Hancock.

La plupart des nouveaux étaient logés dans la caserne Sud et, ce soir-là, George et Harry firent aussi leur connaissance. L'un d'eux, tout jeune, l'air intelligent et la mine éveillée, George McClellan, était de Philadelphie.

— C'est la haute société, expliqua George après son départ. En Pennsylvanie, tout le monde connaît sa famille. On dit qu'il est brillant. Un génie, même. Il n'a que quinze ans.

Harry se détourna de la petite glace au-dessus du lavabo dans laquelle il s'examinait ; on lui avait déjà ordonné de se faire couper les cheveux.

— Quinze ans ? Comment est-ce possible ? Il faut avoir seize ans pour entrer à West Point.

— Pas si on a des relations à Washington. Mon père prétend qu'il y a pas mal de ficelles politiques tirées pour faire admettre des garçons ici, et pour les y faire rester s'ils ont de mauvaises notes ou se fourrent dans de mauvais cas.

Deux autres nouveaux entrèrent quelques minutes plus tard. Le premier, un élégant Virginien nommé George Pickett, était de taille moyenne, avait un aimable sourire et des cheveux bruns soyeux tombant sur ses épaules. Il paraissait respecter encore moins le règlement que l'autre George, ses façons désinvoltes étaient sympathiques.

Le second visiteur était aussi Virginien, mais l'enthousiasme de Pickett parut forcé quand il fit les présentations. Peut-être s'était-il lié avec ce grand garçon dégingandé et le regrettait-il maintenant. Tom J. Jackson, comme il s'appelait, avait le teint brouillé et un long nez mince en lame de couteau. L'intensité de ses yeux bleu-gris inquiéta

Harry. Jackson faisait des efforts pour être aussi gai que Pickett, mais son manque d'aisance rendit la brève visite malaisée pour les quatre jeunes gens.

— Avec cette tête, il devrait être prédicateur, pas soldat, déclara George en soufflant sa bougie. Il a l'air de se faire du souci, mal au ventre, peut-être ou des crampes d'estomac. Et puis qu'est-ce que ça peut faire ? Il ne tiendra pas dix jours.

Harry faillit tomber du lit quand la porte fut ouverte d'un coup de pied et qu'une voix de stentor rugit :

— Et vous, monsieur, vous ne tiendrez pas une fraction de ce temps si vous n'observez pas un silence décent aux moments appropriés. Bonne nuit, monsieur !

La porte se referma. Un coup de tonnerre. Même à l'heure du repos, on n'échappait pas au système... ni aux anciens.

Le tambour les appela avant le jour. La matinée fut bizarre et désagréable. Un lieutenant-cadet du Kentucky jeta toutes les couvertures par terre et leur fit un discours sur la manière correcte de faire son lit au carré et de mettre de l'ordre dans la chambrée pour l'inspection. George écuma mais cela aurait pu être pire. Un nouveau d'une chambrée voisine reçut la visite de deux sous-offs-cadets dont un se présenta comme le barbier du poste. Confiant, le nouveau se soumit à la tondeuse et au rasoir. Quand on le revit, il était rasé à blanc.

Les anciens ne s'appliquaient pas tous à brimer les nouveaux, certains même proposaient leur aide. Le cadet Bee offrit de donner des répétitions à ses camarades de chambrée sur n'importe lequel des sujets de leur examen d'entrée, lecture, écriture, orthographe, décimales et fractions ordinaires.

George remercia Bee mais répondit qu'il pensait pouvoir se débrouiller. Harry accepta avec reconnaissance. Il avait toujours été un élève pitoyable, avec une très mauvaise mémoire et il ne se faisait pas d'illusions.

George estimait qu'il n'avait pas besoin d'étudier. Il passa la matinée à poser des questions aux anciens les moins hostiles. Il fit ainsi deux découvertes qui lui plurent énormément.

Il apprit qu'un marinier venait fréquemment en barque dans une anse de la berge, au-dessous de la Plaine, et y attendait les cadets qui avaient des couvertures ou autres objets de contrebande à troquer. Il offrait en échange des denrées interdites, gâteaux, pâtés, whisky et — heureuse nouvelle — cigares. George fumait depuis l'âge de quatorze ans.

Il fut encore plus satisfait de savoir que de jeunes visiteuses fréquentaient à longueur d'année l'hôtel Roe. Des femmes de tous âges semblaient souffrir d'une certaine maladie plaisamment appelée, avec un clin d'œil, la « fièvre du cadet ». George pensa que ses quatre ans d'exil seraient peut-être moins affreux qu'il ne le redoutait.

Après le repas de midi, le tambour appela à l'exercice. George fut momentanément content quand il rejoignit le peloton. Son contentement disparut quand il vit l'instructeur, un plèbe qui allait devenir un yearling dès que la première classe adopterait la tunique bleue à la place de la grise.

L'individu devait peser plus de cent kilos. Un début de bedaine pointait sous son uniforme. Il avait des cheveux noirs, de petits yeux sournois et un teint qui rougissait au lieu de bronzer au soleil. Il paraissait âgé de dix-huit à dix-neuf ans. George le compara à un gros porc, à un pachyderme et il se prit pour lui d'une animosité immédiate.

— Je suis, messieurs, votre instructeur, le cadet Bent. Du grand Etat souverain de l'Ohio, déclara-t-il et, brusquement, il vint se planter devant Harry. Vous avez quelque chose à dire, monsieur ?

Harry avala sa salive.

— Non, pas du tout.

— Vous répondrez : Non, pas du tout... monsieur !

George eut soudain l'impression que le gros cadet avait pris le temps de se renseigner sur l'origine de ses élèves et s'en servait pour les harceler. Pour beaucoup de Sudistes, le mot *Ohio* ne signifiait qu'une chose : Oberlin College, où Blancs et Noirs défiaient les conventions en étudiant côte à côte, en égaux.

— Vous autres, messieurs du Sud, vous vous croyez supérieurs aux gens de l'Ouest que nous sommes, n'est-ce pas, monsieur ?

Harry rougit.

— Non, monsieur, pas du tout.

— Eh bien, je suis heureux que vous soyez d'accord avec moi, monsieur. Surpris mais heureux.

Bent passa en revue son peloton, négligea deux campagnards et choisit George comme victime suivante.

— Et vous, monsieur ? Que pensez-vous de l'Ouest comparé à votre région... l'Est, si je ne m'abuse, monsieur ? A votre avis, laquelle des trois régions est supérieure ?

George fit de son mieux pour sourire comme un parfait idiot.

— L'Est, naturellement, monsieur.

— Qu'est-ce que vous dites ?

L'haleine fétide de Bent était écœurante, mais George garda le sourire.

— L'Est, monsieur. Rien que des paysans dans l'Ouest. Les personnes présentes exceptées, bien entendu, monsieur.

— Feriez-vous la même réflexion, monsieur, si vous saviez que la famille Bent a de puissantes relations haut placées à Washington ? Des amis dont un simple mot pourrait modifier votre position ici ?

Gros fanfaron plein de soupe, pensa George, toujours souriant.

— Oui, bien sûr, répondit-il et, avant que Bent puisse hurler, il pépia : Monsieur.

— Vous vous appelez Hazard, je crois, monsieur. Sortez du rang ! Je vais me servir de vous pour démontrer un des principes fondamentaux de la marche à ces messieurs. Vous m'entendez, monsieur ? J'ai dit : sortez du rang !

George se hâta d'avancer d'un pas. Il n'avait pas obéi tout de suite parce qu'il avait été suffoqué par la lueur mauvaise dans l'œil de Bent. Ce n'était pas une simple brimade, le bougre y prenait plaisir. Malgré la chaleur, George frissonna.

— Maintenant, monsieur, je vais démontrer le principe dont je parle. Cela s'appelle communément le pas de l'oie. Tenez-vous sur une jambe, ainsi...

Bent leva la jambe droite mais vacilla, déséquilibré par son poids.

— Au commandement *En avant*, la jambe levée est projetée en avant, ainsi. En avant !

Il ne pouvait pas lever le pied très haut tant il était lourd. Ruisselant de sueur, il gardait sa position avec difficulté. Puis, criant « En arrière ! », il essaya d'abaisser sa jambe en la rejetant derrière lui. Il faillit tomber sur le nez. Quelqu'un ricana. Avec horreur, George s'aperçut que cela venait du rang d'Harry.

— Vous, monsieur. Notre fleur de serre du Sud. Je crois que vous vous moquez de moi... de cette manœuvre militaire ?

— Monsieur, voulut protester Harry, visiblement ahuri.

— Si vous aviez été officiellement accueilli comme plèbe, monsieur, je vous signalerais au rapport et vous recevriez vingt mauvais points. Vous savez, monsieur, que si vous recevez deux cents mauvais points en une année, vous êtes envoyé sur la route de Canterberry (c'était la route menant à la gare la plus proche et l'expression familière signifiant le renvoi), en disgrâce. Les officiers supérieurs eux-mêmes ne peuvent vous sauver. Alors bridez votre ironie, monsieur.

Tout gonflé d'importance, Bent s'amusait énormément.

— Et, ce qui est plus important, monsieur, appliquez-vous à apprendre cette manœuvre. Vous allez vous y exercer, avec votre camarade. Sortez du rang !

George et Harry se tinrent côte à côte. Bent se pavana devant eux. De sa voix la plus tonitruante de futur caporal, il hurla :

— Sur une jambe, debout ! Prêts, commencez ! En avant, en arrière. En avant, en arrière. En avant, en arrière.

Au bout d'une minute, George sentit des élancements dans sa jambe droite. Pour rien au monde, il ne voulut le montrer. Un des officiers réguliers passa, approuvant Bent de la tête. Les ordres de Bent devinrent plus sonores, la cadence plus rapide. George avait la figure en sueur. Sa jambe lui faisait de plus en plus mal, surtout à la cuisse. Deux minutes passèrent. Encore deux. Ses oreilles bourdonnaient, sa vue se brouillait. Il pensa qu'il pourrait tenir encore dix minutes, au plus. Il était en excellente forme physique, mais absolument pas habitué à cet exercice éreintant.

— En avant, en arrière. En avant, en arrière !

La surexcitation rendait plus rauque la voix de Bent. Quelques hommes du peloton échangèrent des regards inquiets. Le plaisir que prenait le gros cadet était bien trop évident.

Harry fut le premier à tomber en avant, en se retenant sur les mains et un genou. Bent s'approcha vivement de lui, s'efforçant de soulever un nuage de poussière qui frappa le nouveau en pleine figure.

Bent allait lui ordonner de se relever et de reprendre l'exercice quand il remarqua que l'officier l'observait toujours.

— Rentrez dans le rang, monsieur, ordonna-t-il à contrecœur, et il toisa George. Vous aussi, monsieur. La prochaine fois, peut-être, vous ne traiterez pas un exercice militaire avec autant de frivolité. Peut-être ne serez-vous pas si insolent avec un supérieur.

La jambe droite de George le faisait atrocement souffrir mais il réussit à rejoindre le peloton en boitant le moins possible. Les plèbes ont leur part de misères aussi, pensa-t-il, mais ce gros porc haineux, qui trempe son col de sueur, est plus qu'une brute disciplinaire. C'est un sadique.

Les petits yeux sournois de Bent cherchèrent de nouveau son regard. George le soutint avec défi. Il comprit qu'il s'était fait un ennemi.

Les deux amis posèrent des questions sur Bent. Très vite, ils furent plus renseignés qu'ils ne l'espéraient. Le garçon de l'Ohio était un excellent élève mais extrêmement impopulaire. Les hommes de sa propre classe parlaient volontiers de ses défauts, une déloyauté inhabituelle, rare même, indiquant dans quel mépris on le tenait.

Pendant son année plébéienne, Bent avait subi un nombre anormal de brimades. De l'avis de Hancock et d'autres, il les avait attirées lui-même par ses déclarations pompeuses sur la guerre et ses vantardises sur les relations de sa famille à Washington.

— Je suppose que c'est une brute parce qu'il est gros, assura Bee. J'ai connu deux garçons très gras dont on se moquait quand ils étaient petits et qui, en conséquence, sont devenus des adultes odieux, mais ça n'explique pas pourquoi Bent est tellement mauvais. Son attitude dépasse de loin la mentalité stricte d'un soldat. Ça va jusqu'à la dinguerie, conclut le Carolinien en se tapant le front.

Un autre camarade cita l'engouement de Bent pour le plus éminent professeur de l'Académie, Dennis Mahan, qui enseignait le génie et la science de la guerre. Mahan estimait que la prochaine grande guerre, quels que soient sa cause ou ses participants, serait livrée suivant des principes stratégiques nouveaux.

Le premier était la célérité. L'armée la plus rapide aurait l'avantage. Une révolution des moyens de transport aurait lieu en Amérique et dans le reste du monde. Déjà, en cette décennie de crise relative, les chemins de fer étaient en pleine expansion. Les voies ferrées feraient de la rapidité plus qu'une théorie, une réalité.

Les renseignements formaient le second des principes de Mahan. Des renseignements obtenus autrement que par les éclaireurs normaux à terre. Le professeur adorait échafauder des hypothèses sur l'usage des ballons d'observation, et les expériences déjà pratiquées avec des messages codés transmis sur de longues distances par fil.

Beaucoup de cadets étudiaient à fond les idées de Mahan, apprit-on à George et Harry, mais peu les préconisaient avec autant de fanatisme que Bent. Cela leur fut démontré quand ils eurent la malchance d'avoir une seconde fois Bent comme instructeur. Mahan enseignait que les grands généraux, comme Frédéric le Grand et Napoléon, ne se battaient jamais pour conquérir un territoire mais pour un objectif bien plus important, l'écrasement total de toute résistance ennemie. Pendant l'exercice, Bent prononça un curieux discours dans lequel il fit allusion à cette leçon de Mahan et insista ensuite sur le devoir d'un ancien d'imposer la discipline militaire en écrasant toute résistance chez les plèbes.

Un sourire ornait sa figure luisante tandis qu'il pérorait. Mais ses petits yeux noirs restaient durs. Jackson était dans le peloton et, ce jour-là, il devint la cible de Bent. Il houspilla le Virginien en le surnommant Cancre, non pas une fois mais dix.

De retour à la caserne, Jackson déclara qu'à son avis Bent était quelque peu « marteau ».

— Et pas chrétien. Pas chrétien du tout, ajouta-t-il avec sa ferveur habituelle.

George haussa les épaules.

— Si quelqu'un t'avait collé comme prénom Elkanah, tu serais peut-être fou aussi.

— Je ne connais pas grand-chose à l'armée, intervint Harry, mais je sais que Bent n'est pas digne de commander des hommes et il ne le sera jamais.

— Et c'est justement le genre de type qui y arrivera, assura George. Surtout s'il a les relations dont il se vante.

La tradition voulait que les élèves de dernière année jettent leur képi en l'air à leur dernière parade, puis leur fassent faire le tour de la Plaine à coups de pied et de baïonnette. Ce rite marquait la remise des diplômes de West Point.

Bientôt après la cérémonie, ils partaient, après avoir donné ou vendu leurs uniforme et leurs couvertures aux amis qu'ils laissaient derrière eux. Chaque classe montait alors d'un échelon et le Conseil des Visiteurs, réuni sous le commandement du général Winfield Scott pour examiner les diplômés en puissance, tournait son attention vers les futurs plèbes.

Scott était le premier militaire de la nation, pompeux et obèse, mais grand héros. Son surnom, le Vieux Pompe-et-Plumes, n'était pas toujours prononcé avec indulgence. Il s'installa à l'hôtel avec ses filles et présida, presque toujours assoupi, aux examens d'entrée. C'était les professeurs, reconnaissables à leur tenue, redingote bleu foncé et pantalon de coupe militaire, qui faisaient passer les examens.

A West Point, les élèves ne recevaient pas passivement un enseignement qu'ils devaient répéter des mois plus tard à un examinateur. Tous les jours, selon un horaire fixe, certains membres de chaque section devaient se présenter. Un tableau noir servait immanquablement à cette démonstration, comme on l'appelait.

A l'examen, George et Harry, et les autres, durent monter au tableau pour donner la preuve de leurs connaissances. George n'avait guère étudié, mais les examens ne l'inquiétaient pas du tout et sa manière désinvolte le révélait bien. Il passa sans aucune difficulté.

Quand le tour d'Harry arriva, il trouva la salle plus chaude qu'une fournaise, les officiers indifférents — Scott ronflait — et le travail de démonstration monstrueusement embarrassant. Jackson et lui étaient interrogés en même temps. C'était à qui des deux transpirait le plus, se tortillait le plus, ou se maculait le plus de craie. Une telle torture valait-elle la solde princière d'un cadet, les quatorze dollars par mois ? Harry devait sans cesse se répéter que c'était en se débattant au tableau qu'il deviendrait soldat.

Il eut de la chance. Vingt jeunes gens échouèrent et furent renvoyés chez eux. Les autres reçurent un uniforme. Au bout de ces quelques semaines qui leur avaient paru interminables, George et Harry furent, officiellement, des plèbes. En passant simplement la main sur la manche de sa tunique grise de cadet, Harry éprouva la plus grande joie de sa vie.

CHAPITRE III

LE CAMP D'ÉTÉ DE DEUX mois, prescrit par la loi, débutait le 1er juillet. A part les « deuxième année » en permission, tout le corps des cadets dressait les tentes sur la Plaine. Harry apprit à monter la garde et à se défendre contre les anciens qui venaient sournoisement dans le noir voir s'ils pouvaient prendre en défaut la nouvelle sentinelle.

Bent était maintenant caporal. Il inscrivit trois fois Harry au rapport, pour diverses infractions. Ce dernier estima que deux des accusations étaient fausses et la troisième très exagérée. George lui conseilla de soumettre une excuse écrite pour la troisième offense au capitaine Thomas, le commandant des cadets. Mais Harry avait entendu dire que Thomas était très pointilleux sur la grammaire et la tournure des phrases et gardait souvent un cadet devant lui pendant une heure pour corriger avec lui l'excuse écrite. Cela évoquait trop la démonstration au tableau, alors il laissa courir et récolta des mauvais points.

George semblait être la cible favorite de Bent, qui s'arrangeait toujours pour l'avoir dans son peloton. Quand les plèbes mettaient de l'ordre dans le camp, Bent harcelait George jusqu'aux limites de l'épuisement en lui faisant ramasser des cailloux ou redresser des brins d'herbe qu'il prétendait tordus. George avait du mal à garder son calme, à la grande joie de Bent. Il collectionna les mauvais points et en eut bientôt trois fois plus qu'Harry.

Malgré les tentes inconfortables, la nourriture exécrable, les brimades perpétuelles des anciens qui critiquaient les plèbes à tout propos, de leurs saluts à leurs aïeux, le camp enchantait Harry. Il aimait les exercices d'infanterie et d'artillerie, qui occupaient la plus grande partie de la journée. Les parades du soir, observées par les visiteurs de l'hôtel, étaient de magnifiques défilés martiaux qui dédommageaient de toutes les corvées.

Un bal était donné chaque semaine. Pour assurer qu'il y aurait assez de cavaliers pour les dames invitées, l'Académie offrait à ses élèves les leçons d'un maître de danse allemand. George s'initia vite au galop et à la polka et assista à toutes les réunions, quand il n'était pas de service. Les plèbes avaient le droit de se mêler aux invitées mais devaient, naturellement, en déférer à tout moment aux anciens. Malgré cette restriction, George s'amusait beaucoup et, à plusieurs reprises, il se permit des promenades le long du Sentier des Flirts, avec une jeune fille, au mépris des règlements qui interdisaient certaines parties du poste aux membres de sa classe.

Une nuit, après une de ces soirées, George se glissa sous sa tente imprégné de l'odeur des cigares. Il y trouva Harry encore éveillé et le pressa de l'accompagner au bal de la semaine suivante.

— Je ne sais pas danser, avoua Harry. Je n'ai jamais eu le courage de tenir une fille dans mes bras. L'ennui, je crois, c'est que pour moi une femme est quelqu'un qu'on admire de loin, comme une statue.

— Ridicule, marmonna George. Les femmes sont faites pour être touchées et utilisées... comme un bon vieux gant d'hiver. Elles aiment ça.

— Je ne peux pas le croire ! Les femmes n'ont pas les mêmes pensées que les hommes. Elles sont des créatures délicates, raffinées.

— Elles font semblant de l'être parce que ça leur convient. Crois-moi, Harry, une femme veut exactement la même chose qu'un homme. Elle n'a pas le droit de l'admettre, c'est tout. Je te conseille de revenir de cette idée romantique que tu te fais du beau sexe. Sinon, un de ces jours une femme te brisera le cœur.

Harry se doutait bien que George avait raison. Pourtant, il ne put se résoudre à assister à un bal cet été-là.

A la fin du mois d'août, les permissionnaires revinrent et les cadets regagnèrent les casernes. Ce jour-là, les anciens traitèrent les plèbes comme des bêtes de somme et leur ordonnèrent de porter leur matériel. Le caporal Bent choisit George, qui dut faire quatre voyages avec des fardeaux écrasants par une température de 37° à l'ombre. Au cinquième, Bent lui ordonna de courir. George arriva à mi-hauteur de l'escalier de la caserne Nord, vacilla et s'évanouit.

Il roula jusqu'au palier, le front en sang. Bent ne fit pas la moindre excuse et n'exprima aucune compassion. Au contraire, il mit George au rapport pour avoir abîmé par négligence les effets d'un ancien. Harry conseilla vivement à son ami d'écrire une excuse. Mais George refusa.

— Il faudrait que j'avoue que je me suis évanoui comme une fille. Je ne veux pas de ça dans mon dossier. Mais ne t'en fais pas, j'aurai ce salaud. Sinon la semaine prochaine, alors dans un mois ou dans un an.

Harry commençait à nourrir les mêmes sentiments.

L'automne passa plus vite qu'il ne s'y attendait. Les formations, l'exercice, le travail en classe, les études laissaient peu de loisirs. Selon le système de West Point, tous les instants de veille d'un cadet devaient être occupés. Le samedi après-midi seulement les plèbes étaient libres de faire ce qu'ils voulaient et le plus souvent ce temps était consacré à des heures de garde supplémentaires pour se faire ôter des mauvais points.

Par mauvais temps, c'était épouvantable. Le surintendant Delafield, surnommé le Vieux Dickey, avait une façon singulière d'économiser. Il refusait par exemple de donner des capotes aux cadets avant les examens de janvier. Pourquoi confier à un cadet un manteau coûteux qu'il emporterait s'il était renvoyé ? En conséquence, sous la pluie et le givre de l'automne, les nouveaux montaient la garde uniquement protégés par de minces capotes de sentinelles, incroyablement sales, qui traînaient chez le garde-mites depuis des années en accumulant la crasse et la vermine.

George n'étudiait pas beaucoup, mais il était toujours premier ou deuxième en mathématiques et en français. Il avait déjà 110 mauvais points, Harry seulement 93. Bent était responsable des deux tiers des deux totaux.

Les brimades du caporal cessèrent un peu à l'approche des examens de janvier. Harry prit l'habitude de se glisser dans le dortoir de Tom Jackson après l'extinction des feux. Ils travaillaient ensemble, à la lueur des braises de la cheminée.

Harry trouvait Jackson remarquablement intelligent et pourtant il avait beaucoup de mal à apprendre ses leçons et à se plier à la routine de la salle de classe ; chaque note passable qu'il obtenait exigeait un effort monumental. Cependant, il était bien décidé à réussir et ses camarades admiraient son extraordinaire détermination ; il avait déjà reçu son sobriquet de cadet, Général.

Jamais encore Harry n'avait été éloigné de la plantation familiale à Noël et cela le rendait terriblement nostalgique. George, manifestant une émotion inhabituelle, avoua que lui aussi allait regretter son foyer. Le jour de Noël arriva enfin et, malgré le beau sermon de l'aumônier et l'excellent dîner, la journée fut triste et solitaire pour la plupart des cadets.

Bientôt, le temps de janvier devint rigoureux. Des cieux couverts achevaient de déprimer les esprits à la veille des examens. L'Hudson gela mais Harry ne s'en aperçut même pas car, même quand il montait la garde sous une tempête de neige, il s'inquiétait de son français.

Tant bien que mal, il surmonta l'épreuve du tableau. Quand les résultats furent affichés, il poussa des cris de joie et dansa dans sa chambrée pendant que des cadets moins heureux faisaient tristement leurs bagages. Seize plèbes prirent la route de Canterberry. Les autres prêtèrent serment, signèrent leur engagement... et reçurent des capotes d'uniforme.

Le 2 février, George fit à son ami une proposition audacieuse.

— Je n'ai plus de cigares. Et nous devons vraiment célébrer nos brillants succès aux examens. Allons faire un tour chez Benny.

Harry se tourna vers la fenêtre. Le clair de lune faisait étinceler les cristaux de givre sur les vitres ; la cheminée n'arrivait pas à chasser le froid piquant de la nuit. L'Hudson était maintenant presque complètement gelé.

— Par ce temps ? A cette heure ?

Il était sceptique. On allait bientôt sonner l'extinction des feux. George sauta de son lit, où il lisait un roman.

— Bien sûr ! Nous n'avons pas encore visité cet estimable établissement. Nous nous devons une petite fête. Où est ton goût de l'aventure ?

Déjà, il enfilait sa capote neuve. Harry avait envie de refuser, mais d'anciennes réflexions de George sur son caractère hésitant le décidèrent. Une demi-heure après l'extinction des feux, ils se glissèrent dans l'escalier, échappèrent aux gardes et coururent vers le fleuve dans un froid à couper la respiration.

Après avoir dévalé le sentier en pente, ils tentèrent d'avancer le long de la berge dans la neige épaisse et les broussailles gelées. La marche était difficile. George regardait sans cesse l'étendue blanche scintillante sur leur gauche.

— Ce serait plus facile sur la glace.

— Tu crois qu'elle est assez épaisse pour nous supporter ?

Les yeux pâles de George reflétèrent la lune, brillant au-dessus des Highlands de l'Hudson.

— On va bien voir.

Harry suivit son ami, en maudissant son éternel manque d'audace. Que signifiait ce comportement, chez un homme qui serait appelé à conduire une charge sur un champ de bataille ? Il posa un pied sur la glace et entendit un craquement sec. Devant lui, George s'arrêta.

— Qu'est-ce que c'est que ça ?

Harry se retourna et leva les yeux vers la haute berge.

— Il m'a semblé que ça venait de là-haut.

— Tu crois que nous sommes suivis ?

Harry regarda de tous côtés. Au clair de lune, sur la glace, ils seraient bien visibles de la berge.

— Il est trop tard pour s'inquiéter de ça.

George fut d'accord. Ils repartirent. Plusieurs fois, la glace craqua et menaça de céder sous leur poids ; elle était vraiment trop mince, mais il n'y avait aucun signe de poursuite et bientôt ils regardèrent par une fenêtre le bon feu brillant dans la petite taverne de Benny Haven, au bord du fleuve. George se frotta les mains et souffla dessus.

— La chance est avec nous. Pas un ancien en vue.

En fait, Benny Haven n'avait aucun client du poste et seulement deux du village de Buttermilk Falls, situé sur la hauteur. Jovial, d'âge mûr, Benny avait des cheveux noirs, un grand nez et un type vaguement indien. Il vendait de la bière, du vin et des alcools depuis plus d'années que les cadets se le rappelaient ou que les officiers voulaient bien l'avouer. Il accueillit cordialement les deux nouveaux venus. Les villageois leur jetèrent des regards torves.

George commanda trois cigares et deux pichets de bière. Ils s'assirent à une table près de la fenêtre. Si un ancien apparaissait, ils pourraient disparaître par la porte fermée par un rideau à côté de la cheminée. Harry se détendit un peu, savourant la bière et l'odeur de jambon braisé filtrant de la cuisine dans le fond. Il commanda une assiette de jambon et du pain.

Benny les servit et engagea la conversation. En qualité de nouveau, dit-il, Harry était le bienvenu, mais il devinait à son accent qu'il était du Sud. Il ne put donc s'empêcher de le questionner poliment sur l'annexion du Texas, réclamée à grands cris par les Sudistes. Etait-elle motivée par un désir des politiciens d'ajouter un nouveau territoire esclavagiste à l'Union ?

Harry avait trop souvent entendu cette accusation pour s'en offenser. D'ailleurs son frère Cooper, à la profonde irritation de leur père, assurait que c'était vrai. Harry prit son temps pour formuler une réponse.

Pendant qu'il réfléchissait, Benny fronça les sourcils et se tourna vers le rideau. Ils avaient tous entendu un bruit dans la cuisine. L'expression de George révéla son inquiétude une seconde avant que le rideau ne soit écarté. Une figure rougie par le froid apparut, au-dessus d'une montagne frémissante en capote de cadet.

— Eh bien ! messieurs, qu'avons-nous là ? Une paire de malfaiteurs, c'est évident, dit Elkanah Bent avec un sourire gourmand.

L'estomac d'Harry se crispa. Il était sûr que l'arrivée de Bent n'était pas un hasard. Il se rappelait le craquement qu'ils avaient entendu. Combien de nuits Bent avait-il passées à espionner, attendant une pareille occasion ?

Brusquement, George lui lança sa chope de bière vide. Bent poussa un cri et se baissa pour l'éviter.

— Cours ! cria George et il fonça par la porte comme un boulet de canon.

Harry le suivit, avec un seul souci ridicule : ils n'avaient pas payé l'addition.

Dans une des plus profondes congères de la berge, George trébucha et tomba. Harry revint sur ses pas pour l'aider à se relever. Il aperçut Bent qui les suivait lourdement et Benny Haven, spectateur amusé, à la porte de sa taverne. Il n'avait pas l'air de s'inquiéter de son addition.

— Dépêche-toi, George, haleta Harry alors que son ami glissait encore une fois dans la neige. Ce coup-ci, ce salaud va avoir notre peau !

— Pas si nous arrivons avant lui.

— Et même. Il nous mettra au rapport et nous ne pouvons pas mentir.

Le code d'honneur de l'Académie leur avait déjà été bien inculqué.

— Non, sans doute, reconnut George.

Le poids de Bent le desservait ; les deux jeunes cadets couraient bien plus vite que lui, mais les broussailles les retardaient. Des branches glacées les giflaient et se cassaient avec un bruit de détonation quand il les écartaient. Bientôt, George imposa un changement de direction. Il sauta par-dessus un fourré bas et atterrit sur la glace. Harry vit la surface neigeuse frémir et fléchir.

— Nous arriverons peut-être à le bluffer pour qu'il ne nous colle pas au rapport, haleta George en prenant les devants. Lui aussi il est dehors après l'extinction des feux, ne l'oublie pas.

Harry ne répondit pas et continua de courir. Il y avait une faille dans la logique de George mais il n'arrivait pas à mettre le doigt dessus.

La glace était traître. Tous les quatre pas, Harry la sentait céder. Il se retourna, vit Bent patauger lourdement dans la neige à leur poursuite, comme une énorme tache d'encre sur la pâle étendue du fleuve.

— Encore vingt mètres et nous serons sur le sentier, cria George en tendant le bras.

Au même instant, ils entendirent un cri derrière eux. George s'arrêta en glissant et cligna des yeux.

— Bon Dieu, marmonna-t-il.

Harry se cogna contre lui en se retournant. On ne voyait plus que la moitié de la tache d'encre au-dessus de la glace. Des mains s'agitaient faiblement. Des cris de frayeur montaient vers eux dans la nuit glacée.

— Il est passé au travers ! s'exclama Harry.

— Avec son poids, ça t'étonne ? Filons !

— George ! Nous ne pouvons pas le laisser. Il risque de se noyer !

Les cris de Bent devenaient plus stridents. George fit une grimace.

— Je m'attendais à ce que tu dises ça.

— Ecoute, je ne peux pas croire que tu as soudain perdu toute conscience...

— Tais-toi, grogna George en retournant sur ses pas.

Ses yeux avaient une lueur de rage ; il n'avait pas besoin de dire à Harry que leur chance avait tourné.

Harry vit alors Bent s'enfoncer. George et lui coururent encore plus vite.

Une seconde plus tard, la tête du caporal disparut. Son képi flottait à la surface de l'eau, sa visière brillant au clair de lune. A l'instant où les deux plèbes atteignirent le trou dans la glace, il reparut et leur tendit les bras, en les agitant, en les éclaboussant et sans cesser de crier.

Les deux garçons l'empoignèrent et tirèrent. Le sauvetage était difficile sur la glace glissante. Deux fois, ils faillirent plonger la tête la première. Finalement, ils traînèrent Bent hors de l'eau. Le caporal tomba à plat ventre, comme une baleine échouée, secoué de haut-le-cœur. George se pencha sur lui.

— Bent ! Il faut vous relever et retourner à la caserne. Sinon, vous allez geler.

— Oui... d'accord. Aidez-moi, s'il vous plaît.

Ils étendirent les bras de Bent sur leurs épaules pour le soutenir. Le caporal ne disait plus rien, il se contentait de gémir et de faire des efforts pour respirer. Comme il ruisselait, ses sauveteurs furent vite trempés à leur tour. Ils arrivèrent à la berge et, en silence, ils s'engagèrent sur le sentier. Au sommet, Bent se secoua, reprit haleine et déclara :

— J'apprécie ce que vous avez fait. C'était... un acte de courage. Je ferais mieux de passer par là. Regagnez votre caserne de votre côté.

Il s'éloigna lourdement dans la nuit ; le clapotement de ses souliers et le bruit de sa respiration oppressée s'attardèrent longtemps après qu'il eut disparu.

Harry claquait des dents. Il avait les mains engourdies, gelées. La dernière réflexion de Bent lui paraissait bizarre, même... très bizarre.

George exprima les sentiments de son ami :

— Il avait l'air aussi sincère qu'une femme qui vante l'état de vieille fille. Je crois que nous aurions dû le laisser se noyer.

Malgré ses tremblements de froid, Harry pouffa.

— Maintenant que tout est fini, tu dois avouer que c'était une drôle de fête.

— Tu peux le dire, grommela George en tirant de sous sa capote trois cigares cassés qu'il jeta à regret. La seule consolation, c'est que je ne les ai pas payés. Viens, rentrons avant que nous attrapions la mort.

Le lendemain matin, Bent ne parut pas au petit déjeuner. Harry et George supposèrent qu'ils « wheatonait », autrement dit qu'il tirait au flanc. Le docteur Wheaton, médecin-major du poste depuis vingt ans, avait un bon caractère, compatissant et sans méfiance. Il admettait fréquemment des cadets à l'infirmerie ou les exemptait de corvée pour de prétendues maladies.

George et Harry ne racontèrent leur escapade qu'à quelques amis sûrs. Puis, dans la journée, Pickett vint leur apporter une nouvelle inquiétante.

— J'ai bien peur que ce tas de lard plein de traîtrise ne nous ait pas dit toute la vérité, les gars. Il avait une permission spéciale pour sortir du poste après l'extinction des feux. Il l'a demandée à un des officiers, en disant qu'il avait appris que deux plèbes filaient chez Benny presque tous les soirs et qu'il voulait les surprendre en flagrant délit.

Avant la fin de l'après-midi, le caporal Bent avait noté les cadets Main et Hazard au rapport.

Le code d'honneur de l'Académie était fondé sur la confiance dans le caractère d'un cadet. Si un cadet affirmait que l'accusation était fausse, sa parole était acceptée et l'accusation retirée. Harry croyait au code. Et George aussi, malgré son cynisme. Ni l'un ni l'autre ne nièrent donc leur culpabilité, bien que le total des mauvais points amenât George bien près du renvoi.

Pour compenser en partie ce démérite, comme on disait à West Point, les deux amis durent faire de nombreux tours de garde supplémentaires. Le temps tourna à la tempête. George résista bien au service en plein air mais Harry, depuis leur aventure sur la glace, éternuait et reniflait. Il eut les jambes faibles et des vertiges alors qu'il montait la garde par un samedi après-midi particulièrement sombre.

Une tempête faisait rage, descendant des montagnes au nord-est. Trente centimètres de neige s'entassèrent en moins d'une heure. Puis la température monta et il en résulta du grésil. Harry pataugeait de long en large quand il s'aperçut que, malgré le froid, il était brûlant.

De la sueur se mêlait au givre fondant sur ses joues. Son mousquet pesait cinquante kilos. Il vacillait dans la neige. Finalement, il s'adossa contre le mur de la caserne pour se reposer.

Quelqu'un le tira par la manche. Harry reconnut un élève de dernière année, nommé Sam Grant.

— Qui t'a envoyé dehors par ce temps? demanda ce dernier. Tu es vert. On dirait que tu es sur le point de t'évanouir. Va à l'infirmerie.

— Je vais bien, monsieur, coassa Harry en essayant de se redresser.

Le cadet aux yeux noirs parut sceptique.

— Tu vas aussi bien que ma tante Bess cinq minutes avant son dernier soupir. Veux-tu que j'aille chercher un officier et lui demander de te relever?

— Non, monsieur, ce serait... un manquement... au devoir.

Grant secoua la tête.

— Tu feras un bon soldat, Main. Si ta tête de mule ne te tue pas avant.

— Vous savez qui je suis?

— Tous les hommes du corps te connaissent, ainsi que ton ami et cette ordure de l'Ohio. Dommage que le caporal Bent ait des pistons aussi élevés. Nous sommes quelques-uns à essayer d'y remédier. Il est brimé aussi furieusement qu'il brime les autres. J'espère de tout cœur que tu guériras pour savourer sa chute.

Et avec un petit sourire, il repartit sous la neige.

Il doit être seize heures, pensa Harry. Il faisait noir comme à minuit. Il se força à bouger. Il croyait marcher au pas cadencé mais, en réalité, il chancelait presque sur place. Heureusement, la plupart des officiers étaient à l'abri, au chaud, et ne pouvaient être témoins de sa maladresse.

Une demi-heure s'écoula. Il commençait à craindre d'être très malade — mortellement malade peut-être — et songeait que son désir stupide de ne pas montrer de faiblesse l'achèverait.

— Vous ne marchez pas au pas, monsieur. Pas du tout.

Surpris par cette voix, Harry se retourna. Il vit l'immense capote de Bent, juste devant la porte. Le caporal parut flotter vers lui, silhouette monstrueuse dans l'obscurité et dont les yeux brillaient de satisfaction.

— J'ai appris que vous étiez là dehors, monsieur. Je viens inspecter...

Le caporal s'interrompit car Harry abaissait devant lui le vieux fusil à pierre. Il se sentait hors de lui, au-delà de la peur, sa raison lui échappait.

— Pourquoi braquez-vous cette arme sur moi, monsieur?

— Parce que je vais vous abattre, Bent. Si vous ne nous laissez pas tranquilles, moi et mon ami, je vais vous tuer.

Bent tenta de ricaner.

— Ce mousquet n'est pas chargé, monsieur.

Harry cligna des yeux et chancela.

— Ah! Alors je vous assommerai avec. On peut me faire passer en conseil de guerre, ou même me traîner devant un peloton d'exécution, mais si vous êtes encore là dans cinq secondes, espèce de salaud, je vais vous tuer.

— Bon Dieu, nous avons un fou furieux à West Point!

— Oui, monsieur. Un fou de l'Ohio qui traite les plèbes comme des animaux. Eh bien! Mr Bent, voici un plèbe qui ne se laissera plus traiter comme ça. Cinq secondes. Une, *monsieur*. Deux, *monsieur*...

Bent ne dit rien. Il était épouvanté par ce spectre blanc, dressé devant lui. Du givre collait au képi et aux sourcils d'Harry. Son expression était presque démente quand il retourna le mousquet pour le saisir par le canon, comme une massue.

L'humiliation et la haine brillèrent dans les yeux de Bent. Brusquement, il tourna les talons et parut se fondre dans la tempête. Harry reprit haleine et cria :

— Et vous ferez bien de nous laisser tranquilles désormais !

— *Qu'avez-vous dit, monsieur ?*

Une voix sèche lui fit faire demi-tour. Emmitouflé jusqu'aux oreilles, un des officiers s'approchait de lui. Le hurlement du vent le forçait à glapir.

— Le cadet Grant m'a prié de venir ici, monsieur. Il m'a dit que vous étiez trop malade pour monter la garde. Est-ce vrai, monsieur ?

Harry s'était maintenant entraîné au garde-à-vous au moins mille fois. Il essaya de prendre la position, sans même se rendre compte qu'il avait commis le péché impardonnable. Il avait laissé tomber son mousquet dans la neige.

L'officier semblait se balancer d'avant en arrière. Harry s'efforça d'arrêter ce mouvement en clignant des yeux.

— *Est-ce vrai, monsieur ?*

— *Non, monsieur !* cria Harry, et il tomba sans connaissance dans les bras de l'officier.

Une heure plus tard, George accourut à l'infirmerie. Le docteur Wheaton l'attendait dans l'antichambre.

— L'état de votre ami est extrêmement sérieux. Sa température est dangereusement élevée. Nous essayons de la faire baisser mais si la fièvre ne diminue pas dans les vingt-quatre heures, sa vie pourrait être menacée.

George pensa à Bent, à la tempête de neige et à Harry.

— Le pauvre crétin a trop envie d'être un soldat, murmura-t-il amèrement.

— Cet endroit a une façon particulière d'inspirer cette ambition, dit Wheaton sur un ton où le regret se mêlait à la fierté. Vous n'avez pas trop bonne mine vous-même, jeune homme. Je prescris une rasade de rhum. Venez dans mon cabinet, ajouta-t-il avec un sourire, et « wheatonez » pendant quelques minutes, comme on dit.

Le lendemain après-midi, alors qu'un pâle soleil de février entrait par la fenêtre, Harry allait beaucoup mieux. George lui rendit visite avant l'appel du souper et lui apporta une bonne nouvelle.

— Bent semble s'être lassé de nous brimer. Je l'ai croisé en venant ici. Il a regardé de l'autre côté.

— J'aimerais le tuer. Dieu me pardonne de dire une chose pareille, mais je le pense.

La calme férocité de son ami troubla George mais il sourit et s'efforça de ne pas le montrer.

— Ecoute un peu ! C'était toi qui conseillais l'humilité et la miséricorde alors qu'il sombrait dans l'onde glaciale. Et je t'ai écouté.

— Je le regrette presque.

— Il vaut mieux le laisser vivre et souffrir. Les anciens lui en font voir de toutes les couleurs. C'est une douce vengeance.

— Mais c'est à nous qu'il en voudra, même s'il nous laisse tranquilles pendant un moment. Il n'oubliera pas. Il a quelque chose qui ne tourne pas rond dans la tête.

— Possible, mais n'y pense pas trop. Nous avons assez à faire pour garder le total de notre démérite au-dessous de deux cents. C'est encore long, jusqu'en juin.

Harry soupira.

— Oui, tu as raison.

Mais ni l'un ni l'autre ne croyait qu'il suffirait de ne plus penser à Bent pour éliminer sa menace.

Au printemps, toute la famille Hazard, à l'exception de Virgilia, vint en visite à West Point. George obtint la permission d'aller dîner à l'hôtel avec les siens, le samedi. Il emmena son ami.

William Hazard invita Harry à venir les voir à Lehigh Station. Harry répondit qu'il en serait enchanté. Il retrouvait cette famille aussi aimable qu'il se la rappelait, à part Stanley qui parlait, ou plutôt fanfaronnait, inlassablement. Stanley était très fier de souper ce soir-là avec son père chez des gens appelés Kemble, habitant Cold Spring, de l'autre côté du fleuve.

Entre deux bouchées d'une délicieuse côte d'agneau, Harry demanda :

— Les Kemble sont de vos parents ?

Stanley ricana.

— Non, mon vieux. Ils sont les propriétaires des Forges de West Point. Qui, à votre avis, fabrique la majeure partie des pièces d'artillerie de l'armée ?

Les manières pompeuses de Stanley faisaient grimacer son petit frère Billy, qui l'imitait en silence. Comme Billy était assis à côté de lui, il ne vit pas l'imitation et ne comprit donc pas le rire de George. Les mimiques de Billy lui valurent une tape sur l'oreille, de la part de son père. Mrs Hazard parut chagrinée.

— Je regrette, dit Harry. Je n'ai jamais entendu parler des Kemble.

— Leurs fêtes du samedi soir sont célèbres.

Le ton de Stanley insinuait qu'Harry et son Etat natal n'existaient en quelque sorte qu'en dehors de la vie nationale. Harry se tourna vers le père.

— Ce sont des maîtres de forges, donc ?

— Oui. Je dois avouer, avec franchise et envie, qu'il n'en existe pas de meilleurs.

— Peut-être pourraient-ils aider mon frère...

Stanley se désintéressa de la conversation et reprit des pommes de terre, mais William Hazard écouta poliment Harry expliquer que, dans ses dernières lettres, Cooper se plaignait de la détérioration excessive des poutrelles de fer et des volants du moulin à riz de Mont Royal.

— C'est le nom de notre plantation. Le moulin était actionné par les marées fluviales, mais mon frère a persuadé mon père d'essayer un moteur à vapeur. Mon père y était opposé et maintenant il pense qu'il avait raison.

— La fonte du fer est délicate. Peut-être les Kemble renseigneraient votre frère. Mieux encore, pourquoi n'essayerions-nous pas, nous ? Dites-lui de m'écrire.

— Certainement, monsieur. Je vous remercie.

Harry cherchait toujours à se faire bien voir de son frère. Il écrivit dès le lendemain à Cooper et la réponse rapide commença par des félicitations pour assurer ensuite qu'il serait heureux d'avoir les conseils et l'assistance d'experts. Il envoyait immédiatement une lettre à Hazard Fer.

Juin approchait. Etonné, Harry s'aperçut qu'il avait de bonnes chances de réussir son année plébéienne, bien qu'il parût destiné à rester éternellement dans les sections inférieures, parmi les « immortels ». George continuait de récolter d'excellentes notes, sans effort visible. Harry enviait son ami, mais jamais au point de laisser sa jalousie compromettre leur amitié.

Tous deux s'étaient arrangés pour garder le total de leur démérite au-dessous de deux cents et, quand un nouveau groupe de futurs cadets arriva, les plèbes souffrirent moins des brimades. Harry et George ne se privèrent pas de harceler un peu les nouveaux, mais sans méchanceté. La leçon de Bent avait été salutaire.

Bien entendu, il était impossible d'éviter complètement le natif de l'Ohio, mais chaque fois qu'ils le croisaient, celui-ci feignait de ne pas les voir.

Une dizaine de jours avant le commencement du camp d'été, Cooper arriva à l'improviste. Il venait de Pennsylvannie, où William et Stanley Hazard avaient examiné certaines des pièces brisées du moulin de Mont Royal.

— Votre père et votre frère ont rapidement résolu le problème, dit-il à George. Comme je m'en doutais, mon fournisseur de Columbia ne savait pas ce qu'il faisait. Apparemment, il ne refond pas sa fonte à la bonne température. Si j'arrive à l'en convaincre, nous aurons moins d'ennuis. Ce ne sera pas commode, naturellement. Pour lui, admettre que l'on peut apprendre quelque chose d'un Yankee est inconcevable.

George fut fasciné par Cooper Main, qui, à vingt-trois ans, était encore plus grand que son jeune frère. Il portait des vêtements élégants qui paraissaient sur lui terriblement négligés. Il avait des joues creuses, des yeux noirs très vifs et ne manquait pas d'un certain sens de l'humour, avec une tendance plus marquée pour les sourires ironiques que les rires. Cooper et Harry avaient un air de famille évident, tous deux très minces, avec des cheveux châtains ondulés et un même nez fin, presque hautain. Mais l'aîné n'avait pas le beau teint d'Harry après une seule journée au soleil. Sa figure et son corps maigres avaient quelque chose de malsain, comme s'il était né pâle, fatigué et enclin à trop réfléchir.

Cooper avait décidé de faire cette visite éclair non seulement pour voir Harry mais pour examiner l'école d'où sortaient les meilleurs soldats du pays. Il déclara qu'il n'y avait rien sur terre indigne de l'étude, à moins que ce ne soient les arbres généalogiques dans son Etat natal.

Pendant son bref séjour d'une nuit à l'hôtel Roe, cependant, l'attention de Cooper parut se détourner souvent de ce qu'il était venu voir. Une fois, Harry le surprit à contempler les grandes casernes de pierre — ou quelque chose au-delà, peut-être — avec une expression mélancolique.

Mais juste avant son départ, Cooper mit de côté ses préoccupations et son air moqueur et sourit largement à George en disant :

— Il faudra nous rendre visite, monsieur. Nous avons beaucoup de jolies filles là-bas sur l'Ashley. Il y en a même deux dans notre famille. Elles deviendront des beautés en grandissant. Je n'ai pas vu de jolies filles du côté de Lehigh Station. Bien sûr, j'ai passé tout mon temps à contempler des fournaises flamboyantes. Votre famille a une usine impressionnante, Mr Hazard.

— Il faut m'appeler George et me tutoyer.

— Eh bien! George, je tiens à te dire que j'admire la taille et l'importance de ton entreprise familiale, assura Cooper et, de nouveau, son regard devint lointain. Oui, vraiment.

Par-dessus les meuglements d'une péniche de bétail descendant l'Hudson, ils entendirent le sifflet du vapeur à la jetée Nord. Cooper empoigna sa valise et dévala les marches de la véranda de l'hôtel.

— Viens nous voir, George. Tâche de bien manger, Harry. Nous t'attendons à la maison l'été prochain.

Quand le visiteur eut disparu, George observa :

— Ton frère m'a l'air d'un type très bien.

— Oui. Mais je le connais : il faisait nettement un effort pour plaisanter et sourire. Il était soucieux.

— Pourquoi ?

— J'aimerais bien le savoir

CHAPITRE IV

COOPER RETOURNA CHEZ lui à bord du sloop fluvial *Eutaw*. Le bateau transportait le courrier, les provisions et les fournitures, expédiés en amont aux diverses plantations par un négociant de Charleston.

La matinée était calme et ensoleillée, les eaux de la rivière paisibles, miroitantes. Entre tous les cours d'eau de la région, l'Ashley était le moins précieux parce que l'océan y causait des ravages. Son eau était douce mais par grandes marées ou tempêtes le sel de l'Atlantique y apparaissait et tuait le riz. Le père de Cooper et les autres planteurs locaux pensaient cependant que ce risque était compensé par les facilités d'expédition des récoltes jusqu'à Charleston.

La chaleur de la fin juin rôtissait la nuque et les mains de Cooper, appuyé contre la rambarde et guettant la jetée des Main. Il lui arrivait souvent de critiquer son Etat et cette région en particulier, mais il les aimait pourtant profondément. Il aimait surtout le spectacle familier du fleuve, le panorama des pins, des chênes verts, des quelques choux-palmistes croissant le long des berges encore inhabitées. Dans les arbres, des geais et des rouges-queues exhibaient leurs couleurs. A un endroit où la route bordait la berge, Cooper suivit des yeux trois jeunes gens galopant à bride abattue sur de superbes chevaux. La course était un des sports favoris des basses-terres.

Un cri de la timonerie l'arracha à sa contemplation. Ils arrivaient en vue de l'appontement, sans qu'il s'en soit aperçu. Tout à coup, il se sentit singulièrement triste. *Mieux vaut te taire sur tout ce que tu as vu dans le Nord*, se conseilla-t-il.

Il doutait cependant d'en être capable.

Bientôt, il remonta l'allée du jardin à la française dominant le fleuve. L'air embaumait la violette et le jasmin, les pommes sauvages et les roses. A la terrasse du premier étage de la grande maison, sa mère, Clarissa Gault Main, surveillait celles de ses esclaves qui fermaient les pièces des étages. Elle aperçut son fils, courut à la balustrade et l'appela. Cooper agita la main et lui souffla un baiser. Il adorait sa mère.

Il n'entra pas dans la maison mais la contourna, en disant bonjour à tous les Noirs allant et venant autour du bâtiment de la cuisine, séparé de la maison. De là, il admira l'agréable vue du chemin descendant entre des chênes verts géants vers la petite route du bord du fleuve, rarement fréquentée. Un vent tiède s'était levé et agitait les longues barbes grises de la mousse espagnole accrochée aux branches.

Au sommet du sentier, il vit deux petites filles, ses jeunes sœurs, qui se battaient comme d'habitude, l'une pourchassant l'autre. Du vaurien de cousin Charles, aucune trace.

Les bureaux de Mont Royal occupaient un autre petit bâtiment derrière les cuisines. Cooper escalada les marches et entendit la voix de Rambo, un des surveillants les plus expérimentés de la plantation.

— Ça démarre à South Square, Mr Main. A Landing Square aussi.

Il parlait de champs, dont chacun avait un nom.

Théo Main plantait chaque année un tiers de ses terres en fin de saison, au début de juin, quand la récolte suivante risquait moins d'être endommagée. Le surveillant expliquait donc que ces régions tardivement plantées montraient déjà de jeunes pousses sous l'eau d'irrigation. Bientôt, ces champs seraient drainés et la longue période de pousse sèche commencerait.

— Bonne nouvelle, Rambo. Est-ce que Mr Jones le sait ?

— Il était là avec moi pour le voir, monsieur.

— Je veux que Mr Jones et toi en informiez tous les gens qui ont besoin de le savoir.

— Oui, monsieur, c'est sûr.

Cooper ouvrit la porte.

— Je croyais que les Yankees t'avaient enlevé, dit Théo Main derrière le nuage de fumée de pipe emplissant son bureau.

Il retroussa légèrement les coins de sa bouche. Ce sera le seul signe de son affection ce matin, songea Cooper.

— J'ai pris une journée pour aller voir Harry. Il va très bien.

— C'est ce que j'attends de lui. Je suis plus intéressé par ce que tu as découvert.

Cooper s'installa dans le vieux fauteuil à bascule à côté de son père, près du bureau couvert de registres. Théo était son propre comptable et il examinait attentivement toutes les factures et les bordereaux concernant l'entreprise de Mont Royal. Comme d'autres planteurs des basses-terres, il aimait considérer son domaine comme une baronnie, mais il était un baron qui surveillait personnellement, et de très près, ses moindres deniers.

— J'ai pu confirmer mes soupçons, répondit Cooper. Les cassures répétées des poutrelles et des volants ont une raison scientifique. Si le carbone et d'autres éléments de la fonte ne sont pas suffisamment oxydés, le fer n'est pas assez résistant pour des pièces mécaniques qui subissent une grande usure. Il me faut maintenant en convaincre cet imbécile de Columbia. Si je ne peux pas, nous 'devrons sans doute commander nos pièces à une autre fonderie dans le Maryland ou en Penn...

— Je préfère que nous nous fournissions dans notre Etat, interrompit Théo. Il est plus facile de faire pression sur des amis que sur des étrangers.

— D'accord.

Cooper soupira. Il venait de recevoir encore un ordre. Il en recevait au moins dix par semaine. Vexé, il ajouta :

— Mais je me suis fait des amis en Pennsylvanie.

Théo ne releva pas ce propos.

Le chef de la famille Main était dans sa quarante-huitième année. Déjà, la frange de cheveux entourant son crâne chauve était d'un blanc pur. Cooper avait hérité de son père la haute taille et les yeux noirs. Il y avait cependant une différence entre ceux de Théo et de son fils aîné. Les yeux de Cooper étaient doux, leur expression réfléchie, parfois un peu cynique. Le regard de Théo était rarement aimable ou gai, mais direct, fixe et féroce à l'occasion.

La moitié des enfants qu'il avait eus n'avaient pas dépassé l'âge de quatre ans. La mère de Cooper disait que c'était pour cela que Théo souriait si peu, mais le fils aîné soupçonnait d'autres raisons. La situation et l'héritage de Théo lui donnaient assez naturellement une espèce d'arrogance innée. En même temps, il souffrait d'un sentiment d'infériorité croissant, qu'il ne pouvait ni maîtriser ni surmonter. Cooper reconnaissait cette maladie chez beaucoup d'hommes du Sud, depuis quelque temps. Son voyage lui avait confirmé qu'elle avait une bonne raison.

Théo examina son fils.

— Tu n'as pas l'air très heureux d'être de retour.

— Je le suis, affirma Cooper sans mentir. Mais je n'étais pas allé dans le Nord depuis ma dernière année à Yale. Ce que j'ai vu m'a passablement déprimé.

— Qu'est-ce que tu as vu, au juste ? demanda sèchement son père.

Cooper savait qu'il devait battre en retraite. Obstinément, il s'y refusa.

— Des usines, père. D'énormes usines sales, bourdonnantes et bruyantes, qui empoisonnent le ciel comme les fournaises de Belzébuth lui-même. Le Nord progresse à une vitesse effrayante. Les machines prennent le dessus. Quant à la population... Dieu, je n'en ai jamais tant vu. En comparaison, nous vivons ici dans un désert.

Théo ralluma sa pipe et fuma un moment.

— Tu estimes que la quantité prime la qualité ?

— Non, mais...

— Nous ne voulons pas qu'un tas d'étrangers de rien du tout viennent nous envahir.

Encore une fois, réapparaissait cette fierté stupide, rigide.

— Qu'était Charles Main, sinon un étranger de rien du tout ? répliqua Cooper.

— Un duc, un gentilhomme, un des premiers colons huguenots.

— Tout cela est bien beau, père, mais ce n'est pas en vénérant le passé que nous construirons des usines et rendrons la santé à l'économie du Sud. Nous sommes à l'ère de la machine et nous refusons de l'admettre. Nous nous cramponnons à l'agriculture et à notre passé, en nous laissant de plus en plus distancer. Jadis, le Sud était pratiquement maître de tout le pays. Plus maintenant. D'année en année, nous perdons du respect et de l'influence sur le plan national. Et à juste titre. Nous sommes dépassés par notre époque.

Il s'arrêta court avant de citer la preuve familière, l'institution particulière à laquelle le Sud était enchaîné aussi fermement que les esclaves à leurs propriétaires. Mais il n'avait pas besoin d'aller aussi loin pour faire dresser son père. Le poing de Théo s'abattit sur le bureau.

— Surveille ta langue ! Les Sudistes ne critiquent pas leur patrie. Du moins pas les Sudistes loyaux. Il y a assez de Yankees pour le faire.

Le fils fut pris — coincé — entre ses convictions et l'incapacité où il se trouvait de changer le point de vue de son père. Ils avaient déjà eu ce genre de discussion, mais jamais aussi violemment. Cooper se surprit à crier :

— Si vous n'étiez pas aussi entêté, comme tous les pseudo-barons de ce maudit...

Un hurlement, au-dehors, mit provisoirement fin à la dispute. Le père et le fils se précipitèrent à la porte.

Le cri venait d'une des deux petites filles. Anne Main et sa sœur Beth avaient terminé leurs leçons de lecture et de calcul une demi-heure avant l'arrivée du sloop. Leur précepteur, un Allemand de Charleston, Herr Nagel, était allé faire une petite sieste, satisfait de l'application de ses élèves mais irrité par l'insolence de l'aînée et son peu de goût pour le travail intellectuel.

Toutes deux, bien que très différentes, étaient indiscutablement des Main. Les visiteurs n'en remarquaient qu'une, Anne, qui allait sur ses huit ans et était déjà ravissante. Elle avait les cheveux beaucoup plus foncés que le reste de la famille. Sous certains éclairages, ils parais- saient noirs. Ses yeux, par la couleur et parfois par la férocité, étaient ceux de son père.

Beth avait deux ans de moins. Sans être laide, elle était moins jolie que sa sœur et promettait d'être mince et très grande, comme son père et ses frères ; Anne et elle étaient déjà presque de la même taille. Cela risquait de poser des problèmes quand le moment viendrait d'attirer des soupirants, comme le faisait déjà remarquer Anne.

Après les leçons, elles étaient allées faire une promenade au bord de l'eau. Sur une branche, dans un fourré au-delà du dernier champ où les pousses vertes de mars étaient déjà hautes, Beth avait découvert un nid contenant un seul petit œuf.

— Anne ! Viens voir ! Une maman héron a dû le laisser, je crois, dit- elle en contemplant gravement le fleuve. Je te parie qu'elle va bientôt revenir.

Anne remarqua l'expression de sa sœur et, un instant, un petit sourire frémit sur ses lèvres roses.

— Eh bien, elle sera déçue, déclara-t-elle et, se penchant, elle ramassa l'œuf dans le nid et s'enfuit en courant.

Beth la poursuivit le long de la berge.

— Remets-le à sa place ! Tu n'as pas le droit de voler le bébé d'une maman oiseau !

— Oh si, je l'ai ! chantonna Anne en riant.

Beth connaissait sa sœur, ou le croyait. La situation exigeait une action désespérée mais habile. Elle feignit la résignation. Bientôt, Anne cessa d'être sur ses gardes ; elle marchait lentement et examinait son butin au creux de sa main. Beth arriva par-derrière et s'empara de l'œuf.

Anne courut après elle sur le sentier, où Cooper les avait vues. La poursuite dura plusieurs minutes. Finalement, quand les deux petites furent hors d'haleine Anne parut pleine de contrition.

— Excuse-moi, Beth. Tu as raison et je suis idiote. Nous devrions le remettre dans le nid. Mais laisse-moi le regarder une dernière fois.

Sans méfiance, la benjamine remit l'œuf à sa sœur. Le sourire d'Anne changea.

— S'il n'est pas à moi, il n'est pas à toi non plus, déclara-t-elle et, refermant le poing, elle écrasa l'œuf.

Beth lui sauta dessus. Etant plus forte et plus agile, et ne s'encombrant pas de bonnes manières, elle la jeta facilement à terre, lui tira les cheveux et la bourra de coups de poing jusqu'à ce qu'elle hurle. Ce tumulte fit sortir Théo et Cooper du bureau. Le père sépara les combattantes, obtint de chacune des récits tout à fait divergents de l'incident et, impartialement, les retourna l'une après l'autre sur son genou et leur administra une fessée, avant que leur mère, attirée par le bruit, sortît précipitamment de la maison.

Beth pleura à grands cris pour protester contre cette injustice ; Anne pleura encore plus fort. Cependant, alors qu'elle rejetait sa tête en arrière, grimaçait et menait grand train, ses yeux restaient lumineux. A première vue, on aurait pu croire à des larmes. Un examen plus attentif révélait qu'elle était amusée. Cela échappa aux grandes personnes, mais pas à Beth.

A un kilomètre de la grande maison, dans un petit village de la plantation, une autre bagarre se déroulait au même moment. Deux petits garçons, un Blanc et un Noir, se roulaient au milieu de la rue poussiéreuse en se disputant une canne à pêche.

La ruelle passait entre deux rangées de cases d'esclaves blanchies à la chaux. Dans ce village, situé bien à l'écart de la maison du maître, se trouvaient l'infirmerie de la plantation, la petite église et, à l'extrémité, une vraie maison de cinq pièces, celle du régisseur de Mont Royal, Mr Salem Jones, natif de Nouvelle-Angleterre et intransigeant sur la discipline. Jones avait été élevé dans le Sud par sa mère veuve et, onze ans plus tôt, il était arrivé à Mont Royal avec les excellentes références d'un autre planteur. Theo le considérait toujours comme un Yankee, par conséquent comme un éternel étranger. Ses bons services amoindrirent un peu sa méfiance, mais jamais tout à fait.

Les deux gamins se bagarraient sous l'œil indifférent de petits négrillons et d'esclaves trop âgés pour travailler. Il était difficile de dire quel était le plus turbulent ou le plus sale. Le petit Blanc — sept ans, bronzé et solide — était Charles Main, Cousin Charles comme l'appelait Clarissa pour distinguer son neveu du reste de sa famille.

Charles était un enfant exceptionnellement beau, mais c'était tout ce que l'on pouvait dire en sa faveur. Son père, un avocat incompétent nommé Hugues Main, était le frère de Theo. Avec sa femme, il avait péri dans le naufrage d'un vapeur en partance pour New York, au large du cap Hatteras, en 1841. Charles était resté chez son oncle et sa tante pendant les vacances de ses parents dont il était l'unique enfant. Ils le gardèrent, après les obsèques et l'enterrement de deux cercueils vides.

C'était pour Charles une vie facile, bien qu'un peu solitaire. Avec l'intuition des jeunes enfants, il devinait que son oncle Theo n'avait pas eu une très haute opinion de son frère, et, par conséquent, de lui non plus. Il tirait profit de ce rejet. Son oncle et sa tante le laissaient libre, ne le forçaient pas à étudier avec le précepteur allemand. Il allait à la pêche, il parcourait les bois et les marais entourant la plantation. Ses camarades étaient de petits Noirs comme Cuffey, avec qui il se battait pour la possession de la gaule.

Des voix fortes, dans une des cases, attirèrent l'attention des garçons et de quelques Noirs. Une silhouette bottée, familière, en sortit. Petit, chauve et bedonnant, et un des visages les plus angéliques du monde, Salem Jones jugeait nécessaire d'affirmer son autorité en n'allant nulle part sans un fouet à la main et un gros gourdin à la ceinture.

Les gamins cessèrent de se battre. En se relevant, Charles cassa accidentellement la canne à pêche. Comme d'habitude, ses pans de chemise sortaient de son pantalon et sa figure était maculée de terre. Sa bagarre de la semaine passée avec le cousin de Cuffey, James, lui avait coûté deux incisives supérieures. Il trouvait que cette brèche lui donnait un air téméraire.

— Jones essaye d'avoir Semiramis, chuchota Cuffey. Il essaye depuis que sa femme est morte il y a six mois.

— Il essaye depuis bien plus longtemps que ça, seulement sans que tout le monde le voie, confia Charles. C'est ce que dit mon oncle Theo.

Salem Jones remonta la rue et disparut derrière sa maison. Charles s'approcha de la case occupée par Semiramis et sa famille. La jeune fille était vaguement visible par la porte ouverte. Charles ne la voyait pas bien mais l'imaginait. Elle avait une peau noire satinée, des traits ravissants et un corps pulpeux. Tous les garçons de la plantation reconnaissaient qu'elle était quelqu'un de spécial.

L'air furieux, Jones sella son cheval et partit au trot vers les champs. Cuffey prédit :

— Priam va prendre ce soir. Si le vieux Jones n'a pas ce qu'il veut avec la sœur, il passe sa colère sur le frère.

Charles examina la position du soleil.

— J'allais rentrer à la maison pour dîner. Je crois que je vais rester jusqu'à ce que Priam finisse son travail.

D'ailleurs, pensa-t-il, la famille ne s'apercevra même pas de mon absence.

Il se demanda ce qui allait se passer. Priam était un grand Noir solide et volontaire. A trois générations de son Angola d'origine, il conservait un grand sens de cette liberté qui lui était refusée.

Charles comprenait le ressentiment de Priam. Il était dépassé par un système qui accordait la liberté à certains hommes parce qu'ils étaient blancs et en privait d'autres parce qu'ils ne l'étaient pas. Il trouvait ce système injuste, barbare même, tout en le croyant immuable et universel.

Il avait plusieurs fois discuté de certains aspects de l'esclavage avec Cuffey. Par exemple, ils avaient tous deux remarqué que Semiramis n'émettait aucune objection contre le nom insensé qu'on lui avait donné à sa naissance, ce nom fantaisie, comme disait Cuffey. Priam, lui, comprenait très bien la moquerie et ne cachait pas que son nom lui faisait horreur.

— Priam dit qu'il ne sera pas toujours l'homme de Missié Theo, avait avoué une fois Cuffey à son ami. Il le répète souvent.

Charles savait ce que cela voulait dire. Priam s'échapperait. Mais pour aller où ? L'esclavage n'était-il pas pratiqué partout ? Cuffey pensait que non mais ne pouvait fournir aucune preuve.

Charles resta au quartier des esclaves tout l'après-midi. Il dormit une heure dans la pénombre fraîche de l'église et il était assis devant une case quand les travailleurs des champs revinrent, la houe sur l'épaule.

Jones était rentré chez lui depuis une heure. Il apparut sur son perron, des plaques de sueur sur sa chemise et sa cravate, et son gourdin bien en évidence.

— Toi, Priam ! cria-t-il avec un sourire affable.

L'esclave, de quinze ans plus jeune que le régisseur et le dépassant d'une tête, quitta la file des Noirs.

— Oui, Missié Jones ? demanda-t-il sur un ton à peine respectueux.

— Le surveillant me dit que tu traînes dans ton travail, ces derniers temps. Il dit que tu te plains beaucoup, aussi. Tu veux que je te donne une tâche et demie tous les jours ?

Priam secoua la tête.

— Je fais tout ce que je dois. J'ai pas à l'aimer, pas vrai ? répliqua-t-il en jetant aux autres esclaves un regard mauvais, presque menaçant. Le surveillant m'a jamais dit qu'il n'était pas content de moi.

Jones descendit quelques marches, pas toutes car il aurait eu le sommet de sa tête au-dessous du niveau des yeux de Priam.

— Tu crois qu'il te le dirait ? Non. Tu es trop stupide pour comprendre. Tu n'es bon qu'à faire ce que tu fais. Du travail de nègre. Du travail d'animal.

Le régisseur enfonça légèrement son gourdin dans l'estomac de Priam, cherchant à le provoquer.

— Je m'en vais te tenir occupé pendant une semaine ou deux. Une demi-tâche supplémentaire tous les jours. Va.

Une petite exclamation étouffée échappa à quelques Noirs. Une tâche, un travail précis, était d'usage dans toutes les plantations sauf les plus répressives. Un homme valide pouvait achever sa tâche bien avant le coucher du soleil et avoir ensuite le temps de cultiver son jardin ou d'exécuter ses propres travaux.

Priam serra les dents. Il n'avait pas l'imprudence de répliquer au régisseur, mais Jones était résolu à le provoquer. Charles détestait le petit Yankee gonflé d'importance, avec son crâne chauve et sa voix nasillarde.

— Tu n'as rien à dire, négro ? reprit Jones en repoussant encore Priam avec son gourdin. Je pourrais faire plus qu'augmenter ton travail. Je pourrais te donner un peu de ce que tes regards insolents méritent. Un peu de ça.

Il brandit la cravache sous le nez du grand Noir. La dispute unilatérale fit bondir Charles.

— Mr Jones, vous avez un fouet et un bâton, et Priam n'a rien du tout. Traitez-le donc avec justice. Donnez-lui l'un ou l'autre et puis cherchez la bagarre.

Silence.

Les esclaves effrayés ne bougeaient pas. Du fleuve monta le mugissement rauque d'un alligator. Même Priam perdit l'expression belliqueuse que Jones avait allumée dans ses yeux. Le régisseur ahuri toisa le petit garçon.

— Tu prends le parti de ce négro ?

— Je veux simplement qu'il soit traité avec justice. Tout le monde dit qu'il travaille dur. Mon oncle le dit.

— C'est un négro. Il est là pour travailler dur. Pour se casser les reins s'il le faut. Et toi, tu es censé rester à la grande maison, à ta place. Si tu continues à venir traîner par ici, je vais me demander pourquoi. Quelque chose t'attire ici ? Quelque chose qui t'appelle, qui se ressemble s'assemble, hein ? Un peu de sang de négro, peut-être ?

Ce fut le ricanement, pas l'insulte, qui fit voir rouge à Charles. Il se baissa et envoya un coup de tête dans le ventre de Salem Jones. Puis il lui flanqua deux coups de poing et prit ses jambes à son cou.

Il se cacha au bord du fleuve jusqu'au soir. Finalement, il jugea qu'il ne pouvait rester éloigné plus longtemps de la grande maison. Comme il traversait lentement le jardin, un léger sifflement dans un buisson attira son attention.

La figure de Cuffey brillait dans le crépuscule. Avec un large sourire, il annonça que la diversion avait réussi. Après son attaque, Jones avait été si furieux qu'il avait cessé de harceler Priam.

Affamé et fatigué, Charles poursuivit son chemin. Sa victoire lui paraissait peu importante. Elle devint tout à fait désastreuse quand il trouva son oncle Theo qui l'attendait, la mine orageuse.

— Jones était ici il y a une heure. Viens dans la bibliothèque. Je veux savoir ce que tu as à dire pour ta défense.

Charles obéit et suivit son oncle. Il avait toujours aimé, à cette heure de la journée, la grande maison, les plats et les vases d'argent, les meubles de noyer et de bois de rose reflétant la lumière des lampes et des bougies, les pendeloques du lustre de cristal tintant à la brise du fleuve, les murmures et les rires des domestiques qui terminaient leurs travaux. Ce soir, il ne vit et n'entendit rien.

Charles avait toujours aimé, aussi, la bibliothèque de Theo avec son lourd mobilier masculin et la fresque fascinante et extrêmement réaliste de ruines romaines, au-dessus de la cheminée, les étagères pleines de centaines de livres en anglais, en latin et en grec. Charles ne s'y intéressait pas mais il admirait son oncle de pouvoir tous les lire. Ce soir, la pièce lui parut hostile et menaçante.

Theo pria son neveu d'expliquer sa conduite. D'une voix hésitante, Charles répondit que puisque Jones avait un fouet et un gourdin et Priam aucune arme, le parti qu'il avait choisi lui semblait aller de soi. Theo secoua la tête et attrapa sa pipe.

— Tu n'as pas à prendre parti dans ce genre de dispute. Tu sais que Priam est un de mes gens. Il n'a pas les mêmes droits et privilèges qu'un homme blanc.

— Mais pourquoi ? Si quelqu'un veut lui faire du mal, il est obligé d'encaisser ?

Theo alluma sa pipe avec de petits mouvements rapides, saccadés. Sa voix baissa d'un ton, signe de colère.

— Tu es très jeune, Charles. Il est facile pour toi de te faire des idées fausses. Je prends soin de mes gens. Ils le savent. Et Mr Jones, tout en étant bon régisseur, est, par certains côtés, un fichu imbécile. Il est inutile qu'il se pavane avec un fouet et un gourdin. Nous n'avons pas de nègres rebelles à Mont Royal... Non, je dois rectifier cela. Priam et un ou deux autres montrent un caractère rebelle, mais pas tout le temps et pas à un degré impardonnable. Je travaille dur pour maintenir une bonne atmosphère ici. Mes gens sont heureux.

Il s'interrompit, attendant l'approbation du garçon.

— Comment seraient-ils heureux, demanda Charles, s'ils ne peuvent pas aller n'importe où ni faire ce qu'ils veulent ?

C'était une question toute naturelle, mais Theo s'emporta.

— Ne pose pas de questions sur des choses que tu ne comprends pas! Le système est bon pour ces gens. S'ils n'étaient pas ici, ils vivraient comme des sauvages. Les Noirs sont plus heureux quand leur vie est organisée et dirigée pour eux. Quant à toi, jeune homme...

Le regard de Theo se tourna vers la porte, qu'il n'avait pas complètement fermée. Quelqu'un était là, derrière, l'oreille tendue. Il ne parut pas s'en soucier et secoua le tuyau de sa pipe sous le nez du gamin.

— Si tu causes encore une fois des ennuis à Mr Jones, je te mettrai en travers de mon genou et tu recevras une correction. J'aimerais plus que tout au monde que tu te conduises correctement, comme un jeune homme bien élevé, mais je me rends compte que c'est un vœu impossible, étant donné ton caractère. Maintenant sors d'ici!

Charles tourna les talons et s'enfuit. Il ne voulait pas que son oncle voie les larmes inattendues qui lui montaient aux yeux. Il ouvrit la porte et un cri lui échappa quand il aperçut une silhouette dans l'ombre...

Ce n'était que sa tante Clarissa. Elle lui tendait une main consolante.

— Charles...

Mon oncle me considère comme un vaurien, pensa-t-il. Elle aussi, probablement.

Evitant la main amicale, il courut hors de la maison dans la nuit.

CHAPITRE V

**P**OUR GEORGE ET HARRY, LE camp d'été de 1843 fut infiniment plus plaisant que le précédent. George fut promu caporal, ce qui embarrassa quelque peu son ami qui rêvait toujours d'une carrière militaire. Néanmoins, il serra chaleureusement la main du nouveau sous-officier de cadets et tous deux coururent chez Benny pour fêter cela. Ils ne se firent pas prendre. Ils étaient devenus des vétérans.

Pendant toute la durée du camp, Harry s'inquiéta de ses études de deuxième année. Il n'était plus un plèbe, mais cela ne voulait pas dire qu'il était rassuré surtout devant plus de français, encore plus de géométrie descriptive et du dessin graphique de surcroît.

George le persuada d'assister au dernier bal de l'été. Comme toujours, il avait lieu dans le Bâtiment universitaire. Des jeunes filles élégantes et leurs mères convergeaient vers la bâtisse de granit, venant de l'hôtel et de Buttermilk Falls. Harry se sentait stupide et ne se rendait à une telle sauterie que pour mettre fin aux éternelles supplications de son ami.

En uniforme de parade, il étouffait et se sentait ridicule. Cependant il trouvait certaines compensations à ses souffrances car il adorait voir les épaules poudrées et les expressions coquettes des invitées, même si cette contemplation était rendue douce-amère par la certitude qu'aucune de ces filles ne jetterait un regard encourageant de son côté.

Elkanah Bent lui fournit aussi une certaine diversion. Il arriva en compagnie d'une fille au teint brouillé et aux traits en lame de couteau. George donna un coup de coude à son ami et pouffa. Pickett faillit éclater de rire.

— Je ne parviens pas à y croire, dit-il. Il a fini par trouver quelqu'un qui veut bien danser avec un éléphant !

A l'autre extrémité de la salle animée, Bent remarqua l'attention dont il était l'objet. Il jeta aux amis un coup d'œil venimeux. Sans se troubler, George continua de pouffer.

— Je suppose que lorsqu'on est aussi moche que cette pauvre créature, même la tête de Bent devient tolérable.

Laides ou jolies, les jeunes filles du bal donnaient à Harry l'impression d'être un rustaud. Il faisait tapisserie depuis une heure quand George vint à son secours. Il apparut avec une jeune fille à chaque bras et indiqua clairement qu'il en amenait une pour son camarade. Puis, il repartit tourbillonner avec sa cavalière. Harry crut que le sol s'était ouvert devant lui et qu'il essayait de se tenir debout en l'air. Mais sa partenaire, une agréable blonde potelée, semblait charmée par son uniforme immaculé — surtout par les boutons — et prête à passer sur son manque d'aisance.

Elle était d'Albany et s'appelait Miss Draper. L'incapacité où se trouvait Harry d'imaginer des phrases intelligentes l'encouragea enfin à danser avec elle. Il lui marcha sur les pieds. Sa conversation sur la piste se limita à des excuses. Quand il lui demanda si elle avait envie de prendre l'air, elle accepta avec grand empressement.

Il avait une permission l'autorisant à aller sur le Sentier du Flirt et ce fut donc là qu'il l'emmena. Mais l'obscurité feuillue pleine de froissements de branches — ou de satins et de velours chiffonnés ? — ne fit qu'accroître son embarras. Ils s'assirent sur un banc, dans un silence gênant.

Il fut surpris quand soudain Miss Draper ouvrit son réticule et en retira, en cadeau, quelques petits gâteaux saupoudrés de sucre qu'elle avait apportés. Harry voulut en grignoter un et le laissa tomber. Il fourra l'autre sous sa tunique et l'écrasa promptement. Miss Draper le regarda pendant une minute comme si elle attendait quelque chose, puis elle se leva d'un bond.

— Raccompagnez-moi, monsieur, s'il vous plaît. Il fait trop frais ici.

La nuit, en réalité, était exceptionnellement douce. Harry ramena donc Miss Draper au bal dans un silence pénible. Moins de trente secondes plus tard, elle dansait avec un autre cadet. La soirée était un lamentable échec et lui un triste raté.

— Jamais plus je n'irai dans une de ces fichues réunions, déclara-t-il à George dans leur chambrée, après l'extinction des feux. J'aime bien la compagnie des jeunes filles mais je ne sais pas quoi faire. Je ne sais surtout pas comment flirter. Miss Draper m'a dit bonsoir comme si j'avais une maladie contagieuse.

— Mon vieux, tu as négligé le donnant, donnant.

— Le quoi ?

— Miss Draper ne t'a pas offert un petit cadeau ? Des gâteaux, peut-être ?

— Comment l'as-tu deviné ?

— Parce que j'en ai eu aussi.

— D'elle ?

— Bien sûr que non. D'autres filles.

— Combien ?

— Plusieurs. Ça fait partie du jeu. En échange du cadeau, la fille attend un souvenir et un gentilhomme ne manque jamais de le donner. Pourquoi crois-tu que je cherche constamment des boutons à recoudre sur mon uniforme ?

— J'ai remarqué que tu perdais beaucoup de boutons. Tu veux dire que Miss Draper voulait que je...

— Les braves peuvent mériter les belles, mais les belles, en échange, exigent des boutons de West Point. Surtout avant qu'elles t'accordent une petite caresse ou un baiser. Mon garçon, un bouton d'uniforme de cadet est le souvenir romantique le plus recherché de la nation.

— Eh bien ! souffla Harry. Si je me doutais ! Pas étonnant qu'elle m'ait foudroyé du regard. Ma foi, après tout, je dois être un de ces hommes que le Tout-Puissant ne destine qu'à une seule femme.

— Tout comme il te destine à une seule carrière ? Harry, tu es trop sérieux.

Dans l'ombre, le lit de fer de George grinça quand il se tourna vers son ami.

— Puisque nous en sommes à la franchise, il y a une question qui me tracasse. Je dois avouer que je crois connaître la réponse.

— Laquelle ?

— Tu as déjà été avec une femme ?

— Ecoute un peu ! C'est une question personnelle et même discourtoise...

— Ah, je t'en prie, épargne-moi ta sacré rhétorique du Sud ! Oui ou non ?

Harry faillit avaler la réponse.

— Non...

— Nous allons remédier à ça.

— Y remédier ? Comment ?

— A t'entendre, on croirait que nous parlons du choléra, bon Dieu !

Harry devina que la colère de son camarade était feinte. Il rit nerveusement et marmonna :

— Pardon. Je t'écoute.

— Deux dames très accommodantes habitent au village. Une visite à l'une d'elles pourrait bannir certaines de tes idées sentimentales sur les femmes. Ça te convaincrait certainement qu'elles ne vont pas tomber en morceaux au premier regard, même lubrique, que tu leur adresseras.

Harry essayait d'interrompre ces propos mais George ne voulait rien entendre.

— Pas de discussion. Ça ne te coûtera pas grand-chose et tu trouveras toute l'affaire extrêmement instructive. Si tu attaches du prix à notre amitié, tu dois y aller.

— Je craignais qu'un jour tu t'attaques à ça...

Harry espéra que sa voix ne révélait pas sa soudaine excitation.

Il s'attendait à ce que son initiation fût une affaire strictement privée, où George seul avec la dame en question seraient au courant, mais quelques soirs plus tard, George rassembla quatre autres cadets et tous les six coururent à Buttermilk Falls. L'initiation allait être aussi privée qu'un congrès.

La dame à qui ils rendirent visite lui parut vieille, bien qu'elle n'eût que trente-trois ans à peine. C'était une brune aux formes généreuses nommée Alice Peet. Elle avait des yeux doux, un sourire dur, et un visage que le travail et le souci avaient usé. George disait qu'elle était veuve et faisait du blanchissage et « d'autres choses » pour vivre et nourrir ses trois enfants et un chat. Son mari, matelot sur un vapeur fluvial, était tombé à l'eau et s'était noyé au cours d'un orage, deux ans plus tôt.

Alice Peet avait envoyé ses enfants chez une amie pour avoir la maison tout à elle et à ses visiteurs. Maison était d'ailleurs un bien grand mot et baraque aurait été plus juste. Il n'y avait qu'une grande pièce et une alcôve, fermée par une porte mince, devant probablement être utilisée pour l'affaire de la soirée.

Harry avala une gorgée brûlante de whisky qu'offrit Alice Peet. Tout à coup, il fut suffoqué de honte et de timidité. Il savait que jamais il ne pourrait franchir cette porte. Sans rien dire, il sortit sur le perron.

La cabane d'Alice était située à l'extrémité du village, bien à l'écart des plus proches voisins. De là, on avait une vue splendide de l'Hudson scintillant sous les étoiles. Il s'assit sur une marche et se détendit.

Son mari ne semblait guère manquer à Alice. Elle riait, buvait et prenait du bon temps avec les autres cadets. La réunion devint joyeusement bruyante. Au bout d'une heure, Harry pensa qu'on l'avait oublié et en fut reconnaissant. Puis la porte s'ouvrit et claqua contre le mur.

Le cadet Stribling sortit en chancelant. Il était devenu un bon camarade, maintenant que George et Harry étaient des yearlings.

— Main ? Où êtes-vous, monsieur ? Madame Pompadour-Peet attend. Et crois-moi, j'emploie le mot qui convient.

A ce moment, Stribling faillit tomber des marches. Il se rattrapa et éructa.

— Bon Dieu, la créature est insatiable. Nous allons passer la nuit ici. Mais du moment qu'elle n'augmente pas le prix, on s'en fiche. Allez, maintenant, c'est votre tour, monsieur.

— Merci, mais je crois que je vais rester...

— Cadet Harry Main, monsieur ? glapit George de l'intérieur. Venez ici faire votre devoir, monsieur !

Après quelques minutes de taquineries, Harry se résigna. Les cadets hilares le propulsèrent dans la pièce principale et vers l'alcôve. Ils claquèrent la porte sur lui. Il était terrifié, mais très surpris d'être raide comme un gourdin sous sa braguette. La braguette était une innovation récente apportée aux uniformes de West Point. Elle avait été imposée en dépit de l'opposition de la femme du Vieux Dickey, entre autres, qui s'était emportée contre l'altération morale des pantalons avec des boutons sur le devant. La lubricité avait été publiquement reconnue, et par le gouvernement par-dessus le marché.

Harry eut de folles visions de boutons sautant sous la pression. Dans l'obscurité, la blanchisseuse avait une agréable odeur musquée, un mélange d'eau de toilette, de whisky et de chair tiède.

— Par ici, murmura-t-elle.

Il buta contre le pied du lit, s'excusa longuement, mais Alice Peet ne se moqua pas de lui. Peut-être était-elle ivre mais sa voix était gentille.

— Viens, mon chou. Tu es Harry, n'est-ce pas ?

— Oui, c'est ça. Harry.

— Un joli nom. Tes amis disent que c'est nouveau pour toi.

— C'est que...

— Pas la peine de répondre. Assieds-toi.

Brûlant — avait-il la fièvre ? — il s'assit avec précaution sur le bord du lit.

— Nous allons te rendre tout ça facile et agréable, mon chou, dit-elle et elle le caressa d'une manière si choquante qu'un homme plus vieux en aurait eu une attaque.

Elle était experte. Dix minutes plus tard, Harry poussa un cri involontaire et il n'y eut plus de mystère pour lui.

Sur le chemin du retour, il essaya d'affirmer à George qu'il avait passé un très bon moment. Secrètement, pourtant, les étreintes d'Alice Peet le laissaient insatisfait et curieusement triste. Il était peut-être en retard sur le reste du monde, mais les accouplements avec des inconnues n'étaient pas pour lui. La visite à la cabane l'avait persuadé une fois de plus qu'il n'y aurait qu'une femme dans sa vie. Une seule et unique. Il était sûr de la reconnaître dès qu'il la verrait.

Si cela faisait de lui un romantique idiot, tant pis.

Un samedi après-midi du printemps de 1844, les deux amis se trouvèrent avec une heure de liberté et pas de mauvais point à compenser par des tours de garde supplémentaires. Ils se promenaient dans les collines au-dessus de l'Académie. Ce jour-là, Harry apprit que, si la famille Hazard était liée au travail du fer d'un engagement profond et, dans un sens, mystique, George l'était aussi, ce qu'il avait caché jusqu'à présent.

Au cours de leur promenade, ils découvrirent à flanc de coteau un cratère rond, peu profond, d'environ soixante-dix centimètres de diamètre. De la terre l'avait à demi comblé et l'herbe poussant sur les bords indiquait qu'il avait été creusé des mois, sinon des années, plus tôt.

Tout à coup, George parut surexcité. Il s'agenouilla au bord du trou et creusa dans le fond à deux mains.

— George ! Qu'est-ce que tu...

— Attends ! J'ai trouvé quelque chose.

De la terre molle, il extirpa sa découverte, une espèce de scorie conique, mesurant à peu près quinze centimètres de la base à la pointe.

— Que diable est ce truc-là ? demanda Harry.

— Ce n'est pas du diable, répondit George avec un curieux sourire, en montrant le ciel. C'est venu de là-haut. C'est une météorite. La couleur brune montre qu'elle contient beaucoup de fer. Du fer d'étoiles, comme disent les vieux de l'usine.

Il tourna et retourna entre ses doigts l'objet rugueux, en l'examinant avec un respect qui stupéfia Harry.

— Les anciens Egyptiens connaissaient le fer d'étoiles, reprit George à voix basse. Ce morceau a voyagé sur des millions et des millions de lieues avant de s'écraser ici. Mon père prétend que l'industrie du fer a eu plus d'influence sur le cours de l'Histoire que tous les hommes politiques et tous les généraux depuis le commencement des temps... et voilà la raison, dit-il en haussant la météorite. Le fer peut détruire n'importe quoi, familles, fortunes, gouvernements, nations entières. C'est ce qui existe de plus puissant dans l'univers.

— Ah ? fit Harry avec une moue sceptique en se tournant vers la

Plaine au-dessous d'eux. Tu penses réellement que c'est plus puissant qu'une grande armée ?

— Sans armement... sans *cela*, il n'y a pas de grandes armées.

George parlait avec une telle intensité qu'Harry frissonna. Quelques instants plus tard, ils repartirent. Bientôt, George redevint lui-même, bavard et rieur, mais il garda la météorite dans sa main. De retour dans la chambrée, il l'enveloppa et la rangea comme un trésor.


## CHAPITRE VI


H ARRY PRIT UN VAPEUR côtier pour descendre dans le Sud. Dès son premier repas dans la salle à manger, il se sentit emprunté dans son uniforme de permission : longue tunique à taille étroite ornée comme chaque revers des manches d'un extravagant nombre de boutons gravés et dorés. L'uniforme attira indiscutablement l'attention, en général favorable et amicale à l'exception de celle d'un commerçant du Connecticut qui grommela contre une aristocratie militaire dorlotée. Il estimait qu'un conseil civil devrait administrer l'Académie.

A Charleston, Harry loua un cheval pour remonter le fleuve plus lentement qu'en bateau. Il voulait savourer toutes les joies du retour. Il avait été absent deux ans et, à sa propre stupéfaction, il avait surmonté une quantité ahurissante d'épreuves de caractère et d'intelligence. Cette permission aurait été parfaite si une fille l'avait attendu, une jeune fille à qui il aurait offert le cadeau d'amour traditionnel du cadet, la guirlande d'or brodée sur la bande de velours de sa casquette de permissionnaire, cette gruilande qui comportait les lettres *U.S.M.A.* (U.S. Military Academy) brodées en écriture anglaise couchée.

Mais l'inconnue serait absente et il devrait sans doute se résigner à passer sa vie entière sans rencontrer la femme de ses rêves.

Alors qu'il sortait de la ville, une forte pluie se mit à tomber. Il s'arrêta pour enfiler sa capote bleue et abaisser sa casquette pour que la visière lui abrite les yeux. Malgré cela, il sut qu'il arriverait trempé à Mont Royal, où il comptait retrouver Cooper pour, de la plantation, se rendre avec lui à la résidence d'été de la famille.

Sur sa droite coulait le fleuve criblé de pluie, sur sa gauche se dressaient d'épais fourrés de choux-palmistes et de chênes verts, entre lesquels on apercevait de temps en temps des marécages. L'air était lourd d'humidité, plein de sons et d'odeurs familiers...

Il avançait depuis une heure quand il entendit des voix alarmées. Il galopa jusqu'au prochain tournant de la route et arrêta son cheval devant une belle voiture couchée sur le flanc, sur le bas-côté.

Il nota qu'une partie de la chaussée avait été emportée et ne laissait qu'un étroit passage sur le bord d'une pente raide. La voiture avait dû basculer, ses brancards s'étaient cassés. Mais Harry ne vit pas de cheval.

Le cocher arc-bouté contre la portière coincée tentait de l'ouvrir en la soulevant. Des voix effrayées et féminines venaient de l'intérieur. Harry aperçut une demi-douzaine de sacs de voyage et de malles jonchant la chaussée. L'une d'elles s'était ouverte et déversait des vêtements élégants dans la boue gluante. Il remarqua que les robes étaient généreusement ornées de dentelles, donc les passagères n'étaient pas pauvres.

Le cocher découvrit soudain l'uniforme d'Harry.

— Monsieur, êtes-vous un constable ? lança-t-il.

— Non, mais je peux vous aider.

— Je ne parviens pas à ouvrir cette portière.

— Laissez-moi essayer.

Mettant pied à terre, il crut distinguer quelque chose de long et mince qui filait sur le flanc du coche et disparaissait à l'intérieur par une des fenêtres.

Il se précipita alors car la voiture s'était renversée dans un terrain marécageux et c'était certainement un serpent qu'il avait distingué en un éclair.

— Je vais monter là-haut, dit-il au cocher.

Par l'essieu et la roue arrière, il atteignit le flanc du coche et son regard rencontra alors les yeux les plus grands et les plus foncés qu'il eût jamais vus. Ils appartenaient à une jeune fille blanche, jeune, extrêmement jolie, et à la peau très claire. Sa compagne, une femme noire, était plus âgée.

— Nous allons bientôt vous faire sortir de là, mesdames, lança-t-il.

Il s'accroupit, tendit la main vers la poignée de la portière, et jeta un coup d'œil plus attentif. Il vit alors le serpent, immobile dans les plis de la robe de la jeune fille, derrière la jupe qui le dissimulait.

Une sueur d'angoisse se mêla à la pluie sur ses joues.

— Mesdames, je vous supplie de maîtriser vos nerfs, dit-il d'une voix basse, pressante, qui les fit l'écouter. Je vous implore de ne faire aucun mouvement brusque, de ne pas bouger du tout avant que je vous le dise. Un serpent s'est glissé dans votre voiture...

Les quatre yeux s'arrondirent. La femme noire baissa la tête, mais Harry chuchota :

— Ne bougez pas. Restez absolument immobiles.

Elles se figèrent, et lui aussi. Le serpent maintenant ouvrait grand sa gueule, révélant ses crochets et l'intérieur cotonneux de sa bouche. Harry sentit son cœur battre.

— Ce serpent est-il venimeux ? demanda doucement la jeune fille puis, se rendant compte qu'elle parlait français, elle répéta sa question en anglais.

— Très, répondit Harry dans un souffle, mais il ne frappera que s'il est menacé. Cependant il s'effraye facilement. C'est pourquoi je vous demande de réprimer tout mouvement brusque et de ne pas parler fort. Si vous faites cela, tout ira bien.

Il mentait ou, du moins, il exagérait. Heureusement, les deux femmes ne pouvaient deviner sa tension, sa peur.

Avec un petit sourire d'excuses, la jeune fille murmura :

— Nous ignorons tout cela, monsieur. Nous venons d'une ville.

Et pas des Carolines, pensa Harry, cela s'entend à votre accent. Il surveillait toujours le serpent qui avait refermé ses mâchoires.

Soudain, la peur de la femme noire eut raison d'elle. Elle se mit à trembler. Elle se mordit la lèvre inférieure pour tenter de retenir ses larmes, mais n'y parvint pas.

— Calmez-la, chuchota Harry. Faites n'importe quoi pour qu'elle reste immobile.

Lentement, avec de grandes précautions, la jeune fille glissa une main gantée sur la manche de sa compagne, la pressa doucement et souffla, en français :

— Maman Sally, il faut nous taire encore un moment. J'ai peur aussi. Mais si nous ne bougeons pas une minute de plus, nous serons sauvées, j'en suis sûre.

La femme noire maîtrisa sa terreur. Elle leva la main gauche et effleura le gant mauve de la jeune fille dans un geste de remerciement, mais son mouvement fut trop abrupt, le frou-frou de son corsage trop fort. Avant qu'Harry puisse crier un avertissement, le serpent se dressa. La jeune fille le découvrit sur sa jupe et hurla. Pendant une seconde de panique, Harry eut la vue brouillée. Il s'accrocha au rebord de la portière, se pencha à l'intérieur, regarda...

Le serpent avait disparu. Effrayé, il était tombé par une des fenêtres basses et s'était enfui.

Harry estimait qu'il avait manqué le sauvetage. Les voyageuses ne furent pas de cet avis. Elles le remercièrent avec effusion tandis qu'il inspectait à fond la voiture, rabattait la portière et aidait les femmes à se dégager.

Ce fut d'abord la Noire, puis la jeune fille. Alors qu'elle mettait le pied sur le flanc du coche, il lui tint la taille un instant de plus qu'il n'était besoin. Il ne put s'en empêcher, tant il était séduit par sa peau laiteuse, ses grands yeux sombres, ses cheveux noirs lustrés, ses seins délicieusement ronds sous l'élégant costume de voyage. Elle avait à peu près son âge et il aurait juré que, de sa vie, il n'avait vu plus belle créature.

— Jamais nous ne pourrons assez vous remercier, monsieur... ?

— Main. Harry Main.

— Etes-vous soldat ?

— Pas encore. Je suis élève de l'Académie Militaire de West Point Je rentre chez moi pour une permission de deux mois.

— Vous habitez près d'ici ?

— Oui, notre plantation est là, un peu plus haut en amont.

Il sauta à terre, tendit la main. La pression des doigts gantés le fit rougir de plaisir. La jeune fille avait un visage ovale, des lèvres charnues et sa bouche quelque chose de délicieusement passionné qui rehaussait, par contraste, son indiscutable aura de raffinement.

— Je m'appelle Madeline Fabray. Nous nous rendons à une plantation appelée Resolute. La connaissez-vous ?

Avec peine Harry se retint de froncer les sourcils.

— Oui. C'est celle des Lamotte. Ce n'est pas loin.

— Nous avons fait tout le chemin depuis La Nouvelle-Orléans, Maman Sally, Villefranche et moi. Aucun de nous n'a jamais voyagé à plus de deux jours de chez nous. Les gens de La Nouvelle-Orléans sont terriblement provinciaux, je le crains. Là-bas on vous dira qu'il n'y a rien sur le continent qui vaille la peine d'être vu, une fois que l'on a traversé la Place d'Armes vers le Mississippi.

Elle plaisantait. Harry buvait ses paroles.

— Quoi qu'il en soit, reprit-elle, les Carolines sont un pays très nouveau pour nous. Nous espérions arriver à Resolute pour le dîner mais il est évident que nous ne le pourrons pas. Je dois dire que ces routes sont pitoyables. Tant d'ornières et de trous ! Villefranche est un excellent cocher, mais cet endroit rétréci était trop difficile. Les chevaux ont glissé et pris peur, la voiture s'est renversée...

Un haussement d'épaules, un geste expressif. Elle adressa à Harry un sourire merveilleusement chaleureux.

— Heureusement, un galant cavalier est venu à notre secours.

Il rougit de plus belle.

— Vous devez plus de reconnaissance aux nerfs du serpent qu'à moi.

— Non, Mr Main, c'est à vous que je serai reconnaissante, déclara Madeline Fabray en lui touchant impulsivement la manche. Eternellement.

Elle le regarda un instant dans les yeux puis, rougissant à son tour, elle retira sa main et une expression de chagrin fugace passa dans ses yeux.

Harry ne comprit pas cette réaction. Il crut qu'elle avait désiré poser sa main sur son bras mais qu'après l'avoir fait elle l'avait regretté. Il avait entendu dire que les femmes de La Nouvelle-Orléans avaient des manières extrêmement raffinées, cependant toucher la manche d'un homme en signe de gratitude n'avait rien d'un péché mortel. Il se demanda ce qui la contrariait.

Malgré ce petit mystère, il pensa avoir beaucoup appris sur cette charmante voyageuse en fort peu de temps. Elle était intelligente, de qualité, et certainement ne manquait pas de sentiments. Bien au contraire. Ces fascinants aperçus de son caractère l'attirèrent plus profondément encore que sa beauté. Pendant un instant de vertige, il se persuada que deux êtres parfaitement assortis venaient de se rencontrer...

Crétin romantique, pensa-t-il une minute plus tard.

Villefranche fit une réflexion polie mais pressante au sujet de la poursuite du voyage. Harry expliqua :

— Il y a un hameau à la croisée des chemins, à une demi-lieue d'ici. Je vais y passer, vous envoyer deux mules et deux ou trois nègres qui vous permettront de remettre la voiture sur la route.

Il aida le cocher sans grande hâte à rassembler les bagages éparpillés. Il était désolé de penser que cette ravissante jeune fille rendait visite au propriétaire de Resolute, Justin Lamotte, qu'il connaissait bien et détestait.

Les Lamotte appartenaient à une vieille et aristocratique famille huguenote. Le premier Lamotte des Carolines y était arrivé plus d'un an avant Charles Main. Par conséquent Justin Lamotte, son frère Francis, et tout le clan avaient tendance à toiser de haut les Main et le reste du monde, bien que Justin soit pratiquement ruiné par une mauvaise gestion de son domaine et un mode de vie trop coûteux. Lorsqu'on le rencontrait pour la première ou même la seconde fois, on le trouvait exceptionnellement charmant, mais Harry savait ce que cachait son attrait.

Il chercha à en apprendre davantage sur la visiteuse. En passant un sac de voyage boueux à Villefranche, il dit à la jeune fille :

— D'après votre nom, je devine que vous êtes française.

— Ah ! répondit-elle en riant, à La Nouvelle-Orléans nous avons presque tous des noms français, parce que la grande majorité, et surtout les hommes d'église, ont toujours prétendu qu'ils ne pouvaient ni prononcer ni se souvenir des autres. Vous savez combien les Français peuvent être snobs.

— Certes. Il y a aussi des Français dans les Carolines. D'où venaient vos parents ?

— Du côté paternel, d'Allemagne. Mon arrière-arrière-grand-père Faber a été un des premiers à arriver sur ce que l'on appelle la Côte Allemande, à une dizaine de lieues en amont de La Nouvelle-Orléans. Il y a là des centaines d'Allemands dont, depuis un siècle, presque tous les noms ont été francisés. Buchwalter est devenu Bouchevaldre, Kerner, Quernel. Je pourrais vous en citer plus de dix.

— Votre famille habite en ville maintenant, ou sur cette Côte Allemande ?

— Il ne me reste que mon père.

Elle expliqua qu'il était fabricant de sucre, comme son père et son grand-père. Il aurait voulu l'accompagner dans ce voyage, mais c'était impossible car il était paralysé depuis six mois à la suite d'une attaque.

Harry essuya tant bien que mal la boue séchée de la dernière sacoche et se prépara à prendre congé.

— Je vous souhaite un excellent séjour à Resolute, Miss Fabray...

Il craignait d'en dire plus mais il sentit qu'il le devait, sinon cette occasion serait perdue. Tournant sa casquette entre ses doigts, il hasarda :

— Peut-être... nous nous reverrons ?

— Cela me ferait grand plaisir, monsieur, répondit-elle avec un sourire.

Il était bien trop subjugué pour comprendre qu'elle était simplement polie.

Il se remit en selle. L'allégresse le fit chanter jusqu'au hameau. Il ne comprenait pas pourquoi une jeune fille aussi jolie et aussi distinguée que Madeline Fabray allait passer des vacances avec des gens aussi superficiels que les Lamotte. Peut-être avait-elle avec eux une vague parenté ? Cela lui parut la seule explication possible.

Il se promit de s'efforcer d'être courtois avec Justin Lamotte, s'il devait payer ce prix pour rendre visite à son invitée, car il en avait la ferme intention dès que possible. Il resterait un mois et demi chez lui, c'était amplement suffisant pour devenir le soupirant d'une jeune personne. Il s'imagina offrant à Madeline la guirlande brodée de sa casquette ; il se vit avec elle, à la fin de sa permission, échangeant d'ardentes promesses de s'écrire.

Il s'émerveilla des caprices du destin. Si cette pluie sinistre n'avait pas emporté une partie de la chaussée, cette rencontre n'aurait jamais eu lieu. L'heureux accident faisait déborder son cœur d'un bonheur merveilleux et entièrement nouveau.

Cinq minutes après son arrivée à Mont Royal, Cooper le fit brutalement retomber sur terre.

— Fabray, dis-tu ? J'ai peur que tu te sois égaré sur une mauvaise route, mon vieux. Fabray est le nom de la jeune fille que Justin va épouser.

Après un moment de silence, Harry, suffoqué, s'écria :

— Comment est-ce possible ? Comment ?

Cooper haussa les épaules. Ils étaient dans la salle à manger, pièce lugubre, pleine d'ombres maintenant que la pluie avait repris. La casquette de permissionnaire gisait dans le coin où Harry l'avait joyeusement lancée après avoir embrassé son frère. Cooper était en manches de chemise. Il avait servi deux verres du meilleur bordeaux de leur père. Harry n'avait pas goûté le sien. Cooper posa un pied botté sur la belle table d'acajou.

— Aucune idée, dit-il. Je ne suis pas précisément un confident de Justin ou de Francis.

— Je ne peux pas croire que cette fille épousera Justin. Elle ne doit pas avoir vingt ans. Il en a au moins quinze ou vingt de plus. Il y a combien de temps que sa première femme est morte ?

— Neuf ans, je crois. Qu'est-ce que ça change ? C'est probablement le père qui a organisé ce mariage. Cela arrive encore fréquemment. Et les Lamotte sont de bonne famille, même s'ils ne connaissent guère ce qu'est la tendresse humaine.

Harry, l'air de plus en plus agité, fit le tour de la table, recommença. Il s'arrêta brusquement à côté de la chaise de son frère.

— Quand a lieu le mariage ?

— Samedi prochain. Au fait, nous sommes tous invités. Je pense que tu n'iras pas ?

— Samedi ! Pourquoi si vite ?

— Je ne puis que hasarder des suppositions. La mère de Justin voulait qu'il ait lieu à l'automne, quand il ferait plus frais. Je ne sais si c'est la fille qu'il attend avec impatience ou sa dot. Si elle est aussi jolie que tu le dis, je comprends certains bruits qui courent. A ce qu'on raconte, Justin est aussi impatient qu'un de ses étalons... Je t'en prie, cesse ces allées et venues infernales ! Ce n'est qu'une fille, après tout !

Harry pivota.

— Elle est beaucoup plus que cela. En moins de cinq minutes, j'ai été sûr que nous aurions pu... nous aurions pu...

Il ne sut comment terminer sa phrase, ou, peut-être... craignait-il la moquerie de son frère. Il alla ramasser sa casquette et caressa du bout du doigt la guirlande brodée au fil d'or.

Puis, sans ajouter un mot, il sortit.

Cooper soupira et prit le verre intact de son frère. Subitement, il était triste.

Le lendemain matin, les deux frères sellèrent leurs chevaux et se rendirent à Summerville, la résidence d'été. En arrivant, Harry fit un réel effort pour saluer tout le monde chaleureusement, mais sa mère connaissait bien ses enfants.

Ce soir-là, après le souper, elle attira Cooper à l'écart.

— Ton frère est mauvais comédien. Pourquoi est-il si malheureux ? Il n'est pas content d'être à la maison ?

— Si, très. Mais hier, il a rencontré une jeune fille sur la route de Charleston. Elle lui a plu et depuis il a appris qu'elle était la fiancée de Justin Lamotte.

— Ah ! mon Dieu ! Celle que tout le monde appelle la Créole ?

— Sans doute. C'en est une ?

— Son nom le suggère. Mon Dieu, répéta Clarissa, et cela pose un problème, pour le mariage. Ton père refuse d'y aller mais la courtoisie exige que la famille soit représentée. J'espérais qu'Harry et toi m'accompagneriez.

Cooper comprenait l'antipathie de son père pour les Lamotte car il la partageait. Ils avaient mauvais esprit, vénéraient avant tout les chevaux et réglaient des querelles sans importance en ayant recours au duel interdit. Par considération pour sa mère, il répondit :

— Franchement, j'aimerais mieux pas, mais j'irai. Nous ne devons pas forcer Harry, cependant.

— Non, non, bien sûr. Dans ces circonstances, il ne voudra certainement pas y aller.

Le cadet les surprit en annonçant qu'il irait avec eux. Cooper pensa que c'était folie mais ne dit rien. Theo ordonna à sa femme d'emmener aussi Cousin Charles.

— La vue d'une société qui se tient bien l'inspirera peut-être, conclut-il ironiquement, et Cooper pensa que le pauvre Charles était une fois de plus puni, d'une manière ou d'une autre.

Le samedi, le soleil se leva dans un ciel clair, et une bonne brise chassa les insectes. Le départ pour Resolute fut retardé d'une heure parce que Clarissa, juste avant le jour, dut s'occuper d'une des esclaves qu'ils avaient amenées de Mont Royal et qui fut prise des premières douleurs.

Clarissa aidait à tous les accouchements sur la plantation et n'en attendait ni compliments ni reconnaissance. Elle assumait simplement les responsabilités traditionnelles d'une femme de planteur. Ses filles, un jour, feraient comme elle.

Le voyage en voiture dura une heure et demie. Cousin Charles ne cessa de s'agiter et de se plaindre, car Clarissa l'avait vêtu d'un beau costume, avec col haut et cravate, mais à force de se tortiller, de bouger, il réussit à le friper complètement avant l'arrivée à Resolute.

La cérémonie du mariage était terminée depuis quarante minutes. Elle avait eu lieu dans une minuscule chapelle séparée de la maison, en présence de la seule famille. Maintenant, la réception était en plein essor. Des groupes riaient et bavardaient sous les chênes et les magnolias de la grande pelouse où l'on avait dressé quatre pavillons de toile à rayures jaunes et blanches.

La plantation des Lamotte rappelait immanquablement à Cooper, une prostituée de Charleston essayant de dissimuler sous la poudre et les fards les ravages du temps. Au premier abord, la vaste demeure paraissait immense et impressionnante. Puis on remarquait le bois gauchi, moisi, les blocs de mortier tombés des colonnes en briques soutenant la terrasse, les volets à la peinture écaillée.

La foule joyeuse ne semblait pas y prendre garde. En comptant la famille, les invités et les nombreux esclaves nécessaires pour le service, on arrivait bien à trois cents personnes. De belles voitures et des carrioles étaient remisées sur un hectare, d'un côté de la pelouse. De la fumée planait dans l'air doux, révélant que l'on préparait des barbecues, ces barbecues de tradition à tous les mariages des basses-terres.

Un orchestre de Charleston entama un morceau entraînant. Cousin Charles fila en courant. Harry, la mine sombre, cherchait des yeux la mariée, Cooper, le bar, espérant que le punch serait fort car seule l'intempérance rendrait l'après-midi supportable.

— La voilà, lança Harry, nous devrions aller présenter nos félicitations, avant que la queue ne s'allonge trop devant eux.

Clarissa et Cooper l'approuvèrent. Ils prirent la file et saluèrent bientôt le recteur, les divers Lamotte et enfin les mariés.

Justin Lamotte était un bel homme assez enveloppé, au teint

rubicond et aux cheveux châtains soyeux qui paraissaient teints. Il accepta les félicitations des Main avec le sourire et quelques phrases de remerciement charmantes, mais il n'y eut aucune chaleur dans ses yeux.

Cooper examina la mariée. Elle était d'une grande beauté et il ne s'étonnait pas que son frère eût été frappé au cœur. Justin ne méritait pas un tel cadeau. Cooper se demanda si cette jeune fille connaissait bien l'homme qu'elle épousait et le souhaita pour elle, car ce serait tragique si la malheureuse découvrait ensuite ce que dissimulait le charme superficiel de son mari.

Cooper s'était arrangé pour passer le premier, afin de pouvoir observer le comportement de son frère devant Madeline Lamotte. Il redoutait un incident.

Harry se conduisit en parfait gentilhomme. Il tint un instant la main de la mariée, en se penchant pour poser sur sa joue le petit baiser rituel. Cependant, alors qu'il s'écartait, Cooper surprit l'échange de leurs regards. Dans les yeux de son frère — et dans ceux de Madeline aussi —, il vit de la tristesse, une ombre fugace mais bien révélatrice du regret d'une occasion perdue.

D'un mouvement brusque, en rougissant légèrement, la jeune mariée se détourna. Justin saluait un autre invité et le bref éclair des yeux lui échappa. Se souvenant de ce qu'il avait deviné et constaté, Cooper se dit : J'espère qu'une femme me regardera ainsi, au moins une seule fois avant que je meure.

Les Main s'éloignèrent. Cooper aurait voulu consoler son frère mais il ne trouvait pas les mots adéquats. D'ailleurs, Harry s'en serait offensé. Alors, il se dirigea vers le bol à punch. En chemin, il aperçut Cousin Charles, à quatre pattes sous une des tables à tréteaux, ses pans de chemise sortaient déjà de son pantalon.

Cooper constata que sa mère était servie et la laissa en compagnie de trois dames âgées, deux étaient cousines des Main et la troisième appartenait à l'innombrable famille Smith. En une demi-heure, il consomma quatre verres de punch. De tous côtés, il entendit, sur le marié, des compliments qui lui faisaient grincer les dents. Les invités se montraient charitables, mais la charité de Cooper n'allait pas jusqu'au mensonge.

Bientôt, il se laissa aller à galoper autour de la piste de danse dressée en plein air avec une aimable matrone que l'on appelait Tante Betsy Bull. Cooper adorait la polka et s'en donnait à cœur joie quand Tante Betsy gâcha tout en déclarant :

— Tu ne trouves pas qu'ils forment un beau couple ? Elle va être bigrement heureuse. Je ne connais pas très bien Justin mais il m'a toujours paru très bon et tout à fait charmant.

— Pour leur mariage, tous les hommes sont des anges.

— Allons, allons, gronda gentiment Tante Betsy. Comment quelqu'un d'aussi adorable que ta mère a-t-elle pu élever un aussi cynique chenapan ? J'ai l'impression que tu n'aimes pas Justin. Tu n'iras jamais au ciel avec une attitude pareille.

Je ne veux pas aller au ciel, murmura Cooper quand la musique s'arrêta, mais au buffet !

Un nouveau verre en main, il se sermonna et se reprocha de laisser percer ses sentiments. Il se moquait de ce que les gens pensaient de lui mais pour rien au monde il ne voulait gêner sa mère. Pourtant, il était difficile de rester neutre à propos d'un individu comme Justin

Lamotte, Sa courtoisie était un leurre. Il traitait mieux ses chevaux que ses nègres. Les abus et la cruauté étaient monnaie courante à Resolute depuis que Justin avait repris la plantation à la mort de son père.

L'été précédent alors que Justin avait perdu dans une course de chevaux, un de ses palefreniers noirs avait été jugé responsable. Fou de rage, Justin fit tapisser de clous un tonneau, y enferma l'esclave et le fit rouler du haut d'une colline. Les blessures du malheureux le laissèrent incapable d'aucun travail, inutilisable par qui que ce soit. Il finit par se suicider.

Un châtiment aussi barbare était rare dans la région et inconnu à Mont Royal. Cooper jugeait que cette barbarie était la raison principale des mauvaises récoltes de Resolute et de son plongeon de plus en plus rapide vers la faillite.

Toutes considérations morales mises à part, Cooper voyait dans l'esclavage une énorme faiblesse. Le simple fait de retenir un homme contre son gré constituait pour lui un mauvais traitement. Si l'on y ajoutait de la cruauté physique, comment espérer que cet homme travaille consciencieusement ? Cooper en concluait que la principale différence entre les systèmes économiques du Nord et du Sud n'était pas l'industrie opposée à l'agriculture, mais la motivation. Le Yankee libre travaillait mieux pour améliorer son sort. L'esclave du Sud travaillait surtout pour éviter les punitions. Lentement, cette différence pourrissait le Sud, de l'intérieur.

Mais comment faire comprendre cela à un Justin Lamotte... ou à un Theo Main ? D'humeur lugubre, Cooper se servit encore un verre de punch.

Francis Lamotte avait trois ans de plus que son frère. C'était un cavalier hors pair qui battait Justin et les autres concurrents dans tous les tournois médiévaux si populaires dans les basses-terres. Francis enthousiasmait les spectateurs en chargeant à une vitesse dangereuse les rangées de bagues offertes, et c'était toujours lui qui en collectionnait le plus à la pointe de sa lance.

Petit, nerveux, la figure tannée, il n'avait rien des grâces mondaines de son frère. Pour l'instant, il paraissait de mauvaise humeur alors qu'il buvait du punch en compagnie de Justin, provisoirement à l'écart des invités. A quelques pas d'eux, Madeline causait avec le pasteur épiscopalien. Les deux frères l'entendirent déclarer :

— Je ne sais pas qui remportera les élections à l'automne, Père Victor, mais il est évident que le résultat dépendra de l'annexion du Texas.

— Savez-vous que c'est un natif de la Caroline du Sud qui a joué un rôle capital en portant l'affaire à la connaissance du public ?

— Vous voulez parler de Mr Calhoun, n'est-ce pas ?

— Oui.

Calhoun était troisième secrétaire d'Etat dans le gouvernement précaire de Tyler. Après sa nomination l'année précédente, il avait rédigé le traité d'annexion que la République du Texas et les Etats-Unis avaient signé en avril.

— Vous avez raison, la question est d'importance, reconnut le recteur. Avant la fin de l'année, tous les hommes politiques devront déclarer leur position.

Il n'avait pas besoin d'ajouter que beaucoup l'avaient déjà fait. Le soutien de Polk et de l'ancien président Jackson en faveur de l'annexion était bien connu, tout comme celui des membres de l'opposition Van Buren et Clay.

— C'est tout à fait légitime, répliqua Madeline. Certains prétendent que l'affaire du Texas va beaucoup plus loin que les hommes politiques veulent bien l'admettre. J'ai entendu dire que le véritable jeu est l'expansion de l'esclavage.

Le pasteur se hérissa.

— Ceux qui disent cela sont des agitateurs, ma chère enfant. Des agitateurs yankees sans principes.

Par politesse, Madeline admit cette possibilité mais elle murmura :

— Je me le demande.

Agacé, le recteur demanda sèchement :

— Allons-nous au buffet ?

Madeline comprit qu'elle l'avait irrité.

— Volontiers. Venez, je vous en prie.

Au passage, elle sourit à son mari qui lui rendit son sourire d'un air plutôt pincé. Quand elle se fut éloignée avec le recteur, Francis examina son frère.

— Ta femme a des opinions arrêtées, on dirait.

Justin rit avec indulgence.

— Tu l'as remarqué, n'est-ce pas ?

— Elle a tort de parler si librement. L'intelligence est souhaitable chez une femme, mais seulement dans une certaine mesure.

— Tout a un prix, mon cher frère. La dot fournie par le vieux Fabray ne fait pas exception.

Justin contempla, par-dessus le bord de son gobelet d'argent, le corsage bien rempli de la robe de mariée de Madeline. Sous ses paupières lourdes, il calcula la position du soleil. Dans quelques heures, il posséderait tout ce que cachaient ces dentelles et ce satin immaculé. Il pouvait à peine attendre.

Comme le destin est bizarre, pensa-t-il.

Près de deux ans plus tôt, il avait décidé, bien que cela dépassât ses moyens, de faire un voyage à La Nouvelle-Orléans. Il s'y rendit pour tenter sa chance aux tables de jeu et assister à l'un des légendaires bals de quarterons dans la célèbre salle d'Orleans Street. Or, avant d'aller au bal et de faire connaissance avec les beautés noires, le hasard le plaça à côté de Nicholas Fabray, au bar d'un des cercles de jeu à la mode. Fabray ne jouait pas, mais fréquentait le cercle parce que c'était un des lieux de rendez-vous des hommes les plus influents de la ville. Justin eut tôt fait de deviner qu'il en était un. Il connaissait tout le monde, ses vêtements étaient élégants et de qualité, il dépensait de l'argent avec l'aisance d'un homme qui n'a pas à compter. Plus tard, Justin posa des questions et apprit qu'il avait vu juste.

Le surlendemain, il rencontra de nouveau Fabray au même cercle. Cette fois, il apprit que le fabricant de sucre avait une fille à marier. A partir de ce moment, Justin déborda de courtoisie et de bonne humeur. Fabray fut complètement abusé. Quand Justin voulait être charmant, personne ne pouvait rivaliser avec lui.

Quelques allusions à sa qualité d'étranger à la ville le firent inviter à dîner par Fabray. Justin fit la connaissance de la fille et, dès le premier instant, il devint presque fou de désir.

Il le cacha soigneusement, bien entendu. Il traita Madeline Fabray avec la même courtoisie discrète que son père. Avant la fin de la soirée, pourtant, Justin constata que si son âge et son expérience impressionnaient la splendide créature, elle n'avait pas peur de lui.

Il prolongea d'une semaine son séjour à La Nouvelle-Orléans, et puis d'une autre. Fabray semblait heureux qu'un gentilhomme de la qualité de Lamotte fasse la cour à sa fille. Et tout ce que Justin apprenait sur le père attisait son désir de posséder Madeline. Pour commencer, il n'y avait pas de problèmes religieux. La famille était allemande — son nom d'origine était Faber — et protestante. Madeline assistait aux services, bien que son père ne fréquentât pas le temple. Il s'intéressait plus à l'argent qu'au salut de son âme. Devinant ce que Justin avait en tête, il laissa entendre qu'il donnerait en dot à sa fille une somme considérable.

Une fois, Justin posa des questions sur la mère de Madeline. Il apprit simplement qu'elle était morte quelques années plus tôt. C'était une créole, ce qui signifiait qu'elle était née à La Nouvelle-Orléans de parents européens, français probablement, ou espagnols. Justin, à qui Fabray faisait visiter sa petite galerie de portraits de famille, demanda s'il y en avait un de cette dame, à quoi le fabricant de sucre répondit sur un ton curieusement évasif :

— Non, pas ici.

Justin décida immédiatement de ne pas poursuivre ces investigations. Toutes les familles respectables, y compris la sienne, avaient quelques squelettes dans un placard ; en général ceux de femmes qui s'étaient enfuies avec un amant ou avaient succombé à une maladie nerveuse et avaient dû être internées jusqu'à leur mort. Il n'avait rien entendu de défavorable sur la regrettée M^{me} Fabray et ne demandait pas mieux que de mettre de côté ce souci mineur en échange de l'irrésistible beauté de Madeline et de l'argent dont il avait si désespérément besoin pour mener grand train.

Avant de quitter la ville, il obtint de Fabray la permission de demander Madeline en mariage. Elle écouta sa longue déclaration d'amour et il fut de plus en plus certain qu'elle dirait oui. Mais elle dit non, en le remerciant plusieurs fois et en se déclarant flattée.

Ce soir-là, pour apaiser sa frustration physique et mentale, Justin prit une prostituée et la traita durement, avec ses poings et sa canne. Quand elle se fut traînée hors de sa chambre, il resta plus d'une heure éveillé, dans le noir, en se rappelant l'expression de Madeline au moment de son refus. Il en conclut qu'elle était effrayée. Comme elle ne pouvait avoir peur de lui — il avait été l'essence même de la courtoisie —, ce devait être le mariage qui l'angoissait. C'était, après tout, une attitude assez commune aux jeunes filles et qu'il changerait aisément. Ce refus représentait un retard, pas une défaite.

Au cours des semaines et des mois qui suivirent, il écrivit de longues lettres poétiques pleines de déclarations d'amour, en renouvelant sa demande. Madeline répondit à chacune par des remerciements et un nouveau refus poli. Soudain, l'attaque de son père vint tout changer.

Justin ne sut pas très bien pourquoi. Peut-être Fabray craignait-il de ne plus vivre longtemps et avait-il redoublé d'efforts pour marier sa fille avant de mourir. Quoi qu'il en soit, Madeline revint sur son refus et les conditions du mariage furent précisées. La longue campagne de Justin porta des fruits pécuniaires plus que satisfaisants. Par-dessus le marché, il aurait bientôt le droit de posséder Madeline...

Brutalement, Francis le ramena dans le présent.

— Je te le dis, Justin, tu risques de t'apercevoir que ta femme est beaucoup trop indépendante pour son bien. Ou pour le tien. Il faut la décourager de proférer ses opinions en matière politique, et lui interdire formellement de le faire en public.

— Je suis d'accord, naturellement, mais je ne peux pas arriver à une telle transformation en une journée. Cela demande un peu de temps.

Francis renifla.

— Je me demande si tu seras un jour capable de dresser cette jeune pouliche.

Justin posa une belle main soignée sur l'épaule de son frère.

— Ton expérience des pur-sang ne t'a donc rien appris ? Une femme ardente n'est pas différente d'une jument fougueuse. Chacune peut et doit apprendre qui est le maître. Il faut la briser, ajouta Justin dans un murmure en levant son gobelet de punch.

Francis parut sceptique mais sa connaissance des femmes se limitait aux esclaves, aux prostituées et à son épouse soumise et passablement stupide.

— J'espère que tu sais ce que tu fais. Les Créoles ne sont pas renommées pour leur tempérament passif. Tout ce sang latin... Tu as pris un risque considérable en l'épousant.

— Ridicule. Madeline est peut-être de La Nouvelle-Orléans mais elle est femme. En dépit de leurs prétentions, les femmes ne sont guère plus intelligentes que les chevaux. Elle ne me donnera pas... Dieu de Dieu, qu'est-ce que c'est que ça ?

Il se retourna vivement, interrompu par des cris et le fracas d'une table renversée.

— Une bagarre, déjà ?

Il partit en courant.


Quelques minutes plus tôt, Cousin Charles était assis contre le tronc d'un chêne vert, sa veste enlevée et une énorme assiette de barbecue sur les genoux. Une ombre tomba sur ses jambes.

Levant les yeux, il aperçut un garçon mince et trois de ses copains. Le gamin, de deux ou trois ans plus âgé que Charles, faisait partie du clan Smith.

— Voilà le type de Mont Royal, lança le jeune Smith en toisant Charles avec mépris. C'est un coin bien isolé, par ici. Tu te caches ?

Charles soutint son regard et hocha la tête.

— C'est ça.

Smith sourit et prit une pose avantageuse.

— Ah ? Tu as peur ?

— De toi ? Je voulais simplement manger en paix.

— Tu as honte de ton allure ? Jetez les yeux sur lui, messieurs, reprit Smith de sa voix affectée. Admirez les vêtements fripés. Considérez la coupe de cheveux grossière. Contemplez les joues maculées de terre. On dirait plutôt un pauvre Blanc qu'un membre de la famille Main.

Charles enrageait mais il ne le montrait pas. Il pensait qu'il vexerait davantage Smith en gardant son calme. Il avait raison. Alors que ses camarades échangeaient des plaisanteries sur Charles, Smith cessa de sourire.

— Lève-toi et regarde tes supérieurs en face quand ils t'adressent la parole, morveux !

Il saisit l'oreille gauche de Charles et la pinça cruellement.

Charles jeta son assiette pleine sur son adversaire. La viande et la sauce éclaboussèrent le gilet de satin bleu pâle. Les amis de

Smith pouffèrent. Il se retourna contre eux en jurant. Cela donna à Charles l'occasion de se lever d'un bond, de lui empoigner les deux oreilles par-derrière et de les tordre sauvagement. Smith hurla. Un de ses amis protesta :

— Ecoute, sale petit voyou...

Il essaya d'empoigner Charles mais celui-ci esquiva. En riant, il fit le tour de l'arbre et courut vers les invités du mariage. Il pariait que Smith et les autres n'oseraient pas faire scandale en public. C'était ne pas compter sur ces têtes chaudes : ils le prirent en chasse.

Charles glissa sur de l'herbe où un verre avait été renversé. Il tomba sur le dos et en eut la respiration coupée. Smith lui sauta dessus, le saisit et le mit debout.

— Maintenant, espèce de vaurien, je vais te donner une leçon de...

Charles lui envoya un coup de tête dans l'estomac. Le résultat en valut la peine. Smith se cassa en deux, les mains sur le ventre. Dans cette position, sa figure était vulnérable. Charles en profita pour lui enfoncer un pouce dans l'œil.

— Tue-le ! hurla un des autres garçons.

Charles ne savait trop s'ils le pensaient réellement. Il repartit comme une fusée en direction du buffet.

Les amis de Smith coururent à sa poursuite. Charles se jeta à quatre pattes et se réfugia sous une des tables. Une main se referma autour de sa cheville et tira. Il se redressa et renversa la table. C'était ce fracas qui avait attiré l'attention de Justin Lamotte, de son frère et de nombreux invités.

Charles avait découvert que Smith ignorait tout des coups bas et du style de combat de la frontière. Il supposa qu'il en était de même des trois autres. Fort de cet avantage, il y alla de tout cœur. Il se tourna brusquement vers celui qui lui avait saisi la cheville. Quand Justin et Francis arrivèrent, suivis de près par Forbes Lamotte, fils de Francis, Charles était à cheval sur le torse du garçon et lui martelait joyeusement la tête avec des poings ensanglantés.

— Otez-le de là ! haleta le garçon plus âgé. Il ne... se bat pas... comme un gentilhomme !

— Non, monsieur, je me bats pour gagner !

Charles souleva la tête par les oreilles et la frappa sur la terre durcie.

— Charles, ça suffit !

La voix le fit sursauter et l'alarma. Il fut soulevé de terre et retourné d'une poigne rude. Devant lui se dressait Harry, resplendissant dans son bel uniforme, de l'orage dans les yeux. Derrière lui, Charles vit Cooper, sa tante Clarissa et une foule d'invités. Il entendit une dame déclarer :

— Quel dommage. Tant d'intelligence, cette belle figure, complètement gâchées. Il finira mal, ce jeune Main.

Plusieurs autres approuvèrent. Charles regarda la foule d'un air de défi. Harry lui secoua violemment le bras. Sa tante Clarissa présenta des excuses et offrit de payer les dégâts. Le ton de sa voix fit rougir Charles et il baissa enfin la tête.

— Je crois qu'il vaut mieux que nous partions maintenant, dit Clarissa.

— Vraiment ? Je suis navré que vous ne puissiez rester plus longtemps, déclara Justin.

Sur le chemin du retour, Harry sermonna Charles.

— C'est absolument scandaleux. Je me moque qu'on t'ait provoqué, tu aurais dû garder ton sang-froid. Il est temps que tu commences à te conduire en gentilhomme.

— Je ne peux pas, rétorqua Charles. Je ne suis pas un gentilhomme. Je suis un orphelin et ce n'est pas la même chose. Tout le monde à Mont Royal me le fait sentir, tout le temps.

Dans ses yeux furieux, Cooper détecta de la peine. Harry carra ses épaules comme un général à qui l'on a désobéi.

— Petit impertinent...

— Laisse-le, interrompit Cooper. Il a été assez puni quand ces gens ont parlé de lui.

Charles jeta un coup d'œil à Cooper. Il était soudain stupéfait que cet homme mince et studieux le connût si bien. Pour masquer sa gêne, il se tourna vers le paysage. Harry voulut poursuivre, mais sa mère lui prit la main.

— Cooper a raison. Plus de discussion avant d'être à la maison.

Quelques minutes plus tard, elle essaya de glisser un bras autour des épaules de Charles. Il se dégagea. Elle regarda son fils aîné et secoua tristement la tête.

Quand ils arrivèrent à Mont Royal, Theo fouetta Charles malgré les protestations de sa femme. Il se fit l'écho de l'opinion des invités du mariage :

— Il finira mal. Avez-vous besoin d'une autre preuve ?

Clarissa, emplie de détresse, ne put que regarder son mari en silence.

Quelque part dans la grande maison de Resolute, une horloge sonna deux heures.

L'air de la nuit était humide, oppressant, et aggravait le sentiment qu'avait Madeline Lamotte d'être prise au piège, sans espoir. Sa fine chemise de nuit s'était enroulée autour de sa taille mais elle n'osait bouger pour la rabattre. Le moindre mouvement risquait de réveiller ce mari qui ronflait à côté d'elle.

La journée avait été épuisante mais, pis encore, les dernières heures ne lui avaient apporté qu'un choc affreux, de la douleur et de la désillusion. Elle avait attendu de Justin qu'il soit prévenant et tendre, non seulement parce qu'il avait un certain âge mais parce qu'il s'était conduit très courtoisement à La Nouvelle-Orléans. Elle savait maintenant que tout n'avait été qu'une comédie destinée à donner une fausse impression à son père et à elle-même.

Trois fois dans la nuit, elle avait appris l'amère leçon. Trois fois, Justin avait exercé ses droits brutalement, sans lui demander un instant si elle était consentante. Elle n'avait qu'une petite consolation : la révélation de la malhonnêteté de Justin amoindrissait sa honte de l'avoir trompé.

Cette tromperie — la petite hémorragie de la première fois — avait été perpétrée avec l'aide de Maman Sally, qui connaissait bien ces choses. Elle était nécessaire parce que Madeline s'était follement laissée séduire à un âge tendre. Cette unique faute avait changé le cours de sa vie. Sans ce faux pas, elle n'aurait pas été forcée de manquer à son code personnel de l'honneur et d'avoir recours à la ruse au soir de ses noces. Elle ne se serait même jamais trouvée dans cette effrayante situation.

Madeline avait été séduite pendant l'été de ses quatorze ans. Elle gardait encore à ce jour un vif souvenir de Gérard, le beau garçon insouciant qui travaillait comme steward à bord d'un des grands vapeurs du Mississippi. Elle avait fait sa connaissance un jour par hasard, sur la jetée. Il avait dix-sept ans et il était si gai, si attentionné qu'elle resta sourde à la voix de sa conscience et le rencontra en secret chaque fois que son bateau accostait en ville, environ tous les dix jours.

A la fin du mois d'août, par un sombre après-midi orageux, elle céda à ses supplications et l'accompagna dans une sordide chambre meublée du Vieux Carré. Une fois qu'il l'eût mise dans une situation compromettante, il oublia la politesse et se servit d'elle vigoureusement, mais tout en prenant soin de ne pas lui faire de mal.

Au rendez-vous suivant, il ne vint pas. Elle prit un grand risque en montant sur la passerelle du vapeur pour demander de ses nouvelles. Le matelot à qui elle s'adressa fut évasif : il ne savait pas exactement où était Gérard. Madeline leva alors la tête vers le pont supérieur. Derrière un hublot, elle distingua un visage diffus. Dès que Gérard se sentit découvert, il recula dans l'ombre. Madeline ne le revit jamais.

Pendant des jours, elle craignit d'être enceinte. Une fois rassurée sur ce point, elle commença à se sentir coupable. Elle avait bien voulu se donner à Gérard mais, à présent, elle comprenait que, lui, n'avait rien voulu d'autre d'elle. Sa passion fit place au remords et elle conçut une peur terrible des jeunes hommes et de leurs mobiles.

Pendant des années, elle découragea tous les garçons qui voulaient lui rendre visite, elle évita même complètement les hommes jusqu'à ce que son père invite Justin Lamotte à dîner. Le Carolinien avait eu deux choses en sa faveur : son charme courtois et son âge. Elle crut qu'il n'était pas poussé par la passion, comme Gérard, et ce fut en partie pour cela qu'elle finit par envisager d'accepter sa demande en mariage.

La décision fut prise quelques jours après l'attaque de son père. Un soir, à la lumière vacillante des bougies de la table de chevet, ce dernier l'implora.

— Je ne sais pas combien de temps je vais vivre, Madeline. Mets mon esprit au repos. Epouse Lamotte. C'est un homme bien né et honorable.

— Oui, murmura-t-elle. Je le pense aussi.

Seule, la supplication de son père malade fut capable de lui faire surmonter sa peur du mariage, mais même son amour et son respect filial ne purent chasser sa tristesse en quittant son foyer, son petit cercle d'amies, la ville qu'elle connaissait si bien et aimait tant. Elle fit le long voyage jusqu'en Caroline du Sud parce qu'elle voulait rassurer son père et parce qu'elle avait confiance en Justin Lamotte.

Comme elle s'était trompée ! Comme elle avait été idiote ! Pour obtenir ce qu'il voulait, Justin n'était pas différent des hommes plus jeunes et, dans un sens, il était pire. Gérard, au moins , avait essayé de ne pas la blesser.

Et puis, cette rencontre sur la route du bord de l'eau avec Harry Main. Comme elle avait été séduite par sa gentillesse, ses bonnes manières, ses yeux profonds ! Il n'était pas plus âgé qu'elle, après tout...

Une vision d'Harry revint inopinément à son esprit, alors qu'elle était allongée à côté de son mari. Même durant la réception, elle avait ressenti une brève mais puissante attirance pour le jeune cadet. En pensée, elle revit chaque trait de son visage. Et soudain, le remords revint l'accabler. Quoi que Justin lui eût fait, il était son mari. Maintenant, penser seulement à un autre homme lui était interdit sous peine de déshonneur.

## CHAPITRE VII

HARRY RETOURNA A L'ACAdémie avec la guirlande brodée sur sa casquette. La seule personne avec qui il put évoquer cet été important, ce fut George, qui remarqua la mélancolie de son ami et tenta de l'en débarrasser.

— Ce qu'il te faut, mon vieux, c'est une visite à Alice Peet. Elle te fera vite oublier cette Madeline.

Harry le regarda longuement, posément et secoua la tête.

— Jamais.

La ferveur qu'il mit dans ce seul mot inquiéta George. Il espéra que son ami ne rêverait pas d'une femme mariée jusqu'à la fin de ses jours. Il posa un bras autour des épaules d'Harry et essaya de lui remonter le moral. Il n'arriva à rien.

Harry sentit lui-même le besoin de trouver un antidote à sa détresse. Il le rechercha dans un effort accru pour se hisser hors des rangs des « immortels ». Mais le programme de troisième année n'était pas plus facile que celui des deux premières. Harry aimait les cours de philosophie expérimentale et naturelle, qui comprenaient la mécanique, l'optique, l'astronomie et même un peu d'électricité, mais il avait beau se donner du mal, il ne parvenait pas à échapper à la section la plus inférieure.

Il en allait de même en dessin. Le professeur Weir critiquait impitoyablement ses aquarelles, qu'il qualifiait de barbouillages. George, de son côté, continuait à voler de succès en succès sans le moindre effort apparent.

La seule nette amélioration sur l'année précédente était la possibilité de faire travailler le corps ainsi que la tête. Les élèves de troisième année suivaient les cours d'équitation d'un professeur surnommé le Vieux Hersh. Harry était bon cavalier, ce qui était, dans son cas, une bénédiction. Leurs études finies, les cadets étaient théoriquement libres de choisir leur arme mais, dans la pratique, elles étaient toutes aussi rigidement classées que les cadets dans leurs sections d'études. Seuls, les premiers entraient dans le génie ou dans la topographie un peu moins convoitée. Les derniers échouaient dans l'infanterie, les dragons ou les fusiliers montés. Ces deux dernières armes étaient tenues en si piètre estime par le haut-commandement que ceux qui y servaient avaient le droit de laisser pousser leur moustache. Harry devinait qu'il en aurait bientôt une, et serait souvent à cheval.

Elkanah Bent avait été promu officier-cadet pendant le camp d'été. Il se pavanait avec sa large écharpe écarlate et son képi à plumet mais le rang n'améliorait en rien son caractère. Il continuait de harceler les plèbes et les yearlings avec un entrain impitoyable. Un plèbe, un Kentuckien dégingandé nommé Isham, devint son souffre-douleur parce que, comme Harry et George, il défiait Bent quand celui-ci le brimait.

Peu de temps avant les élections nationales, Bent accusa Isham de ne pas marcher au pas pendant la parade du soir. Epuisé et avec un commencement de fièvre, Isham affronta Bent devant la caserne Sud, ce soir-là. Il lui demanda de retirer le rapport parce qu'il avait déjà 164 mauvais points. Au train où il allait, il ne serait plus là pour voir s'il était capable de passer les examens du premier trimestre.

Comme des cadets plus expérimentés auraient pu le lui dire, cette demande allait faire ressortir le pire chez le lieutenant-cadet Bent. Il accusa Isham d'insolence envers un ancien — plusieurs cadets l'entendirent — puis il emmena le plèbe dans la nuit pour un « exercice disciplinaire ».

Le lendemain matin après la diane, George et Harry apprirent qu'Isham était à l'infirmerie. Peu à peu, ils reconstituèrent toute l'histoire. Bent avait conduit le plèbe au sommet du sentier sinueux descendant vers la jetée Nord. Puis il lui avait ordonné de descendre et de remonter au pas redoublé. La nuit était exceptionnellement chaude pour la fin d'octobre et lourde d'humidité. Au bout de quarante minutes, Isham ne tenait plus debout.

Bent, assis sur un rocher, à mi-hauteur, souriait et lançait des encouragements moqueurs. Isham refusait de demander grâce et Bent de l'accorder. Le plèbe tint bon pendant une heure. Puis ses jambes cédèrent et il tomba sur le côté. Il roula et rebondit jusqu'au bas de la pente, où il resta sans connaissance jusqu'à minuit. Bent, naturellement, avait disparu dès qu'Isham était tombé. Il n'y avait pas de témoins.

Le plèbe se traîna jusqu'à l'infirmerie. Le médecin-major diagnostiqua une commotion cérébrale et trois côtes cassées. Des rumeurs coururent dans la plaine. Plusieurs cadets assurèrent qu'Isham resterait toute sa vie infirme.

Mais le Kentuckien était solide. Il se remit. Ce fut seulement après sa sortie de l'infirmerie qu'il raconta à quelques camarades ce qui était arrivé. Par eux, Harry et George apprirent la vérité. Ils l'avaient d'ailleurs déjà devinée et n'étaient pas les seuls.

Un des officiers eu vent de l'affaire et mit Bent au rapport pour excès disciplinaires. Isham refusa d'accuser son bourreau et il n'y eut aucune preuve concluante. Appelé à s'expliquer, Bent nia vigoureusement et longuement les accusations.

Pickett apporta la nouvelle à Gee's Point un samedi après-midi. Harry, George et plusieurs amis profitaient de la vague de chaleur pour se baigner dans le fleuve. La réaction de George fut brutale.

— Ce salaud ! Est-ce que les accusations ont été abandonnées ?

— Bien sûr, répondit Pickett. Qu'est-ce que tu crois, puisqu'il a nié ?

George prit sa chemise accrochée à une branche.

— Je crois que nous devrions faire quelque chose pour régler son compte à ce tas de lard de Bent.

Harry était du même avis mais, comme d'habitude, il fit entendre la voix de la prudence.

— Tu crois que c'est notre affaire, George ?

— C'est notre affaire à tous, maintenant. Bent a menti pour se sauver. Tu voudrais qu'un homme comme lui commande un régiment ? Il enverrait ses soldats à la boucherie, et puis il rejetterait la responsabilité sur quelqu'un d'autre sans la moindre hésitation. Il est temps que nous le fassions chasser d'ici pour de bon.

La campagne présidentielle touchait à sa fin. Henry Clay, le candidat whig, avait considérablement modéré sa position première sur la question du Texas. Maintenant, il parlait presque comme son adversaire. Mais les hommes anti-annexion continuaient à signaler que l'entrée du Texas dans l'Union risquait de provoquer la première guerre de l'Amérique depuis trente ans. Si elle éclatait, elle mettrait à l'épreuve le programme de West Point et les officiers qui en sortaient, comme ils ne l'avaient jamais été depuis l'époque de Sylvanus Thayer. La question serait réglée le 4 décembre, lors des élections.

George et Harry ne s'intéressaient guère au débat politique. Ils étaient préoccupés par leurs études et par la conspiration pour provoquer la chute de Bent. Le complot resta à l'état de rêve nébuleux jusqu'à la visite suivante de George chez Benny Haven. Il apprit ce soir-là, par hasard, qu'un des clients réguliers d'Alice Peet était le lieutenant Casimir de Jong, l'officier qui avait porté plainte contre Bent lors de l'affaire Isham. Plus tard, il rapporta à son ami :

— Le vieux Jongie va chercher son linge tous les mercredis soirs à dix heures. Il paraît qu'il lui faut au moins une heure pour achever la transaction. Je te parie qu'il va chez Alice pour autre chose que pour ses chemises et son linge.

Harry était maintenant tout à fait partisan des représailles contre le cadet de l'Ohio.

— Dans ce cas, les habitudes de Jongie dictent notre stratégie. Nous devons amener Bent dans les bras de la belle Alice un mercredi soir vers neuf heures et demie.

George sourit largement.

— Je vois que tu as un avenir brillant sur les champs de bataille. Cependant, tu dois toujours connaître ton allié aussi bien que ton ennemi.

— Ce qui veut dire ?

— La belle Alice est bonne fille, sans doute, mais aussi une mercenaire. Elle n'entretiendra pas Bent gratis, surtout après avoir vu sa bedaine.

Impossible d'échapper à cette réalité. Le complot fut mis en instance pour trois semaines, pendant que divers conspirateurs obtenaient des couvertures et des ustensiles de cuisine. Personne ne leur demanda comment ils se les procuraient, ni où. Les articles de contrebande allèrent au marinier, en échange d'espèces.

La veille de l'élection présidentielle, George alla trouver Alice, argent en main. Le lendemain soir après le souper, la machine infernale contre Bent se mit en marche.

George et Pickett entamèrent une discussion devant témoins. Ils se disputèrent à propos du soutien de l'annexion par Polk. George déclara que cela n'avait rien à voir avec une union entre Américains et tout avec l'adjonction d'un nouveau territoire esclavagiste à la nation.

Pickett vira au rouge. Ses répliques furent bruyantes et violentes. Les témoins, même ceux qui étaient dans la confidence, furent convaincus qu'il était furieux.

Au cours des jours suivants, la brouille des deux George devint de notoriété publique. Cela donna à Pickett l'occasion de se lier avec

Bent, une ruse que son esprit et son charme de Virginien permirent de perpétrer facilement. Le mercredi suivant, alors qu'une neige légère commençait à tomber, Pickett, dans la soirée, invita Bent à aller goûter quelques boissons fortes chez Benny Haven. Puis, en chemin, il insinua qu'une visite à Alice Peet serait plus stimulante.

George et Harry, observateurs officiels, les suivirent à la piste dans la neige. Grelottant derrière les vitres, ils les regardèrent entrer en scène. Le talent de comédienne d'Alice n'arrivait pas à la cheville de celui de Pickett, mais cela n'avait pas d'importance. Quand elle s'approcha de Bent, il avait déjà accroché sa casquette au dossier de sa chaise, déboutonné son col et avalé trois verres. Ses regards commençaient à se voiler.

Alice se pencha sur lui et lui parla à l'oreille. Bent essuya une goutte de salive sur ses lèvres. Par la fenêtre entrouverte, les deux amis l'entendirent demander son prix à Alice. George serra le bras d'Harry ; c'était l'instant délicat. Tout le complot était là : il fallait que Bent croie dur comme fer qu'Alice ne lui prendrait rien parce qu'il lui plaisait. « Ça, avait observé Pickett pendant la concoction du plan, c'est comme si on voulait faire croire que les chutes du Niagara coulent de bas en haut. »

Mais Bent était ivre et, tout au fond de ses yeux chassieux, on découvrait l'image d'un petit garçon obèse qui voulait plaire. Bent fit un signe à Pickett, assis en face de lui. Le Virginien se leva, sourit et lui souhaita bonne nuit. Puis il sortit et referma la porte. En passant près des autres conspirateurs, il chuchota sans tourner la tête :

— Je compte sur vous pour tout me rapporter.

Il s'éloigna sur la neige crissante. Par la fenêtre, George et Harry virent Alice prendre Bent par la main et l'entraîner dans l'alcôve. L'appât avait été saisi, le piège pouvait se refermer.

A dix heures précises, le lieutenant Casimir de Jong arriva malgré la neige, emmitouflé jusqu'aux yeux et fredonnant gaiement. Il alla droit à la porte d'Alice, frappa un petit coup rapide et entra.

Les observateurs entendirent Alice pousser un cri de frayeur qui sonnait abominablement faux. Elle se précipita dans la pièce principale, en lissant sa chemise d'une main et ses cheveux décoiffés de l'autre. Dans l'ombre de l'alcôve, on entendit des grognements et un froissement de couvertures.

Le vieux Jongie décrocha la casquette de cadet du dossier de la chaise et l'examina. Puis, il la froissa dans sa main et alla se planter devant la porte de l'alcôve. Comme tout bon officier, il avait appris depuis longtemps la technique de l'aboiement impressionnant. Il la mit en pratique.

— Qui est là ? rugit-il. Sortez immédiatement, monsieur !

Reniflant et clignant des yeux, Bent apparut bientôt. Le vieux Jongie resta bouche bée.

— Nom de Dieu, monsieur ! J'ose à peine en croire mes yeux.

— Ce n'est pas ce que vous pensez, bredouilla Bent. Je suis venu... Je venais simplement chercher mon blanchissage.

— Avec votre pantalon en berne et votre caleçon béant. Au nom de la décence, monsieur... *couvrez-vous !*

Accroupis, Harry et George s'approchèrent en canards de la porte entrouverte de la cabane. George avait du mal à réprimer son fou rire. A la lumière de la lampe à pétrole, Harry vit Bent remonter fébrilement son pantalon. Alice se tordait les mains.

— Ah! Mr Bent, monsieur, je me suis laissée égarer, j'ai complètement oublié que le lieutenant vient chercher son linge chaque semaine à cette heure. C'est le paquet là...

Elle se baissa pour éviter le poing de Bent.

— Tais-toi, salope!

— Il suffit, monsieur! cria Jong. Conduisez-vous en gentilhomme, quand vous le pouvez encore!

La figure de Bent luisait comme si elle était graissée. Dans le silence du bois voisin, un animal nocturne fit craquer une branche morte. Le bruit résonna comme un coup de feu.

— Quand vous le pouvez encore? marmonna Bent. Que voulez-vous dire, mon lieutenant?

— N'est-ce pas évident, monsieur? Vous serez au rapport, pour plus d'offenses que je ne tiens à énumérer en ce moment, mais soyez assuré que je les énumérerai. Surtout celles qui sont passibles de renvoi.

— Mon lieutenant, c'est un malentendu, gémit Bent. Si vous me laissiez expliquer...

— Des explications... comme celles que vous avez données pour les blessures d'Isham? Des mensonges encore?

Jong était un magnifique instrument de la colère officielle; Harry avait presque pitié du gros cadet de dernière année. L'officier se tourna vers la porte. Bent vit toute sa carrière sur le point de disparaître avec lui. Il lui mit une main sur l'épaule.

— Otez votre patte, misérable ivrogne, lâcha Jong sur un ton glacial. Je vous attends dans mon bureau dès votre retour au poste, et j'espère que ce ne sera pas plus tard que dans dix minutes sinon la sonnerie de l'hallali se fera entendre jusqu'à New York!

Grandiose dans son mépris, le lieutenant de Jong descendit les marches et s'éloigna dans la nuit, sans remarquer les deux cadets accroupis dans l'ombre.

Dans la cabane, Bent se retournait contre Alice.

— Bougre de putain imbécile...

Il repoussa violemment la table bancale. Alice courut à son fourneau et s'empara d'un couteau à découper accroché au mur.

— Sors d'ici! George m'a dit que tu étais cinglé mais je ne l'ai pas cru. Quelle idiote! Va-t'en! *Dehors!*

La lame étincela. George et Harry échangèrent des regards inquiets tandis que Bent vacillait, stupéfait.

— George? Tu veux dire Hazard? Qu'est-ce qu'il a à voir là-dedans? C'est Pickett qui a eu l'idée de venir ici et toi qui... qui...

Il ne put aller plus loin. Sa colère était remplacée par une expression de fureur telle qu'Harry souhaita ne jamais en revoir une pareille sur un visage humain. Alice aggrava la blessure en éclatant de rire.

— Moi? Je ne me laisserais pas toucher par un porc comme toi si je n'étais pas payée, et bien payée! Et même, c'est tout juste si j'ai pu!

Bent tremblait maintenant.

— J'aurais dû m'en douter. Une ruse. Un complot. Tous contre moi... C'est ça, hein?

Alice, comprenant sa gaffe, essaya de la rattraper.

— Non, je ne voulais pas dire...

— Ne mens pas!

Les deux cadets, dehors, ne purent voir ce qui se passa ensuite. Bent dut avoir un nouveau geste menaçant car la blanchisseuse se mit à hurler. Cette fois, elle ne jouait pas la comédie.

— Tais-toi, tu vas réveiller tout le village !

C'était exactement ce que voulait Alice ; elle n'en hurla que plus fort. Bent sortit précipitamment, les cheveux ébouriffés, les yeux affolés, et se mit à courir en retenant son pantalon d'une main.

Les deux amis se regardèrent. Ni l'un ni l'autre n'éprouvait la joie qu'ils avaient attendue depuis si longtemps.

Dans les trois jours, Bent prit la route de Canterberry.

La plupart des cadets se déclarèrent heureux de son renvoi. Harry l'était certainement et George aussi. Cependant, tous deux avouaient le même remords d'avoir pris leur ennemi au piège de cette façon. Progressivement, ils arrivèrent à apaiser leur conscience. Harry comprit que sa crise était passée quand il recommença à faire des rêves sensuels où figurait Madeline.

Le dernier samedi soir de décembre, alors qu'ils étaient avec Pickett dans leur chambre, Tom Jackson arriva, la mine encore plus longue que d'habitude.

— Qu'est-ce qui ne va pas ? demanda Harry.

— Je suis porteur d'une triste nouvelle, surtout pour vous deux, répondit le Virginien en se tournant vers eux. On dirait que les relations du cadet Bent à Washington n'étaient pas un produit de son imagination. J'ai appris de source sûre, par l'adjudant, que le secrétaire à la Guerre Wilkins, par un des derniers actes de sa fonction, est intervenu dans l'affaire.

— Intervenu comment, Tom ? demanda George.

— Le renvoi a été révoqué. Mr Bent sera de nouveau parmi nous d'ici quinze jours.

Il n'en fallut que six pour que Bent reparaisse, mais dépouillé de son grade. George et Harry s'attendaient à une vengeance quelconque. Il n'y en eut pas. Ils évitèrent Bent autant qu'ils le purent, mais il était impossible de ne jamais le croiser. Dans ces moments-là, il faisait semblant de ne pas les voir.

— Ça me fait bien plus peur que s'il tempêtait et rageait, avoua Harry. Qu'est-ce qu'il manigance ?

— Il paraît qu'il bûche dur, répondit George. Un gaspillage d'efforts, si tu veux mon avis. Après ce qu'il a fait, même s'il sort parmi les premiers il aura de la chance s'il échoue dans l'infanterie.

A mesure que juin approchait, alors que Bent continuait à rester sur son quant-à-soi, la révocation du renvoi fut évoquée de moins en moins souvent et finalement plus du tout. Il y eut des sujets de conversation plus importants.

Le 1er mars, trois jours avant l'entrée en fonctions de Polk, le président sortant, Tyler, avait signé la résolution du Congrès appelant le Texas à se joindre à l'Union, en qualité d'Etat. Polk hérita les conséquences de cette décision, la première étant la réaction du gouvernement mexicain. A la fin du mois, le ministre des Etats-Unis à Mexico fut informé de la rupture des relations diplomatiques.

Bent finit par adresser la parole à George et Harry après la dernière parade de l'année. C'était une claire et fraîche soirée de juin et le couchant teignait de rose les sommets des montagnes au-dessus de la Plaine, où beaucoup de nouveaux diplômés recevaient les félicitations de mères larmoyantes, de pères discrètement fiers, de petits frères et sœurs exubérants et d'admiratrices souriantes. George remarqua que Bent était un des rares à ne pas avoir de famille autour de lui.

Perplexe, Harry le vit sourire quand il s'approcha d'eux, mais il tourna légèrement la tête : le jour mourant éclaira ses yeux, et Harry y vit luire de la haine.

— Ce que j'ai à vous dire sera bref et précis, déclara Bent en respirant difficilement, comme s'il avait du mal à réprimer une puissante émotion. Vous avez presque ruiné ma carrière militaire. Cela ne sera jamais loin du centre de mes pensées. Je serai haut placé un de ces jours, très haut placé, soyez-en sûrs. Et je n'oublierai pas les noms de ceux qui ont mis une tache permanente sur mes états de service.

Il tourna les talons si brusquement que George fit un petit saut de côté, par réaction nerveuse. Mais Bent s'éloigna lourdement vers la caserne. Sa corpulence rendait son maintien militaire difficile à conserver.

## CHAPITRE VIII

Durant le camp d'été, George fut promu lieutenant-cadet. Harry resta le seul élève de sa classe à ne pas être gradé. Il en fut quelque peu découragé, car cela semblait prouver que ses supérieurs ne croyaient pas à ses talents militaires.

Le programme de dernière année parut justifier cette opinion. Alors que George continuait à suivre sans effort, Harry butait sur les cours de loi constitutionnelle et de pratique du conseil de guerre. Il avait encore plus de mal en génie civil et militaire, où il était régulièrement en contact avec le légendaire et redouté professeur Mahan.

Les cadets aimaient cependant ce dernier. Ils le vénéraient même. Sans cela, ils se seraient moqués de son léger défaut de prononciation, qui le faisait parler comme s'il était perpétuellement enrhumé. Au lieu de cela, ils l'avaient affectueusement surnommé « le vieux Sens Cobbun », car il ne cessait de discourir sur les vertus du bon sens, du « sens cobbun ».

En plus du génie, il enseignait la science militaire. Il impressionnait ses élèves avec ses prédictions d'une nouvelle forme de guerre apocalyptique qui naîtrait de l'actuelle révolution industrielle. Ils seraient tous appelés à commander dans ce nouveau type de conflit, assurait-il. Et peut-être cela éclaterait-il plus tôt qu'aucun d'eux ne le prévoyait. En juillet, le général Zachary Taylor et quinze cents hommes furent envoyés sur la Nueces, rivière que le Mexique considérait toujours comme sa frontière du nord. A Corpus Christi, sur la Nueces, Taylor prit position en vue d'une attaque mexicaine éventuelle.

A l'automne, les forces de Taylor passèrent à quatre mille cinq cents hommes. Le 29 décembre, le Texas devint le vingt-huitième Etat de l'Union, en continuant de proclamer que le traité de paix, à la fin de sa guerre d'indépendance, avait établi sa frontière méridionale sur le Rio Grande.

Pendant l'hiver, des négociations de paix entreprises par le ministre américain à Mexico, John Sidell, échouèrent. Sur l'ordre de ses supérieurs de Washington, Taylor avança encore vers le sud, à travers la région quasi désertique que se disputaient le Mexique et le Texas, jusqu'au Rio Grande. On commença à parler de la guerre comme d'une réelle possibilité. « La guerre de Mr Polk », disaient les adversaires du Président.

Au cours de ce printemps troublé de 1846, George Hazard tout à coup fit le point et s'aperçut qu'en presque quatre ans, alors qu'il se préoccupait surtout de cigares, de filles et, très occasionnellement, d'études, des changements profonds s'étaient produits. Les garçons étaient devenus de jeunes hommes, les jeunes hommes étaient sur le point d'être des officiers brevetés... et, dans son cas et celui d'Harry, des officiers brevetés à la moustache conquérante.

Harry irait fatalement dans l'infanterie, alors George postula aussi pour cette arme. Certains professeurs et officiers le désapprouvèrent, lui assurèrent qu'avec ses excellentes notes il pourrait obtenir l'artillerie, peut-être même la topographie. Harry pressa son ami de suivre leurs conseils mais George ne voulut rien entendre.

— J'aime mieux servir dans l'infanterie avec un ami que de me balader sur un avant-train avec un tas d'inconnus. D'ailleurs, j'ai toujours l'intention de démissionner à la fin des quatre ans. Peu m'importe comment je les passerai, pourvu que je ne me fasse pas trop souvent tirer dessus.

Si George n'était pas précisément fou de joie à l'idée de partir en guerre, Harry, lui, tenait réellement à affronter le danger — l'éléphant, comme on disait — sur quelque lointain champ de bataille du Mexique. Ce vœu lui donnait parfois des remords, mais il considérait que l'expérience du combat était indispensable pour un homme qui voulait faire une carrière militaire.

La question de la guerre fut réglée avant que George et Harry terminent leur année. Le 12 avril, le commandant mexicain, à Matamoros, ordonna au général Taylor de se retirer. Taylor refusa et, le dernier jour du mois, des troupes mexicaines commencèrent à traverser le Rio Grande. Au début de mai, à Palo Alto, l'armée de Taylor repoussa une force ennemie trois fois plus importante et recommença quelques jours plus tard, à Resaca de la Palma. Le bal était ouvert. Le Congrès réagit à l'invasion d'un territoire américain en déclarant la guerre le 12 mai.

Dès que George eut choisi son arme, il écrivit à son père pour lui demander de tirer quelques ficelles. Des ordres arrivèrent enfin, l'affectant au Huitième d'Infanterie. Harry annonça avec stupeur qu'il était envoyé dans le même régiment. George feignit d'être ahuri par cette coïncidence.

Par une belle journée de juin, les nouveaux diplômés acceptèrent les bons vœux de leurs professeurs et défilèrent pour leur dernière parade. Pour la première fois, George et Harry endossaient l'uniforme de l'armée régulière, la tunique bleu marine et le pantalon bleu clair avec sur la couture le galon blanc de l'infanterie. Une heure plus tard, ils étaient prêts à partir.

Alors que le vapeur quittait la jetée, Harry s'accouda à la lisse et leva les yeux vers la butte, suivant par la pensée le sentier sinueux qu'ils avaient gravi quatre ans plus tôt pour la première fois.

— Cet endroit va me manquer. Tu vas rire, mais ce qui me manquera le plus, c'est le tambour. Au bout d'un moment, ça finit par vous entrer dans la peau.

George ne rit pas mais secoua la tête.

— Tu regretteras un tambour qui divisait ta vie en petits compartiments rigides ?

— Oui. Ça donnait un certain rythme à la journée. Un schéma, un ordre sur lequel on pouvait compter.

— T'en fais pas, mon vieux. Tu entendras bien assez de tambours au Mexique.

La nuit tombait quand le vapeur doubla l'île de la Constitution. Bientôt, ils descendirent l'Hudson, dans la nuit. En ville, ils prirent une chambre à l'American House et, le lendemain, ils visitèrent New York. Dans Broadway, ils croisèrent deux sous-officiers de dragons et reçurent leur premier salut militaire. Harry en fut très fier.

— Nous sommes vraiment des soldats maintenant. Officiellement.

Cela n'impressionnait pas son ami. Avant que George monte dans le train de Philadelphie, Harry lui fit promettre de venir à Mont Royal vers la fin de sa permission. Ils rejoindraient ensemble leur régiment. George accepta. En quatre ans, il s'était pris d'amitié pour la plupart des Sudistes qu'il avait connus.

Et il n'avait jamais oublié le commentaire de Cooper Main sur les jolies filles du Sud.

Une des premières choses que fit George en arrivant à Lehigh Station fut de déballer la météorite qu'il avait trouvée dans la montagne au-dessus de West Point. Dans sa chambre, il la plaça avec soin sur un rebord de fenêtre, où aucune des bonnes ne pourrait la prendre pour un détritus bon à jeter. Puis il posa son menton sur ses mains et contempla son trésor.

George prenait peu de choses au sérieux, et moins encore l'émouvaient. Ce bout de fer d'étoiles, le noyau de la fortune des Hazard, était une rare exception. Il n'avait aucune intention de trouver une mort courageuse et vite oubliée au Mexique ; un travail bien plus important l'attendait.

Il fit ses bagages et ses adieux à sa famille à la mi-septembre. L'armée de Taylor avança sur Monterey, au Mexique, pendant un armistice de huit semaines. George suivit sa progression parce que son régiment faisait partie de la Seconde Division de Taylor, commandée par le général Worth. Le Huitième avait déjà participé à de durs combats et en verrait sans doute d'autres.

Pendant le long voyage en chemin de fer vers la Caroline du Sud, George essaya de classer ses opinions sur les Nordistes et les Sudistes. Si on l'avait interrogé sur leurs différences, il aurait jugé les Yankees pratiques, agités, curieux des choses ordinaires de la vie et avides de tout améliorer. Les gens du Sud, au contraire, lui semblaient heureux de prendre la vie telle qu'ils la connaissaient. Ils étaient enclins aussi aux interminables discussions et théories, toujours dans l'abstrait, sur des sujets comme la politique, l'esclavage des Noirs et la Constitution, pour n'en citer que trois.

George n'avait pas d'avis précis sur l'esclavage, ni pour ni contre. Il se promettait de ne pas aborder ce sujet en Caroline du Sud et surtout de ne pas dire aux Main ce que pensaient les autres Hazard. Son père et sa mère n'étaient pas des abolitionnistes fanatiques mais ils réprouvaient carrément l'esclavage.

Harry l'attendait avec une voiture à la minuscule halte dans les bois. Au cours du trajet jusqu'à la plantation, les deux amis parlèrent avec animation de la guerre et des derniers mois. Harry indiqua que sa famille était revenue de sa résidence d'été quinze jours plus tôt, pour être là à l'arrivée de George.

La luxuriante végétation du bas-pays, la grandeur et la beauté de Mont Royal, la famille Main fascinèrent le jeune homme du Nord.

Deux jours après son arrivée, au dîner, Clarissa annonça un projet de grand pique-nique, où George serait présenté aux voisins et parents.

— Si nous avons de la chance, le sénateur John Calhoun nous honorera de sa présence. Depuis quelques semaines, il est chez lui à Fort Hill. Il souffre d'une affection des poumons que le climat du bassin du Potomac ne fait qu'aggraver. L'air est plus pur sur les hauteurs, cela le soulage et... Theo, mon ami, pourquoi diable faites-vous une telle grimace ?

Toutes les têtes se tournèrent vers le haut de la table. Au-dehors, le tonnerre grondait dans le lointain. Anne et Beth échangèrent un regard anxieux. C'était la saison des ouragans qui surgissaient de l'océan avec une fureur destructrice.

— John se comporte comme s'il n'était plus l'un de nous, répliqua Theo.

Un insecte se posa sur son front. Il l'écrasa, puis il fit un geste irrité. Un petit négrillon était assis dans un coin, immobile, tenant un chasse-mouches devant lui comme un mousquet. En réponse au geste du maître, il se précipita et agita vigoureusement le chasse-mouches mais il savait qu'il était trop tard. Il avait déplu. La peur dans les yeux du gamin en dit plus long à George sur les rapports entre maître et esclave que tout ce que lui avaient signalé des heures de discours d'abolitionnistes.

— Nous buvons à la santé de John Calhoun en toute occasion, reprit Theo. Nous érigeons des statues et des plaques en son honneur, comme au plus grand homme de cet Etat et peut-être de la nation. Et puis, il s'en va à Washington et néglige totalement la volonté de ses électeurs.

Cooper émit un petit reniflement qui exaspéra visiblement son père.

— Est-ce que vous suggéreriez que Mr Calhoun ne peut être considéré comme un Carolinien du Sud que lorsqu'il est d'accord avec vous ? demanda-t-il. Son opposition à la guerre est peut-être impopulaire, mais elle est sincère. Il soutient indiscutablement la plupart de vos autres points de vue.

— Ce qui n'est pas ton cas. Naturellement, cela ne me désespère pas particulièrement.

Le sarcasme mit George mal à l'aise et il devina qu'au fond du cœur Theo en était profondément navré.

— Tant mieux, répliqua Cooper en levant son verre de vin, ignorant les regards implorants de sa mère. Vous n'avez pas à vous soucier de ce que je pense. C'est l'opinion du reste du pays que vous négligez, à votre péril.

La main de Theo se crispa sur sa serviette. Il jeta un coup d'œil à George et se força à sourire.

— Mon fils se prétend expert en affaires nationales. J'ai parfois l'impression qu'il serait plus chez lui dans le Nord.

Raide sur sa chaise, Cooper ne souriait plus.

— Ridicule ! Je méprise ces sacrés abolitionnistes avec toutes leurs vertueuses proclamations, mais leur hypocrisie ne me rend pas aveugle à la vérité de certaines de leurs accusations. Dès l'instant où quelqu'un ose critiquer notre façon d'agir dans le Sud, nous nous hérissons tous comme des porcs-épics et nous mettons sur la défensive. Les Yankees affirment que l'esclavage est un mal, alors nous assurons que c'est un bien. Ils montrent des cicatrices sur le dos des nègres...

— On ne trouve de cicatrices sur personne à Mont Royal, interrompit son père à l'intention de George, mais Cooper n'y fit pas attention.

— ... et nous répliquons en proclamant hautement que les esclaves sont heureux. Aucune personne privée de liberté n'est heureuse, nom de Dieu !

— Surveille ton langage devant ces enfants ! tonna Theo.

Mais le jeune homme était aussi furieux que lui.

— Au lieu de nous instruire en reconnaissant la vérité, nous la repoussons. Nous nous contentons d'être ce que nous sommes depuis cent cinquante ans, des fermiers dont les récoltes dépendent de la sueur d'esclaves. Nous voulons ignorer des hommes comme le père de George, alors qu'ils deviennent légion dans le Nord. Le père de George manufacture du fer avec de la main-d'œuvre libre. Le fer permet les machines. Les machines créent l'avenir. Les Yankees comprennent ce siècle et nous nous attardons au précédent. Si le sénateur Calhoun ne proclame plus comme un perroquet la sagesse de cet Etat, tant mieux pour lui et bravo. Nous aurions besoin d'une dizaine d'hommes comme lui.

— C'est impoli de parler avec une telle violence devant notre invité.

Il y avait dans la voix de Clarissa une sécheresse inhabituelle.

— Oui, c'est ça, et au diable la vérité ! Les bonnes manières avant tout.

Cooper leva ironiquement son verre de vin. Theo le lui fit sauter de la main.

Le petit négrillon au chasse-mouches se baissa vivement. Le verre alla se briser contre le mur. Beth poussa un cri et s'appuya contre le dossier de sa chaise, une main sur les yeux. Harry regarda George et haussa une épaule, avec un maladroit sourire d'excuses. Theo écumait.

— Tu as trop bu, Cooper. Je te conseille de te retirer jusqu'à ce que tu sois maître de toi.

— Oui, certainement, ajouta sa mère.

La voix était douce, mais c'était un ordre.

Cooper paraissait effectivement un peu ivre. Le frère aîné se leva, regarda son père et rit avant de sortir rapidement de la pièce. Theo était livide ; de toute évidence, la raillerie exaspérait le chef de famille plus encore que l'hérésie.

Personne ne sourit ni ne parla beaucoup pendant le reste du repas. George se sentait déprimé de constater une scission manifeste dans la famille Main. Une scission semblable à celle qui, selon son père, divisait lentement mais inévitablement le pays.

# CHAPITRE IX

Bᴵᴱɴ QUE CE FÛT LA SAISON des fièvres, plus de deux cents personnes vinrent au pique-nique, la plupart arrivant de leurs maisons d'été, mais certaines d'aussi loin que Columbia. George en fut impressionné mais plus encore par l'arrivée de John Calhoun.

Le sénateur et sa femme, Floride, remontèrent l'allée dans une calèche, vieille mais élégante. Des amis et des curieux entourèrent la voiture. George fut présenté aux Calhoun. Il jugea que le sénateur devait avoir dans les soixante-cinq ans. L'âge et la maladie l'avaient usé mais il conservait un maintien droit et des yeux brillants d'un bleu profond.

Il murmura quelques mots aimables sur West Point et s'éloigna. George eut l'impression que le sénateur était un homme épuisé, aigri. Son sourire paraissait faux, ses mouvements laborieux.

Bientôt, les innombrables présentations donnèrent le vertige à George. Il fit la connaissance de Main, de Bull et de Smith, de Rhett et de Huger, de Boukins, de Lamotte et de Ravenel. Une jeune fille de la famille Smith, à peu près du même âge que lui, fut visiblement séduite par son uniforme comme il l'était par son décolleté. Ils se promirent de se retrouver vingt minutes plus tard au buffet.

Le ciel s'assombrit et se couvrit de nuages menaçants. Une ondée envoya tout le monde à l'abri. Quand la pluie cessa, au bout de cinq minutes, George ne put retrouver la jeune Smith. Il tomba sur Harry et remarqua son expression lointaine.

— Qui t'a hypnotisé, mon vieux ? Ah... Je vois, murmura-t-il et son sourire s'effaça. Elle a de belles bagues et une alliance. Est-ce celle dont tu es tombé amoureux il y a deux ans ?

— Elle est ravissante, n'est-ce pas ?

— Ravissante est peu dire. Ainsi, c'est Madeline. Elle paraît bien lasse.

Cependant, la fatigue ne pouvait, seule, expliquer l'air bizarre, comme égaré, de la jeune femme.

— Elle revient de La Nouvelle-Orléans, expliqua Harry. Son père a eu une nouvelle attaque. Elle s'est précipitée à son chevet et il est mort deux jours plus tard. Elle a dû s'occuper toute seule des obsèques. Ce n'est pas surprenant qu'elle soit à bout de forces.

George sentit une intense émotion dans la voix de son ami. Il n'avait plus guère entendu parler de la fabuleuse Madeline depuis quelques mois et en avait conclu qu'Harry était revenu de son engouement. Il s'était trompé.

Il examina Madeline avec plus d'attention. Malgré les cernes de fatigue, elle était réellement une des plus belles femmes qu'il eût jamais vues. Sa bouche était rouge et charnue, ses cheveux d'un noir lustré contrastaient avec sa peau très blanche. Il se rapprocha de son ami.

— Est-ce que j'ai fait la connaissance de son mari ?

— Oui. C'est ce mufle.

Harry indiquait de la tête un des Lamotte et George se rappela les présentations. Justin, un bougre arrogant comme son frère Francis, qui était à côté de lui avec une femme insipide et un jeune fils, beau garçon élégant, l'air aussi fier que son père et son oncle.

— Comment peut-elle s'entendre avec ces gens-là ? chuchota-t-il.

— Elle s'y prend très bien. Elle charmerait le diable en personne. Et ma mère me dit qu'elle accomplit admirablement ses devoirs dans la plantation. C'est étonnant parce qu'elle n'a pas été élevée pour mettre au monde des bébés noirs ou diriger des cuisines. Je suis sûr que Justin n'apprécie guère ses talents. Viens, je vais te présenter.

Les jeunes gens se dirigèrent vers Madeline. Quand elle les aperçut, une joie spontanée illumina sa figure. Mon Dieu, se dit George, elle est aussi émue que lui ! Puis l'expression atone de Madeline réapparut.

Elle s'écarta de Justin mais avant qu'Harry puisse lui parler, Calhoun arriva avec Theo Main à son côté et plusieurs autres invités sur ses talons, suspendus à ses moindres mots.

— Un Etat seul ne peut espérer prévaloir contre la puissance du gouvernement fédéral, Theo. Mais plusieurs Etats, unis et résolus, ça, c'est une autre affaire.

— Parlez-vous de sécession ?

— Ma foi, c'est un mot que l'on entend souvent dans le Sud, ces temps-ci. Je l'ai entendu à Charleston l'autre soir. Un monsieur que je respecte a déclaré que la sécession était la seule réplique adéquate au projet de loi du représentant Wilmot.

Calhoun faisait allusion à certain amendement fait à une loi fédérale qui aurait ouvert un crédit de deux millions de dollars pour accélérer des négociations avec le Mexique. Wilmot proposait que l'esclavage soit expressément interdit dans les territoires acquis par de telles négociations. Les arguments pour et contre avaient fait grand bruit dans toute la nation. La loi avait été votée par la Chambre, mais le Sénat l'avait rejetée avant de se mettre en vacances à la mi-août.

— Ce monsieur a raison, intervint quelqu'un. Ce projet de loi est une provocation, une insulte au Sud.

— Que peut-on attendre d'un démocrate de Pennsylvanie ? demanda Theo. Ils ont un trésor de vertu sans fond, là-haut, dans le Nord.

Calhoun hocha la tête.

— C'est précisément pourquoi on parle de sécession. Il n'y a peut-être pas d'autre moyen de réparer les torts subis par cette région.

— Moi, je dis que nous devons aller de l'avant, déclara Justin Lamotte.

Il passa devant sa femme et la regarda en fronçant les sourcils. George devina que c'était parce qu'elle s'intéressait à la conversation, seule femme parmi une dizaine d'hommes. Celle de Francis s'était discrètement éloignée.

— J'ai beau mépriser certains de ces politiciens yankees, lui répondit Theo, je n'aimerais pas que nous choisissions la désunion, après toutes nos luttes pour créer ce pays.

Calhoun fit une grimace.

— Il ne s'agit pas de choix. S'il y a désunion, nous y serons poussés, contraints par ces Nordistes dont la distraction favorite est de nous toiser de haut.

— Nous serions plus heureux en formant une nation à part, déclara Francis Lamotte.

— Comment pouvez-vous dire cela, Francis ?

La voix féminine fit taire tout le monde et les têtes se tournèrent, bouche bée. Justin eut l'air de vouloir rentrer sous terre. Harry vit son étonnement et sa honte se transformer en colère.

Madeline n'en eut cure. Sa curieuse expression morne avait disparu et ses yeux s'étaient animés. Ayant pris la parole, elle n'entendait plus se taire. Elle s'approcha de John Calhoun.

— Je suis née et j'ai été élevée dans le Sud, sénateur. Il y a des années que j'ai entendu parler pour la première fois d'une sécession. Mon père assurait que cette idée était pernicieuse parce qu'elle n'arrangerait rien. J'y ai réfléchi depuis et je suis de cet avis.

La réaction de Calhoun fut plus polie que celle des autres hommes, qui grommelaient et fronçaient les sourcils. Cependant, lui aussi était dérouté par l'intrusion d'une femme dans un domaine strictement masculin. Haussant légèrement un sourcil gris, il murmura :

— Vraiment, madame ?

Madeline eut un sourire désarmant.

— Naturellement. Pensez aux conséquences pratiques. Que se passerait-il si nous étions une nation à part et si les cours du coton et du riz s'effondraient ? Cela est déjà arrivé. Quelle sympathie, et quelle aide, recevrions-nous de l'autre nation du Nord ? Et si un gouvernement résolument hostile prenait le pouvoir là-bas ? Si des lois étaient votées pour nous empêcher d'acheter les fournitures dont nous avons besoin pour notre vie quotidienne ? Nous dépendons du Nord, sénateur. Nous n'avons pas d'usines, pas de ressources autres que...

— Nous avons nos principes, interrompit Justin. Ils sont plus importants que des usines, mais je suis sûr que le sénateur ne s'intéresse pas aux opinions féminines.

Il serra le bras de sa femme et elle ne put réprimer un sursaut de douleur. Alarmé par la colère dans le regard de Lamotte, Calhoun essaya d'arranger les choses.

— Je suis toujours intéressé par les opinions de mes compatriotes, quels qu'ils...

Justin ne le laissa pas achever.

— Venez, ma chère. Il y a quelqu'un qui veut vous voir.

— Justin, je vous en prie...

— *Venez !*

Il l'emmena de force. Francis les suivit. George regarda anxieusement Harry. Il crut un instant que son ami allait faire un éclat. Et puis, Calhoun lança une petite plaisanterie pour détendre l'atmosphère et la crise passa.

Justin, pendant ce temps, poussait Madeline vers l'extrémité de la pelouse où les voitures étaient garées en longues files. Il savait qu'on les regardait mais il était trop furieux pour s'en soucier. Francis le supplia de se calmer. Justin injuria son frère et lui ordonna de s'en aller. Mortifié, Francis fit demi-tour et retourna vers la foule des invités.

Justin plaqua alors sa femme contre la haute roue arrière d'un landau : l'essieu lui entrait dans le dos.

— Lâchez-moi ! protesta-t-elle. Vous n'avez pas le droit de me traiter...

— J'ai tous les droits. Je suis ton mari. Tu m'as humilié devant le sénateur et tous mes amis.

Elle le foudroya du regard, le rouge montant à ses joues.

— Je vous demande pardon, Justin. Je ne savais pas que le désaccord avec les opinions de quelqu'un était devenu un crime en Caroline du Sud. J'ignorais que la liberté de parole avait été abrogée par...

— Assez !

Il lui tordit le bras et la repoussa brutalement contre l'essieu. Elle poussa un petit cri, puis regarda son mari avec haine. Et sa bonne éducation l'abandonna.

— Mufle ! C'est seulement ta sacrée réputation qui compte, pas les sentiments de ceux à qui tu fais du mal selon tes caprices. Après notre nuit de noces, je m'en doutais. Maintenant je n'ai plus de doutes.

*Et je pourrais ruiner à jamais ta précieuse réputation*, pensa-t-elle. Mais, malgré sa colère, elle sut qu'elle ne le pouvait pas.

Justin ne se maîtrisait plus. Il la secoua encore une fois.

— Je vais te dire autre chose qui ne fait pas de doute, ma chère. Tu es une *femme*. Cela signifie que tu n'as pas à donner ton opinion sur quoi que ce soit. Les femmes aux prétentions intellectuelles finissent mal dans cette partie du monde, c'est une leçon que ton père aurait dû t'apprendre.

— Il m'a appris qu'une femme avait le droit d'être un esprit indépendant et...

— Je me moque des erreurs de ton père. Je suis même très heureux de ne pas avoir eu à en discuter avec lui. J'aurais pu être forcé de lui envoyer mon poing dans la figure.

— C'est tout ce que tu sais faire, n'est-ce pas ? Frapper ceux qui ne sont pas d'accord avec toi. Brutaliser tout le monde sur ton passage.

— Pense ce que tu veux. Mais rappelle-toi que les femmes et les idées ne sont pas faites pour aller ensemble. Les sœurs Grimké ont dû quitter cet Etat parce qu'elles ont oublié cette leçon. Aujourd'hui, elles sont dans le Nord et prêchent la liberté des nègres et l'union libre, en déshonorant leur sexe et elles-mêmes. Je ne tolérerai pas que ma femme se conduise ainsi. Tu dois rester à ta place. Et si jamais tu prends encore une fois la parole et m'humilie comme tu viens de le faire, tu en souffriras. Tiens-toi-le pour dit.

Il se redressa, lissa ses cheveux et retourna au pique-nique, en s'efforçant de sourire comme s'il ne s'était rien passé. Mais un changement s'était produit dans leurs rapports et tous deux le savaient. Ils avaient atteint les profondeurs secrètes d'eux-mêmes et révélé ce qui n'avait été que soupçonné jusque-là.

Madeline le suivit des yeux en pensant qu'il serait doux et délicieusement cruel de répéter à Justin ce que son père lui avait révélé juste avant de mourir. Tout, et surtout le dernier mot qui le scandaliserait tant.

Elle s'appuya contre la roue en luttant pour refouler ses larmes. Elle ne savait pas ce qui était pire, son humiliation, sa fureur ou sa certitude que Justin n'avait pas menacé en vain.

Harry, de loin, avait observé la scène près du landau. Il avait rarement été aussi tendu et frustré. Il aurait voulu intervenir, sauver Madeline, casser la figure à Lamotte, mais elle était liée à son mari par la loi et la religion. Elle était une épouse, la propriété de Justin. Si Harry avait suivi son instinct, il aurait tout aggravé pour elle.

Il admira le courage de Madeline quand elle se ressaisit et revint parmi la foule qui chuchotait encore à son propos. A part lui, il maudissait les invités qui, derrière son dos, lui jetaient des regards méprisants. George remarqua son agitation. Cooper aussi, qui avait déjà entendu pas mal de réflexions sur la discussion de Madeline avec Calhoun.

Cooper et George tentèrent tous deux de lui parler, mais il les esquiva. Après avoir déambulé sans but pendant quelques minutes, il aperçut Madeline à l'écart, seule. Rejetant toute prudence il fit ce que son émotion lui dictait depuis une heure. Il alla droit vers elle.

— Vous allez bien ?

— Oui, oui, assura-t-elle, mais il n'en crut rien. Nous ne devons pas être vus ensemble, ajouta-t-elle.

— Je vous aime, souffla-t-il, les yeux baissés, le sang à la tête. Je ne peux pas supporter de vous voir maltraitée. Retrouvez-moi demain. Ou après-demain. Je vous en prie.

Elle hésita à peine.

— Oui. Demain. Où ?

Rapidement, il lui indiqua le premier endroit qui lui vint à l'esprit. Comme il finissait, elle poussa une exclamation étouffée.

— Quelqu'un vient.

Il chuchota l'heure du rendez-vous. Elle lui tourna le dos et s'éloigna vivement. Il se hâta dans la direction opposée, le cœur battant de peur et de joie.

Nathanael Greene appartenait à John C. Calhoun depuis son adolescence. Agé maintenant de soixante-trois ans, il avait horreur des fatigues des voyages et de la nécessité de se mêler à des esclaves d'un rang inférieur au sien.

La fierté de Greene avait deux origines. Son maître était un des hommes les plus éminents de la nation et lui-même était spécialement attaché à la maison, une position infiniment supérieure à celle des travailleurs des champs.

Il s'ennuya vite en compagnie des esclaves réunis autour des buffets dressés pour eux. Green jouissait de certains privilèges et connaissait parfaitement les limites de la tolérance de son maître. Il prit quelques furtives gorgées de whisky d'un flacon plat dissimulé sous sa veste de belle toile blanche. Puis, il partit à la recherche d'une distraction.

Près du bâtiment de la cuisine, il aperçut un grand esclave musclé qui portait des bûches à l'intérieur où il faisait chaud comme dans une fournaise. Green rit tout bas et attendit.

Bientôt, l'esclave ressortit. Greene lui fit signe, lui laissa entrevoir le flacon sous sa veste et lui dit avec un sourire innocent :

— T'as l'air d'avoir soif, nègre. Viens donc à l'ombre te rafraîchir avec une goutte de gnôle.

L'autre fut tenté, mais hésita.

— Les nègres n'ont pas le droit de boire. Tu le sais bien.

— Sûr que je le sais. Mais, aujourd'hui, c'est fête et missié Calhoun regarde de l'autre côté.

Inquiet, le grand Noir jeta un coup d'œil vers les esclaves réunis autour des tables qui leur étaient réservées. Ils bavardaient, mangeaient et buvaient du punch sans alcool. De temps en temps, l'un d'eux se levait pour répondre à un appel de la pelouse ou de la cuisine tandis que d'autres revenaient de diverses tâches.

— Je n'ai pas le droit d'être avec les nègres de maison non plus, dit l'esclave des champs. Si je leur tourne autour, ils sont arrogants.

— Laisse-moi m'inquiéter de ça, nègre. Je suis nègre de maison chez Mr Calhoun alors je t'invite et personne ne peut rien dire. Comment c'est, ton nom?

— Priam.

— Un joli nom. Tiens, bois un coup.

Priam avait chaud et soif. Cela, et les manières persuasives de Greene, eurent raison de sa prudence. Il le suivit auprès des autres. Ils reconnurent Priam, naturellement, et le toisèrent avec mépris jusqu'à ce qu'ils comprennent les intentions de Greene, qui gesticulait et clignait de l'œil dans son dos.

Les regards méprisants disparurent. Priam se détendit. Toutes les trois ou quatre minutes, Greene ressortait le flacon de sa cachette et abritait Priam quand il buvait. Le grand Noir se mit bientôt à sourire et à rire tout haut. Les autres esclaves, à part deux femmes qui réprouvaient cette méchante farce, pouffaient et se donnaient des coups de coude.

— 'Core un coup, dit Priam.

— Bien sûr, répondit Greene avec un sourire. Viens le chercher.

Il tenait le flacon à bout de bras. Priam s'approcha en chancelant, avança la main. Au dernier moment, Greene retira le flacon. Priam vacilla contre la table. Sa main tendue renversa sur l'herbe un plat de haricots-beurre. Greene éclata de rire.

— Bon Dieu, quel maladroit!

— C'est rien qu'un imbécile négro des champs, tiens, dit quelqu'un.

Un soupçon s'insinua dans l'ivresse de Priam.

— Donne-moi ça! gronda-t-il.

Greene lui fit passer rapidement le flacon sous le nez.

— Il est là, négro. A toi, si tu peux le voir.

— Donne-moi ça! rugit Priam.

— Eh! bien, dites donc, railla Greene en agitant toujours le flacon. Il donne des ordres à ses supérieurs, celui-là!

— Insensé, marmonna un esclave dédaigneux.

Priam cligna des yeux et se passa une main sur la nuque. Il regardait le flacon danser sous son nez. Soudain, il bondit et tenta de le saisir à deux mains. Greene recula en sautillant. Priam referma les bras sur le vide. Les autres éclatèrent de rire.

Priam baissa la tête, se retourna et se rua sur les esclaves en balançant ses poings. Les femmes hurlèrent, les hommes se dispersèrent.

Le tumulte attira Theo et quelques invités. Le maître était de mauvaise humeur à cause de la chaleur et de l'amertume provoquée par sa querelle avec Cooper. Il le fut plus encore en apercevant Cousin Charles qui sous une des tables, un accroc à son beau pantalon, encourageait les deux combattants avec un joyeux enthousiasme.

Il arriva au moment où Priam essayait encore une fois d'empoigner Nathanael Greene. L'esclave de Calhoun se réfugia derrière trois grands Noirs de la maison. Le sénateur surgit alors que Greene reconnaissait le propriétaire de Mont Royal et s'exclamait:

— Ce nègre m'a sauté dessus! Il est soûl comme une vache!

Theo n'avait besoin de personne pour le constater.

— Priam, retourne à ta case. Je m'occuperai de toi plus tard.

La peur apparut sur la figure de Priam. Il vit que tous les gens de la maison prendraient le parti de Greene et cela raviva sa colère. Il s'avança vers Theo et montra le flacon dans l'herbe.

— J'ai bu un coup de ça parce que le nègre de Mr Calhoun me l'a offert. Il était gentil et puis il m'a traité de vilains noms.

Theo était si outré qu'il pouvait à peine parler.

— Tes explications ne m'intéressent pas.

Greene laissa fuser un petit rire étonné.

— Qu'est-ce qu'il dit, ce nègre ? Tout le monde sait que, les nègres, ils ont pas le droit de boire d'alcool. J'y ai pas donné une goutte, non, monsieur, affirma-t-il avec un regard vertueux en direction de son maître.

— Il a raison, dit une Noire. Le négro était déjà soûl quand il est venu se dandiner par ici.

D'autres esclaves de la maison hochèrent la tête et confirmèrent à mi-voix. Priam ne pouvait croire que les siens lui faisaient cela. Il avait l'air assommé.

Theo voulut le prendre par le bras. Il repoussa sa main. Un murmure suffoqué courut parmi les témoins, une grande vague déferlante. Theo baissa les yeux sur la main, comme s'il ne pouvait croire au geste de son esclave.

Salem Jones apparut alors. Il se glissa à côté de son patron, en réprimant mal un sourire. Priam se tenait légèrement voûté, les poings crispés, la figure ruisselante de sueur. Harry et George se mêlèrent aux spectateurs. Ils virent que Priam était dangereusement hors de lui, et que Theo ne s'en apercevait pas.

— Nous ferions mieux de partir, dit Calhoun. Nathanael, si tu veux bien...

— Non, intervint Theo. Ce n'est pas nécessaire, John. Le fautif est Priam. Va dans ta case, Priam. Tout de suite, sinon ce sera dur pour toi.

Priam secoua la tête. Theo sursauta comme s'il avait été giflé.

— Je te l'ordonne une dernière fois !

Encore une fois l'esclave secoua la tête. La figure de Theo vira au violacé. Harry voulut parler à son père, tenter de le calmer, mais déjà ce dernier avait fait signe à Jones. Le régisseur tira son gourdin de sous sa veste et s'adressa à plusieurs gens de maison.

— Toi, Jim. Toi, Aristote. Empoignez-le.

Priam poussa un rugissement et leva les poings. Les hommes l'entourèrent. Il recula de trois pas et tomba à la renverse sur une table. Des plats se renversèrent, se brisèrent par terre.

Jones laissa ses deux assistants noirs maîtriser Priam. Puis il se pencha par-dessus les épaules de Jim et d'Aristote et abattit plusieurs fois sa matraque. Au dernier coup de gourdin, Priam tomba à genoux, du sang coulant d'une entaille au front. Il leva des yeux pleins de haine vers son maître.

— Je t'ai dit que ce serait dur pour toi, Priam. Je regrette vraiment que tu ne m'aies pas écouté.

A côté de son père encore écarlate et haletant de fureur, Harry murmura :

— Ne croyez-vous qu'il a été assez puni ?

— Non. Priam a gâché cette fête et m'a embarrassé devant mes invités. Je traite bien mes gens mais je ne tolérerai pas l'ingratitude ni un esprit rebelle. Je vais faire un exemple de ce nègre.

Jamais Théo n'employait ce mot en parlant de ses esclaves. Son fils comprit, à cela, qu'il valait mieux ne pas essayer de l'empêcher de sévir.

Priam aussi voyait la rage inhabituelle de son maître. Baissant la tête, il pleura en silence tandis que les deux autres esclaves l'entraînaient.

A Resolute, Madeline se retourna dans son lit pour la vingtième fois. Quand elle s'était couchée et avait soufflé sa lampe une heure plus tôt, elle savait que le sommeil la fuirait. Il s'était passé trop de choses. Il s'en passerait encore trop, si elle avait le courage, ou la témérité, de le permettre.

Les fenêtres de la chambre étaient ouvertes sur la nuit mais aucun souffle d'air n'entrait. Au rez-de-chaussée, quelqu'un faisait le tour de la maison pour fermer portes et fenêtres. Dehors, l'imperceptible bruissement de feuilles ou de petites bêtes nocturnes formait un accompagnement à la respiration oppressée de la jeune femme.

Justin n'était pas là, grâce au ciel. Il était parti pour Charleston avec son frère, pensant sans doute que sa femme avait besoin de solitude pour réfléchir à l'énormité de ses péchés et au châtiment qu'elle subirait si elle continuait.

Canaille, pensa-t-elle en revoyant la figure honnie de son mari. Il lui était de plus en plus facile de le traiter de tous les noms, mais elle rêvait de pouvoir en faire plus. Elle rêvait de lui répéter l'aveu que lui avait fait son père juste avant de fermer les yeux pour toujours. Comme elle aurait aimé sourire à Justin et lui dire : « Mon cher, j'ai le pénible devoir de vous apprendre que vous avez épousé une femme qui a du sang noir. »

Justin l'avait terriblement trompée en lui faisant la cour et ce serait justice de lui révéler, même à retardement, qu'il l'avait été lui-même. Naturellement, elle n'y était pour rien, car elle n'avait même pas soupçonné la vérité avant que son père la lui révèle dans son dernier souffle, alors qu'elle était assise à son chevet dans la chambre aux rideaux tirés et qui sentait la cire des bougies, la sueur et la mort.

Toute sa vie, Nicholas Fabray avait pris soin d'épargner tout souci à sa fille et il l'avait encore fait à ses derniers moments. Il avait amorti l'inévitable choc de son mieux, en parlant lentement et avec éloquence de la mère, en précisant qu'elle avait été une femme remarquable, aimante, pleine d'abnégation, une vraie sainte. Alors seulement, il avait révélé que, blanche aux yeux de tous, elle avait en elle un quart de sang noir. Ensuite, il avait mentionné un portrait de la disparue mais d'une voix si faible, avec des mots si vagues que Madeline n'avait rien compris. Elle avait eu l'impression que ce tableau avait simplement disparu. Quelques minutes plus tard, son père était mort.

Maintenant, couchée dans le noir, Madeline se demandait surtout comment elle avait pu accepter un rendez-vous secret. Sa conscience la tourmentait déjà. Elle soupira : voilà que sa vie, si soigneusement et si consciencieusement protégée par son père se bouleversait dangereusement.

Elle se rappela le visage d'Harry. Il était vraiment très jeune. Pourquoi prenait-elle un tel risque ? Le plus difficile d'ailleurs serait de sortir de Resolute pour aller le rejoindre. Elle ferma les yeux, réfléchit, établit un plan pour détourner les soupçons quand elle partirait, à cheval, le lendemain. Enfin elle parvint à s'endormir et elle rêva qu'Harry l'embrassait.

Des torches plantées dans la terre illuminaient la cour de ferme. Priam était couché sur le ventre, écartelé.

Jones avait exigé un public de vingt esclaves mâles parce que, bien exécuté, le spectacle de cette nuit devrait bénéficier à la plantation pendant des années. Il devrait faire une impression profonde et durable sur tous les Noirs qui risquaient d'avoir des velléités de rébellion. Et cette impression viendrait non seulement des souffrances de Priam mais de son humiliation avant la torture. Il avait été forcé de se mettre nu, de s'agenouiller et de baisser la tête pendant que, par des cordes, on reliait ses chevilles et ses poignets à des pieux fichés dans le sol sablonneux, afin de le maintenir écartelé.

Des cris d'animaux, d'oiseaux, s'élevaient dans l'obscurité derrière la grange alors que les cases des esclaves étaient anormalement silencieuses. Jones en était enchanté. Il savait que tous observaient, écoutaient. La leçon ne serait pas perdue.

Un grand Noir, appelé Harmony, tenait un sac de jute à bout de bras. Le sac tressautait et se tortillait comme un être vivant. Jones le regarda avec plaisir, et prit tout son temps pour enfiler d'épais gantelets matelassés. Il n'avait encore jamais eu l'occasion de s'en servir à Mont Royal mais il les conservait dans sa malle, en cas de besoin. Il était à la fois surpris et ravi que Tillet Main, qu'il méprisait, eût réellement commandé de faire donner le chat.

Il passa devant la tête de Priam, pour bien lui montrer les gantelets. Puis, il changea de place trois seaux d'eau fortement salée qu'il comptait jeter sur les blessures de sa victime. C'était une petite torture supplémentaire qu'il avait ajoutée de lui-même. Il fit signe à l'homme qui tenait le sac.

— Ça va, Harmony, tu peux y aller.

L'esclave effrayé ouvrit le sac. Jones y plongea une main gantée. A tâtons, il saisit les pattes de derrière du chat et souleva l'animal qui crachait et se débattait furieusement.

Les esclaves reculèrent peureusement. Jones détournait à demi la tête, craignant que les griffes des pattes de devant ne l'éborgnent.

Excité, respirant bruyamment, il se plaça à côté de Priam, lui posa un pied botté contre la hanche droite et l'autre près des côtes. Il devait lutter avec le chat, mais le résultat en vaudrait la peine. Finalement, il balança l'animal, un peu comme on aurait balancé une crosse dans l'ancien jeu de golf. Les griffes frappèrent Priam entre les épaules et entamèrent la peau tout le long du dos avant que Jones le soulève d'un coup sec. Il sourit en voyant les griffes ensanglantées.

Priam n'avait pas crié, mais Jones remarqua qu'il s'était mordu la lèvre inférieure jusqu'au sang. Presque affablement, il lui dit :

— Nous n'avons pas fini, tu sais, tant s'en faut !

Dans la chambre d'amis du premier étage, George ne dormait pas. Il s'était déshabillé, ne gardant que son caleçon, mais il transpirait encore. Il avait mal à l'estomac, à la tête.

La journée n'avait pas été plaisante. Le scandale causé par l'esclave Priam avait bouleversé Harry. George aussi avait souffert de l'incident. Pour la première fois depuis son arrivée, il réfléchissait à ce qu'il avait vu. Il pensait particulièrement aux esclaves, à ce qu'il avait lu sur leurs visages et dans leurs yeux.

Cela le gênait d'avoir à juger les gens qui l'avaient reçu si aimablement. Il avait horreur de penser du mal de son meilleur ami, mais ce qui se passait à Mont Royal... Eh bien ! il ne pouvait échapper à l'unique conclusion, et cela le troublait profondément. Il comprenait enfin ce que l'on racontait chez lui, et surtout les commentaires de Virgilia.

— Mon Dieu ! s'écria-t-il soudain en sautant du lit et en allant vers la fenêtre qui donnait sur la terrasse.

Au loin dans la nuit, quelqu'un hurlait. George fut certain que c'était l'esclave qui subissait sa punition. Les cris continuèrent par intermittence, pendant environ cinq minutes. Quand ils se turent, George se recoucha et contempla le plafond. Impossible de fermer l'œil de la nuit : jamais il ne pourrait oublier ces hurlements.

Les cris jetèrent Cooper dans l'escalier, sa chemise de nuit moite collant à ses jambes. Depuis des semaines, il sentait couver une crise en lui car la situation devenait intolérable, mais il avait besoin d'un incident important pour passer à l'action.

Ce soir, l'incident était là. Les esclaves vivaient à douze cents mètres de la maison. Quand des cris portaient aussi loin, cela en disait long. Trop long. Il fit irruption dans la bibliothèque sans frapper.

— Que fait-on à Priam ?

Theo regarda son fils à travers un épais nuage de fumée de pipe. La sueur brillait sur son crâne chauve. Toutes les fenêtres étaient fermées. Etait-ce pour ne pas entendre les cris ?

— J'ai ordonné qu'on lui donne le chat, répondit-il enfin.

L'expression de Cooper durcit.

— Dieu ! C'est de la barbarie !

Theo se leva d'un bond.

— Tes pieuses déclarations ne m'intéressent pas.

— Et les vôtres ?

— Qu'est-ce que tu racontes ?

— L'autre soir, avec beaucoup de satisfaction, vous avez assuré à l'ami d'Harry qu'il n'y avait pas de dos balafrés à Mont Royal. Comment expliquerez-vous celui de Priam ?

— Je n'ai pas besoin de l'expliquer, ni d'écouter tes sarcasmes ! Priam est mon bien, j'en fais ce que je veux.

Les deux hommes se dévisagèrent. Cooper eut soudain le cœur serré.

— C'est un homme. Vous en parlez comme d'une chose. Cet Etat et tout le Sud maudit vont être ruinés à cause de cette idée inhumaine.

— J'ai déjà entendu ce sermon, répliqua le père en tournant le dos à son fils. Aie l'obligeance de me laisser seul.

Cooper sortit en claquant la porte.

Le lendemain matin, le petit déjeuner fut sinistre. George demanda à son ami des nouvelles de Priam. Harry s'en froissa et répondit sèchement que l'esclave se reposait à l'infirmerie. Quelques minutes plus tard, il annonça qu'il serait absent ce matin-là et au début de l'après-midi. Il ne donna aucune explication ; il ne s'excusa pas de laisser son invité seul et il parut tout à coup très nerveux. George se demanda pourquoi.

Clarissa Main arriva, essayant en vain de paraître gaie. On voyait qu'elle avait mal dormi. Elle mangea en silence, du bout des dents, et parut presque soulagée quand elle dut se précipiter pour aplanir une dispute bruyante entre ses filles.

Cooper apparut. Il n'était pas coiffé, les pans de sa chemise sortaient de son pantalon fripé. Il tomba sur la chaise à côté de George, ne toucha pas au déjeuner et marmonna plusieurs fois d'une voix pâteuse. George ne comprit qu'une seule de ces phrases incohérentes.

— Peux pas rester ici. Peux pas rester et diriger un endroit pareil. Le système n'est pas seulement criminel mais stupide. Stupide et condamné.

Bientôt, Cooper sortit de la pièce en titubant. Harry haussa un sourcil.

— Qu'est-ce qu'il a ?

— J'ai senti l'odeur du vin. Je crois, mon pauvre vieux, que ton frère est ivre.

A vol d'oiseau, la distance entre Mont Royal et la chapelle du Salut n'était que de trois kilomètres. Mais le petit édifice incendié se cachait au fond des bois et ne pouvait être atteint qu'en suivant des chemins tortueux, à travers la forêt et le marais. A cheval, cela prenait près d'une heure. Les routes très vite n'étaient que des sentiers envahis par la végétation. Harry maintenant était convaincu que Madeline ne viendrait pas. Il se persuadait qu'elle avait dû trouver ses indications, chuchotées à la hâte, trop vagues ou, plus probablement, le trajet trop difficile pour une femme seule.

Il y avait cinq ans que la chapelle du Salut avait fermé ses portes. Quand son pasteur, un prédicateur méthodiste, était mort au cours d'un sermon particulièrement vengeur, on n'avait pu lui trouver de remplaçant. Les fidèles étaient peu nombreux, d'ailleurs : quelques planteurs de riz marginaux et leur famille, plus une poignée de Noirs affranchis, autorisés à suivre les offices dans la galerie de bois.

Les Blancs ne revinrent pas. Les Noirs s'obstinèrent. Bientôt, la chapelle passa pour un centre illégal de réunion, un endroit où l'on soupçonnait les Noirs de venir parler de sujets interdits : l'émancipation générale, la rébellion. Une nuit, la chapelle brûla mystérieusement. Le bruit courut que les frères Lamotte y étaient pour quelque chose. Les affranchis ne reparurent plus. Les plantes envahirent tout.

C'était un lieu idéal pour un rendez-vous secret. Entouré par la forêt sur trois côtés, le quatrième offrait un magnifique panorama sur plusieurs kilomètres de marécage. Harry était en proie à un tumulte d'émotions. Il n'avait pas peur de Justin Lamotte, mais il craignait d'avoir exposé Madeline à un trop grand risque. Il se répétait qu'elle ne serait pas là. Et si elle y était ? Que souhaitait-il ? Le mot adultère s'imposa à son esprit. Son cœur l'avoua honteusement mais sa conscience, son estime pour Madeline, lui soufflèrent que c'était impossible.

Ces sentiments étaient troublés par d'autres, provoqués par l'incident à Mont Royal. Il avait honte au fond de lui que George eût été témoin de cette cruauté qui faisait condamner le Sud par le Nord. Sa gêne le mettait sur la défensive et, illogiquement, il en voulait même à son ami. Ce fut donc avec des nerfs à vif qu'il passa sous les dernières branches et mit son cheval au pas en approchant de la chapelle. Les restes des poutres noircies et des murs de bois s'étaient effondrés depuis longtemps sur les fondations de meulière. Les ruines et le marécage au-delà étaient silencieux, déserts.

Un cheval hennit doucement, des fourrés s'agitèrent. Madeline apparut au bord du marais. Cachée par les arbres, elle avait contemplé la vue ensoleillée des roseaux et de l'eau étincelante.

Harry sauta à terre, attacha sa monture à un tronc et se précipita. Madeline était plus belle que jamais, en élégante amazone. Il la prit par les épaules, se pencha sur elle, puis recula vivement en rougissant.

— Je n'ai même pas pensé à vous demander s'il était dangereux pour vous de venir ici !

Elle sourit, avec un petit haussement d'épaules.

— Pas particulièrement. Du moins pas aujourdhui. Je n'attire pas beaucoup l'attention quand je vais voir les malades dans notre infirmerie. C'est le rôle d'une femme. J'ai dit aux serviteurs qu'après la visite j'irais me promener un moment à cheval, seule. Ils comprennent. Ils savent que Justin est parfois intolérable. Et puis, il est à Charleston avec Francis jusqu'à demain soir. Cependant, je ne peux pas rester longtemps.

Harry lui prit la main. Le sourire de Madeline disparut. Elle sembla crispée soudain.

— Je suis très heureux que vous soyez là, reprit-il. Auriez-vous mauvaise opinion de moi si je disais... euh... que j'aimerais vous embrasser ?

De la panique apparut dans les yeux de la jeune femme mais si fugace qu'il crut l'avoir imaginé. Il ajouta précipitamment :

— Si cette pensée vous bouleverse, je retire ma question.

Le visage de Madeline s'adoucit et elle sourit presque tendrement.

— C'est trop tard. Et puis... je veux que vous m'embrassiez. J'ai un petit peu peur, c'est tout.

Avec un empressement maladroit, il la prit dans ses bras. Elle avait la bouche fraîche et douce. Jamais il n'avait senti la langue d'une femme, comme à présent quand elle entrouvrit les lèvres. Il eut honte de sa maladresse, mais elle se serra contre lui, comme si elle n'en était pas gênée.

Brusquement, rien ne compta plus, il n'y eut qu'un long frémissement pendant lequel ils s'enlacèrent étroitement, s'embrassèrent avec fougue, révélant toutes leurs ardeurs, tous leurs désirs. Harry ne put retenir son aveu.

— Madeline, je vous aime. Je vous ai aimée dès le premier instant.

Elle rit, les larmes aux yeux, lui caressa la figure et lança avec passion.

— Ah, mon doux Harry ! Mon beau cavalier. Je vous aime aussi, le savez-vous ? Comme vous, je l'ai compris le jour où nous nous sommes rencontrés et depuis j'ai essayé de le nier.

Elle recommença à couvrir de baisers la figure et la bouche d'Harry. Tout naturellement et sans y penser, il porta une main à son sein. Elle frémit et se pressa contre lui. Puis elle s'écarta. Elle savait, et lui aussi, ce qui arriverait s'ils s'abandonnaient...

Ils s'assirent sur des pierres écroulées et admirèrent des aigrettes blanches qui s'envolaient avec grâce du marécage. Harry glissa un bras autour de la taille de Madeline. Elle s'appuya contre lui. Ils ne bougèrent pas, restant là, comme s'ils posaient pour un portrait de famille.

— Est-ce que votre mari, commença Harry... qu'a-t-il fait une fois rentré chez vous ?

— Oh ! rien ! La petite humiliation à Mont Royal était bien suffisante.

— Me le diriez-vous, si jamais il vous brutalisait ?

— Il ne va jamais aussi loin. Sa cruauté est plus subtile, et beaucoup plus cruelle. Justin connaît mille manières de blesser l'esprit. Il sait comment enlever toute valeur au moindre sentiment, d'un simple rire ou d'un regard. Je ne crois pas que les hommes de votre région aient des raisons de craindre une rébellion de leurs esclaves. Ils devraient plutôt en craindre une de leurs femmes.

— Ce serait différent si vous étiez mariée avec moi. Je regrette que vous ne le soyez pas.

— Ah, moi aussi ! Moi aussi !

— Je n'aurais pas dû vous demander ce rendez-vous, mais... Je devais vous dire au moins une fois ce que j'éprouvais.

— Oui... moi aussi, murmura-t-elle en posant une main contre la joue d'Harry.

Il l'embrassa, longuement et passionnément. Puis elle dit, sur un ton différent, amer :

— Justin commence à penser que je ne remplis pas mon rôle de femme.

— Pourquoi ?

— Je ne lui ai pas donné d'enfant.

— Est-ce que... c'est-à-dire...

Il s'interrompit en rougissant et elle parut gênée, elle aussi.

— Ce n'est pas par manque d'efforts de sa part. Il est très... vigoureux dans ses tentatives.

Harry eut l'impression de recevoir un coup de couteau dans le ventre. Il resta figé. La douleur se calma, mais lentement. Madeline reprit :

— J'ose être aussi franche avec vous parce que je n'ai personne à qui parler. A vrai dire... Je suis convaincue que si je ne suis pas enceinte, c'est la faute de Justin. Il paraît que sa première femme aussi était sté... n'avait pas d'enfant.

— C'est vrai.

— Naturellement, je ne pourrais jamais insinuer que c'est lui le responsable.

— Il ne vous permettrait pas une pensée pareille ?

— Ni celle-là, ni d'autres...

Pendant une heure, ils parlèrent de mille choses. De George. De la guerre qui les entraînerait bientôt au Mexique et, probablement, au combat. De la désobéissance et du châtiment de Priam, de l'effervescence qui en résultait dans la famille. Mais tout cela ne paraissait pas vraiment réel. Pendant un moment, un long moment, rien n'exista dans ce lieu caché, qu'une seule force au monde qui était leur amour.

Enfin le soleil commença à baisser, la lumière à changer. Madeline se leva.

— Je dois partir. Je ne peux plus revenir ici, mon doux Harry. Embrassez-moi une dernière fois, pour me dire adieu.

Ils s'étreignirent, se caressèrent, exprimèrent leurs sentiments pendant plusieurs minutes d'ivresse. Puis, Harry aida Madeline à se mettre en selle. Elle guida son cheval autour des fondations en ruine, gracieusement assise en amazone, puis elle se retourna et tira sur les rênes. Elle lança :

— Quand vous reviendrez du Mexique, nous nous reverrons de temps en temps. A des réceptions, des mariages. Et chaque fois que je vous regarderai, vous saurez exactement ce que je ressens. Ah, Harry, je vous aime tant !

C'était un cri de joie et de douleur. Elle talonna sa monture et disparut. Il se remit en route vingt minutes plus tard, en souhaitant presque que cette rencontre n'eût pas eu lieu. Elle avait si puissamment rouvert une blessure qui, désormais, ne guérirait jamais.


## CHAPITRE X


Ce soir-là, après le dîner, ils descendirent lentement vers l'appontement sur la rivière. Harry n'avait pas expliqué son absence et il avait encore visiblement les nerfs à vif. Cela, s'ajoutant aux pénibles événements de la veille, mettait également George d'humeur maussade.

Ils s'assirent sur deux vieux tonneaux et regardèrent l'Ashley refléter les premières étoiles du soir. Soudain, loin derrière eux, une porte claqua dans la grande maison et ils distinguèrent Clarissa qui courait sur le sentier menant au village des esclaves.

— Elle paraît bouleversée, observa George.

— Priam doit aller plus mal. Beth m'a confié que maman est allée deux fois le voir à l'infirmerie, cet après-midi.

George laissa la fumée de son cigare filtrer de sa bouche et de ses narines.

— Elle s'occupe très consciencieusement de vos esclaves, elle.

— C'est normal. Ils ne savent pas prendre soin d'eux-mêmes. Ils sont comme des enfants.

— C'est peut-être parce qu'on ne leur permet pas de grandir.

— Ah, je t'en prie, pas de débat !

— Les débats regardent les politiciens. J'exprimais simplement une opinion.

— J'espère que tu as fini, coupa sèchement Harry.

Le ton signifiait qu'il valait mieux ne rien ajouter. Mais George ne pouvait se taire. Sa conscience le tourmentait — ce qui était inattendu chez lui — et il considérait qu'il ne serait ni satisfait ni honnête s'il n'exprimait pas ce qu'il avait sur le cœur. Il reprit donc posément mais avec fermeté.

— Non, pas tout à fait. Ta famille est merveilleuse, Harry, charmante, bonne, très ouverte par bien des côtés. On peut en dire autant de la plupart de vos voisins, de ceux que j'ai rencontrés, en tout cas. Mais l'esclavage... eh ! bien... je suis d'accord avec ton frère. L'esclavage est impossible à admettre, en dépit de tous les efforts que l'on peut faire.

— Je croyais que tu ne t'inquiétais jamais de ces choses-là.

— Jamais, jusqu'à hier. Qu'a-t-on fait à cet esclave ?

Harry garda les yeux tournés vers le cours d'eau moucheté d'étoiles.

— Je ne sais pas. Quoi que ce soit, c'était nécessaire.

— Mais c'est ça que je ne peux pas accepter ! Est-il jamais nécessaire qu'un être humain fasse du mal à un autre ? Si le système le rend nécessaire ou l'approuve, c'est que le système est mauvais.

Furieux, Harry se leva, George fut surpris par la dureté de sa voix quand il répliqua :

— Permets-moi de t'apprendre quelque chose sur les gens du Sud. Les Sudistes en ont assez des critiques des Yankees à propos de ce qui se passe ici. Cooper a trouvé lui aussi bien des choses à reprocher aux sordides conditions de vie des ouvriers de l'usine Hazard. L'esclavage économique serait-il moins répréhensible que celui dont tu te plains ?

George était debout, à son tour.

— Un instant ! Ces ouvriers d'usine..

— Non, attends toi-même ! Le Nord devrait balayer devant sa porte avant de montrer les autres du doigt. S'il y a des problèmes dans le Sud, les Sudistes les résoudront.

— Il me semble que vous ne résolvez rien du tout, mon ami. Et vous montez sur vos grands chevaux si quelqu'un suggère que vous devriez vous y mettre.

— Nous montons sur nos grands chevaux quand des Yankees le suggèrent. Voilà trente ans que le Nord se mêle des affaires du Sud. Si ça continue, ça n'aboutira qu'à une seule chose.

— Un gouvernement esclavagiste séparé ? Tes copains sudistes de West Point brandissaient toujours cette menace. Eh bien, allez-y ! Faites la sécession !

— Non, je ne menace pas, répliqua Harry, mais je prédis des ennuis, des ennuis graves, à quiconque voudra imposer aux Caroliniens du Sud comment se conduire et quoi penser.

— Moi par exemple ?

— Si tu veux ! riposta Harry, et il s'éloigna de la jetée.

Les jours suivants se passèrent dans une atmosphère de tension et de politesse forcée. Les deux amis ne se réconcilièrent que la veille de leur départ pour Charleston. Ce fut Harry qui en prit l'initiative, après plusieurs verres de whisky.

— Ecoute, il est prévu que nous devons nous battre contre les Mexicains, pas entre nous.

— Tu as parfaitement raison, répondit George avec un immense soulagement. Je regrette d'avoir fourré mon nez dans vos affaires.

— Je regrette d'avoir tenté de te mordre.

Ils trinquèrent à leur amitié renouvelée. Mais le souvenir de cette dispute et sa cause demeurèrent dans leur cœur.

Un vapeur côtier les emmena dans le golfe du Mexique, en contournant la Floride. La mer était mauvaise. Les premiers jours, George passa beaucoup de temps penché sur la rambarde. Lorsque le bateau relâcha à La Nouvelle-Orléans pour se réapprovisionner, il fut heureux de se traîner pour quelques heures sur la terre ferme.

Harry et lui se promenèrent le long des quais et dans le vieux quartier, ils burent du café noir amer. George acheta trois journaux et, après avoir commandé une seconde tasse, il se mit au courant des nouvelles. Fin septembre, le général Taylor avait cerné et pris Monterey. Il devenait, en conséquence, un héros encore plus grand. Dans les milieux politiques, on le désignait comme prochain candidat whig à la présidence, à moins que son supérieur, le général Scott, également un whig, eût des ambitions personnelles. Plus loin à l'ouest, les Américains envahissaient rapidement la Californie espagnole, que les Etats-Unis avaient déjà annexée par proclamation.

George avait du mal à croire que son pays et le Mexique étaient en guerre. Guère plus de vingt ans plus tôt, le gouvernement mexicain avait invité les Yankees à coloniser l'Etat de Coahuila y Texas et avait accordé des concessions à l'*empresario* américain Moses Austin afin qu'il puisse installer les colons désirés. Ceci s'était passé pendant les derniers moments du long règne de l'Espagne sur le pays. Le Mexique avait ensuite obtenu son indépendance et, de ce moment, les difficultés avaient commencé. La constitution de 1824 était constamment violée par des révolutions et les gouvernements naissaient et s'écroulaient à une vitesse vertigineuse.

L'année 1836 connut la brève lutte brutale du Texas pour l'indépendance. Au début de mars de cette année-là, les Texans défendant la mission d'Alamo furent massacrés. Un mois plus tard, les hommes de Sam Houston gagnèrent la guerre et la liberté de la république à San Jacinto. Le ressentiment mexicain couvait depuis lors.

Un nom associé depuis vingt ans aux relations américano-mexicaines revenait maintenant dans l'actualité : le général Antonio Lopez de Santa Ana était revenu volontairement de son exil à Cuba, avec sa suite et sa femme de dix-sept ans. Il allait probablement reprendre le commandement de l'armée mexicaine.

Général vaincu, Santa Ana avait signé le traité de paix de 1836 reconnaissant le Rio Grande comme frontière du Texas. Maintenant, il prétendait que bien que son nom figurât sur le document, il était le seul à avoir signé : autrement dit, le gouvernement mexicain n'était pas engagé. Par conséquent, le Mexique avait parfaitement le droit de répudier le traité et de lutter pour reconquérir le territoire contesté... sous le commandement de Santa Ana, naturellement.

Quand George essaya de discuter de ces événements avec Harry, il s'aperçut que son ami ne s'y intéressait pas. Il se demanda la raison de sa triste mine jusqu'à ce qu'il se souvienne que Madeline Lamotte venait de La Nouvelle-Orléans. Aussitôt, George prétendit qu'il allait remonter à bord pour écrire à sa famille une lettre qui n'avait que trop tardé. Harry l'imita immédiatement et son humeur s'améliora dès qu'ils tournèrent le dos à la ville.

Le vapeur traversa le golfe, en direction de l'embouchure du Rio Grande. Une tempête soudaine, normale en cette saison mais exceptionnellement violente, endommagea sa roue bâbord, obligeant le capitaine à mouiller devant l'île Saint Joseph pour des réparations. Des vedettes transportèrent les passagers militaires à terre, à Corpus Christi. Appelé parfois Kinney's Ranch, ce n'était qu'un misérable village d'une quarantaine de maisons et de magasins, sur la rive occidentale de la Nueces.

Pendant une heure ou deux, les amis s'occupèrent chacun de leur côté. Harry était fasciné par le terrain plat et sablonneux de la côte texane. En se promenant dans la boueuse rue principale, il fut stupéfait d'apercevoir quelques antilopes qui paissaient derrière les bâtiments décrépits. Il écouta les avertissements d'un boutiquier à propos des tarentules et les repassa à George quand ils se retrouvèrent. Son ami, lui, s'intéressait à d'autres formes de vie locales. Mais son rapport fut décourageant.

— J'ai vu, exactement, une fille. Sa figure ferait tourner le lait. J'aurai peut-être plus de chance ce soir.

— Où ça ?

— Au bal. Les habitants du cru en organisent un pour les pauvres militaires. Je te jure, si je n'arrive pas à serrer bientôt une taille féminine, je vais devenir fou.

Le bal était donné dans une grange, au poste de troc du colonel Kinney. Des lanternes avaient été accrochées aux murs et du calicot mité cloué sur les poutres. De la paille fraîche était étendue sur le sol de terre battue. Un violoneux, une table à tréteaux couverte de gâteaux, de pâtés et de tartes, et un énorme bol de punch au whisky, c'était tout. Environ quatre-vingts officiers et sous-officiers se pressaient à l'intérieur ainsi qu'autant d'habitants du village, dont sept femmes. Parmi celles-là, une seule était jolie et on se disputait ses faveurs.

Elle en était digne. C'était une superbe rousse, très svelte, de vingt à vingt-cinq ans. Elle avait la peau très blanche et les yeux les plus bleus que George eût jamais vus. Il ne fut pas intimidé par sa très haute taille, ni par la dizaine d'officiers qui l'entouraient déjà, parmi lesquels des commandants et des colonels.

Si je tente un assaut direct, pensa-t-il, les autres profiteront de leur grade élevé. L'ennemi doit donc être contourné par le flanc.

Quand le violoneux accorda son instrument, George tout souriant s'approcha du bol de punch et se présenta. Cinq minutes plus tard, il avait fait une découverte et établi un plan.

D'un pas ferme, il alla aborder un civil qui se tenait près de la porte ouverte de la grange. Il n'ignorait pas qu'il avait belle prestance ayant passé une demi-heure à brosser la poussière du voyage de son pantalon bleu clair, à fourbir la poignée et le fourreau de sa longue épée d'officier d'infanterie.

L'homme qu'il voulait impressionner était un individu rougeaud au nez épaté, aux cheveux courts indisciplinés, plus blancs que roux. Il portait un costume démodé en drap noir. George le salua en levant son verre de punch.

— Une bien belle fête, monsieur. Les Texans savent recevoir.

L'homme répondit, avec un sourire ironique :

— En temps de guerre, lieutenant, le patriotisme prend le pas sur la prudence.

— Je ne comprends pas, monsieur.

— A Corpus Christi, l'opinion que l'on a des soldats est aussi mauvaise que possible. Les troupes de Zach Taylor ont campé ici, en se rendant sur le Rio Grande. C'est une épreuve que cette ville n'oubliera pas. Heureusement, les Texans savent se protéger, eux et leurs filles.

Il plaqua une main sur l'énorme pistolet accroché dans un étui sur sa hanche droite. Le canon avait au moins trente centimètres de long. C'est un Colt Paterson, pensa George, peut-être un calibre 36.

— Ah ? Vous êtes venu avec votre fille, ce soir ?

L'homme rougeaud le regarda d'un air amusé.

— Je n'ai pas dit ça, jeune homme, mais vous possédez apparemment le renseignement. C'est pour ça que vous êtes venu me parler ?

George sursauta, puis il rit.

— Et moi qui me croyais subtil ! Vous avez raison, monsieur. Je savais que je n'avais guère de chance de faire la connaissance de votre fille, avec cette foule autour d'elle. Si vous me présentiez, cela me donnerait un avantage.

— Vous n'êtes peut-être pas très subtil, mais vous êtes habile. Cependant, je ne puis vous présenter avant de connaître votre nom.

— Lieutenant George Hazard, Huitième d'Infanterie.

L'homme trapu tendit sa main.

— Patrick Flynn. Avocat, né à Cappamore, comté de Limerick, mais je me considère comme un Texan, maintenant. Il y a assez longtemps que je suis ici ! Je suis arrivé un an après que le colonel Kinney eut ouvert son poste de troc. Perdu ma femme la même année, mais Constance et moi avons réussi à survivre, même s'il n'y a guère assez de causes à plaider pour empêcher une puce de mourir de faim.

— Vous devez vous plaire ici ?

— Certes, certes. L'air et l'espace sont libres, et il n'y a aucune des contraintes snobs dont je souffrais, enfant, dans mon vieux pays. Certains citoyens locaux se méfient de ma religion, que je ne puis pratiquer car il n'y a pas de chapelle catholique par ici, mais cela nous met à égalité, car je réprouve l'opinion générale concernant l'esclavage.

— J'ai entendu dire que la majorité des Texans le soutiennent.

— J'ai le regret d'avouer que c'est vrai. J'ai souvent remarqué qu'on travaille toujours plus dur pour la carotte du progrès personnel que pour le bâton du surveillant d'esclaves, mais c'est une vérité que mes voisins n'aiment pas entendre. La plupart se contentent de grommeler et de jurer et il y a quelques têtes brûlées qui ne demanderaient pas mieux que de me chasser, parce que j'ose dire une chose pareille. Ils ne le font pas car ils savent que je sais me défendre, ajouta Flynn en souriant, la main sur son Colt. Ainsi vous voulez faire la connaissance de Constance ?

— Oui. J'y tiens beaucoup.

— Je serai ravi de vous présenter dès que je l'aurai sauvée de cette bande de lourdauds dont aucun ne possède votre imagination. Seriez-vous irlandais, par hasard ?

— Non, monsieur, avoua George en riant.

— Je m'efforcerai d'oublier ce défaut.

L'avocat s'éloigna. George redressa son col, vit Harry s'approcher et le chassa d'un geste. Harry regarda autour de lui, devina ce qui se passait et alla rejoindre un groupe de jeunes lieutenants moroses, près du bol de punch.

Patrick Flynn arracha vivement sa fille à la compagnie des officiers supérieurs. George s'efforça de ne pas voir les regards hostiles tournés vers lui et accorda toute son attention à la jeune personne. A moitié irritée, à moitié amusée par les manières de son père, qui lui saisissait la main pour l'entraîner, elle se laissa conduire vers George.

— Constance, voici le lieutenant Hazard. Il voulait faire ta connaissance et il a compris qu'il aurait plus de chances s'il me parlait d'abord.

— Mais pourquoi espérait-il que je voudrais le connaître, moi ? demanda-t-elle avec un sourire mutin.

George s'efforça de se tenir le plus droit possible, pour se grandir. *Dieu de Dieu, j'ai quand même une demi-tête de moins qu'elle !* Il sourit et regarda en face les yeux bleus luisants.

— Accordez-moi cinq minutes, Miss Flynn, et je dissiperai tous les doutes.

Constance rit. Elle aperçut un commandant de dragons à la moustache conquérante qui fonçait sur eux et elle attrapa la main de George.

— Dansez avec moi, lieutenant, sinon nous n'aurons même pas ces cinq minutes.

Il n'eut pas besoin de se le faire dire deux fois. Le violoneux grattait une valse. George enlaça Constance sous le nez du commandant furieux. Elle était souple et parfumée entre ses bras, si délicieusement ravissante qu'il la serrait avec le plus grand soin. Elle le remarqua.

— Vous avez la main très légère, lieutenant. Auriez-vous peur de me casser ?

— Mais non, pas du tout, vous n'êtes pas fragile, vous êtes extrêmement dou... c'est-à-dire...

George s'étranglait soudain, sans comprendre ce qui lui arrivait. Il n'avait pas l'habitude de bredouiller avec une fille ! Voilà qu'il se conduisait comme Harry qui l'observait de loin et qui souriait largement...

— Je suis amoureux, annonça George deux heures plus tard.

— C'est donc ça, murmura Harry. Je t'ai cru atteint d'une brusque maladie nerveuse. Je ne t'ai jamais vu aussi embarrassé devant une fille. Ni aussi muet, d'ailleurs.

Ils longeaient le bord de la rivière et se dirigeaient vers les tentes blanches et les lanternes du campement improvisé pour les hommes du vapeur. George sursauta quand un gros lapin bondit devant lui. Puis, après un gros soupir d'amoureux transi, il avoua :

— Je crois que je lui plais, mais je n'en suis pas sûr.

— Bien entendu, tu lui plais. Elle a passé presque toute la soirée avec toi ! Et elle avait un grand choix et pas forcément d'hommes moins beaux que toi, railla Harry sans méchanceté, et sur qui elle pouvait lever les yeux.

George gratifia son ami d'une insulte et d'un coup de poing sur le bras. Harry éclata de rire. George poussa un nouveau soupir.

— J'espère qu'il leur faudra une semaine pour réparer le vapeur. Elle m'a invité à dîner demain : bœuf du Texas bouilli et pommes de terre.

— Tu parles déjà de cuisine ? On dirait vraiment que tu as trouvé l'amour de ta vie !

— Bon Dieu, tu as peut-être raison. Dès que j'ai mis mon bras autour d'elle, j'ai senti... je ne sais pas, quelque chose d'important. Dis donc, que de problèmes, si ça devenait sérieux ! Elle est irlandaise, et catholique. Dans le Nord, ce n'est pas très bien vu.

— Te voilà drôlement vite sérieux.

— Je n'y peux rien. Et ça m'est égal. George Hazard, dompteur du beau sexe, est, pour une fois, totalement désarmé. C'est bien ce qu'il y a de plus bizarre...

— Non, pas du tout. Moi, je comprends parfaitement.

George était bien trop surexcité pour entendre une note mélancolique dans la voix de son ami.

# CHAPITRE XI

L_E SERGENT JEZREEL FLI-
cker clignait des yeux sur la plage déserte.

— Pas la moindre trace de métèques. Bizarre, bizarre. On a pourtant point fait un secret de cette invasion que v'là.

Assis à côté de lui dans la péniche malmenée, Harry grommela :

— Quand vont-ils nous faire débarquer, bon Dieu ? S'il y a des tireurs d'élite derrière ces dunes, ils peuvent nous descendre comme des canards piétants.

La figure lunaire de Flicker resta imperturbable. C'était un homme d'active, un Kentuckien laconique qui avait dix ans de plus qu'Harry. Tous deux admettaient que c'était lui qui commandait le peloton.

— Allons, allons, mon lieutenant, dit-il. Je sais que vous êtes pressé de voir l'éléphant. Mais croyez-moi, c'est pas plaisant.

Harry fronça les sourcils. Il était facile à Flicker de dénigrer la bataille ; il l'avait connue à Monterey et ailleurs, et il avait survécu, mais Harry avait encore à subir son baptême du feu. Il avait déjà passé près de six mois au Mexique et les seuls coups de feu qu'il avait entendus étaient ceux de ces maudits volontaires qui ne cessaient de s'enivrer et de tirer sur leurs propres pieds.

Certains des hommes avaient le teint verdâtre car un fort courant de terre maintenait constamment la péniche en mouvement. Long de douze mètres, le bateau était un des 150 que le général Scott avait commandés pour cet assaut. Chaque embarcation transportait un équipage naval de huit hommes et quarante à cinquante soldats. On n'en avait livré que 65 qui étaient en ce moment alignées au large de la plage de Collado, en face de l'île Sacrificios, à un peu moins de trois kilomètres au-dessous du port de Vera Cruz. C'était là, hors de portée de l'artillerie défensive de la ville, que Scott comptait lancer sa poussée vers l'intérieur des terres et Mexico.

George et Harry servaient dans deux compagnies différentes du Huitième d'Infanterie. Toutes deux faisaient partie de la première vague de débarquement, ainsi que d'autres unités régulières d'infanterie et d'artillerie, formant la Première brigade du général Worth. Le peloton d'Harry était composé d'Irlandais, d'Allemands, de deux Hongrois et de six Américains. Même en temps de paix, les immigrants représentaient un important pourcentage de la main-d'œuvre militaire.

L'après-midi était tiède, sans nuages, un temps idéal. Au nord-ouest, on apercevait les coupoles et les toits de Vera Cruz. Droit devant, le spectaculaire pic d'Orizaba couronné de neige se dressait dans une brume légère, à une certaine distance de la plage. Harry était trop préoccupé pour remarquer le paysage. Il songeait que son opinion sur la vie militaire avait changé depuis son arrivée au Mexique. Il souhaitait toujours faire carrière dans l'armée — c'était pourquoi il était si pressé de se battre — mais beaucoup du prestige qu'il avait attribué au métier des armes s'était dissipé.

On était le 9 mai 1847 et il était ballotté dans une péniche, sans avoir vu le feu, sans connaître l'action, sauf par l'imagination. L'attente, pensait-il, était certainement pire que le combat ne le serait jamais.

Le soudain grondement du canon le ramena à la réalité. Là-bas vers la forêt de mâts et de vergues, une bouffée de fumée montait du vapeur *Massachusetts*. L'excitation enroua sa voix quand il s'adressa au sergent Flicker :

— C'est le signal !

— Oui, mon lieutenant, c'est ce que je pensais.

Pour une fois, Flicker paraissait tendu, Harry fut rassuré de constater qu'il n'était pas le seul à prévoir une résistance à terre.

Un singulier rugissement, anormal, provoqua des regards perplexes chez les hommes de l'embarcation. Le soldat Novotny fut le premier à donner l'explication.

— Ça vient des bateaux. Les marins et les canonniers du *Tattall* nous acclament et nous encouragent.

Les 65 péniches foncèrent vers la plage. Le soleil, sur son déclin, étincelait sur plusieurs milliers de baïonnettes au canon. Les rameurs manœuvrèrent les embarcations de débarquement entre les canonnières de l'escadron de couverture. Saisi par la splendeur du moment, Harry oublia le mal de mer et l'ennui, les corvées et la mesquinerie des derniers mois. C'était maintenant le grand art de la guerre, l'aspect glorieux de la vie militaire.

Une chaloupe de la marine prenait de l'avance sur les péniches. Ses rameurs tiraient frénétiquement sur les avirons, dans l'intention évidente d'arriver à terre les premiers. Debout à l'avant, l'épée dégainée, se tenait un homme qu'ils reconnaissaient tous : leur beau commandant aux cheveux blancs, le général Worth.

Le sergent Flicker arracha son képi, l'agita et acclama le général. Harry l'imita, et aussi ses hommes. Bientôt, tous les soldats de la première vague hurlaient à pleins poumons.

Trente secondes avant que les fonds raclent le sable, Harry tira son épée du fourreau. Il se leva et fut le premier à sauter de l'embarcation en brandissant son arme et en glapissant :

— Allons-y, les gars ! Jusqu'aux Salles de Montezuma à Mexico !

Pour cela, il eut droit aussi à des acclamations.

Après un début aussi exaltant, l'heure suivante fut décevante.

Le régiment se forma derrière ses drapeaux puis, baïonnette au canon, chargea vers le sommet de la première dune. La charge perdit rapidement son allant devant l'absence de Mexicains tapis en attente. Pas un seul fantassin ou dragon ennemi n'était en vue. Les seuls ennemis que les Américains rencontrèrent pendant le reste de l'après-midi furent les puces de sable et le vent qui leur jetait des grains de sable piquants dans les yeux, le nez et la bouche.

Pour cette invasion, Scott avait organisé ses hommes en trois forces importantes. Lorsque les deux premières furent à terre — les réguliers de Worth, puis ceux de la Seconde brigade du général Davey Twigg — les volontaires débarquèrent. Le général Patterson commandait cette brigade. Il avait avec lui des unités de Caroline du Sud, du Tennessee et de Pennsylvanie, sous le commandement d'un nommé Gideon Pillow, dont la seule qualification était sa promotion récente au grade de général. Avant la guerre, il était l'associé de Polk dans son cabinet d'avocats.

A l'approche de la nuit, l'armée d'invasion commença à se déployer vers le nord-ouest. La brigade de Worth tiendrait la droite, près du site de débarquement, et ce fut là qu'Harry et son peloton se mirent au travail pour se retrancher. Même par beau temps, il faudrait plusieurs jours pour débarquer tous les hommes et le matériel nécessaires à compléter la ligne de siège longue de douze kilomètres. Une fois le cordon en place autour de Vera Cruz, l'artillerie entamerait le bombardement, mais la ville risquait d'être longue à tomber, car elle était lourdement fortifiée, défendue qu'elle était par neuf forts du côté des terres et par la citadelle de San Juan de Ulùa, dans la rade.

Personne ne sut, cette nuit-là ni jamais, pourquoi le commandant mexicain de Vera Cruz n'avait pas tiré un seul coup de feu sur les envahisseurs. Ce silence de l'ennemi rendit Harry nerveux, quand il fit le tour des postes de sentinelles de son secteur, vers trois heures du matin. Sa main droite resta proche de son pistolet personnel, acheté à ses frais comme le faisaient la plupart des officiers. C'était un Modèle 1842 à percussion et à un coup, fabriqué par I. N. Johnson et considéré comme le meilleur pistolet militaire du moment.

La nuit était venteuse, sans une étoile. Harry se trouvait entre deux postes quand il entendit du bruit sur sa gauche, du côté opposé à la plage. Il surprit des voix furtives et un vague mouvement. La gorge sèche, il dégaina son pistolet.

— Qui va là ?

Aussitôt, tout se tut, à part le vent.

Il répéta l'interpellation, en s'apercevant à retardement que vu de loin il formait une belle cible parce que la tente de l'état-major du régiment, éclairée à la lanterne, se trouvait juste derrière lui. Il avança rapidement. Il n'avait pas fait trois pas qu'il entendit de nouveau des voix, fortes celles-là, et qui criaient avec colère en espagnol.

Trois coups de feu claquèrent. Il sentit une balle frôler son pantalon. Il tomba sur un genou, visa et tira. Un homme hurla. Un autre jura. Des pas précipités s'éloignèrent. Les sentinelles aux postes voisins hurlaient à leur tour des intimations.

Une douleur se fit sentir, supprimant le bref sentiment de triomphe. Harry baissa les yeux et vit, avec stupéfaction, que la balle n'avait pas simplement frôlé son pantalon. Elle lui avait traversé le mollet.

Il apaisa les sentinelles et boitilla jusqu'à la tente médicale, à près d'un kilomètre, le sang remplissant sa chaussure. L'infirmier de service le salua. Avant de pouvoir rendre le salut, Harry s'évanouit.

La blessure n'était pas grave. Il se sentait assez en forme quand George lui rendit visite le lendemain.

— Ta première blessure de guerre. Félicitations !

Harry fit une grimace.

— J'espérais un baptême du feu un peu plus grandiose, merci bien. Servir de cible à un guérillero caché n'est pas l'idée que je me fais de l'héroïsme, mais je sais que j'en ai eu un, tout de même.

— C'est vrai. Flicker a trouvé le corps au lever du jour.

— Soldat ou civil ?

— Soldat. Habillé comme un paysan, mais avec des insignes militaires.

Harry en fut un peu réconforté. George s'accroupit à côté du lit de camp et baissa la voix :

— Dis-moi. Quand la fusillade a commencé, est-ce que tu as eu peur ?

— Pas le temps. Mais une minute ou deux après, je... je me suis réveillé, pourrait-on dire. Et alors là, j'ai eu peur.

Et de cet instant il fut convaincu d'avoir fait une importante découverte, sur le comportement des hommes à la guerre.

Sous sa tente, quelques jours plus tard, George était courbé près d'une faible lanterne et roulait un bout de crayon entre ses doigts. Il écrivait encore une de ses longues lettres à Constance. Il lui en envoyait une à peu près tous les trois jours, lui racontait tout, tant il l'aimait et voulait qu'elle partage son existence, autant que le permettaient les convenances.

Il gardait cependant pour lui ses sentiments les plus profonds. Son envie d'être auprès d'elle lui faisait haïr cette guerre, et cette réaction dépassait de très loin l'attitude résignée qui avait été la sienne avant Corpus Christi.

Un coup de feu le fit sursauter. Quelqu'un appela. Des hommes se mirent à courir en poussant des cris. George abandonna sa lettre, sortit précipitamment et découvrit qu'une sentinelle avait été abattue par la balle d'un tireur caché.

La sentinelle, un soldat de l'âge de George, gisait sur le flanc, la moitié de la figure éclairée par la lanterne. Le seul œil visible était ouvert et fixe. La balle mortelle avait frappé l'homme dans le dos.

Un sergent fit emporter le corps. Le soldat appartenait à une autre compagnie. George ne le connaissait pas. Fortement secoué, il retourna sous la tente et reprit sa lettre. Il se remit à écrire, sans parler de cette mort, mais dut s'interrompre presque aussitôt. Le visage du jeune soldat mort s'imposait à son esprit, ainsi que le souvenir de la blessure d'Harry. Il dut attendre cinq minutes que ses mains cessent de trembler, pour reprendre son crayon.

Le vent du nord soufflant en tempête retarda le débarquement de l'artillerie, des munitions et des animaux de bât. Pas une salve ne fut tirée sur Vera Cruz avant le 22 mars. Ce soir-là, les canons ouvrirent le feu pour la première fois. Scott comptait réduire la ville par ce qu'il appelait un « lent processus scientifique » d'obus.

Harry reprit bientôt son service. Les Mexicains restaient invisibles tandis que la canonnade continuait. Les soldats américains s'agitaient, impatients de découvrir l'ennemi. Dans la journée, ils étaient accablés par le climat et, la nuit, ils étaient tenus éveillés par la riposte des canons mexicains, qui ne touchaient jamais les lignes américaines mais faisaient quand même un bruit infernal. Harry ne cessait d'intervenir dans des bagarres et d'imposer la discipline à ses hommes.

Partout où les deux jeunes gens passaient, ils rencontraient des camarades de l'Académie, car cinq cents diplômés de West Point avaient servi dans l'armée régulière au début de la guerre et un nombre égal avait été rappelé de la vie civile pour commander des unités de volontaires. Tom Jackson, de jour en jour plus amer et plus renfermé, était dans l'artillerie, Pickett, Bee et Sam Grant dans l'infanterie. D'autres anciens étaient là aussi. Lee et Pierre Beauregard du génie, Joe Johnston et George Meade dans la topographie, Dick Ewell et Pleasonton, l'ami de Jackson, dans les dragons. Robert

Anderson, Ambrose Burnside, Powell Hill et un abolitionniste fanatique nommé Abner Doubleday étaient dans l'artillerie avec Tom. L'impression de sécurité causée par la présence d'officiers du même milieu qu'eux était pour les deux amis un des rares bons aspects de cette campagne.

Le 24 mars, six canons à longue portée de la marine, fournis par le commodore Matthew Perry, vinrent se joindre au siège. Le même jour, Harry fut convoqué au Q.G. de la brigade ainsi que le capitaine Place, pour expliquer une bagarre au couteau qui avait éclaté dans son peloton. L'interrogatoire fut de pure forme parce que tout le monde exultait. En effet, les éclaireurs ne cessaient d'arriver pour rapporter que la canonnade américaine infligeait enfin de gros dégâts aux murailles de la ville.

— Les canons du commodore Perry nous ont sauvé la peau, grommela Place en sortant de la tente avec Harry, après l'interrogatoire. Nous lui devons des remerciements, sans doute, même s'il a râlé comme un pou à propos des droits de la Marine.

— Lieutenant Main. Holà ! Main !

Harry leva automatiquement la main pour saluer en pivotant vers la voix qu'il reconnaissait mal. Il resta pétrifié.

Elkanah Bent rendit le salut d'un air détendu, presque railleur.

— Il me semblait bien que c'était vous. J'ai appris que vous étiez avec nous. Votre ami aussi : Hazard ?

Harry sentit quel mauvais signe c'était que Bent se souvînt du nom de George. Il s'efforça de paraître désinvolte.

— Vous avez bonne mine, mon capitaine.

— Compte tenu de toute l'action que j'ai vue depuis un an, je me sens remarquablement en forme. On m'a dit que vous étiez un de nos rares blessés. Une balle de guérillero ?

— Oui, mon capitaine. La nuit de notre débarquement. La blessure n'était pas grave.

— Tant mieux, fit Bent dont l'expression sournoise assurait le contraire. Eh bien, lieutenant, je suis sûr que nous nous reverrons. Nous pourrons alors évoquer nos bons souvenirs de West Point.

Le capitaine Place fronça les sourcils mais Harry fut le seul à comprendre vraiment l'allusion. Il en eut un frisson d'appréhension tandis que Bent s'éloignait, la main posée sur le pommeau de son épée en forme de bonnet phrygien. Il était donc toujours aussi gros et aussi venimeux.

— Vous avez connu ce salaud à l'Académie ? demanda Place.

— Oui. Il était dans la classe au-dessus de la mienne. Vous avez servi avec lui ?

— Jamais, grâce à Dieu. Mais tout le monde a entendu parler du capitaine Bent, du Troisième d'Infanterie. Son commandant de régiment, le colonel Hitchcock, ne cache pas son mépris pour lui. Il affirme que Bent est affligé d'une ambition monstrueuse et résolu à gravir les échelons, sur une échelle de cadavres s'il le faut. Soyez heureux de ne plus avoir de rapports avec lui.

Mais j'en aurai, pensa Harry en se remettant en marche.

Les défenseurs de Vera Cruz ne purent résister aux canons de Perry. Le 29 mars, acceptant les conditions de capitulation convenues avec l'état-major de Scott, la garnison mexicaine amena ses couleurs et sortit par la Porte Merced. Quelques instants plus tard, alors que les batteries américaines à terre et à bord des navires tonnaient pour un salut, la bannière étoilée s'éleva le long de tous les mâts de la ville.

La victoire avait coûté moins de cent morts du côté américain. George et Harry furent choqués d'apprendre que, à l'arrière, des hommes politiques et une certaine partie du public se plaignaient que les pertes eussent été si légères.

— Ils calculent l'importance de la victoire d'après la note du boucher, grogna George. Et ils se demandent pourquoi personne ne veut rester dans l'armée !

Scott était satisfait du déroulement de la guerre. La reddition de Vera Cruz venait s'ajouter à l'éclatant triomphe de Taylor, en février, à Buena Vista. Une fois de plus, Scott réorganisa l'armée pour la marche sur Mexico.

Le 8 avril, la division de Twigg partit vers l'intérieur, celle de Patterson, le lendemain. Les hommes du général Worth attendaient l'ordre d'avancer en renfort quand la nouvelle arriva que Santa Ana, revenu à la présidence, avait pris position à Jalapa, sur la route nationale de Mexico. Le 11 et le 12 avril des unités de la division de Twigg se heurtèrent à des éclaireurs et des lanciers ennemis. Devant Vera Cruz, les tambours et les clairons rassemblèrent les troupes de Worth pour, à marche forcée, rejoindre Twigg au village de Plan del Rio.

Avant de poursuivre la marche sur Mexico, les Américains devaient d'abord réduire les fortifications ennemies à Cerro Gordo, sur la route nationale. Sur le Telegrafo, un sommet fortifié haut de cent cinquante à deux cents mètres, les batteries mexicaines étaient braquées sur le défilé par où passait la route en direction de l'ouest, allant du camp américain de Plan del Rio à Cerro Gordo.

D'autres canons ennemis étaient installés sur une seconde colline, Atalaya, mais le capitaine Robert Lee, du génie, avait découvert un sentier muletier contournant le versant nord de cette éminence. Le 17 avril, des tireurs d'élite américains se glissèrent le long de cette piste et, au cours de trois charges violentes, dégagèrent Atalaya. Les canons étaient maintenant mis en position pour prendre Telegrafo.

Quand la bataille principale commença le lendemain, la division de Twigg fut chargée de faire mouvement par les collines au-dessus de la route pour déborder la défense mexicaine par le flanc. Celle de Worth, dont faisaient partie George et Harry, avait été lancée en avant, puis retenue sur la route nationale au cas où Twigg aurait besoin de renforts. George pensait qu'Harry allait au-devant d'une nouvelle déception : leur division risquait de ne pas voir d'action du tout.

George avait renoncé depuis longtemps à comprendre la stratégie des batailles dans lesquelles il était engagé. Il n'était qu'un lieutenant, un petit rouage dans une immense machine. D'ailleurs, l'essentiel pour lui était de faire son devoir et de rester vivant. Pour Harry c'était différent, il restait fasciné par la stratégie qu'il considérait comme l'outil principal d'un officier de carrière.

La bataille dura un peu moins de trois heures. A neuf heures et demie, les tambours battirent, les clairons sonnèrent et les hommes de la division de Worth se mirent à échanger nerveusement les plaisanteries habituelles en se préparant à se mettre en marche. Leur mission était de se précipiter sur la route nationale durant quinze kilomètres, à la poursuite de l'armée mexicaine vaincue. Santa Ana avait juré qu'il triompherait à Cerro Gordo ou mourrait, mais le Napoléon de l'Ouest avait souvent placé sa survie avant ses promesses. George apprit plus tard que lorsque la défaite avait menacé, Santa Ana avait détaché un cheval de sa voiture présidentielle pour se mettre à l'abri au grand galop.

Des cadavres déjà enflés gisaient au soleil de chaque côté de la route. La plupart étaient mexicains mais il y avait aussi parmi eux quelques dragons américains. La puanteur de la mort et des intestins vidés rendirent George si malade qu'il finit par vomir dans un fossé. Il se demanda ce qu'Harry pensait maintenant des gloires de la guerre.

D'autres débris de la retraite mexicaine — cadavres de chevaux, caissons d'artillerie renversés — jonchaient les abords du col de La Joya. A trois kilomètres de la passe, une fusillade éclata soudain, venant des pentes rocheuses au nord de la route.

— Couvrez-vous! cria George en dégainant sabre et pistolet.

L'ordre était superflu ; ses hommes se jetaient à terre à droite et à gauche. Tous, sauf deux, furent assez rapides pour échapper aux balles.

Couché en contrebas de la route, George s'aperçut qu'un des soldats bougeait encore. Il cligna des yeux vers les panaches de fumée blanche montant au flanc de la colline, ravala sa salive et commença à ramper sur le talus en pente.

— Revenez, lieutenant! cria sur sa gauche le capitaine Hoctor.

Mais George avait déjà fait la moitié du chemin vers le caporal blessé, qu'il souleva et porta vers le bord de la route, tandis que des balles criblaient le sol autour de lui.

Il fit glisser le blessé dans le fossé et y sauta. Une pièce d'artillerie américaine ouvrit enfin le feu sur les tireurs cachés. Après trois salves de grenaille, le tir cessa et l'on n'entendit plus que des cris et des gémissements.

— Vous vous êtes exposé inutilement, gronda le capitaine tandis que des brancardiers emportaient le blessé. Votre devoir est auprès de vos hommes.

— Pardon, mon capitaine. Je croyais que je faisais mon devoir.

Bougre de salaud, pensa George. Il se fiche pas mal de ce soldat, je crevais de peur. Si West Point honore des types comme ça, l'Académie mérite les critiques dont elle est l'objet.

Ce soir-là, George réquisitionna un cheval et alla à l'hôpital de campagne prendre des nouvelles du blessé. L'homme avait bon moral et se remettrait. Dans le lit de camp voisin, un sergent à barbe rousse avait l'abdomen enveloppé de pansements tachés de brun. Ses blessures, au ventre ou à l'estomac, étaient les pires. En l'écoutant se plaindre à un infirmier, George surprit le nom de Bent.

— Dites-moi, sergent, fit-il. Vous parlez du capitaine Elkanah Bent?

Aussitôt méfiant, le sous-officier murmura faiblement :

— Un de vos amis, mon lieutenant?

— Tout le contraire. Je méprise ce fumier.

Le sergent se gratta la barbe. La surprise et le soupçon lui firent garder le silence un moment. Enfin, il jugea qu'il pouvait poursuivre cette conversation à propos d'un autre officier.

— Comment connaissez-vous le Boucher Bent, mon lieutenant?

— Nous étions à West Point ensemble. Je l'ai vu tuer à moitié une bonne demi-douzaine de nouveaux. Que disiez-vous de lui ? Il est mort ?

— Nous n'avons pas cette chance. Bent m'a coûté le meilleur chef de peloton que j'ai jamais eu. Il a envoyé le lieutenant Cummins au sommet du Telegrafo contre une redoute qu'une brigade n'aurait pas pu prendre. Naturellement, il est resté à l'arrière, planqué comme toujours. Un obus perdu de nos canons d'Atalaya a mis en pièces le lieutenant et son détachement et des tas de Mexicains aussi. Alors le Boucher nous a fait tous grimper dans la fumée et nous a ordonné de passer dix minutes à sabrer des métèques, qui étaient déjà morts.

— Mon Dieu ! souffla George.

Il imaginait la figure ronde, cireuse de Bent, pendant l'incident. Il était sûr qu'elle souriait. A la lumière de la lanterne, des étincelles brillèrent soudain dans les yeux du blessé.

— On a collé ce qui restait du lieutenant Cummins dans un sac de toile, mais vous savez qui aura la décoration !

— Dites-moi, sergent, Cummins savait-il que l'attaque était folle...

— Sûr qu'il le savait. Nous le savions tous.

— A-t-il discuté l'ordre ?

— Non. C'était pas à lui de le faire.

— Personne n'a protesté ?

— Si, le sergent du peloton. C'est... C'était un vieux dur à cuire. Vingt ans d'active. Pas du tout impressionné par les officiers, surtout par ceux de l'Académie. (Il toussota, un peu gêné.) Sans vous offenser, mon lieutenant.

— Vous ne m'offensez pas. Continuez.

— Le sergent, il a dit sa façon de penser. Il a dit qu'envoyer des hommes contre la redoute, c'était de l'assassinat.

— Comment Bent a-t-il réagi ?

— Il a collé le sergent dans le détachement.

— Et Cummins n'a toujours pas protesté ?

— Non, parce qu'il était un bon officier ! Et probablement parce qu'il ne voulait pas finir avec une balle de Bent dans le dos. A Monterey...

— Quoi ? Déjà à Monterey ? Si Bent continue, ce sera lui qui recevra une balle dans la peau.

— Pas si moi je l'ai avant.

Malgré sa faiblesse, la voix du sergent était d'une froideur mortelle.

— Qu'est-ce que vous dites ?

— Dès que je serai sur pied, j'irai au Q.G. de la division et raconterai tout. S'il y a de la justice dans cette armée de malheur, on flanquera le Boucher Bent sur la piste et on le cassera.

— Vous voulez carrément l'accuser ?

— Je m'en vais bougrement essayer, ça oui !

— Mais si vous êtes le seul à accuser...

— Je n'aboutirai à rien, c'est ça que vous voulez dire ? Eh bien, je ne serai pas seul. J'ai des témoins, du peloton. Six ou sept, peut-être plus.

— Et tous accepteront de témoigner ?

— Ils sont tous passés me voir et c'est ce qu'ils m'ont dit.

— Il y a des officiers ?

— Non, mon lieutenant.

— Dommage. Ça donnerait plus de poids à vos accusations.

George remarqua alors l'intensité du regard du blessé.

— C'est sûr, mon lieutenant. Vous voulez pas nous aider ? Vous accepteriez de témoigner en disant ce que vous savez de Bent ? J'ai dans l'idée que vous le trouvez mauvais.

— Certainement, mais...

— Il doit être puni. Il faut qu'on l'arrête. Aidez-moi, mon lieutenant. S'il vous plaît.

George aspira profondément et fut presque surpris de s'entendre répondre :

— D'accord. Je verrai ce que je peux faire.

Cette nuit-là, George alla trouver Harry dans son peloton. Il le prit à part et lui répéta sa conversation avec le sergent barbu, dont il avait appris le nom avant de le quitter : Leonard Arnesen. Quand George se tut, Harry secoua la tête. Son ami se hérissa.

— Tu ne crois pas à l'histoire d'Arnesen ?

— Si, bien sûr, mais j'ai du mal à croire que tu vas te mêler à un truc pareil.

George s'accroupit et glissa une main sous une jambe de pantalon pour se gratter. Il découvrit une tique et l'arracha.

— J'ai du mal à le croire moi-même. Hazard, le spécialiste de l'instinct de conservation, était tout prêt à refuser, mais j'ai pensé à toutes les saloperies que ce fumier de Bent avait faites à West Point et je me suis dit : « Si nos hommes sont démolis, ce doit être par les Mexicains, pas par leurs propres officiers. »

— Tu commences à parler comme moi. Juste avant que tu arrives, je disais à deux de mes sous-officiers que Pillow devrait être dégommé. Tu sais ce qu'il a fait ce matin ?

— Non.

— Il a sciemment installé ses hommes sur une mauvaise position. Ils ont été exposés au feu de trois batteries ennemies, au lieu d'une seule. Là-dessus, Pillow s'est mis à crier des ordres si fort que les Mexicains ont su exactement où il se trouvait. Ils ont ouvert le feu avec tout ce qu'ils avaient.

George proféra un juron excédé.

— Qu'espérer d'un général politicien ? Contre Pillow, je ne peux rien, mais contre Bent, c'est une autre affaire.

— Que vas-tu faire ?

— D'abord, parler à mon capitaine. Lui expliquer que j'ai l'intention d'appuyer le récit d'Arnesen. Je ne peux témoigner sur ce qui s'est passé dans son peloton, mais je peux parler avec autorité du caractère de Bent et de son passé. Comme disait le sergent, s'il y a une justice dans cette armée, l'état-major de la division écoutera. Naturellement... deux officiers seraient plus convaincants qu'un seul.

— Je sentais bien que tu allais me demander de t'accompagner.

— Alors ?

Sans hésitation, Harry accepta, puis il bâilla.

— Demain matin.

— Je suis choqué, déclara vivement le capitaine Hoctor. Non, pire que cela. Je suis épouvanté.

George, ravi que ses premières déclarations produisent une telle réaction, jeta un coup d'œil à Harry.

— Je suis content de vous l'entendre dire, mon capitaine. La conduite de Bent est vraiment...

— Je ne parle pas de la conduite du capitaine Bent, mais de la vôtre,

Hazard. Franchement, je ne puis croire qu'un breveté de l'Académie conteste l'habileté, les mobiles, l'aptitude d'un autre. De plus, messieurs, personne ne vous a jamais appris que le rôle d'un commandant est d'envoyer ses hommes contre des positions ennemies, quelle que soit la force de leur défense, quel que soit le danger ?

George eut comme un vertige.

— Si, mon capitaine, naturellement. Et, à première vue, le capitaine Bent n'a fait que cela, mais il y a d'autres aspects. Des questions de caractère, de...

— Sa conduite passée, intervint Harry. L'accusation ne devrait-elle pas la prendre en considération ?

Hoctor le toisa froidement.

— Je n'ai jamais lu de règlement à cet effet, lieutenant. Je ne modifie pas mon opinion. Je ne puis croire que vous vous rendriez complices d'une aussi vile action alors que la réputation de l'Académie, son existence même, dépendent de l'opinion de ses diplômés qu'ont le public et le Congrès.

— Mon capitaine, reprit George la voix tendue, puis-je respectueusement demander quel rapport il y a entre l'Académie et tout cela ? Le sergent Arnesen jurera que le capitaine Bent a virtuellement commis un assassinat. Le sergent du peloton de Bent a discuté l'ordre et Bent l'a envoyé se faire tuer. Le sergent a des témoins et ils sont prêts à témoigner de tout...

— Vous l'avez déjà dit, lieutenant, trancha le capitaine d'une voix cassante.

— Pardon, mon capitaine, je l'avais oublié, mais je crois fermement à la culpabilité. Le lieutenant Main et moi sommes prêts à apporter des renseignements de moralité. Les incidents n'ont pas manqué. Vous devez être au courant de Monterey...

— Certainement. Les officiers courageux sont toujours les cibles des moins braves.

L'expression de Hoctor indiquait qu'il plaçait maintenant George dans ce dernier groupe.

— Je vous demande pardon, mon capitaine, intervint Harry, mais je pense qu'il faut distinguer. Permettez-moi de prendre pour exemple le capitaine Lee du génie. Il a prouvé son courage à Cerro Gordo par une action personnelle, pas en jetant ses hommes dans des situations désespérées. Bent, d'autre part...

— Cela suffit, interrompit Hoctor. Vous avez exprimé votre pensée, tous les deux. Puis-je poser une question ? ajouta-t-il sur un ton menaçant. Avez-vous vraiment l'intention de poursuivre cette affaire par la voie hiérarchique ?

— Oui, mon capitaine, répliqua George sans ciller, et Harry acquiesça de la tête. Je présume, mon capitaine, que lorsque j'aurai rédigé mon rapport officiel pour la division, vous le recevrez et le ferez suivre.

Les yeux de Hoctor flamboyèrent et il riposta d'une voix à peine audible :

— Contrairement au jugement que je crois déceler dans vos paroles et votre attitude, lieutenant, je ne suis pas un homme sans honneur.

— Mon capitaine, je n'ai jamais voulu insinuer...

— Laissez-moi finir. Naturellement, je ne retiendrai ni n'enterrerai votre rapport. Mon devoir d'officier ne le permettrait pas. Cependant, cela ne signifie pas que j'approuve votre action. Je l'abomine. Et maintenant que c'est clair, sortez d'ici !

Ce soir-là, sentant qu'il avait remporté une victoire, même si elle était dangereuse, George retourna à l'hôpital de campagne pour en informer le sergent Arnesen. Quand il arriva au pied du lit, il s'arrêta stupéfait. Un jeune soldat aux joues couvertes d'un duvet blond était couché à la place du sergent.

L'estomac de George se crispa. Il se retourna, fouilla fébrilement des yeux les alentours où des hommes s'agitaient et gémissaient tout bas. Un infirmier passa précipitamment, un bassin à la main.

— Le sergent Arnesen ? Il est mort sur la table d'opération hier soir. La plupart meurent quand les chirurgiens leur mettent la main dessus.

L'infirmier repartit en courant. Une seule pensée tournait dans la tête de George : *Il ne m'a pas donné les noms des autres témoins.*

## CHAPITRE XII

Un obus siffla au-dessus de la route de Churubusco. Les canonniers mexicains du couvent San Mateo, avaient trouvé leur portée, tout comme ceux du pont fortifié franchissant le Rio Churubusco, sur la route de Mexico.

L'épée dans la main gauche, le pistolet dans la droite, Harry était accroupi dans un champ de maïs marécageux au bord de la route. Il rentra sa tête dans ses épaules en attendant l'explosion. L'onde de choc faillit le renverser.

Non loin de lui, un geyser jaillit du champ mouillé, soulevant des tiges de maïs, des têtes et des membres sanglants. C'était l'après-midi du 20 août. Le combat violent durait depuis près de trois heures et Harry s'était cru bien armé contre les visions de mort. La disparition de toute une escouade, là où l'obus était tombé, lui révéla sa folie. Il fut pris de nausée quand les restes déchiquetés retombèrent sur le sol.

La fumée l'étouffait et lui piquait les yeux. Il distinguait à peine les clochers de la capitale mexicaine et le sommet neigeux du Popocatepetl. Il chercha du regard des visages familiers mais n'en trouva aucun dans la cohue grouillant à ses côtés.

Sur la chaussée surélevée, des ordres se croisaient ; on tentait d'y reformer la division de Worth. Après avoir vaincu et mis en déroute la garnison de San Antonio, elle courait à marche forcée vers Churubusco quand le feu dévastateur du couvent et du pont l'avait jetée dans les champs.

Une silhouette trapue surgit en chancelant de la fumée, les dents serrées et la figure à peine reconnaissable sous la couche de terre. Harry rit nerveusement et agita les bras.

— George ! George, par ici !

George tituba vers lui. Des officiers et des sous-officiers passèrent près d'eux en courant, la plupart allant vers la route, mais d'autres dans la direction opposée.

— J'ai perdu de vue les couleurs, haleta Harry.

— J'ai perdu tous mes hommes, cria George. Quand le tir croisé a commencé, toute la division s'est mise à fondre, mais j'ai vu le capitaine Smith, du Cinquième, qui se dirigeait vers la route pour réorganiser... Dieu de Dieu! Couché!

Il poussa la figure d'Harry dans la boue. Harry en avala mais cela valait mieux que d'être mis en pièces par les shrapnels qui explosaient et envoyaient siffler des milliers de bouts de métal mortels dans le maïs.

Ils attendirent une accalmie du tir d'artillerie; puis, cassés en deux et courant côte à côte, ils se dirigèrent vers la route. La fusillade du pont et du couvent était presque ininterrompue. En chemin, George rencontra huit de ses hommes. Ils étaient perdus, effrayés.

George en tête, ils escaladèrent le talus près d'un croisement où se trouvaient quelques masures en pisé. Les murs étaient criblés par des balles américaines et mexicaines et deux toits flambaient. Partout, des officiers hurlaient des ordres, essayaient de réorganiser des escouades et des pelotons, avec n'importe quels hommes valides. Harry vit des têtes inconnues et des écussons d'unités qui n'appartenaient pas à cette partie du champ de bataille.

Il suivit l'exemple des autres officiers.

— Formez-vous! gueula-t-il. Formez-vous en escouades!

Il saisissait des hommes qui couraient et les jetait en ligne au bord de la route. Il en attrapa une vingtaine, mais la moitié repartit immédiatement vers l'arrière. George menaça les autres avec son pistolet.

— Le prochain qui s'enfuit, je l'abats!

Cela les maintint sur place pendant trente secondes. Puis, tout le petit groupe sauta de la route. Un obus creusa un grand cratère au milieu.

Sous la pluie de terre et de débris, Harry se remit à gravir le talus. Son pied s'enfonça brusquement. Je croyais que toute l'eau était dans le champ, pensa-t-il. En baissant les yeux, il constata que son pied s'était planté dans la chaude cavité rouge d'un abdomen béant. Il le retira et fut pris d'une nouvelle nausée, mais il n'avait plus rien à rendre.

Quelqu'un le poussa par-derrière. Il jura, puis il comprit que c'était George qui essayait de l'écarter du cadavre. Ils regagnèrent la route et recommencèrent à former leur groupe. Quatre hommes avaient été tués.

Soudain, des soldats arrivèrent en courant du pont fortifié. Des Américains.

— Nous avons été repoussés! criaient-ils et ils passèrent au galop.

Une silhouette apparut dans la fumée, à gauche d'Harry.

— Nous devrions peut-être effectuer une reconnaissance et voir si c'est vrai, messieurs.

Harry resta bouche bée. George était tout aussi stupéfait. Sale, dépenaillé, luisant de sueur, Elkanah Bent leur faisait face, épée et pistolet aux poings. Harry ne douta plus un instant de la démence de cet homme quand il le vit sourire — *sourire!* — dans cet enfer de feu d'artillerie et de mousquet. Bent indiqua la petite escouade peureuse.

— Lieutenant Main, prenez ces hommes et revenez me faire un

rapport sur la situation à la rivière, ordonna-t-il, et ses petits yeux se tournèrent vers George. Allez avec eux, lieutenant Hazard.

— Nom de Dieu, Bent, vous savez ce que vous dites ? En aucune façon une escouade ne peut avancer assez loin sur cette route pour voir...

Bent arma son pistolet et le pointa vers George. D'autres soldats, l'air surpris, passèrent en courant, mais aucun ne s'arrêta pour demander la raison de cette scène singulière. Le gros capitaine avait l'air de s'occuper de deux subordonnés peureux.

— Ramenez-moi un rapport ou je vous abats pour désobéissance à un ordre direct en action.

La main d'Harry se crispa sur la poignée de son épée. Il lutta contre la furieuse envie de se jeter sur Bent pour lui passer la lame à travers le corps, au risque de sa propre vie. Bent le sentit et tourna le pistolet vers lui.

George retint Harry par le bras. Tous deux savaient que Bent voulait leur mort. George cligna de l'œil et désigna de la tête la direction du pont, comme pour dire : « Par là nous avons une chance, ici nous n'en avons aucune. »

Le dos tourné au gros capitaine, ils observèrent la route. A 400 mètres environ, au-delà du carrefour, deux autres masures, apparemment abandonnées, étaient debout.

— Avançons jusque-là, chuchota George. Une fois que nous serons à couvert à l'intérieur, il ne pourra pas nous avoir. Ensuite, nous verrons.

Harry perdait le contact avec la réalité.

— Je vais le tuer, dit-il et il le répéta deux fois, d'une voix monocorde.

George lui saisit le bras et le serra aussi fort qu'il le put. Au bout d'un moment, Harry grimaça et se ressaisit. George donna l'ordre d'avancer. Harry se mit en marche lourdement avec les autres.

Ils n'avaient fait que dix ou douze pas quand le canon d'un mousquet brisa un carreau d'une des masures devant eux. La porte s'ouvrit à la volée. Trois autres mousquets apparurent. Les coups de feu claquèrent et deux des soldats surpris furent tués, à un mètre d'Harry sur sa gauche.

George ordonna de retourner dans le fossé. Deux autres hommes tombèrent avant d'avoir atteint le bord de la route. George ne se tenait plus de rage. Il se retourna, vit Elkanah Bent qui gesticulait devant un cavalier. Dieu seul savait comment ce commandant de fusiliers et son cheval étaient arrivés dans ce recoin de l'enfer. Dans le même état d'esprit qu'Harry quelques minutes plus tôt, il se dirigea vers Bent. Sa décision était prise. Tant pis pour les conséquences, il allait assassiner ce porc sur-le-champ.

Un cri l'immobilisa. C'était la voix d'Harry et ce cri avait quelque chose de terrifiant. George essaya de regarder à travers la fumée, alors que les hurlements montaient dans un horrible crescendo.

Ce n'était pas des cris de douleur mais de fureur démente. Harry chargeait au milieu de la route en brandissant son épée, en émettant un cri sauvage. Cela dérouta les guérilleros cachés dans la masure. Pendant plusieurs secondes, aucun ne tira sur la silhouette qui se ruait vers eux. Quand ils finirent par comprendre qu'ils le devaient, Harry n'était qu'à deux mètres de la porte.

La première balle le manqua. La deuxième fit voler son képi. Il atteignit la porte, l'ouvrit en grand d'un coup de pied et sauta dans l'intérieur obscur, sans ceser de hurler et de brandir son épée.

George vit Bent et l'officier à cheval contempler cette scène avec stupeur. D'autres cris retentirent dans la bicoque. Ceux d'Harry, peut-être. George se plia en deux et se mit à courir au secours de son ami.

Trois des hommes qu'il avait rassemblés escaladèrent le talus et le suivirent, leur baïonnette fendant la fumée devant eux. Devant George et sur la gauche, un obus tomba. Il ferma les yeux pour se protéger de la pluie de terre, vira sur la droite et continua de courir. Les cris ne se taisaient pas ; les bruits du cottage étaient ceux d'un abattoir.

Soudain, deux Mexicains en guenilles sales jaillirent par la porte, deux autres se jetèrent par une fenêtre brisée. Harry apparut sur le seuil, son épée ruisselante de sang. Il tenait quelque chose dans la main gauche — un morceau d'être humain — qu'il jeta heureusement derrière lui avant que George voie ce que c'était.

Les soldats lardèrent à la baïonnette les guérilleros qui tentaient de fuir. George se précipita vers son ami mais avant de pouvoir parler, il entendit arriver un autre obus. Il gesticula follement.

— Harry, ôte-toi de...

L'obus explosa. La masure vola en éclats. De la terre et des débris s'élevèrent dans les airs en nuage. George cligna des yeux, toussa, conscient d'une douleur dans la poitrine. Il était à plat ventre sur la route et ne se souvenait même pas de s'y être jeté.

L'explosion avait dû le renverser. Mais où était Harry ? Il ne le voyait nulle part.

Il se releva et regarda le nouveau cratère qui avait remplacé la bicoque. Les derniers détritus retombaient, la fumée se dissipait. Derrière lui, des officiers — dont Bent — criaient en s'efforçant encore une fois de réorganiser les hommes dispersés dans le champ de maïs. L'attention de George fut attirée par quelque chose, au bord du cratère.

Il passa une main devant ses yeux, comme s'il chassait une mouche. Il voulait nier ce qu'il voyait. C'était impossible. Il se remit à courir.

C'était une main gauche et la moitié de l'avant-bras. Le bout de manche était déchiré et brûlé. Il découvrit enfin Harry se vidant de son sang sur le talus à gauche de la route.

George ne garda aucun souvenir des quatre ou cinq minutes suivantes. Plus tard, il se dit qu'il n'aurait jamais pu supporter ce qu'il avait vu et fait s'il avait pris le temps de réfléchir. En effaçant l'horreur de son esprit, il fut capable d'agir.

Il se rappelait vaguement s'être penché sur Harry et avoir répété cinq mots — « Tu ne peux pas mourir » — mais il n'avait absolument aucun souvenir du garrot qu'il avait fait avec un morceau de drap déchiré à son propre uniforme et le canon de son pistolet, pour arrêter l'hémorragie de ce qui restait du bras gauche de son ami.

Harry sur son épaule, la tête en bas, il partit en chancelant vers l'arrière. Il le retenait de la main droite et, de la gauche, maintenait le pistolet serrant le garrot. Il ne savait pas si Harry respirait encore. Peut-être essayait-il de sauver un cadavre. Il n'osait y penser. Faisant appel à des forces qu'il ne se connaissait pas, il pressa le pas et se mit presque à courir.

Le commandant des fusiliers passa au galop, ralliant les hommes derrière lui avec des moulinets de son sabre. Puis, vint Bent, haletant mais bien entouré par deux sous-officiers et plusieurs soldats baïonnette au canon. George tourna vers le capitaine un regard meurtrier. Il avait la figure noircie, ses yeux ressortaient comme deux cercles blancs comiques. Si Bent reconnut cette apparition portant un corps sur l'épaule, il n'en laissa rien voir.

Les soldats disparurent sur la route de Mexico. George continua de marcher dans la direction opposée, la vue brouillée par la sueur et les larmes de l'effort. Il avait mal dans la poitrine. Deux minutes plus tard, il trouva une ambulance arrêtée au bord de la route. L'infirmier examina rapidement Harry.

— Aidez-moi à le déposer à l'intérieur.

Sur son ordre, le cocher fit demi-tour et lança les chevaux au galop. George fut secoué en tous sens, dans le véhicule. Il plaqua ses mains sur les parois pour ne pas tomber sur son ami.

— Vous allez le tuer, bon Dieu! cria-t-il. Ralentissez!

— Vous le voulez vivant et contusionné, ou mort? répliqua l'infirmier. Sa seule chance est d'arriver aux chirurgiens. Taisez-vous et maintenez-le.

George ferma les yeux, les paupières crispées, puis il contempla Harry dont la tête ballottait sur les couvertures infectes étalées sur le plancher de l'ambulance. George ôta sa tunique, en fit un oreiller et la glissa sous les cheveux d'Harry. A ce moment, dans la poussière envahissant l'ambulance et le bruit de la bataille faisant rage à l'extérieur, il comprit à quel point il aimait son ami. Espérant qu'un Dieu l'écoutait, il pria :

— Ne le laissez pas mourir...

Des larmes ruisselaient sur ses joues.

Harry se réveilla dans un lieu inconnu. Il vit huit lanternes accrochées au-dessus de lui, toutes allumées. La douleur déferlait par grandes vagues, mais malgré cela il essaya de bouger les bras et en fut incapable. Il avait l'impression que quelque chose n'allait pas, dépassant la douleur, mais il ne savait pas quoi. Soudain, un homme surgit, un gros homme en tablier souillé. Il tenait dans une main grasse une scie rouge de sang. Tout à coup, Harry comprit où il était et pourquoi. Il hurla. Des mains invisibles lui empoignèrent les épaules. Il tourna la tête et vit un autre homme qui chauffait un fer à cautériser sur un brasero. Il hurla encore. On versa du whisky dans sa bouche ouverte pour le faire taire.

Six jours plus tard, le soir, George entra sous la tente du commandant de compagnie d'Harry. Il se servit du whisky du capitaine Place sans demander la permission. La vallée était silencieuse, à part de lointaines sonneries de clairon et des tirs isolés. Les généraux avaient organisé une nouvelle trêve, probablement pour discuter des conditions de paix. George ignorait les détails et ne s'en souciait pas. Comme la plupart des officiers et des hommes de l'armée américaine, il pensait que ceux qui avaient proposé un armistice juste au moment où Mexico allait tomber méritaient d'être lynchés.

— Comment va-t-il?

La question du capitaine, comme la visite de George, était un rite nocturne quotidien.

— Pas de changement. Il pourrait basculer d'un côté comme de l'autre.

George avala le whisky d'un trait. Parfois, honteusement, il pensait qu'il vaudrait mieux qu'Harry meure.

Place fouilla dans une pile de rapports et d'ordres. Il en retira un document qu'il tendit à George, qui le regarda sans rien voir.

— Eh bien, dit le capitaine, j'espère qu'il se remettra assez pour lire ceci.

— Qu'est-ce que c'est ?

— Sa promotion. Il n'est plus simple breveté. Il a même des félicitations du général Scott. Une citation pour avoir contribué à dégager la route afin que le pont fortifié soit pris d'assaut et emporté. Je suppose que le capitaine Hoctor aura les mêmes heureuses nouvelles pour vous.

— Grade définitif, murmura George. En moins d'un an.

— J'ai appris une autre nouvelle moins satisfaisante. Le capitaine Bent du Troisième d'Infanterie a apparemment donné une explication acceptable, pour s'être trouvé si loin de son commandement. Il a aussi réussi à convaincre ses supérieurs qu'il a dirigé l'attaque sur ce nid de guérilleros. J'ai été informé de source sûre qu'il était breveté commandant.

George jura et reprit la bouteille de whisky. Place avait l'habitude des jurons des soldats, mais le langage de George faillit le faire rougir.

Le 16 septembre seulement, Harry consentit à recevoir une visite. Deux jours plus tôt, le général Scott était entré en conquérant dans Mexico. L'armistice avait échoué, des combats acharnés avaient eu lieu en divers points et finalement l'ennemi avait capitulé.

— Salut, vieux !

George traîna un caisson de munitions à côté du lit de camp et s'assit. Harry avait bonne mine, une barbe drue et luxuriante, mais des yeux morts. Il avait tiré le drap sale sur son épaule gauche, pour que son ami ne puisse voir le moignon bandé. Il répondit enfin :

— Bonjour, George. Il paraît que nous avons gagné.

— Oui. Tu as une citation qui t'attend. Tu es désormais sous-lieutenant à titre définitif. Moi aussi. Notre ami Bent, malheureusement, est nommé commandant. On me dit que nous avons tous été de grands héros sur la route de Churubusco.

Il sourit mais pas Harry qui regardait fixement le mât de la tente. George tourna son képi entre ses doigts.

— Comment te sens-tu ?

— Ah, je ne sais pas.

La voix était si morne qu'il était impossible de deviner ce que signifiait cette réponse. George ne savait que faire. Il voulait raconter à son ami quelques-uns des combats qui avaient abouti à la capitulation de Mexico, mais ce n'était manifestement pas le moment. Il se demanda s'il y en aurait jamais un.

Enfin, Harry le regarda.

— Je crois que je dois te remercier de m'avoir sauvé la vie. La plupart du temps, je le regrette.

Avec un peu d'animosité, George protesta.

— Allons, mon vieux, ne t'apitoie pas sur ton sort ! Tu es vivant. La vie est précieuse, que diable !

— Oui, s'il y a quelque chose que l'on aime, reconnut Harry. J'ai fini par comprendre que je n'avais jamais eu aucune chance avec Madeline. Je l'avais perdue avant de la connaître, mais j'avais encore une belle chance de faire carrière dans le seul métier qui m'ait tenté. Maintenant, on va me mettre à la retraite.

— Tu rentreras chez toi.

Quand George lut la douleur dans les yeux d'Harry, il eut envie de se battre.

— A quoi bon ?

George fut pris de rage. Il la réprima car il comprenait bien qu'il était en colère contre lui-même. Il avait tout gâché, il n'avait pas su remonter le moral de son ami. Et s'il ne le pouvait pas, qui le pourrait ? Il essaya une dernière fois.

— Je reviendrai te voir demain. En attendant, repose-toi et ressaisis-toi, bientôt tu te sentiras...

Il s'interrompit, la figure écarlate. Sans réfléchir, il avait avancé la main.

Les yeux sombres d'Harry semblèrent lui dire : « Tu vois ? Je ne suis plus comme toi, alors ne prétends pas le contraire. » Mais il murmura de sa voix morne :

— Merci d'être venu.

George s'en alla, vaincu. Il espérait que le temps guérirait son ami de l'amertume et de la mélancolie, mais il n'en était pas sûr. Harry était brutalement privé de ce qu'il voulait le plus dans la vie. Comment un homme se remettrait-il d'une telle perte ?

Seule, l'arrivée d'une lettre de Constance empêcha la journée d'être un désastre total.

Sous un beau soleil d'octobre, George était assis à la terrasse d'une cantine de Mexico. Elle faisait face au magnifique Palais National, où flottait maintenant le drapeau américain. Il avait avec lui Pickett, Tom Jackson et Sam Grant. Tous quatre se retrouvaient pour la première fois depuis des mois.

La population mexicaine acceptait l'issue de la guerre avec une gaieté surprenante. Les commerçants et les cafetiers avaient tiré un trait sur leurs pertes et s'empressaient de profiter de l'occupation. A la manière européenne, le gouvernement avait frappé des médailles commémorant toutes les grandes batailles, gagnées ou perdues. Pickett, qui chantait les louanges de Robert Lee, s'en était procuré une de Churubusco et la portait sur sa tunique.

— Je ne parle pas en Virginien, quoi que vous pensiez. Lee est le meilleur de l'armée. Il l'a prouvé une fois pour toutes dans le *pedregal*.

Il s'agissait d'un champ de roche volcanique que les Américains avaient trouvé sur leur chemin en approchant de Mexico. Celui-ci paraissait infranchissable, mais Lee et Pierre Beauregard avaient effectué une reconnaissance et affirmé le contraire. Pendant un gros orage, Lee s'était porté volontaire pour retraverser le *pedregal* et porter des renseignements importants à Scott. Il avait galopé sur des arêtes escarpées et dans de dangereuses ravines, uniquement à la lueur des éclairs.

— D'accord, reconnut Grant en prenant sa chope de bière. Je ne connais pas de soldat plus intelligent ni plus audacieux. Grâce au ciel, il n'est pas notre ennemi.

Dans l'ensemble, les officiers issus de l'Académie s'étaient bien comportés pendant les six mois de campagne. Elkanah Bent lui-même était considéré comme un héros. Si George l'avait accusé d'incompétence ou s'il l'avait attaqué physiquement, il n'aurait pas été suivi... et il le savait.

Il commençait à s'énerver. Les autres s'attardaient sur leur bière et il avait reçu deux lettres, dont une de Constance. Finalement, alors que ses camarades abordaient un nouveau sujet de conversation, il prit l'enveloppe et la décacheta. Quand il eut fini de lire, il rit et la remit dans sa poche, pour l'ajouter à sa collection.

— De qui est-ce ? demanda Grant. De ta belle Irlandaise ?

— Oui.

— Tu vas l'épouser ?

— Ça se pourrait, fit George, et il tapota la bosse faite par la longue lettre. Je lui plais toujours.

— Naturellement, tu es un héros, plaisanta Pickett. Nous sommes tous des héros, ce mois-ci. Même le Congrès est d'accord, pour une fois.

Le taciturne Jackson s'informa :

— Est-ce que cette jeune personne pratique la religion romaine, George ?

— Oui. Pourquoi ?

— Ta carrière risque d'être compromise si tu épouses une papiste. Cela a été porté à ma connaissance dernièrement parce que je... euh... je fréquente une jeune femme de cette ville.

Pickett se pencha vers lui, les yeux ronds.

— Toi, Général ? Tu fais la cour à une *señorita* ?

Jackson rougit et baissa le nez.

— J'ai cet honneur, oui. Hélas, je crains que le mariage soit hors de question. Dieu crée tous ses enfants égaux, mais aux yeux de l'état-major et de la majorité des Américains, les catholiques sont un peu moins égaux que les autres.

Grant et Pickett s'esclaffèrent mais George garda son sérieux. Aimant Constance comme il l'aimait, il avait tendance à écarter le problème de la religion. Il savait cependant que cela risquait d'en devenir un. Il essaya de ne pas le montrer en déclarant :

— Je n'ai pas trop à m'inquiéter de ma carrière. Mon service se termine dans moins de trois ans.

— Ça suffit pour qu'on te rende la vie impossible, prédit Grant.

— Surtout le cher commandant Bent, ajouta Pickett.

Les cloches sonnèrent à la cathédrale voisine. Des pigeons s'envolèrent du toit du Palais National. Le soleil déclinait. Pour George, l'agréable réunion à la table de la cantine était gâchée.

Il songea qu'il y avait peut-être des nouvelles agréables dans la seconde lettre reçue ce jour-là. Elle venait de Lehigh Station. Pendant que Grant commandait une nouvelle tournée, il fit sauter le cachet et lut les premières lignes de la fine écriture de sa mère. Il pâlit brusquement.

— Qu'y a-t-il, George ?

— Mon père... Il y a huit semaines, il a eu une attaque à l'usine. Le cœur. Il est mort.

Le petit mot bref de Maude Hazard fut suivi deux jours plus tard par une longue lettre de Stanley qui suppliait son jeune frère de démissionner et de se hâter de rentrer à la maison. Hazard Fer était une entreprise trop importante pour un seul homme, surtout maintenant qu'une nouvelle usine allait s'ouvrir. Elle avait été conçue par William

Hazard. Il avait surveillé sa construction et, le jour de sa mort, il se débattait encore avec un problème de matériel.

La dernière entreprise de Hazard était une usine à triple rendement destinée à fabriquer des rails en T. Cette forme remplaçait rapidement le U inversé qui était jusque-là la norme pour les chemins de fer américains. Stanley répétait dans sa lettre que leur père avait été poussé à cette expansion par l'ouverture d'une usine concurrente à Danville, en Pennsylvanie. Il écrivait que s'il avait eu son mot à dire il se serait opposé à cette création, qu'il jugeait trop neuve et trop risquée.

— Trop neuve ! grommela George en s'adressant à Harry qui faisait ses bagages pour retourner chez lui. Henry Cort en fait marcher une depuis plus de vingt ans à Fontley, en Angleterre. Mon timoré de frère continuera probablement à crier « au risque » jusqu'à ce que la ruée sur les chemins de fer soit passée, le pays couvert de rails d'un océan à l'autre et le marché saturé !

Harry plia une chemise et la déposa dans sa cantine. Il devenait habile à agir d'une seule main. Il avait une fois avoué que le moignon recouvert de cuir le faisait souffrir et l'empêchait souvent de dormir, mais, à part cela, il ne parlait jamais de sa blessure. On le voyait rarement sourire. Il s'assit sur son lit pour se reposer un moment.

— As-tu décidé de ce que tu vas faire, George ?

— Oui. Je vais être loyal envers ma famille puisqu'elle a besoin de moi. Mais j'ai beau détester l'armée et désirer beaucoup revoir Constance, cette décision ne me sourit pas. C'est sans doute parce que je me suis engagé à servir pendant quatre ans et qu'une promesse est une promesse. Mais je n'y peux rien. Je vais écrire à Stanley pour lui annoncer mon arrivée. Naturellement, rien ne garantit que le ministère de la Guerre me laissera partir ; pas tout de suite, en tout cas.

Sur ce point, George allait être surpris. La veille du départ d'Harry, une autre lettre de Stanley arriva, apprenant qu'il avait confié le cas de George à un nouvel ami, Simon Cameron, sénateur démocrate de Pennsylvanie.

— Ce type, c'est à cause de lui que le parti démocrate est mal vu dans notre Etat, confia George à son ami. C'est une vraie fripouille. Stanley parle tout le temps de ses ambitions politiques mais je n'aurais jamais cru qu'il se lierait avec un individu pareil.

— Ton frère a du talent pour la politique ?

— A mon avis, on s'engage dans la politique quand on est incapable de faire un travail honnête, mais la réponse à ta question est non. Mon frère n'a jamais été doué d'une abondance de jugeote. Cameron ne doit avoir qu'une seule raison de s'intéresser à Stanley, c'est l'importance de son compte en banque. Moi, tirer des ficelles à Washington ! Bon Dieu, je ne vaudrais pas mieux que Bent ! Je vais écrire à Stanley d'arrêter ça immédiatement !

Le lendemain matin, les deux amis se dirent au revoir. Harry voyageait jusqu'à la côte avec un convoi de chariots transportant des blessés et plusieurs compagnies de volontaires démobilisés.

Ce fut pour eux un moment pénible. Harry demanda à George de passer par Mont Royal quand il repartirait vers le Nord. George répondit qu'il essaierait. Il n'avait pas très envie d'assister à la lente détérioration de son ami. Déjà, Harry avait mauvaise mine, il avait perdu dix kilos et c'était d'un air de vaincu qu'il s'éloignait à la recherche de son chariot.

Le lettre de protestation de George arriva trop tard. Trois semaines après son envoi, le capitaine Hoctor le convoqua.

— Vos ordres viennent d'arriver, par pli spécial du bureau du ministre Marcy. Je ne savais pas que les fils de riches maîtres de forges figuraient parmi les cas nécessiteux, ironisa le capitaine. Bref, vous serez libéré ici, de vendredi en huit.

Hoctor se demanda par la suite pourquoi cette bonne nouvelle avait provoqué une telle tempête de jurons. Il se félicita d'être débarrassé d'un subordonné aussi insupportable.

Le convoi de chariots suivant devait partir le lendemain de la démobilisation officielle de George. Il eut le temps de beaucoup réfléchir et de conclure qu'il avait été pusillanime de permettre à la religion de Constance Flynn de le faire hésiter ne fût-ce qu'un instant. Il se promit donc d'aller tout droit de Vera Cruz à Corpus Christi, par n'importe quel moyen de transport.

Le soir précédant le départ du convoi, il prit une cuite monumentale avec Pickett et Grant. Il se réveilla une heure avant l'aube avec la nausée, la migraine et la bouche pâteuse. Une heure plus tard, il rencontra le commandant Elkanah Bent, pour la première fois depuis Churubusco.

Il passa rapidement à côté de lui, sans saluer, craignant de commettre un meurtre à la moindre provocation. Bent le rappela.

— Pourquoi n'êtes-vous pas en uniforme, lieutenant ?

— Parce que je n'appartiens plus à l'armée ! répliqua George.

Ses tempes bourdonnaient. Il savait qu'il perdait le contrôle de lui-même et s'en moquait.

Bent ayant l'air déçu, George reprit :

— Félicitations pour votre promotion. Vous l'avez gagnée aux dépens de mon ami Harry Main. Sans vous, il aurait encore ses deux bras. Tout le monde vous prend pour un sacré héros, mais nous savons tous deux ce que vous avez essayé de faire sur la route de Churubusco, commandant !

— Lâchez mon bras, espèce de petit...

Alors George le frappa. Il ressentit le choc jusqu'à son épaule. Le nez de Bent explosa dans un flot de sang. George s'éloigna lentement, d'un pas ferme, laissant l'homme de l'Ohio trop ahuri — peut-être trop effrayé — pour riposter.

George avait l'impression de s'être fracturé la main. Jamais aucune douleur ne lui parut aussi satisfaisante.

CHAPITRE XIII

GEORGE ARRIVA A CORPUS Christi à la fin d'octobre. L'air était vif, frais même à midi. Quand il sauta de la vedette sur le quai, il n'était que quatre heures mais le soleil se couchait déjà. Les maisons projetaient sur le sol de longues ombres. La lumière du jour était celle de l'automne, brillante et faible à la fois.

Personne ne l'attendait à terre. Sa déception fut grande, mais son moral remonta en flèche dès qu'il entendit un cri et vit Constance apparaître au coin d'un immeuble. Elle portait une de ces nouvelles jupes à crinoline qui roulait et tanguait comme un navire par gros temps, alors qu'elle tentait de courir. Sa robe était vert émeraude, une couleur qui lui allait très bien.

— Pardon d'être en retard. J'ai mis plus de temps que d'habitude à me préparer, je voulais me faire belle pour vous, et puis j'ai découvert qu'il est impossible de se dépêcher, habillée comme ça. Ah, je voulais tant être là à l'arrivée de votre bateau !

Elle riait et pleurait en même temps. George posa sa valise par terre. Constance lui prit le bras, puis lui caressa la figure, comme pour s'assurer qu'il était bien là, sain et sauf.

— J'ai été désolée d'apprendre la mort de votre père. Jamais je n'ai osé espérer que vous auriez le temps de passer par ici en rentrant.

— Il y a des semaines que mon père a été enterré. Quelques jours de plus ou de moins n'y changeront rien. Il y a... J'ai une question importante à vous poser.

— Laquelle ?

Le joyeux sourire de Constance révélait qu'elle la devinait.

— Je crois que je devrais d'abord parler à votre père.

— Il nous attend. Il surveille le gigot que je vous ai fait. Mais j'ai besoin d'un baiser.

Elle lâcha son ample jupe qu'elle protégeait de la boue, pour serrer George dans ses bras. A cause de la crinoline, il dut se casser en deux pour l'embrasser. Sa valise disparut sous les jupons. Cela n'avait aucune importance, pas plus que les regards amusés ou courroucés des passants. Rien n'importait que les mots qu'elle lui chuchotait à l'oreille en se serrant contre lui.

— Ah, George, comme vous m'avez manqué ! Je vous aime tant !

Pendant que Constance mettait le couvert, George entraîna son père. Sa demande ne surprit pas le vieil avocat.

— Je ne m'oppose pas à ce mariage mais j'ai une question à poser et elle est grave.

Il s'arrêta au milieu de la rue pour considérer le jeune homme.

— Qu'allez-vous faire au sujet de la différence des religions ?

— Il faudra que je demande à Constance ce qu'elle souhaite, monsieur. Je prendrai toutes les dispositions nécessaires.

— Cela me paraît assez juste. Mais votre famille l'accueillera-t-elle favorablement ?

— J'en suis certain, mentit George.

— Alors je vous la donne.

— Ah ! monsieur, merci...

— A une condition ! interrompit Flynn en levant une main vers l'horizon sans arbres. Epousez-la dans le Nord. Ici, c'est trop lugubre pour un mariage. Et puis, un voyage ne me déplairait pas. J'en ai assez d'entendre les gens dire que le député Wilmot est un rejeton du diable. Un changement de perspective s'impose.

— Vous l'aurez, promit George en souriant et tous deux firent demi-tour pour répondre à l'appel de Constance.

# CHAPITRE XIV

A PLUSIEURS KILOMÈTRES en aval de la plantation, George sentit l'odeur de la fumée. Le ciel de fin novembre, déjà sombre, s'obscurcissait encore. Alarmé, il demanda au capitaine du vapeur fluvial si un incendie avait éclaté. Le capitaine le toisa d'un air supérieur.

— J'en doute, monsieur. Ils doivent brûler des chaumes.

Des nuages de fumée noire déferlaient maintenant au-dessus des arbres et de la rivière. Bientôt, George se mit à tousser, et quand le bateau aborda Harry n'était nulle part en vue, bien que George eût annoncé son arrivée.

Il ne savait pas s'il devait en accuser les services postaux ou l'humeur de son ami. La fumée lui irritait les yeux et la gorge. Il remonta la jetée, avec l'impression d'être de retour dans la zone de guerre.

Un jeune homme bondit sur lui, du haut d'une pile de barils de riz. Il l'évita de peu et retint sa respiration, en souriant un peu jaune.

— Tu m'as fait une peur bleue, Charles.

— Ah ? Je croyais que vous m'aviez vu ! répliqua le garnement sans s'excuser.

Le cœur de George se calma. Le cousin Charles expliqua :

— Harry m'a envoyé vous chercher. Il travaille par là-bas, au Carré Hull.

Un vieux serviteur de la maison se dirigeait vers eux, en traînant les pieds, Charles le regarda en fronçant les sourcils.

— Remue-toi un peu, Cicero, sinon je vais t'étriper.

Et Charles le menaça avec un couteau tiré de sa poche. Le vieux Noir poussa un petit cri et recula d'un bond. Il manqua le bord de la jetée et tomba dans l'eau peu profonde avec un plouf retentissant. Charles courut se pencher vers lui.

— Bon Dieu, Cicero, je plaisantais, voyons !

— Et comment je l'aurais su ? grommela le vieillard tandis que le garçon le hissait hors de l'eau. Des fois, vous vous en prenez aux gens avec votre vilaine lardoire.

Charles fourra le couteau dans sa ceinture.

— Je ne m'en prends qu'à des Smith et des Lamotte, jamais à des nègres. Maintenant dépêche-toi, et porte la valise de Mr Hazard à la maison.

La figure et les vêtements du Noir ruisselaient. Ses orteils marron dépassaient des trous à la pointe de ses souliers grinçants. Il prit la valise et partit rapidement, ne tenant pas à prolonger l'affrontement avec le cousin Charles.

— Venez, lança le garçon vers George.

Il n'avait pas plus de onze ans maintenant mais en paraissait quatre ou cinq de plus. Il avait beaucoup grandi. Ses épaules s'étaient considérablement élargies. George lui envia sa robustesse et sa beauté.

Charles le conduisit le long de la chaussée séparant les grands champs carrés. De la fumée s'élevait sur la droite. Des esclaves armées de houes traînaient des broussailles enflammées dans le chaume pour y mettre le feu. Ce n'étaient que des femmes, la robe retroussée aux genoux, les cheveux protégés par un madras. Au loin, assis sur une mule sur une autre chaussée, George aperçut Salem Jones. Avec sa cravache et son bâton, il avait l'air d'une statue équestre.

George suivit le conseil de Charles et plaqua un mouchoir sur sa bouche. Les Noires ne semblaient pas gênées par la fumée, sans doute parce qu'elles avaient été forcées de la respirer si souvent qu'elles n'en souffraient plus. Quand les flammes avançaient trop vite, elles couraient au canal d'irrigation et y sautaient à l'abri, en riant et en poussant des cris. George trouvait que cela ne ressemblait pas à un jeu, plutôt à une vue des Enfers. Il se dit que le brûlage du chaume était peut-être une diversion plaisante, dans la routine de la plantation.

Un bruit de coups de marteau attira son attention vers la chaussée la plus proche du fleuve et il vit Harry, seul Blanc dans un groupe de six hommes. Il enfonçait des clous dans la barrière d'un ponceau descendant vers le cours d'eau. Un Noir inquiet mettait chaque clou en position et reculait vivement avant qu'Harry donne le premier coup de marteau.

George se demanda pourquoi son ami essayait d'être un charpentier alors qu'il était infirme. Puis, il comprit que c'était pour cela qu'il travaillait aussi furieusement.

Harry eut enfin terminé.

— Bonjour, George. Excuse-moi de ne pas t'avoir accueilli. Ces hommes ont saboté les réparations. J'ai dû leur montrer comment s'y prendre correctement.

Il laissa tomber le marteau, sans se soucier de manquer de peu le pied d'un esclave. En le voyant de près, George fut choqué de son aspect. Il le trouvait vieilli, amaigri, sombre, avec cette barbe mal soignée qui tombait sur sa poitrine. La manche gauche de sa chemise sale était épinglée à l'épaule.

— Qu'est-ce que tu deviens ? demanda-t-il alors qu'ils remontaient vers la grande maison.

— Occupé, répliqua sèchement Harry. J'essaye de me remettre au courant le plus vite possible. Mon père est trop vieux pour tout faire lui-même et Cooper nous quitte. Ce soir, tout de suite après le dîner, d'ailleurs.

George haussa les sourcils.

— Où va-t-il ?

— A Charleston. D'accord avec mon père. C'est une sorte d'exil volontaire. Cooper ne s'entend plus avec Père. Il a trop d'idées subversives et ils s'en rendent compte tous les deux. Cooper a proposé de partir avant que les disputes ne s'enveniment trop.

C'était une nouvelle accablante et George ne s'étonna plus de la triste mine d'Harry.

— Il trouvera du travail ?

— Un emploi l'attend. Il y a un an, un homme devait beaucoup d'argent à mon père et ne pouvait le rembourser. Il lui a fait don de son unique capital, une petite entreprise de transport de coton. Ce n'est pas énorme, deux vieux vapeurs à roues, un entrepôt délabré et un dock. Père ne s'y intéresse pas du tout. C'est pour ça qu'il n'a pas fait d'histoires quand Cooper a déclaré qu'il reprendrait et dirigerait l'affaire. Je suis heureux de te voir, George, mais c'est un mauvais moment pour venir à Mont Royal. Depuis des jours, tout le monde crie après tout le monde.

Toi aussi ? se demanda George mais il garda la question pour lui. Harry avait une figure si hagarde, des yeux si creux qu'il était attristé de retrouver son ami dans un tel état.

— Je t'avais promis de passer. Je vais épouser Constance et j'aimerais que tu sois mon témoin.

— Voilà une heureuse nouvelle ! Félicitations.

Harry ne serra pas la main de son ami, il ne ralentit même pas le pas. La main derrière lui, il cherchait son mouchoir dans sa poche arrière droite.

— Il est dans l'autre, dit George en avançant le bras.

— Je peux le prendre.

Les dents serrées, il fit un effort pour allonger sa main dans son dos. Il attrapa un coin du mouchoir du bout des doigts et le tira.

— Acceptes-tu ?

— Quoi ? Ah ! oui. Oui, bien sûr. A condition qu'il n'y ait pas trop de travail ici. J'espère que ça ne te fait rien de dîner avec mon père et Cooper. Ce ne sera probablement pas très agréable.

Rien, à Mont Royal, n'était agréable ce jour-là, et George regretta d'être venu. Il résolut de partir le plus tôt possible.

Le dîner fut aussi gênant que l'avait prédit Harry. Theo aussi avait beaucoup vieilli. Ainsi que Cooper, il se limita à une conversation vague, sur divers aspects de la petite compagnie de vapeurs. Il était évident que Theo ne s'y intéressait pas. Il voulait simplement s'en tenir à un sujet de conversation inoffensif.

Cooper, d'autre part, parlait avec enthousiasme d'un projet destiné à rendre l'entreprise lucrative.

— Tous les ans, l'Etat expédie davantage de coton. Nous devrions en profiter.

— Enfin, fais ce que tu peux, marmonna Theo en haussant les épaules.

Harry avait naguère signalé que Theo détestait entendre parler de l'expansion de l'industrie du coton en Caroline du Sud. Il la considérait comme un danger pour les planteurs de riz en général, et les Main en particulier. Pour lui, tous les planteurs de coton étaient des parvenus sans arbre généalogique, même si l'un des citoyens les plus éminents de l'Etat, et probablement le plus riche,. Wade Hampton, de Millwood, plantait du coton.

Cooper se souvint de tout cela après la réflexion de son père et s'en irrita.

— Vous pouvez compter sur moi, déclara-t-il résolument.

Sa mère soupira et lui tapota le bras. Theo ne répondit pas.

Anne, déjà charmante fille et coquette, ne cessa de regarder George pendant tout le repas. Cette attention le rendit nerveux. Beth donna un coup de coude à sa sœur pour la rappeler à l'ordre. L'aînée lui tira les cheveux, sur quoi le père s'emporta et les renvoya toutes les deux, avec ordre à Clarissa de les punir.

Beth renifla, les yeux rougis, Anne jeta autour d'elle un regard brûlant de haine. Si cette enfant a quelques sentiments, pensa George, ils sont mauvais.

Ce soir-là, George annonça qu'il devait repartir pour la Pennsylvanie le lendemain dans la matinée. Harry déclara qu'il l'accompagne-rait jusqu'à la petite halte forestière de la ligne Northwestern. George dormit mal et se réveilla à l'aube. Il s'habilla et descendit de sa chambre, pensant que personne ne serait réveillé, à part les esclaves qui auraient préparé le café. Il fut surpris d'entendre de fortes voix au rez-de-chaussée, voix de maîtres et non de serviteurs.

Il les trouva tous, Theo, Clarissa et Harry, dans la salle à manger. Les premiers rayons du soleil doraient faiblement la cime des arbres. Du brouillard planait sur les pelouses couvertes de gelée blanche.

— Bonjour, George, dit Clarissa.

Jamais il ne l'avait vue avec ses cheveux défaits, ni autrement que correctement habillée, or là, elle portait une vieille robe de chambre aux broderies fanées. Theo était voûté sur sa chaise, plus vieux que jamais, un bol de faïence à côté de sa main. Une vapeur odorante montait du café. Harry poussa un long soupir et s'adressa à son ami.

— Inutile de te le cacher. La plantation est dans une mauvaise passe. Ces derniers temps, nous n'avons eu que des ennuis avec un esclave nommé Priam. Tu te souviens de lui ?

George hocha la tête. Comment aurait-il pu oublier les cris horribles entendus dans la nuit ?

— Eh bien ! il s'est enfui.

Dans le silence qui suivit, une des servantes entra portant un plat de biscuits et un pot de miel sauvage. George, à sa précédente visite, l'avait remarquée, gaie et joyeuse, plaisantant avec tout le monde. Là, elle gardait la tête baissée et détournait les yeux, ses pieds ne faisaient presque pas de bruit.

Quand elle fut partie, il entendit d'autres voix montant par une des fenêtres entrouvertes. Les esclaves causaient près de la cuisine, aucun rire ne fusait. Le crime d'un esclave disparu retombait sur la tête de tous, mais ils n'étaient pas seuls à s'inquiéter.

— Papa, qu'est-ce qui se passe ? Pourquoi tout le monde est-il dejà debout ?

La question inattendue les fit tous sursauter. Beth, en chemise de nuit, le visage grave était sur le seuil.

— Un des nègres s'est échappé. Nous l'attraperons. Remonte te coucher.

— Lequel, papa ? Qui s'est échappé ?

Theo abattit sa main sur la table.

— Remonte dans ta chambre !

Beth battit en retraite. George écouta le claquement de ses pieds nus dans l'escalier. Clarissa croisa les bras et contempla la surface vernie de la table. Harry marchait de long en large devant les fenêtres.

Le soleil commençait à dissiper la brume. Theo frotta ses mains sur ses joues et ses yeux. George mâchonna un biscuit. Il était dérouté. Pourquoi l'évasion d'un homme bouleversait-elle trois adultes ? La liberté d'un homme ? La liberté était-elle une idée inacceptable ? Les ancêtres de Theo Main n'avaient-ils pas combattu contre les Anglais pour la liberté, dans ce même Etat ?

Il comprit vite que ces questions étaient idiotes. Les Main s'étaient battus pour la liberté des Blancs. Celle d'un Noir était très diffé-rente, dangereuse non seulement par elle-même mais par ses consé-quences. George commençait enfin à comprendre un peu le dilemme du Sud, l'emprise de l'esclavage sur ceux qui le pratiquaient. Il était impossible de laisser s'échapper un esclave, car si l'un réussissait, des milliers d'autres l'imiteraient. Les Main et tous leurs semblables étaient prisonniers d'un système dont ils bénéficiaient, et ils étaient aussi prisonniers de la peur. George plaignit la famille d'Harry et, pour la première fois, il la méprisa.

Un bruit de galop fit brusquement lever Theo. Salem Jones apparut dans l'allée. Quelques instants plus tard, il entra dans la pièce, l'air ravi, réprimant difficilement un sourire en annonçant :

— Toujours pas trace de l'animal. La dernière fois qu'on l'a vu, c'est hier soir. J'ai fouillé sa case. Je comprends maintenant pourquoi il nous a causé tant d'ennuis.

Il jeta un bref coup d'œil accusateur à Clarissa. Elle regardait ailleurs mais cela n'échappa pas à son mari.

— Qu'est-ce que vous racontez ?

Jones fouilla sous sa veste.

— J'ai trouvé ça, caché dans la paillasse de Priam, dit-il en jetant sur la table un livre sale et écorné. Il a dû le lire, avant de s'enfuir. Je parie que ça lui a donné des idées, sur les mauvais traitements qu'il subissait.

— Je croyais qu'on n'apprenait pas à lire aux esclaves, lança George.

— En général, non, répondit Harry.

— Nous avons fait une exception pour Priam, expliqua Theo sans regarder Clarissa. Ma femme trouvait qu'enfant il promettait beaucoup, qu'il avait aussi un caractère docile. Elle a eu peut-être raison dans le premier cas, mais pour le second.... Enfin, je ne te fais pas de reproches, Clarissa, ajouta-t-il et son expression indiquait au contraire qu'il la rendait responsable. Je t'ai donné la permission d'apprendre à lire et à compter à Priam. Ce fut une erreur calamiteuse. George, vous comprenez maintenant pourquoi le Sud doit maintenir des lois interdisant l'instruction des Noirs. La Bible, mal interprétée, peut elle-même donner des idées de révolte.

Harry attrapa le livre broché.

— Qui a apporté cette ordure à la plantation ?

— Je ne sais pas, grommela Theo. Mais assure-toi maintenant qu'elle soit brûlée.

George avait reconnu l'ouvrage. Il en avait vu un exemplaire chez lui, quelques années plus tôt. Il portait sur sa couverture la marque de la Société américaine anti-esclavagiste de New York et le titre, *L'Esclavage américain tel qu'il était*. Le Révérend Theodore Weld l'avait fait publier en 1839. C'était une compilation d'extraits des lois de l'esclavage, de témoignages d'esclaves évadés et de citations révoltantes de propriétaires d'esclaves sudistes, qui cherchaient à défendre l'institution et à minimiser ou nier leur mauvais traitement des Noirs. George avait entendu sa sœur Virgilia assurer que l'ouvrage de Weld était le document anti-esclavagiste le plus influent et le plus important publié jusque-là aux Etats-Unis.

— C'est bien beau de m'accuser, Theo, dit enfin Clarissa, mais que comptes-tu faire maintenant ?

Ce fut Salem Jones qui répondit :

— Je vais interroger la sœur de Priam. Ça ne servira pas à grand-chose. Elle a peur. Ce qui est pire, elle est stupide. Si elle voulait me donner une réponse utile, elle ne le pourrait pas. Si je lui demandais où est allé son frère, elle ne trouverait qu'un mot : Nord. Et elle dirait la vérité, sans doute. A mon humble avis, nous n'avons d'autre choix que de faire appel à nos voisins pour organiser une battue montée et poursuivre ce nègre.

— Une battue armée ? demanda Theo.

— Fortement armée, monsieur. C'est regrettable mais nécessaire. Theo se passa nerveusement une main sur le front.

— Jamais, dans toute l'histoire de Mont Royal, les Main n'ont eu recours à une patrouille montée armée. Jamais aucun de mes gens ne s'est enfui. Pas un seul !

Il regarda George, d'un air angoissé et suppliant. Toujours dérouté, et en colère aussi, George se détourna. L'expression du vieil homme durcit.

— Vous avez raison, Jones. Il est évident que Priam n'a pas compris la leçon du chat. Nous devons faire un exemple.

— Je suis d'accord, déclara Harry, presque sans hésiter, et George, atterré, regarda anxieusement son ami.

Sans chercher à dissimuler son empressement, Jones sortit.

Deux heures plus tard, les deux camarades partirent pour la gare. Ils échangèrent très peu de mots en chemin, le long des petites routes et des sentiers. Harry portait un habit, vieux mais de belle qualité. Son pistolet Johnson était accroché sur sa hanche droite.

De la brume flottait encore près du sol et la lumière orangée du soleil filtrant au travers donnait à la forêt une apparence féerique, spectrale. Les sabots des chevaux ne faisaient presque pas de bruit sur le tapis d'aiguilles de sapins et de feuilles mortes. Ils étaient à huit cents mètres environ de la petite halte quand un long sifflement lugubre résonna dans la forêt. George talonna son cheval pour rejoindre Harry.

— C'est mon train ?

Harry tira de son gousset une grosse montre d'or, ouvrit le boîtier, le referma et secoua la tête.

— C'est un train de marchandises qui remonte vers le nord. Il passe tous les matins à cette heure. Il est encore à dix ou douze kilomètres. Le bruit porte loin dans les marécages. L'omnibus de voyageurs n'arrivera pas avant vingt minutes.

Le sentier sortit des arbres, contourna un nouveau marais brumeux et retourna sous bois. Bientôt, les cavaliers débouchèrent dans une clairière traversée par une voie unique. D'un côté des rails, se dressait un abri en bois.

Harry avait bien jugé la distance. Le train de marchandises approchait mais n'était pas encore visible. On entendait cependant le claquement des traverses et le grincement aigu des roues. Pendant que George attachait les chevaux nerveux, Harry entra dans l'abri et souleva le couvercle d'une boîte en bois, accrochée au mur. Il y prit un drapeau rouge qu'il hissa au mât, à une extrémité de l'abri.

— Voilà. Cela signalera à l'omnibus qu'il doit s'arrêter.

Il traversa la voie pour rejoindre son ami à l'instant où la locomotive du train de marchandises surgissait de la courbe, à leur gauche. Un coup de sifflet strident les assourdit. La locomotive passa, roulant à environ quinze à l'heure. Le chauffeur et le mécanicien agitèrent la main. Harry rendit le salut. George fit tomber des escarbilles de ses cheveux.

Des fourgons, des wagons à plate-forme défilaient. Harry commença une phrase. George ne l'écoutait pas, surpris par la vue d'un Noir qui venait de bondir d'un fourré et courait à côté du train. Harry suivit la direction de son regard et l'étonnement fit place à de la colère.

— Priam ! Arrête !

L'esclave avait vu les hommes blancs mais n'avait pas dû les reconnaître. Il avait l'air terrifié. Il se hissa par la porte ouverte d'un fourgon alors qu'Harry se précipitait vers son cheval. George ne l'avait jamais vu courir aussi vite.

Aplati sur le plancher du fourgon, Priam commit l'erreur de regarder derrière lui et reconnut le cavalier barbu. Une panique folle apparut dans ses yeux tandis qu'Harry talonnait sa monture. Dépêche-toi, criait silencieusement George. Monte dans le wagon, où il ne pourra pas te tirer dessus.

Mais la vue de son propriétaire fit perdre ses moyens à Priam. Couché à plat ventre sur le seuil du fourgon, il avait l'air d'un poisson échoué. Ses jambes pendaient à l'extérieur, ses pieds nus sales frôlant presque le ballast. Harry galopa le long du fourgon, jusqu'au bord de la clairière. Puis, il fit demi-tour, son côté droit plus près du train.

Haletant, Priam releva sa jambe droite et la ramena dans le fourgon. George supposa que l'esclave n'était pas seulement effrayé mais épuisé, sinon il se serait hissé dedans sans peine. Sa jambe gauche pendait toujours, battant l'air.

Comme le fourgon passait lentement, Harry se pencha et saisit la cheville de Priam. L'esclave fut traîné à reculons par l'ouverture. Il essaya de s'accrocher à la porte mais poussa un cri et la lâcha, comme si des échardes l'avaient blessé. Harry poussa du genou son cheval vers la gauche, sans cesser de tirer. Priam tomba.

Il atterrit à plat ventre sur le bord du ballast. George perçut ses sanglots dans le fracas des derniers wagons. Un serre-frein sur la plate-forme de la dernière voiture regarda bouche bée la scène dans la clairière avant de disparaître sous les arbres.

— George, j'ai besoin de toi, cria Harry en sautant à terre et en dégainant son pistolet.

George accourut. Harry lui tendit le pistolet, la crosse en avant.

— Garde ça braqué sur lui. Tire s'il bouge.

Priam regarda par-dessus son épaule. George put à peine supporter l'expression de ses yeux.

— Missié Harry... je vous en supplie, Missié Harry...

— Ne prends pas ce ton avec moi, interrompit Harry tout en décrochant un rouleau de corde de sa selle. Tu savais ce que tu faisais quand tu t'es échappé. Debout et mets tes mains derrière ton dos.

— Missié Harry...

Priam se leva en chancelant. Toute trace de défi avait disparu. Son évasion l'avait rendu aussi vulnérable qu'un petit enfant. Il y avait quelque chose de honteux, d'abominable, dans cet adulte qui implorait si désespérément que des larmes coulaient sur ses joues.

— Garde le pistolet braqué sur lui, reprit Harry sans quitter des yeux le fugitif.

Il entoura et noua une corde mince autour des poignets de Priam, avec autant de dextérité d'une seule main que la plupart des hommes avec les deux. George trouva qu'il avait beaucoup appris en très peu de temps. Il s'humecta les lèvres.

— Qu'est-ce qui va arriver, maintenant ?

— Je ne sais pas. On le rendra probablement boiteux, pour

l'empêcher de recommencer, mais mon père est tellement furieux qu'il sera capable de le faire tuer.

Priam baissa la tête.

— Oh, Jésus, Jésus...

— Assez, Priam! Tu connaissais les châtiments avant de...

— Harry, laisse-le partir.

George s'étonna de sa propre voix rauque. Cette affaire ne le regardait pas. Pourtant, il se sentait incapable de rester là et de laisser ramener ce Noir à Mont Royal, pour y être estropié ou peut-être même exécuté.

Pendant une seconde ou deux, il se sentit idiot. Priam n'était rien pour lui; son amitié pour Harry avait beaucoup d'importance, mais il savait aussi qu'il ne pourrait jamais vivre en paix s'il gardait le silence.

— Qu'est-ce que tu dis? demanda Harry. Son expression était celle d'un homme qui voit le soleil se lever à l'ouest ou des billets de banque pousser sur des arbres.

— Laisse-le partir. Ne sois pas complice d'un meurtre.

Harry retint une réplique furieuse et aspira profondément.

— Tu confonds les hommes et les esclaves. Ils ne sont pas de la même...

— Ne fais pas ça! insista George, tremblant et luttant pour se maîtriser. Si notre amitié a de la valeur pour toi, accorde-moi cette unique requête.

— Ce n'est pas juste! Tu profites de moi.

— Oui, parfaitement. Pour lui sauver la vie.

— Je ne peux retourner à Mont Royal et avouer à mon père...

— Qu'as-tu besoin de le lui dire? Je ne parlerai pas et tu ne reverras jamais Priam.

— Oui, Missié, je me tairai, bredouilla Priam. Devant Dieu, Missié Harry, je jure qu'une fois parti, jamais je...

— Tais-toi, nom de Dieu!

Le cri d'Harry résonna dans le silence. George ne l'avait jamais entendu invoquer le nom de Dieu dans la colère.

Harry se passa la main sur la bouche. Il regarda fixement George, avec rage, puis il lui arracha le pistolet de la main. Mon Dieu, pensa George, il va l'abattre sur-le-champ!

Le visage de son ami prouvait sa résolution. George savait que ce qu'il avait demandé allait à l'encontre de tout ce qui lui avait été inculqué, de tout ce qu'il était. Et soudain, Harry fit un geste brusque, un geste de fureur et de congé.

— Cours! Cours avant que je change d'idée!

Priam ne perdit pas de temps en paroles. Ses grands yeux noirs se posèrent un instant sur George et ce fut son seul remerciement. L'esclave se jeta sous les sapins.

Harry resta là, tête basse. Le bruit des pas du Noir décrut et se tut. L'omnibus siffla.

George s'arma de courage et s'approcha de son ami.

— Je sais que je n'aurais pas dû te demander ça. Je sais qu'il t'appartient, mais je ne pouvais pas laisser...

Il s'interrompit. Harry avait le dos tourné.

— Enfin, quoi qu'il en soit, merci.

Harry pivota. Sa main se crispait si fort sur le pistolet qu'elle était blanche comme de la farine. George s'attendait à l'entendre crier mais il parla d'une voix basse, contenue.

— Une fois déjà, j'ai essayé de t'expliquer la situation dans le Sud. Je t'ai dit que nous comprenons nos problèmes, nos besoins, mieux que les gens du dehors. Je t'ai dit que nous finirions par résoudre ces problèmes, tant que personne d'autre ne s'en mêlerait. Tout cela ne compte pas pour toi, sans quoi tu ne m'aurais pas demandé de laisser partir Priam. J'ai accédé à ta demande parce que nous sommes amis depuis longtemps, mais si tu veux que nous le restions, ne me demande plus jamais une chose pareille.

## CHAPITRE XV

Pendant tout le voyage, George fut hanté par les regards de Priam. Il les revoyait encore alors que, le menton sur sa main, il admirait, par la fenêtre, le fleuve Delaware.

De la neige tombait dans le crépuscule maussade et fondait à l'instant où elle touchait le sol ou la vitre. Il était fatigué par le long trajet et l'interminable succession de changements de lignes. Un repas dans un buffet de gare lui avait dérangé l'estomac et il transpirait depuis des centaines de kilomètres parce que les autres passagers insistaient pour que l'employé jette continuellement du bois dans le poêle en tête de la voiture.

Le lendemain, enfin, il arriverait à Lehigh Station. Il avait l'intention de passer la nuit au Haverford House, où les Hazard descendaient toujours quand ils allaient à Philadelphie. Dans la matinée, il prendrait le train d'intérêt local et, une fois chez lui, il entamerait sa délicate campagne pour préparer la famille à son mariage avec une catholique.

Le souvenir de Priam lui revint. Cela l'amena à ses rapports avec son ami et, par extension, avec la famille Main. Il trouvait en chacun de ses membres quelque chose à aimer, même chez l'insupportable cousin Charles, mais cela provoquait en lui une confusion mentale familière et pas mal de remords. Par un concours de circonstances et par choix, les Main étaient profondément impliqués dans l'esclavage des Noirs.

Le train ralentit, passa devant des baraquements et des immeubles délabrés avant d'entrer en gare. La toiture abritant les quais cachait la lumière du jour. A la place des flocons de neige, des étincelles de la locomotive tourbillonnaient derrière les vitres. Des voyageurs se levèrent, rassemblèrent leurs bagages. Leur reflet scintillait sur les vitres souillées de suie, mais George ne voyait toujours que Priam.

L'esclavage devait prendre fin. Son bref passage en Caroline du Sud l'en avait convaincu. Ce ne serait pas facile vu les innombrables obstacles : tradition, orgueil, dépendance économique, influence disproportionnée du petit nombre de familles propriétaires d'esclaves, la

Bible même. Juste avant que George quitte la plantation, Theo avait cité les Ecritures pour justifier l'envoi de la patrouille à la recherche de Priam. Le fugitif avait nettement désobéi à l'injonction précise du troisième chapitre des Colossiens : « Serviteurs, obéissez en toutes choses à votre maître... »

La suppression de cette institution exigerait de la souplesse, de la bonne volonté et, par-dessus tout, de la résolution. George ne voyait rien de tout cela à Mont Royal.

Longtemps, il examina le problème, tout en considérant son amitié pour Harry comme un sentiment à préserver. Là aussi, de sérieuses difficultés se présentaient. Quand il avait imploré la liberté de Priam, l'avertissement d'Harry avait été clair. Si George tenait à cette amitié, il ne devait plus se mêler de rien. Il cherchait encore une solution, alors que chargé de sa valise il longeait le quai.

Il eut la chance d'obtenir une chambre au Haverford House sans en avoir retenue. Alors qu'il signait le registre, l'employé obséquieux lui dit :

— Je crois que nous avons ici quelqu'un de votre...

— George ! C'est toi ?

Il se retourna et sourit à la jeune femme qui se hâtait vers lui, des diamants de neige fondue sur son manchon et la fourrure de sa toque.

— Virgilia ! Par exemple ! Je ne m'attendais pas à te voir.

Elle était toute rose de plaisir et, pendant un instant, sa figure carrée fut presque jolie. George remarqua qu'en son absence elle avait un peu grossi.

— J'ai pris une chambre parce que je reste en ville ce soir, dit-elle d'une voix essoufflée.

— Toute seule ? Pourquoi diable... ?

— Je fais ma première allocution à une réunion publique organisée par la société.

— Hein ? Quelle société ?

— La société anti-esclavagiste, naturellement. Ah, George, j'ai le trac ! J'ai passé des semaines à écrire mon discours et à l'apprendre par cœur, dit-elle en prenant les mains de son frère. J'avais complètement oublié que tu devais rentrer aujourd'hui ou demain. Il faut que tu viennes m'écouter ! Tous les billets ont été vendus depuis des semaines mais je suis sûre que nous te trouverons une place dans une loge.

— J'en serai ravi. Je ne rentre à la maison que demain matin.

— Ah, c'est merveilleux ! Tu veux dîner d'abord ? Moi je ne peux pas, je suis trop nerveuse. George, j'ai enfin trouvé une cause à laquelle je peux consacrer toute mon énergie !

— Je suis enchanté de l'apprendre, fit George en suivant le chasseur qui avait pris sa valise, tout en pensant : « Tu as trouvé une cause parce que tu n'as pas pu trouver de mari. »

Il s'en voulut de ce manque de charité. Virgilia et lui n'avaient jamais été très proches, mais elle était tout de même sa sœur. Il se dit qu'il était fatigué, et peut-être un peu décontenancé par tant d'enthousiasme.

— C'est une très noble cause, insista-t-elle. Je doute que ton Harry Main soit de cet avis. Franchement, je ne comprends pas que tu puisses fréquenter des gens pareils.

— Harry est mon ami. Ne le mêlons pas à nos discussions, je te prie.

— Mais c'est impossible ! Il possède des esclaves noirs.

George retint une riposte acerbe et songea à s'excuser pour la soirée. Plus tard, il regretta de ne pas l'avoir fait.

La salle contenait à peu près deux mille places, toutes occupées. Il y avait des hommes et des femmes debout, sur les côtés et dans le fond. Des enfants étaient là aussi, et quelques Noirs bien habillés. Les lampes diffusaient un éclairage sulfureux.

George était coincé sur une chaise au fond d'une loge de balcon sur le côté droit de la scène, avec trois hommes et trois femmes devant lui, tous très élégants. Ils devaient appartenir à la haute société de Philadelphie. Quand George se présenta, leur accueil fut bref et réservé.

Il faisait très froid dehors — la température avait fortement chuté pendant qu'il dînait —, mais la chaleur des corps en vêtements épais rendait la salle étouffante et les visages luisaient de sueur. Avant même que débute le programme officiel, le public était pris de frénésie, tapait des pieds et battait des mains pendant le chant de plusieurs cantiques.

George jeta les yeux sur le programme qu'on lui avait remis à l'entrée de la loge. Il soupira. Il y avait neuf parties. La soirée serait longue.

Des applaudissements nourris accueillirent les six orateurs quand ils sortirent des coulisses. Virgilia, l'air calme et posé, s'avança vers la rangée de chaises devant un rideau de velours rouge, prit la troisième à gauche et leva les yeux vers son frère. Il inclina la tête et lui sourit. Le président, un pasteur méthodiste, s'approcha du podium et frappa trois coups avec un petit marteau pour réclamer le silence. Le programme débuta par un groupe de chanteurs, la Famille Hutchinson, du New Hampshire. Ils furent acclamés quand ils prirent position à droite du podium.

Ensuite ce fut la première allocution, de dix minutes, par un autre pasteur, de New York celui-là. Il expliqua et approuva la position anti-esclavagiste du célèbre pasteur unitarien, William Ellery Channing, de Boston. Selon Channing, l'esclavage pourrait être vaincu en faisant directement et continuellement appel aux principes chrétiens des propriétaires d'esclaves. L'idée ressemblait assez à celle que George avait eue dans le train. Ce soir-là, il compara la théorie à l'image qu'il gardait de Theo Main et reçut un choc. Il sut que le plan de Channing ne réussirait jamais. Ç'avait été aussi l'avis du public. Le pasteur s'était rassis sous de maigres applaudissements dispersés.

Le second orateur eut beaucoup plus de succès. C'était un grand Noir grisonnant, présenté sous le nom de Daniel Phelps, un ancien esclave qui s'était évadé en traversant l'Ohio à la nage, et qui se consacrait maintenant à des conférences sur ses jours d'esclavage dans le Kentucky. Phelps parlait bien. Son discours de quatorze minutes, véridique ou non, bouleversa ses auditeurs. Ses anecdotes sur les sévices et les tortures appliquées par son propriétaire provoquèrent des hurlements de rage. Quand il se tut, il reçut une ovation debout.

Virgilia tritura son mouchoir pendant que le président la présentait. Il insista particulièrement sur son nom. Des murmures dans la salle indiquèrent que l'on reconnaissait la célèbre famille de maîtres de forges. Une des femmes dans la loge de George se retourna pour le réexaminer. Il se sentit mieux, moins anonyme.

Virgilia parut très nerveuse quand elle monta sur le podium. La pauvre fille est vraiment trop grosse, pensa George, et franchement laide. Mais peut-être un homme sera-t-il séduit par son intelligence. Il l'espéra pour elle.

Elle commença à parler d'une voix hésitante, en n'offrant rien de plus qu'une dénonciation classique de l'esclavage. Mais au bout de quatre à cinq minutes, son discours changea. L'agitation du public cessa et, du premier rang jusqu'au poulailler, tous les yeux restèrent fixés sur elle.

— Je n'aime pas parler de ces choses en présence de personnes du sexe faible et d'enfants, mais il a été dit que la vérité n'est pas et ne peut pas être impure. Alors vous ne devez pas avoir honte d'examiner toutes les faces de l'institution particulière au Sud, en dépit de leur horreur, en dépit de leur immoralité.

La salle se taisait. Le public sentait que Virgilia mêlait habilement la colère et l'indignation. Les hommes et les femmes assis devant George se penchèrent pour mieux entendre. Il contempla l'assistance et fut troublé par la vue de tant de visages transpirants exprimant un zèle vertueux. Ce qui le troublait le plus, c'était sa sœur. Cramponnée aux bords du lutrin, elle perdait toute hésitation, et même un peu de cohérence.

— Quelle que soit la civilité, quelles que soient les prétentions de raffinement existant dans le Sud, elles sont bâties sur des fondations pourries, des fondations qui sont une offense aux lois les plus fondamentales de l'homme et de Dieu. Le haineux système de main-d'œuvre gratuite du Sud dépend de la perpétuation de sa *force* de travail gratuit. Et d'où viennent les nouveaux travailleurs quand les plus vieux meurent au bord de la route, épuisés par le travail cruel ou tués par une discipline répressive ? Les nouveaux travailleurs viennent de ces mêmes plantations, car leur véritable récolte est une récolte humaine !

Un frisson, un murmure parcoururent la salle tandis que le public comprenait ce qu'elle voulait dire. Une femme se leva au balcon et traîna sa petite fille vers la sortie. Autour d'elle, beaucoup de personnes protestèrent et firent « chut ».

— Les plantations du Sud ne sont rien de moins que des élevages de Noirs, des maisons de tolérance gigantesques, sanctionnées, maintenues et subventionnées par une aristocratie dégénérée qui piétine les croyances chrétiennes des quelques très rares fermiers du Sud qui clament en vain leur protestation contre ces satyres déments, contre cette immoralité impie !

Aristocrates dégénérés ? Satyres déments ? Elevages de Noirs ? George, la gorge sèche, n'en croyait pas ses oreilles. Virgilia mettait tous les Sudistes dans le même sac, mais ses accusations ne pouvaient en aucun cas s'appliquer aux Main, à moins qu'il n'ait été délibérément trompé à Mont Royal. Il y avait de nombreuses iniquités dans l'esclavage, mais il n'avait rien vu de ce que Virgilia décrivait.

Il fut surtout horrifié par la réaction du public. Ces gens-là buvaient ses mots ; ils voulaient y croire. En bonne actrice, Virgilia sentait cette avidité déferler comme un flot vers les chandelles de la rampe et elle y réagissait. Elle s'écarta du lutrin pour qu'on puisse mieux la voir, pour montrer sa frénésie ardente, son regard flamboyant et ses mains tremblantes, crispées par la rage, frappant sa poitrine.

— Les pierres même s'insurgent contre tant de perversité. Tous les cœurs humains proclament leur outrage. Non. Non ! *Non !*

Au balcon, un homme reprit le cri et bientôt toute la salle le scanda :
— *Non ! Non ! NON ! NON !*

Progressivement, le tumulte se calma. Virgilia tendit la main vers le lutrin pour s'y appuyer. Elle haletait. Des plaques de sueur apparaissaient sur ses vêtements tandis qu'elle s'efforçait de retrouver le fil de son discours. Hors d'haleine, elle arriva à sa conclusion mais George n'écoutait plus. Il était atterré par ces déclarations insensées, et par l'immédiate acceptation de la foule.

De toute évidence, sa sœur avait trouvé une soupape pour des émotions longtemps refoulées. Sa façon de les étaler devant des centaines d'observateurs avait quelque chose d'indécent. Son langage était sexuel, son style presque orgiaque, alors qu'elle proclamait que la morale exigeait des mesures contre les élevages d'esclaves.

— Ils doivent être brûlés. Détruits. Eliminés ! Et leurs propriétaires avec eux !

George se leva pour quitter la loge, renversant sa chaise dans sa hâte. Il dévala l'escalier, pressé de respirer un peu d'air frais. Quand il arriva au rez-de-chaussée, les applaudissements faisaient trembler les murs. Il poussa une porte et jeta un coup d'œil dans la salle.

Tout le public était debout. Sur scène, Virgilia renversait la tête en arrière. Ses débordements avaient défait son chignon et mis le désordre dans sa tenue mais elle n'en avait cure. Sa figure rayonnait d'exaltation, de désir assouvi. Ecœuré, George se détourna.

Dehors, il aspira profondément l'air glacial, retrouva la neige avec joie. Il savait naturellement qu'il devrait confirmer à Virgilia qu'elle avait bien parlé, mais il avait aussi l'intention de lui reprocher ses généralisations non fondées.

Son discours et son attitude l'avaient profondément offensé, pas seulement sur le plan intellectuel mais pour des raisons personnelles. Bien évidemment, Virgilia était une femme adulte, responsable de sa propre vie. Néanmoins, il était scandalisé de voir sa sœur, ou tout autre femme, se donner en spectacle d'une manière aussi éhontée. En dépit de tout son vernis de vertu, son discours avait été un déferlement de passion sexuelle. Il lui avait permis de dire des choses qu'aucune femme, ni même aucun homme, n'aurait osé proférer en public dans un autre contexte.

Ce qui le navrait le plus, c'était que Virgilia y avait pris plaisir et pas uniquement pour les raisons de moralité qu'elle prétendait.

Même en mettant de côté ses considérations personnelles, il était bouleversé par les cris et les acclamations de la salle qui lui avaient révélé une dimension de la querelle sur l'esclavage qu'il n'avait jamais soupçonnée. Quelle que fût la valeur de la cause, Virgilia l'avait transformée : son appel à la justice était devenu une sordide, et même effrayante, exhortation à une sauvage guerre sainte. Les combattants ne manquaient pas. Il les entendait encore hurler et réclamer le sang du Sud.

Dans le train, il avait jugé que toute la faute était du côté sudiste, le camp des propriétaires d'esclaves, et aussi tout l'orgueil destructif. Ce soir, il avait appris une leçon terrifiante : il s'était trompé.

Une heure avait suffi pour modifier son opinion sur les abolitionnistes du Nord, car Virgilia exprimait certainement les vues des autres membres de ce mouvement. Combien d'entre eux s'intéressaient plus à l'affrontement qu'à la solution du problème ? Combien prêchaient la haine au lieu du bon sens ? George n'approuvait pas l'esclavage et n'excusait pas les Main à cause de ce qu'il avait vu ce soir, mais, pour la première fois, il pensait que le ressentiment des Main était fondé, tout comme ils l'affirmaient.

George acheva son voyage en bateau, le long du canal de Lehigh qui suivait le cours du fleuve dans la vallée, de Mauch Chunk à Easton. La Grande Vallée du Lehigh était depuis quatre générations la terre natale des Hazard. L'arrière-grand-père de George avait quitté son emploi aux forges de Pine Barrens, dans le New Jersey, à l'époque la principale région sidérurgique des colonies, pour se mettre à son compte en Pennsylvanie.

Le bateau suivit une longue courbe du canal et la petite ville de Lehigh Station apparut progressivement, avec en amont l'impressionnante étendue de Hazard Fer.

Un quartier misérable bordait le fleuve, habité par une population croissante d'Irlandais, de Gallois et de Hongrois récemment immigrés pour occuper les emplois créés par les usines en pleine expansion. Le fer et la fonte étaient de plus en plus utilisés dans le bâtiment. La mode exigeait des piliers et des corniches de fer et l'on manufacturait même des façades entières. Et, naturellement, Hazard produisait maintenant des rails de chemin de fer.

Sur les collines au-dessus des masures des ouvriers s'élevaient les belles maisons des commerçants, des contremaîtres et des directeurs des fonderies. La plus haute, la plus grandiose, était celle où George était né.

Il aimait cette maison parce que c'était la sienne mais il ne l'admirait pas du tout. Elle avait été construite un siècle plus tôt, mais ce premier corps de bâtiment avait disparu depuis longtemps, à la suite de diverses réfections et agrandissements de styles différents. La demeure avait maintenant trente à quarante pièces mais aucune unité, pas de nom et, surtout, pas de caractère.

Hazard Fer était une entreprise bruyante, active, malpropre. Ses énormes terrils défiguraient le paysage. La fumée était une abomination, la chaleur et le vacarme infernaux, mais il était de jour en jour plus évident que l'Amérique fonctionnait et se développait grâce au fer et aux hommes qui le produisaient. George avait cette affaire dans le sang et ce retour le lui fit mieux comprendre.

Il se demanda ce qu'en penserait Constance. Serait-elle heureuse, ici, mariée à un maître de forges et vivant dans un endroit si peu familier ? Il se promettait de tout faire pour la rendre heureuse quoique cette adaptation à Lehigh Station ne dépendait pas de lui, et il s'en inquiétait.

Il était heureux que ces histoires de la société anti-esclavagiste eussent retenu Virgilia en ville, lui permettant de rentrer seul et de reprendre peu à peu son ancienne vie, et toutes ses joies, et aussi ses chagrins. Son père n'était plus là. Il éprouva soudain des remords parce que, pendant un moment, il l'avait oublié, trop pris par ses retrouvailles avec le pays. Il faudrait qu'il aille se recueillir sur sa tombe, lui dire vraiment adieu.

# LIVRE DEUXIÈME

## AMIS ET ENNEMIS

*Les êtres humains peuvent être inconséquents mais la* nature *humaine est fidèle à elle-même. Elle a porté témoignage contre l'esclavage, dans un cri, depuis la conception du monstre. Jusqu'à ce qu'il périsse dans l'exécration de l'univers, elle suivra sa piste au bout du monde, en lançant ses traits sur sa tête et en le frappant de sa condamnation.*

THEODORE DWIGHT WELD,
*American Slavery as it is.*
1839

## CHAPITRE XVI

UNE FÊTE FUT DONNÉE A Noël pour célébrer le retour de George. Elle lui offrit l'occasion d'observer les changements survenus dans sa famille, en un temps relativement bref. Certains le surprenaient beaucoup.

Son frère Billy, par exemple, paraissait presque adulte, à douze ans. Son visage s'était rempli accusant les traits forts et solides des hommes du clan, à l'exception de Stanley. Ses cheveux châtains étaient plus foncés que ceux de George et ses yeux bleus moins pâles et moins intimidants. Il avait un sourire facile mais qui n'apparut pas quand il posa des questions intelligentes, sérieuses, sur la guerre. Qui était le meilleur général, Taylor ou Scott ? Quelle était la valeur comparée des armées américaine et mexicaine ? Que pensait George de Santa Ana ?

George ne crut pas que Billy fût aussi grave qu'il le paraissait, mais il se ravisa en pensant à ce qu'il avait été lui-même à l'âge de l'adolescent et aux mauvais cas dans lesquels il s'était fourré, parfois avec de jeunes femmes. Il se demanda avec désapprobation, si Billy en faisait autant. Puis il rit. Lui aussi, George, il avait changé.

Virgilia ne cessait de parler du mouvement anti-esclavagiste, qu'elle appelait son travail. Elle était non seulement fanatique mais toute gonflée de sa propre importance. Naturellement, George eut du mal à réprimer sa colère, quand il annonça qu'Harry serait son témoin et que Virgilia lança :

— Ah ! oui, ton ami esclavagiste. Eh bien, je te préviens tout de suite, ne compte pas sur moi pour être polie avec un individu pareil.

Le mariage menaçait d'être sinistre. Virgilia était apparemment résolue à gâcher la visite d'Harry et la jeune femme de Stanley, marié tout récemment, faisait de fréquentes allusions sarcastiques à la religion de Constance Flynn ainsi qu'à l'endroit où aurait lieu la cérémonie : une minuscule chapelle catholique sans prétention, au bord du canal.

Cela faisait un peu moins d'un an que Stanley avait épousé, pendant que George était au Mexique, Isabel Truscott, vingt-huit ans, deux ans de plus que son mari. Elle appartenait à une famille qui se vantait d'avoir parmi ses ancêtres un ami de William Penn.

George essaya d'apprécier Isabel. Son effort dans ce sens dura à peu près cinq minutes. Elle était laide comme un cheval, ce qui n'aurait pas eu tellement d'importance si elle avait été intelligente ou aimable, mais elle se vantait au contraire de ne rien lire, à part la rubrique mondaine. Il aurait voulu la plaindre, mais pourquoi ? Elle se jugeait parfaite, elle avait également une haute opinion de sa maison, de sa garde-robe, de son goût et de ses fils jumeaux, nés presque neuf mois jour pour jour après son mariage. Elle avait d'autre part déclaré à Stanley qu'elle n'aurait plus d'enfants, ayant trouvé cela fort déplaisant.

Avec une grande fierté, George montra à la famille un petit daguerréotype de Constance. Quelques minutes plus tard, alors qu'un valet servait le punch au rhum, Isabel lui dit :

— Miss Flynn est ravissante.

— Merci. Je suis bien de cet avis.

— Il parait que, dans le Sud, les hommes admirent avant tout la beauté physique. J'espère que ta fiancée n'est pas assez naïve pour croire qu'il en est de même chez nous.

George rougit. Isabel avait donc décidé de condamner Constance parce qu'elle était belle.

La réflexion de sa belle-fille ne plut pas à Maude Hazard. Stanley remarqua le froncement de sourcils de sa mère et fit un reproche à sa femme. Elle se tut pendant le reste de la soirée mais George resta convaincu qu'elle n'était pas définitivement réduite au silence.

Pour Noël, la grande cheminée blanche du salon avait été décorée de feuilles de laurier sauvage, ainsi que les portes et les fenêtres. Sur le manteau trônait l'orgueil de la famille, un vase de cristal de soixante centimètres de haut soufflé en 1790 par le grand John Amelung, du Maryland. Le père de William l'avait acheté dans un moment de prospérité. L'artisan y avait gravé un écusson et un aigle américain aux ailes déployées portant dans son bec un ruban avec la devise *E pluribus unum*. Il était normal que, vers la fin de la soirée, Maude s'approchât de la cheminée, près de ce splendide objet, pour adresser quelques mots à la compagnie.

— Maintenant que George est revenu parmi nous, nous devons procéder à un changement dans la direction de Hazard. Désormais, George, toi et ton frère aurez des responsabilités égales dans la conduite de la forge et de l'usine. Ton heure viendra plus tard, Billy, ne t'inquiète pas.

Stanley fit un grand effort pour sourire mais il eut plutôt l'air de sucer du citron. Maude continua :

— Comme la famille s'agrandit, nous ne pouvons continuer de vivre tous sous le même toit et, là aussi, nous devons nous adapter. A partir d'aujourd'hui, cette maison appartiendra à Stanley et à Isabel. Je resterai avec eux, pour le moment, ainsi que Billy et Virgilia.

Elle se tourna vers George et prit sur la cheminée un document plié, qu'il n'avait pas encore remarqué.

— Un des derniers souhaits de ton père était de t'offrir une maison à toi. Alors voici, pour toi et ta jeune femme. C'est l'acte de propriété d'une partie du terrain sur lequel nous sommes en ce moment. La parcelle est importante. Ton père a signé l'acte deux jours avant son attaque. Construis une maison pour Constance et vos enfants, mon chéri. Avec notre tendresse et nos bons vœux.

George accepta l'acte les larmes aux yeux. Billy applaudit. Stanley et Isabel l'imitèrent sans enthousiasme. George comprit leur attitude :

Stanley n'était pas homme à partager le rôle de chef de famille avec un frère qu'il jugeait inexpérimenté, de plus, et téméraire.

Constance et son père arrivèrent à la fin du mois de mars et le mariage eut lieu par une belle journée du début d'avril. Déjà, George assumait depuis trois mois ses nouvelles responsabilités.

Adolescent, il avait travaillé un peu partout dans la fonderie, mais maintenant il considérait l'entreprise avec l'œil d'un patron, et pas celui d'un jeune garçon impatient d'être ailleurs. Il s'obligea à faire le tour des hauts fourneaux, de la raffinerie et de l'usine, à n'importe quelle heure du jour, pour mieux connaître les ouvriers, et dans l'espoir de leur prouver qu'ils pouvaient avoir confiance en lui. Il posa des questions et écouta attentivement les réponses. Lorsqu'un problème se présentait facile à résoudre, il le faisait sur-le-champ.

Il lui arriva de passer des nuits à lire jusqu'à l'aube. Il examina la correspondance passée de la compagnie, étudia laborieusement des manuels de métallurgie et des brochures techniques. Sa curiosité agaçait Stanley. George s'en moquait. Ce qu'il découvrait était utile et parfois exaspérant. Les dossiers révélaient que, chaque fois que leur père avait accordé à Stanley la responsabilité d'une décision, invariablement Stanley avait choisi celle du moindre risque. Heureusement, William Hazard ne lui avait pas délégué trop de pouvoirs car George se convainquit que, dans ce cas, l'entreprise serait vite tombée à ce qu'elle aurait été au XVIII$^e$ siècle.

Il trouva le temps d'engager un architecte de Philadelphie pour arpenter son terrain et tracer les plans d'une maison. Les villas à l'italienne étaient à la mode. L'architecte en dessina une, de forme asymétrique avec une aile en équerre et une tour dans un coin. Cette tour, ou belvédère, donna son nom à la splendide demeure : *belvedere* voulait dire « belle vue » et, indiscutablement, ce fut ce que la maison terminée offrit. Les fondations venaient d'être creusées quand les Flynn, père et fille, arrivèrent.

Constance s'aperçut vite du mépris d'Isabel. Elle s'y résigna avec le sourire et, si Harry fut offensé par Virgilia pendant les fêtes du mariage, il le cacha bien. Les nouveaux mariés partirent pour leur voyage de noces à New York. Ils eurent une nuit à eux à Easton — une nuit de délices — avant qu'un messager rappelle George pour la première d'une longue succession de querelles avec son frère.

Un des hauts fourneaux avait explosé, par suite des énormes forces contenues à l'intérieur ; ce genre d'accident n'était pas rare. Deux ouvriers avaient été tués. Après son inspection, George alla rejoindre Stanley dans son bureau.

— Pourquoi n'a-t-on pas installé des bandes de protection autour des conduits ? Les dossiers indiquent que les crédits avaient été alloués.

Stanley était pâle, fatigué, et il répliqua sur un ton acerbe :

— C'était une idée de papa, pas la mienne. Après sa mort, j'ai annulé l'installation. Les commandes avaient un peu baissé. J'ai pensé que nous ne pouvions pas nous le permettre.

— Tu crois qu'il est plus facile de se permettre deux morts et deux familles sans père ? Je veux qu'on installe immédiatement ces bandes. Je vais en rédiger l'ordre.

Stanley monta sur ses grands chevaux.

— Ton autorité ne te permet pas...

— Tu veux rire ! Ton autorité à toi ne surpasse la mienne que sur un seul point. Tu es le seul à avoir la signature pour les banques. Ces bandes seront installées, et nous remettrons mille dollars à chaque famille.

— C'est complètement stupide !

— Pas si nous tenons à avoir de bons ouvriers, pas si nous voulons dormir tranquilles. Tu vas signer toi aussi, Stanley, sinon je rassemble une centaine d'hommes et je fais le siège de ta maison jusqu'à ce que tu signes !

— Sacré parvenu, jura Stanley, mais quand les deux billets à ordre pour les familles des morts lui furent présentés, il obtempéra.

Et quand il parla à sa mère de l'installation des bandes protectrices, il lui laissa entendre que l'idée était de lui.

Zachary Taylor remporta l'élection présidentielle en novembre 1848. Ce même mois, Belvedere fut terminé et George s'y installa avec Constance enceinte. Bientôt après, William Hazard III naquit dans leur lit à baldaquin.

Le jeune ménage adorait la nouvelle maison. Constance meubla d'abord la nursery, puis elle remplit les autres pièces d'un beau mobilier coûteux mais confortable, destiné à être plus utilisé qu'admiré.

George discutait de toutes ses décisions importantes avec sa femme. Elle ne connaissait rien au fer — du moins au début —, mais elle avait l'esprit vif, du sens pratique et elle apprenait vite. Il lui avoua qu'il craignait d'aller au-devant de l'échec en réglant trop rapidement, même avec témérité, bien des questions où il n'était guidé que par son instinct, mais il croyait que le progrès réel était à ce prix. Constance fut d'accord avec lui.

Bientôt, le réseau en pleine expansion des chemins de fer américains consomma tous les rails que l'usine pouvait fournir en travaillant vingt-quatre heures sur vingt-quatre, et cela en dépit d'un climat économique défavorable, mais George dut se battre pied à pied avec son frère, pratiquement sur tous les points importants.

— Bon Dieu, Stanley, nous sommes en plein pays producteur de charbon, et tu n'as pas l'air de t'en rendre compte. Il y a déjà près de cent cinquante ans que les Darby ont commencé à fondre du fer avec le coke, en Angleterre. C'est encore trop expérimental pour toi ?

Stanley regarda George comme s'il était devenu fou.

— Le charbon de bois est de tradition et entièrement satisfaisant. Pourquoi changer ?

— Parce que les arbres ne dureront pas éternellement, surtout à l'allure où nous les utilisons.

— Nous les utiliserons jusqu'à ce qu'il n'y en ait plus et ensuite nous aviserons. ·

— Mais le charbon de bois est sale ! S'il peut faire ça, poursuivit George en passant un index sur le bureau de Stanley et en lui mettant son doigt noir sous le nez, qu'est-ce qu'il fait quand nous respirons la fumée et la poussière ? Il me faut ton accord pour construire tout de suite une fonderie expérimentale de...

— Non. Je ne la paierai pas.

— Stanley...

— Non. Pour tout le reste, tu as gagné, mais là, je ne te suivrai pas.

George voulait aussi investir pour retrouver un procédé perdu, par lequel les frères Garrard avaient produit un acier de haute qualité, à Cincinnati, dans les années 1830. Cyrus McCormick avait suffisamment apprécié l'acier Garrard pour en faire les lames de ses premières moissonneuses. Une baisse des tarifs douaniers, sous le gouvernement Jackson, avait permis à l'acier européen de subvenir à la faible demande américaine et l'industrie sidérurgique américaine naissante avait été étouffée.

Maintenant, l'Amérique produisait, chaque année, à peine deux mille tonnes d'acier à haute teneur en carbone. Avec l'expansion, George prévoyait cependant un besoin plus grand et un marché en pleine croissance. Le problème n'était pas celui de la fabrication même de l'acier, que l'on connaissait depuis des siècles, mais celui de l'obtenir assez rapidement pour que sa production soit lucrative. Le vieux procédé de cémentation durait dix jours pour fournir une minuscule quantité. Les Garrard avaient sans doute découvert une meilleure méthode. George décida de poursuivre son enquête et céda sur le coke.

Certainement poussé par Isabel, Stanley répondait non à presque toutes les propositions de son cadet. Ce fut le cas pour l'acier. George, pendant des jours, ne décoléra pas et sa fureur ne s'apaisa que lorsque Constance lui annonça qu'elle portait leur second enfant.

Au cours de l'été 1849, Stanley et sa femme reçurent un visiteur de Middletown. L'invité passa la nuit chez eux. George et Constance ne furent pas invités à dîner. Virgilia était à Philadelphie et Maude Hazard avait emmené Billy à New York pour les vacances. Une curieuse discrétion semblait avoir été organisée.

Du point de vue mondain, George n'en fut pas offusqué, mais il s'interrogea sur le but de cette visite inattendue. Il reconnut immédiatement le grand homme distingué qui descendit d'une voiture et disparut dans la maison de Stanley pour le reste de la soirée. Simon Cameron était bien connu en Pennsylvanie où, au fil des années, il s'était enrichi dans l'imprimerie, la banque, le développement des chemins de fer et même une fonderie.

George devina que c'était probablement un tout autre intérêt qui amenait le visiteur à Lehigh Station. La politique, peut-être ? Et dans la soirée George, au lit, établit soudain un rapport entre la situation de Cameron, écarté par le comité démocrate, et un autre incident.

— Bon Dieu ! Est-ce lui qui reçoit nos effets de banque ? lança-t-il tout haut.

— De quoi parles-tu, mon chéri, demanda Constance.

— Trop long à t'expliquer. Seulement je viens de découvrir que, depuis trois mois, Stanley a signé, chaque mois, un billet à ordre de cinq cents dollars, sans nom, au porteur. Il aide peut-être Cameron à se remettre en selle ?

— A retourner au Sénat ?

— C'est possible.

— Sous l'étiquette démocrate ?

— Non, c'est impossible. Il a déplu à trop de gens en s'écartant de la ligne du parti, du vieux Jim Buchanan, en particulier. D'autre part, on ne se débarrasse pas si facilement d'un Cameron. Ça ne fait que l'aiguillonner. Il faut que je sache si Stanley lui donne de l'argent pour organiser une nouvelle campagne.

— Ces disputes avec Stanley te font vieillir trop vite, murmura sa femme en l'embrassant.

— Où en es-tu avec Isabel ?

Constance se détourna avec un haussement d'épaules trop exagéré pour être sincère.

— Elle ne me gêne pas.

— Tu ne te plaindras jamais mais je sais qu'elle te fait souffrir.

— Oui, c'est vrai, avoua Constance, soudain vaincue. Elle est foncièrement mauvaise. Dieu me pardonne, mais je voudrais que la terre les engloutisse tous les deux !

Elle se blottit dans les bras de son mari et pleura.

— Oui, j'ai fait des dons à Cameron, reconnut Stanley le lendemain matin en agitant une main devant lui. Dis-moi, faut-il vraiment que tu fumes ces horreurs ici ?

George, sans vergogne, continua de tirer sur son cigare cubain.

— Ne change pas de conversation, dit-il. Tu lui donnes donc de l'argent qui devrait être réinvesti dans notre affaire. Ce qui est pire, tu en fais cadeau à un politicien marron.

— Ce n'est pas un politicien marron. Il a toujours servi avec distinction.

— Ah oui ? Alors pourquoi les démocrates l'ont-ils écarté lors du second mandat ? Sa carrière est chaotique. Personne ne sait jamais quelle est sa position, ni de quel parti il se réclame, à moins bien sûr que ce soit le parti opportuniste. Quelle est son affiliation actuelle ?

Stanley toussa fortement pour manifester encore son dégoût de la fumée et se donner le temps de trouver une réponse. Derrière la fenêtre du bâtiment administratif en bois, des hommes dépenaillés descendaient de la colline : c'était l'équipe de nuit des hauts fourneaux. Un convoi de six wagonnets transportant du charbon de bois les croisa.

— Il élabore une nouvelle administration de notre Etat, répondit enfin Stanley. Il n'oubliera pas ceux qui l'auront aidé.

— Stanley ! Tu sais que ce type est un charlatan ! Tu connais la vieille blague qu'on raconte sur lui, sa définition de l'homme politique honnête ? « Une fois acheté, il reste acheté. » Tu veux t'associer avec un individu pareil ?

Stanley ne se troubla pas.

— Simon Cameron sera une puissance en Pennsylvanie. Il a simplement subi quelques revers temporaires.

— Eh bien, ne l'aide pas à les surmonter avec notre argent ! Si tu continues, je serai forcé d'en parler à maman. Je regrette, mais c'est le seul moyen de t'arrêter, à part la bagarre.

Stanley fronça les sourcils et ne trouva pas de sarcasme amusant. George l'intimidait et lui faisait même un peu peur. Il se mordilla la lèvre.

— Bon, très bien. Je réfléchirai à ton objection.

— Merci, dit sèchement George, et il sortit du bureau.

Il savait qu'il avait gagné. Il avait employé une arme, une menace à laquelle il n'avait encore jamais eu recours et il en était navré. Mais il n'avait pas le choix.

## CHAPITRE XVII

GEORGE APPELÉ PAR UN contremaître effrayé courait à toutes jambes vers l'usine des rails. Une querelle avait causé un accident. Dans ces cas-là, Stanley s'effaçait toujours devant son frère parce que, disait-il, George possédait la fibre populaire. Si la réflexion avait été d'Isabel, George l'aurait considérée comme une insulte.

L'été avait été exceptionnellement chaud et l'automne n'apportait aucune amélioration. Les nerfs de la famille Hazard étaient fréquemment à vif et George avait conscience de la tension dans les usines où la chaleur était infernale.

L'usine des rails était du type appelé « belge » dans le métier. Un long tapis roulant de métal incandescent était laminé sous des rouleaux filetés montés sur des supports. Entre les supports, les ouvriers saisissaient le métal avec de longues pinces et le guidaient vers les rouleaux suivants. C'était un travail pénible, dangereux, et une grande partie du risque aurait été éliminée si l'on avait découvert un système permettant le passage continu du métal sous les rouleaux. Un patron d'usine nommé Serrell avait presque réussi, quelques années plus tôt à New York, mais son projet n'était pas au point. George aussi s'était attaqué au problème, sans succès jusqu'à présent.

Il parvint hors d'haleine à l'atelier où le travail s'était arrêté. En arrivant sur le lieu de l'accident, il vit que le métal introduit dans les premiers rouleaux était déjà refroidi. Un ouvrier gisait, gémissant, sur le sol de terre battue. George eut un haut-le-cœur en sentant l'odeur de vêtements et de chairs brûlés.

Le blessé était un Slave dont George ne pouvait prononcer le nom, un excellent ouvrier, contrairement à son camarade à ce poste, un colosse nommé Brovnic.

— Nous avons envoyé chercher le docteur Hopple, précisa le contremaître.

— Très bien.

George s'accroupit à côté du blessé et du ruban de fer tordu et froid. Le métal était tombé en diagonale, sur le flanc droit de l'homme, brûlant sa chemise, sa poitrine et son avant-bras nu. Le spectacle était horrible. George réprima une envie de vomir. Dieu seul savait si l'homme pourrait un jour se servir à nouveau de son bras. George demanda comment c'était arrivé.

— Un accident, grommela Brovnic.

Sa mâchoire en avant menaçait quiconque oserait le contredire mais n'intimidait personne. Un autre ouvrier luisant de sueur s'avança.

— Accident mes fesses ! lança-t-il. Brovnic court après la femme de Tony. Tony lui a dit d'arrêter et...

Brovnic jura. Trois hommes l'empoignèrent et le retinrent tandis que l'accusateur montrait le ruban de métal.

— Brovnic l'a fait tomber avec ça et puis, il le lui a jeté dessus.

— Sale menteur ! glapit Brovnic en se débattant, et il se serait libéré si George ne s'était pas redressé pour le repousser.

— Tu n'as causé que des ennuis depuis que je t'ai embauché, Brovnic. Va chercher ta paie et fous le camp. Tout de suite.

Le cœur de George battait rapidement. Brovnic le toisa.

— Je ne vous conseille pas...

— Tout de suite, j'ai dit !

George devait rejeter la tête en arrière pour regarder le colosse dans les yeux.

— Je vous aurai, promit Brovnic en s'éloignant.


— Nous devrions songer à acheter une villa pour l'été, proposa Maude Hazard. Ces derniers mois, le temps, ici, a été abominable.

— D'accord, répondit Stanley. Isabel se plaint jour et nuit de la chaleur.

Penché sur un registre, George lui jeta un coup d'œil, comme pour souligner qu'Isabel se plaignait toujours de quelque chose.

— Nous avons les moyens de nous offrir un cottage d'été, reprit Stanley. As-tu une idée où nous devrions chercher, maman ?

— La côte atlantique serait agréable.

On étouffait dans le petit bureau. Depuis deux heures, Brovnic avait quitté l'usine, fou de rage. Mrs Hazard venait d'arriver pour sa visite hebdomadaire dont elle avait pris l'habitude après la mort de son mari. Auparavant, elle n'avait jamais mis les pieds sur les lieux de travail.

Au début, Stanley avait tenté de la décourager, affirmant qu'il était inconvenant pour une dame, de se mêler de commerce. George, dès son retour, avait vite compris la véritable raison de cette opinion. En quelques mois, leur mère en avait plus appris sur la manufacture, l'inventaire et le chiffre d'affaires que son fils aîné n'en comprendrait en une vie entière.

— Harry m'a signalé que beaucoup de planteurs de la Caroline du Sud passent l'été à Newport, dit George.

— Ah oui ? Il paraît que l'île d'Aquidneck est superbe, en effet.

Stanley allait émettre une objection quand la porte s'ouvrit brusquement. Brovnic apparut, empestant le whisky et brandissant un vieux pistolet. Maude Hazard poussa un cri et resta pétrifiée. Stanley se jeta par terre.

— Je vous ai prévenu ! hurla Brovnic, mal assuré sur ses jambes, clignant des yeux vers le canon de son arme qu'il braquait sur George.

Sans hésitation, George s'empara d'un encrier et le lança à la figure de l'ouvrier.

Ruisselant d'encre noire, Brovnic rugit et recula contre la porte. Le coup partit mais la balle se logea dans le plafond. George déjà avait sauté la barrière de bois séparant en deux le bureau. Il arracha le pistolet de la main de Brovnic et le lui abattit sur le nez. L'ivrogne fou de rage tendit vers lui ses deux mains noires. George recula d'un pas et expédia son pied botté dans l'entrejambe de Brovnic.

L'homme hurla et battit des bras en tombant à la renverse. A ce moment seulement, la panique saisit George. Prenant appui contre la porte, il fit signe à quatre ouvriers qui passaient.

— Empoignez cet ivrogne imbécile. Que l'un de vous courre au village et ramène le constable.

156

Stanley se releva. Sa mère n'avait absolument pas bougé. Elle regarda son fils aîné et dit posément :

— Tu aurais dû aider ton frère. Il aurait pu être tué.

Stanley rougit, trop suffoqué pour parler. Pour la première fois, sa mère choisissait entre ses deux fils. Cela n'augurait rien de bon pour l'avenir.

— Encore un déraillement, annonça Constance. Quatre morts. C'est le troisième de la semaine.

Elle secoua la tête et replia le journal. George continua d'examiner des plans d'architecte étalés sur la table de la bibliothèque.

— Plus on construit de voies, répondit-il sans lever les yeux, plus nombreux sont les trains et plus les risques d'accidents augmentent.

— C'est une explication trop simple. J'ai souvent entendu dire que la moitié des accidents, au moins, pourraient être évités.

— Possible. Il y a l'erreur humaine, les mauvais matériaux employés pour le ballast ou le matériel roulant. La sécurité serait accrue, aussi, si les chemins de fer adoptaient une largeur de voie uniforme.

Il se leva, s'étira et allongea le bras pour déplacer un peu l'objet qu'il gardait exposé sur sa table, comme si c'était une œuvre d'art inestimable. Ce n'était pourtant que le fragment de météorite qu'il avait trouvé près de West Point quand il était cadet. Il le conservait comme un trésor parce qu'il prétendait que cela résumait l'ampleur et la signification de son travail. Constance sourit en remarquant qu'il l'avait à peine changé de position. George contourna la table pour venir embrasser sa femme sur le front.

— Comme dirait Harry, reprit-il, le progrès a toujours eu son prix.

— Il y a longtemps que tu n'as pas reçu de ses nouvelles.

— Six semaines...

Il s'approcha de la fenêtre. Les lumières de Lehigh Station scintillaient sous la première neige de l'hiver.

— Je lui ai écrit pour l'inviter à amener tous les Main à Newport l'été prochain.

En octobre, George et Stanley avaient visité l'île, dans la baie de Marragansett, acheté une grande maison ancienne et cinq hectares de terrain sur la route de Bath, à deux pas d'une plage. Un architecte de Providence venait de leur soumettre les plans de modernisation que George examinait. Il avait promis que les travaux seraient terminés avant la saison d'été de 1850.

— Newport est une villégiature du Nord. Crois-tu qu'il acceptera l'invitation ?

— Je ne vois pas pourquoi il refuserait. Les Caroliniens du Sud continuent d'y affluer en été.

En effet, à la mi-décembre, George reçut une lettre annonçant que cette réunion aurait bien lieu. La nouvelle arriva par une journée de froid intense. Ce soir-là, George se coucha auprès de sa femme qui était dans ses derniers jours de grossesse et, comme d'habitude, lui parla des événements de la journée.

— J'ai reçu une lettre d'Harry, lui confia-t-il.

— Enfin ! Est-elle gaie ? demanda-t-elle d'une voix un peu essoufflée.

— Pas beaucoup, mais il promet de nous rendre visite l'été prochain et d'amener tous ceux qu'il réussira à convaincre.

— C'est... merveilleux, lança Constance, mais je crois que... pour le moment... tu ferais mieux d'envoyer chercher le docteur Hopple.

— Quoi ? C'est le moment ? Là, tout de suite ? Mon Dieu ! C'est pour ça que tu as ce souffle court.

Il sauta du lit et, dans sa précipitation perdit l'équilibre et tomba lourdement sur le dos.

— *Ouille !*

— Oh, Seigneur ! s'écria Constance non sans humour. Si tu souffres et si tu cries comme ça, nous ne pourrons plus avoir d'autres enfants !

A l'aube, elle donna le jour sans grande difficulté à Patricia Flynn Hazard. George reçut la nouvelle dans la bibliothèque, où il massait son pied bandé.


Billy, quatorze ans et plus grand de jour en jour, revint de pension pour les vacances de Noël. Ravi de sa nouvelle nièce, il passa le plus clair de son temps à Belvedere, bien que toutes ses affaires fussent chez Stanley.

— Raconte-moi l'histoire de la bataille à Churubusco, demandait-il souvent à George qui aimait évoquer ses souvenirs près d'une belle flambée, et se plaisait à retenir son jeune frère loin de Stanley et d'Isabel, car depuis l'incident avec Brovnic, maintenant en prison à Harrisburg, Stanley était maussade, Isabel plus odieuse que jamais. Il déplorait leur mauvaise influence et se félicitait que Billy soit en pension pendant la plus grande partie de l'année.

— Harry m'a l'air d'être quelqu'un de très bien, déclara Billy après l'un des longs monologues de George sur West Point.

— Il l'est. Il est aussi mon meilleur ami. Tu feras sa connaissance l'été prochain.

— Est-ce qu'il bat ses nègres ?

— Je ne le pense pas.

— Il en possède, n'est-ce pas ?

La réprobation de Billy était évidente. George fronça les sourcils en attrapant la carafe de bordeaux, mais il lui était impossible d'éluder la question.

— Oui, il en possède quelques-uns.

— Alors je change d'avis. Il ne peut pas être aussi bien que tu le dis.

— Tu penses ainsi parce que tu auras bientôt quinze ans. A ton âge, on n'est jamais d'accord avec les grandes personnes.

— Oh que si ! riposta Billy, la preuve c'est que je suis d'accord avec tout ce que tu racontes de l'Académie. Ça doit être un endroit merveilleux.

George but un peu de vin, en écoutant les bruits familiers de la maison. Il pensait que les familles ont besoin de traditions et il venait d'en imaginer une, magnifique, mais il ne voulait pas la proposer trop directement à un adolescent précoce. Billy la repousserait trop facilement. Il reprit :

— Oh ! il y avait aussi de mauvais moments, mais on se sentait beaucoup plus un homme quand on les avait surmontés. Il y avait aussi beaucoup de grands moments. Je me suis fait de bons amis là-bas. Tom Jackson... qui est professeur dans un collège militaire en Virginie. George Pickett aussi. Et il est indiscutable que West Point offre la meilleure éducation scientifique d'Amérique.

Billy sourit de toutes ses dents.

— Moi, ce qui m'intéresse le plus, c'est de livrer des batailles.

George revit soudain le sanglant combat de Churubusco, le bras emporté d'Harry. C'est parce que tu ne sais pas ce qu'est une bataille, songea-t-il.

— Tu sais, George, reprit Billy, un peu hésitant, je voulais te demander ce que tu pensais...

George réprima un mouvement joyeux.

— A propos de quoi ?

— Eh bien, que j'aille à l'Académie, comme toi, expliqua le garçon, les yeux brillant d'admiration pour son frère.

— Tu crois que ça te plairait ?

— Oh oui ! Beaucoup !

— Merveilleux !

Il savait le métier des armes dur, affreux parfois. Au plus fort de la guerre, il l'avait trouvé répugnant et inhumain. Maintenant, il n'avait pas changé d'avis ; cependant il considérait qu'un homme ne pouvait, dans son pays et à son époque, mieux débuter dans la vie qu'en passant par West Point. Il ne l'avait pas toujours cru et le fait qu'il en était fermement persuadé à l'heure actuelle montrait en lui un changement qui l'étonnait lui-même.

— Tu sais, la concurrence pour l'admission est féroce. Tu ne seras pas prêt à y entrer avant... voyons un peu... pas avant trois ans. Tu aura dix-sept ans si tu t'engages avec la classe de cinquante-six. Ce serait idéal. Je vais m'informer pour savoir s'il y aura une place à ce moment-là... Je vais m'en occuper immédiatement.

Il tint parole.

# CHAPITRE XVIII

VERS LA FIN DE 1849, LE long de l'Ashley, on assurait en parlant d'Harry que, chaque mois, sa barbe était un peu plus longue et sa conversation plus courte.

Pourtant il ne cherchait pas à être sec, bref seulement. Il triait et organisait constamment dans sa tête des centaines de détails concernant la famille et la plantation. Comme toutes les semaines ou presque, une crise survenait, exigeant son intervention, son temps était précieux, il l'économisait quand il causait avec d'autres personnes.

Si voisins et relations prenaient cela pour une humeur maussade — un des changements causés par sa blessure de guerre — cela ne le gênait pas du tout. Et cette réaction avait ses bons côtés : les gens n'attendaient pas de lui qu'il parle de sa vie personnelle, pas plus qu'ils n'insistaient quand un sujet risquait de le mettre hors de lui.

Tous, à l'exception de son père.

Theo avait maintenant cinquante-cinq ans, la goutte et un caractère irascible.

— Bon Dieu, mon fils, tu es un excelllent parti, que diable, dit-il un jour dans la bibliothèque. Pourquoi refuses-tu de te chercher une femme ?

La pluie de décembre battait les carreaux. Harry soupira et posa sa plume. Il additionnait des chiffres dans un des registres qu'il avait rapportés du bureau. Salem Jones était responsable des comptes et les tenait depuis que la santé de Theo avait commencé à décliner. Dans ces registres, il notait le nombre de barils envoyés à chaque expédition à Charleston.

Harry par hasard avait jeté un coup d'œil sur le chiffre de l'année en cours. Les chiffres soigneusement inscrits ne lui avaient pas paru concorder avec le souvenir qu'il gardait des barils sortis de la plantation. Ils ne concordaient pas non plus avec l'image très nette d'une énorme pile attendant sur la jetée... Depuis des semaines il songeait à vérifier cela. Il termina ses comptes avant de se tourner vers son père.

— Puis-je demander de qui vient cette question que je croyais réglée à la satisfaction de tous ?

— De ta mère, pas de la mienne, répliqua Theo en brandissant la dernière lettre de Cooper. Regarde, ton frère sert de cavalier à de jeunes personnes à marier dans tous ces bals et ces réceptions de Noël. Si jamais ça devient sérieux au sujet de l'une ou de l'autre, il se fera envoyer au diable par le père à cause de ses scandaleuses idées. Mais la vie, conjugale ou non, de ton frère ne m'intéresse pas. Je le cite simplement en exemple. Tu devrais te marier et fonder une famille.

Harry secoua la tête.

— Trop de travail.

— Enfin, tu dois quand même éprouver le besoin d'une compagnie féminine ! Un homme vigoureux de ton âge...

Harry sourit et Theo se tut, soulagé.

— Je m'en occupe, ne vous inquiétez pas.

Le père sourit à son tour.

— C'est ce que j'ai entendu dire. Mais ces femmes-là, qui ont toutes du sang nègre, ne sont bonnes qu'à une chose. Tu ne peux pas épouser ça.

— Je n'en ai pas l'intention. J'ai souvent dit, déclara Harry en effleurant du bout de sa plume sa manche repliée et épinglée, que je ne me considère plus comme bon à marier. Maintenant, si vous le permettez, Père, j'aimerais me remettre au travail. J'ai découvert des trucs assez curieux... et qui remontent à deux ans et demi.

Il se pencha de nouveau sur le registre, ravi que l'on sache la vie qu'il menait. Depuis un an il avait eu plusieurs maîtresses, la dernière en date étant une jeune couturière mulâtre qu'il avait connue lors d'un voyage à Charleston.

Ces diverses femmes lui apportaient la seule chose que Madeline, d'après leur accord, ne pouvait lui donner, mais en dépit de ce que pensait Theo, ce n'était pas pour répondre à ce besoin qu'il les fréquentait. Il agissait ainsi pour que cela se sache et que l'on ne fasse pas de rapprochements dangereux avec chacune de ses absences de Mont Royal et celles de Madeline le même jour de Resolute. Il était aussi important pour lui de la préserver de tout soupçon que de la voir régulièrement.

Il reprit ses additions. Ce qu'il avait découvert était nettement suspect et il s'y consacra pendant une demi-heure, tandis que son père s'assoupissait. Le vieux monsieur fut réveillé en sursaut par un bruit semblable à un coup de pistolet. C'était Harry qui d'un claquement sec avait brusquement fermé le registre.

— Qu'est-ce qui se passe ?

— Bien des choses, Père, et surtout que nous avons abrité un voleur chez nous. Il vous a récompensé de votre confiance et de vos bontés en vous trompant. Cette fripouille ne m'a jamais plu, d'ailleurs. Je vais me débarrasser de lui immédiatement.

— Mais qui ? demanda Theo, dérouté et encore à moitié endormi.

Harry sur le seuil se retourna.

— Jones.

— Mais... je l'ai embauché. Tu ne peux pas le jeter à la porte comme ça !

— Excusez-moi de ne pas être de cet avis, répliqua Harry d'une voix si basse et si dure que son père l'entendit à peine dans le crépitement de la pluie. Je suis maintenant responsable de cette plantation. Vous admettrez ma décision quand je vous montrerai la preuve. D'ailleurs, même si vous ne l'admettez pas, Jones sera renvoyé.

Harry regarda son père, fixement mais sans colère. Sa barbe, ses yeux, sa haute charpente maigre, sa manche vide... tout cela fit soudain un curieux effet à Theo. Il eut l'impression de discuter avec un inconnu, un inconnu assez inquiétant.

— Comme tu voudras, murmura-t-il.

Son fils hocha brièvement la tête et sortit.

Les registres serrés sous son bras, une vieille cape voletant et se gonflant autour de lui, il descendit à pied jusqu'à la maison du surveillant. Sous la pluie, il allait à grands pas et était tellement absorbé qu'il ne remarqua pas le cousin Charles, assis sur le perron obscur d'une des cases.

Jones dormait. Harry le réveilla à grands cris, puis il l'affronta dans sa cuisine. La visite surprise troublait le surveillant. De la sueur luisait sur son front et formait des plaques sombres sur sa chemise de nuit. Il avait avec lui sa cravache et son gourdin. Apparemment, il devait dormir avec eux.

Harry jeta les registres sur la table et une expression de panique apparut dans les yeux de Jones.

— C'était simple, n'est-ce pas ? commença Harry. Dans le registre permanent de chaque envoi, vous indiquiez un total en dessous de la réalité. Vous alliez jusqu'à douze barils de moins que le nombre embarqué, mais nos dépositaires payaient exactement le nombre de barils reçus. Comme vous teniez aussi les livres de ces transactions, il vous suffisait d'inscrire une somme correspondant à votre propre total et d'empocher le surplus. La dernière fois où je suis allé à Charleston, j'ai examiné les bordereaux du dépositaire. Ils prouvent qu'ils nous ont réglé des sommes supérieures à celles que vous avez entrées en compte. C'est bien cela ?

Jones serra le gourdin contre son gros ventre, comme s'il était pris de douleurs.

— Vous ne pouvez prouver que c'est moi le responsable des différences.

— Peut-être pas en justice, encore que je n'en sois pas certain. Jusqu'à mon retour du Mexique, personne n'a tenu ces livres, à part vous et mon père. Il est malheureusement devenu trop faible avec vous et il a toujours été trop confiant. Cependant je ne crois pas qu'il se volerait lui-même.

— Quoi que vous disiez, vous ne pourrez rien prouver...

— Assez avec vos preuves. Je n'ai pas besoin d'un verdict pour vous renvoyer. Ma décision est prise.

— C'est injuste! protesta Jones. Je me suis entièrement consacré à cette plantation.

Le visage d'Harry s'assombrit. De petits reflets brillèrent dans ses yeux.

— Vous avez beaucoup pris aussi.

— Je ne suis plus jeune, Mr Main. Je vous supplie de m'accorder une autre chan...

— Non !

Jones posa la cravache.

— Il me faudra au moins une semaine pour rassembler mes affaires.

— Vous déguerpirez de cette maison à l'aube. Je donnerai l'ordre aux gardiens de brûler tout ce qui sera encore là au matin.

— Allez au diable ! glapit soudain Jones, et l'ombre de son gourdin levé dansa sur le mur et le plafond. Il tenta d'atteindre Harry au front, mais ce dernier pivota, pour mieux se servir de sa main droite. Il saisit le poignet de Jones et maintint la massue en l'air.

— Je ne suis pas un des esclaves, Jones. Si vous osez élever de nouveau la voix ou la main sur moi, vous descendrez le fleuve sur une civière.

Tremblant de fureur, il arracha le gourdin de la main du régisseur et le fourra sous son bras. D'un mouvement vif, il ramassa les registres et sortit. Il vit à peine le cousin Charles, appuyé contre un des piliers, l'air surexcité, admiratif.

— Qu'est-ce qui se passe ? demanda le garçon. Jones a fait quelque chose de mal ?

La pluie s'était changée en brouillard. Harry descendit rapidement du perron et le bruit de ses bottes couvrit sa réponse brusque. Charles crut qu'il ne s'était pas donné la peine de lui répondre. Le ressentiment remplaça l'admiration dans son regard.

CHAPITRE XIX

UNE GRANDE PARTIE DE CE que savait Madeline sur la vie d'une plantation et le rôle que devait y jouer une femme responsable venait de ce qu'elle avait appris de ses voisines dont la plus importante était Clarissa Main. Bien que venant de milieux différents, elles avaient un caractère semblable. Et peut-être Clarissa avait-elle deviné les sentiments de son fils pour la femme de Justin. Toujours est-il que Madeline passait des heures à Mont Royal où Clarissa lui donnait patiemment des leçons.

Une des premières choses qu'elle découvrit ce fut d'avoir à servir de sage-femme. Au début de février, vers dix heures du soir, elle fut appelée au village des esclaves pour s'occuper d'une fille des champs nommée Jane.

Plusieurs femmes noires étaient réunies dans la case. Madeline s'agenouilla et laissa la fille enceinte se cramponner à ses mains chaque fois qu'un spasme la secouait. Une autre femme l'avait précédée mais Jane avait refusé son aide. C'était seulement en Madeline, la maîtresse, qu'elle avait confiance, comme si elle détenait un pouvoir guérisseur.

Madeline aida à attacher les pieds de Jane en position, puis elle observa comment la vieille sage-femme, Tante Belle, manipulait son forceps de bois. Pour les accouchements moins compliqués, Madeline était seule. Cette fois, à cause des difficultés, elle s'en référait à Tante Belle qui avait été appelée tout exprès. Le bébé avait une mauvaise position, mais Tante Belle le retourna adroitement avec le forceps et l'amena bientôt à l'air.

Tante Belle était une maigre quarteronne de soixante-cinq, soixante-dix ans, qui vivait au fond des marais, seule, et aidait dans les accouchements difficiles. On la payait en nature, avec des provisions, une pièce d'étoffe, du tabac à chiquer. Elle berça le nouveau-né humide, couleur chocolat, comme si c'était le sien.

— Il ira très bien, déclara-t-elle. Je m'y connais. J'ai survécu à l'enfer, aux cyclones et à des maris. Si j'ai pu y arriver, pensez un peu à ce que ce jeune homme fera !

Madeline contempla la case misérable. Depuis des années on n'avait pas recrépi les murs. Elle se demanda une fois de plus, pourquoi une femme souhaitait mettre un enfant au monde, s'il était condamné d'avance à la pauvreté et à la servitude. Depuis quelque temps, elle comprenait mieux ce que les abolitionnistes réclamaient et pourquoi.

Quand elle s'en alla, un peu plus tard, Tante Belle s'approcha d'elle :

— Vous êtes une bonne chrétienne. Tout le monde dit ça de vous, maîtresse. Je vous ai observée ce soir. Si jamais vous avez un problème et si je peux vous aider, vous me trouverez.

— Merci, Tante Belle.

Emue, Madeline retourna dans la grande maison où elle trouva Justin plongé dans un album de lithographies de chevaux de course. Certes, les esclaves la respectaient, mais pas lui, son mari. Ce fut de nouveau évident dès qu'elle avoua d'où elle venait.

— Quels progrès ! railla-t-il. Tu es capable de mettre des négrillons au monde. Dommage que tu ne puisses pas en faire un toi-même.

Elle se détourna, blessée une fois de plus. Il le sentit et retourna le fer dans la plaie.

— Tu aurais peut-être besoin d'une aide spéciale ? Dois-je choisir un de mes nègres pour servir d'étalon ? Il me semble que tu as un faible pour les Noirs alors que tu n'en as guère pour moi.

La rage remplaça soudain la douleur dans le cœur de Madeline.

— Justin, dit-elle, je fais des efforts consciencieux pour être une bonne épouse, en tous points. Tu ne dois pas continuer à me faire des reproches parce que je ne suis pas enceinte.

Il jeta une de ses jambes sur le bras fragile d'un fauteuil Sheraton.

— Pourquoi ? Tu ne manifestes pas beaucoup d'entrain lorsque nous essayons de perpétuer notre famille. D'ailleurs les occasions se font de plus en plus rares, encore que j'en sois sans doute un peu responsable. Je t'évite volontairement, vois-tu. Ton affection pour les nègres commence à m'assommer. Bonne nuit, ma chère.

Il retourna à son livre.

Il y avait à peine une semaine que Madeline s'était rendue à la chapelle abandonnée mais dès le lendemain matin, désespérée, elle alla rendre visite à Mont Royal pour que Nancy, son esclave fidèle, puisse transmettre un message à Harry.

— Croyez-vous qu'il se doute... pour nous ? demanda ce dernier quand ils se retrouvèrent le lendemain après-midi.

Il faisait un temps doux, ensoleillé, ce qui n'était pas rare en février dans le bas-pays. Madeline secoua la tête.

— S'il y pensait même, nous ne nous poserions pas la question. Justin n'est pas un homme à admettre quoi que ce soit.

Harry tapota distraitement le livre qu'il avait apporté.

— Alors pourquoi se donne-t-il tant de mal pour vous rendre malheureuse ?

— Parce que nous n'avons pas d'enfant. C'est du moins la raison qu'il avance. Il fait partie de ces malheureux frustrés qui ne peuvent jamais être heureux. Mais au lieu de chercher la raison en lui-même, il rejette le blâme sur tout le monde, et il frappe. Parfois, j'aimerais qu'il soit au courant, pour avouer franchement mes sentiments. Pour lui et pour vous.

Madeline marchait de long en large. Harry était assis sur les pierres meulières, ses bottes boueuses se balançant dans l'herbe. Madeline vint mettre ses bras autour de son cou.

— Merci d'être venu aujourd'hui. Je ne pouvais pas supporter Resolute une minute de plus.

Leur baiser fut intense. Puis, Madeline lissa sa jupe et marcha vers le bord du marécage. Comme toujours, lors de leurs rendez-vous, elle lui raconta les incidents des derniers jours : la naissance du fils de Jane, le fouet infligé à un petit esclave nommé Tom et cela l'amena à dire ce qu'elle pensait de l'esclavage. Généralement, elle évitait ce sujet, connaissant les sentiments d'Harry. Ce jour-là, elle en fut incapable.

— Je crois, voyez-vous, que les Sudistes considéreraient le système différemment s'ils pouvaient le voir avec les yeux des esclaves, dit-elle en se détournant du marais ensoleillé pour contempler Harry avec une expression tendue. Qu'éprouveriez-vous si un homme mettait des menottes et des chaînes aux pieds de votre mère et la vendait à quelqu'un qui lui donnerait des ordres jusqu'à sa mort ?

Le froncement de sourcils d'Harry révéla son irritation.

— Ma mère est une femme blanche. Ils sont africains.

— Cela justifie-t-il notre attitude ? Cela l'explique-t-il de façon satisfaisante ? Ils sont africains, certes, mais vous ne pouvez nier qu'ils sont aussi des êtres humains.

— Et à vos yeux je suis donc un criminel ?

Pendant un instant, il lui rappela Justin, insinuant qu'elle n'avait pas le droit de parler de cette question. Elle réprima un début de colère et revint vers lui, pour essayer de répondre calmement, sans animosité.

— Je ne vous accuse de rien, mon chéri. Je voudrais simplement que vous examiniez mieux la situation. Vous êtes plus raisonnable que...

Elle allait dire « votre père » mais se reprit précipitamment.

— ... que la plupart des gens. L'attitude du Sud à cet égard est tellement illogique ! Vous faites cadeau à un homme d'une chemise neuve à Noël mais vous le privez de sa liberté et vous vous attendez à sa reconnaissance. Et vous voudriez que le monde applaudisse.

— Madeline, vous parlez d'un homme qui nous est...

— Inférieur, je sais. J'ai entendu cette excuse mille fois. Je refuse d'y croire. Il y a à Resolute des Noirs qui sont plus intelligents que Justin, mais ils n'ont pas le droit de se servir de leur intelligence. Passons. Supposons même qu'il y ait quelque vérité dans cette excuse et que les Blancs soient, d'une manière inexplicable, supérieurs. Cela permet-il de priver les autres de liberté ? Ne devrions-nous pas au contraire nous faire un devoir d'aider cet inférieur à réussir parce qu'il a moins de chance ? Ne serait-ce pas là une réaction chrétienne ?

— Je n'en sais rien, bougonna Harry en se levant. Vous me troublez avec vos discours.

— Excusez-moi, j'en suis désolée.

Elle ne l'était pas, bien au contraire, car Harry ne tentait pas de nier ou de réfuter ses arguments. Cela signifiait peut-être qu'il réfléchissait. Elle n'arriverait sans doute jamais à le convaincre que l'esclavage était affreux, mais si elle semait le doute dans son esprit, elle considérerait déjà cela comme un exploit.

Il resta un moment silencieux, puis il haussa les épaules.

— Je ne suis pas assez malin pour trouver ma voie dans vos arguments. D'ailleurs, je croyais que nous devions lire ensemble ?

Il montra le titre doré du livre qui était arrivé de Charleston par le bateau de la veille : *Le Corbeau et autres poèmes.* Madeline s'assit à côté de lui.

— C'est d'Edgar A. Poe. La femme de Francis Lamotte a parlé de lui la semaine dernière. Elle avait lu deux de ses contes fantastiques et elle les a absolument détestés. Elle assure que sa place est dans un asile de fous.

Pour la première fois de la journée, Harry éclata de rire.

— Réaction typique devant un auteur yankee. Nous n'avons malheureusement aucune chance de l'interner. Il est mort l'année dernière à Baltimore. Il n'avait que quarante ans mais c'était un ivrogne invétéré. Il y a eu des articles sur lui dans le *Southern Literary Messenger.* Il en a été le rédacteur en chef, pendant un moment. Ce qui m'intéresse, c'est son passage à West Point.

— Il était cadet ?

— Pendant un trimestre, durant l'automne 1830, je crois. Apparemment, il avait un avenir brillant, il était premier partout. Mais il est passé en conseil de guerre pour grave manquement au devoir. Juste avant son renvoi, on le trouvait presque tout le temps chez Benny Haven.

— A boire ?

— Probablement, bien que l'on aille surtout chez Benny pour sa cuisine. Vous ne pouvez comprendre comment des œufs au plat peuvent avoir un goût de paradis, vous n'avez jamais dîné dans un mess de cadets.

De la nostalgie s'était infiltrée dans la voix d'Harry, son regard tourné vers le marais s'était fait lointain. Comme tout cela lui manque, songea Madeline en se rapprochant de lui. Elle s'asseyait toujours à sa droite, pour ne pas attirer accidentellement l'attention sur l'absence de la main gauche.

— Enfin, bref, reprit-il en ouvrant le volume. Je ne suis pas grand juge en poésie, mais j'aime vraiment certains de ces poèmes. Ils ont un rythme étrange, une musique merveilleuse. Commençons par celui-là...

Il rentra chez lui au crépuscule. Il éprouvait toujours les mêmes sentiments lorsqu'il avait vu Madeline. Les moments passés avec elle n'étaient jamais assez longs et la lecture de poèmes ne comblait pas le besoin qu'ils avaient l'un de l'autre. Ce jour-là, ils avaient une fois encore été bien près de succomber, de céder à la faim qui les tenaillait. Seules, leur extrême retenue, leur lutte profonde pour maîtriser leurs émotions, les avaient empêchés de tomber enlacés dans l'herbe à côté de la chapelle en ruine. Et parce qu'ils avaient été si près de s'abandonner, Harry se sentait plus solitaire et frustré que jamais, en sautant à terre pour remettre son cheval à un serviteur de maison. L'esclave lui sourit en l'accueillant. Il répondit d'un bref signe de tête. Que pensait réellement ce nègre ? *Tu me fais cadeau d'une chemise à Noël et tu me voles ma liberté et tu voudrais que je te baise la main. J'aimerais mieux la couper.* Il maudit Madeline de remplir sa tête de doutes et de questions sur cette situation qu'il avait toujours acceptée et jugée morale et convenable.

Il entra dans la bibliothèque et ouvrit les rideaux pour laisser pénétrer les derniers rayons du soleil. Cela devenait une torture de continuer de voir Madeline et une torture plus pénible encore de songer à renoncer à elle. Il ne savait plus que faire.

Il se servit une forte rasade de whisky. Le jour baissait. Un par un, les reflets disparurent des dorures du fourreau de son épée militaire, accroché avec sa tunique d'uniforme bleu foncé sur un porte-manteau dans un coin. Il vida son verre et alla le remplir. En haut, il entendit ses sœurs se disputer. Elles n'arrêtaient pas, depuis quelque temps, ces deux-là.

Il ferma les fenêtres, s'assit et continua à boire en écoutant battre dans sa mémoire des tambours fantômes. Finalement, son uniforme disparut dans l'obscurité.

Sa mère entra dans la pièce vers onze heures du soir et le trouva par terre, ivre mort. Deux serviteurs le portèrent sur son lit.

Anne et Beth avaient atteint l'adolescence mais continuaient à partager une grande chambre au premier étage. L'aînée, pleinement développée et d'une flamboyante beauté à quatorze ans, s'en plaignait constamment. Pourquoi, demandait-elle, devait-elle vivre avec « un bébé de douze ans encore plate comme une planche à pain » ?

Ce soir-là il faisait exceptionnellement chaud. Anne, dans le lit près de la fenêtre, ne cessait de marmonner, de gémir, de retourner bruyamment son oreiller, de poser son poignet sur son front moite et de pousser des soupirs. A la fin, ensommeillée et irritée, sa sœur protesta :

— Ah, pour l'amour du ciel, tais-toi et laisse-moi dormir !

— Je ne peux pas. Je suis à cran.

— Il y a des moments où je ne te comprends pas, Anne.

— Naturellement ! Tu n'es qu'un bébé. Une peau blanche de bébé et des dessous blancs de bébé. Tu seras probablement comme ça jusqu'à ce que tu sois vieille.

— Oooh ! cria Beth, et elle lança un oreiller.

Parmi toutes les insultes dont l'accablait sa sœur, aucune ne la

166

touchait plus au vif que l'accusation de ne pas montrer le moindre signe de ce que l'on nommait la malédiction de la femme. Une fois par mois, Anne se pavanait dans la chambre pour bien montrer à sa sœur son pantalon souillé. Cela ne manquait jamais d'humilier Beth, tout autant que son manque de développement physique.

Par ailleurs, elle n'était pas sûre de vouloir grandir, surtout pas si cela signifiait minauder et faire les yeux doux à tous les hommes au-dessous de trente ans, en particulier à l'avocat Huntoon.

Ce souvenir donna à la cadette une de ses rares occasions de représailles. Imitant la voix la plus mielleuse de sa sœur, elle roucoula :

— Il me semble que tu devrais être aux anges, ce soir. James Huntoon doit venir demain, avec tous les politiciens que papa fréquente ces temps-ci. Mr Huntoon te plaît, n'est-ce pas ?

Anne renvoya l'oreiller.

— Je trouve qu'il a l'air d'un crapaud et tu le sais ! Il est vieux. Vingt ans, presque. Voilà ce que je pense de lui.

Elle tira la langue et fit un bruit de haut-le-cœur. Beth serra l'oreiller contre elle et pouffa. Dans le bas-pays, les parents choisissaient encore les jeunes gens que leurs filles avaient le droit de fréquenter. Anne était assez âgée pour avoir plusieurs soupirants, mais jusque-là, Huntoon était le seul à avoir obtenu de Theo Main la permission de lui rendre visite.

Beth allait continuer ses taquineries mais du bruit à l'extérieur les attira toutes deux à la fenêtre. Unies par leur curiosité, elles regardèrent un cavalier galoper dans l'allée, passer rapidement dans une flaque de clair de lune et disparaître du côté des écuries.

— C'était Cousin Charles, murmura Beth.

— Bien sûr. Il doit être allé fricoter avec Sue Marie Smith, ou avec une des petites négresses, répliqua Anne, et Beth rougit. Si jamais Whitney Smith apprend que sa cousine Sue Marie s'amuse avec Charles, ça va faire un sacré bruit. Sue Marie et Whitney sont fiancés.

— Quand est-ce que vous allez annoncer vos fiançailles, Huntoon et toi ?

Anne tira violemment les cheveux de sa sœur.

— Quand les poules auront des dents !

James Huntoon arborait des lunettes rondes et un invisible manteau de vertu. Il n'avait que six ans de plus qu'Anne mais déjà un commencement de bajoues et d'embonpoint. Cette graisse superflue gâchait une physionomie qui n'avait rien de déplaisant.

Après avoir fait fortune en deux générations, la famille Huntoon s'était ruinée, comme les Lamotte, par la faute d'une mauvaise gestion alliée à un train de vie trop luxueux. Les vieux parents de James subsistaient grâce à la charité de cousins. Ils occupaient la maison délabrée de la vieille plantation, servis par cinq Noirs trop âgés pour trouver d'autres acheteurs. James avait découvert, très tôt dans la vie, que s'il voulait réussir et prospérer, il ne pourrait pas vivre de ses terres.

Heureusement, les Huntoon possédaient encore un impressionnant ensemble d'amis et de relations. En Caroline du Sud, la perte de la fortune ne diminuait pas nécessairement la position mondaine. Seule, une conduite inacceptable pouvait y parvenir. James connaissait donc toutes les personnalités influentes quand il partit pour Charleston. Il y étudia le droit, dans une des meilleures firmes d'avocats, et récemment il venait d'ouvrir son propre cabinet.

Il aimait aussi la politique et il était bon orateur. Philosophiquement, il s'alignait sur ceux qui voulaient voir leur Etat et la région affirmer leur indépendance dans un monde de plus en plus hostile. On comptait parmi ceux-là Robert Barnwell Rhett, influent directeur du *Charleston Mercury*, avec qui la mère de Huntoon était alliée par mariage.

Le jeune homme avait fait la connaissance d'Anne l'hiver précédent, dans un théâtre de Charleston. Clarissa avait amené ses filles en ville pour la saison et la famille avait loué une loge pour voir jouer le célèbre acteur Frederic Stanhope Hill.

Dès l'instant où l'avocat avait posé les yeux sur Anne Main, il avait été conquis. Elle était ravissante et, bien qu'encore très jeune, déjà voluptueuse. Il avait fait porter sa carte à Mrs Main en demandant l'autorisation de lui rendre visite lorsque les parents jugeraient leur fille d'un âge convenable.

Plusieurs mois, et un anniversaire, passèrent avant que Clarissa réponde par une courte lettre polie. D'autres jeunes filles commençaient à recevoir des visites à quatorze ans, par conséquent Theo et elle n'en priveraient pas Anne, mais elle mit le futur soupirant sur ses gardes : « Mon mari est d'accord avec la maxime du bas-pays selon laquelle le nom d'une femme ne doit apparaître que deux fois dans les journaux, quand elle se marie et à sa mort. Je mentionne cela pour vous informer de son attitude à l'égard de toute conduite inconvenante. »

Ainsi averti, Huntoon entama sa cour par les cadeaux traditionnels, d'abord des fleurs, puis des gants de peau et des chocolats français. Il avait maintenant progressé au point de pouvoir être seul avec Anne, à l'intérieur, pendant de brefs moments. Il n'était pas encore question d'être seul avec elle ailleurs, de faire par exemple une promenade à cheval sans chaperon. Huntoon s'efforçait de brider sa convoitise. Un jour, si tout allait bien, ce corps splendide serait à lui.

Il reconnaissait qu'Anne l'effrayait un peu. Elle ne défiait pas ouvertement les conventions mais elle faisait preuve d'une hardiesse insolente peu caractéristique de son âge et de son milieu. Il admirait cependant son port de reine, que certains appelaient de l'arrogance. Il admirait aussi la fortune de Theo Main.

Quant au reste de la famille, il n'en était pas impressionné. Clarissa Main était une brave vieille dame inoffensive et la petite sœur d'Anne vraiment terne. Huntoon évitait tout contact avec Harry — ce spectre manchot — et jugeait que Cooper Main, avec ses idées avancées, n'était pas digne de se prétendre du Sud et devrait être chassé de l'Etat à coups de pied. Les quatre messieurs qui l'accompagnaient ce jour-là à Mont Royal étaient bien de cet avis. L'un d'eux était Rhett, du *Mercury*.

— La convention a été prévue pour le mois de juin, annonça Huntoon à leur hôte. A Nashville. Des délégués de tous les Etats du Sud y assisteront, dans le but d'étudier les résolutions du sénateur Clay et de formuler une réponse commune.

— En juin ? dit Theo en se frottant le menton. Est-ce que l'on n'aura pas voté les résolutions à ce moment ?

Un des visiteurs ricana.

— Guère probable, avec l'actuelle scission au Congrès.

Huntoon pinça les lèvres, réaction involontaire au regard appuyé d'Harry que Theo avait persuadé d'assister à cette réunion. Harry exprimait sa désapprobation en restant assis dans un coin, en simple spectateur silencieux.

— Cette réunion de Nashville est-elle vraiment nécessaire ? demanda Theo. Vous me dites que ce n'est pas une convention officielle du parti...

Rhett se leva brusquement. Journaliste de cinquante ans, il dominait le groupe, comme il dominait généralement tout.

— Theo, mon ami, il y a trop longtemps que vous êtes éloigné des affaires publiques.

— Je suis occupé à gagner ma vie, Robert.

Les autres rirent. Rhett poursuivit :

— Vous savez aussi bien que moi que depuis plus de vingt ans nos adversaires prêchent une doctrine d'animosité contre le Sud. Ils ont blessé notre sensibilité avec leurs mensonges et nous ont systématiquement volés avec leur taxe spéciale sur l'agriculture du Sud. De plus, on trouve beaucoup de nos pires ennemis dans les rangs du parti démocrate. Par conséquent, le parti s'est lentement retiré, en Caroline du Sud, jusqu'à ce que l'on puisse dire aujourd'hui que nous ne sommes alliés que par intermittence avec l'organisation nationale au lieu d'en être des membres actifs. Nous n'avons aucune autre façon d'exprimer notre antipathie pour le point de vue et les pratiques du parti.

Harry parla enfin :

— Mais si nous n'aimons pas les façons du parti, ne serait-il pas plus facile de changer cela de l'intérieur que de l'extérieur ?

Rhett le regarda de travers.

— Mr Main, je considère la question indigne de tout homme né et élevé dans cet Etat. Dans le Sud, même. On n'accepte pas de compromis avec des ennemis jurés. Nous sommes soumis depuis vingt-cinq ans aux agressions du Nord. Pour rectifier cette situation, ne serions-nous pas fous de faire appel aux hommes mêmes qui l'ont causée ? Nous ne pouvons redresser les torts qu'en suivant une seule voie : celle de l'indépendance.

Calhoun était mourant et beaucoup de gens disaient que les législateurs avaient déjà choisi Rhett pour le remplacer au Sénat. Theo comprenait pourquoi et il était agacé de voir que son fils n'en était pas impressionné et paraissait même sceptique.

— Personnellement, ajouta Rhett, je ne vois pas non plus la nécessité de cette convention de Nashville car cette idée de compromis me fait horreur, mais je soutiendrai la convention, pour l'unité du Sud.

— Compte tenu du respect que je dois à mon distingué parent, lança Huntoon avec un de ses petits sourires aigres-doux, quelques-uns d'entre nous, tout en restant en faveur d'un Sud autonome, ne sont pas tout à fait prêts à vous suivre, ni à accepter ce que le *Mercury* défend ces temps-ci.

— La dissolution de l'Union, marmonna sombrement Harry.

— Précisément, déclara Rhett, et Harry vit en lui un coq de combat victorieux.

Visiblement réprobateur, il se détourna. Deux des visiteurs firent signe des yeux à Huntoon, car Theo avait aussi un air dubitatif. Huntoon chassa vivement toute pensée concupiscente envers Anne, qu'il n'avait pas encore vue, croisa ses jambes et pris la conversation en main.

— Nous ne sommes pas venus ici pour parler de cela, Theo, mais pour vous demander votre soutien à la convention de Nashville. Pour vous le demander d'une façon très tangible, même. Vous avez récemment laissé entendre qu'il ne vous déplairait pas de vous occuper de nouveau des affaires de l'Etat. La délégation de Caroline du Sud va avoir des frais, pour se rendre dans le Tennessee, pour ses repas et son logement pendant les délibérations. Nous avons pensé...

Voilà la raison de leur visite, se dit Harry. L'argent. Il n'écouta plus. Il avait accepté d'assister à la réunion pour faire plaisir à son père. Il le regrettait maintenant.

Theo se laissa vite persuader. Il promit un don de cinq cents dollars à la délégation. Ecœuré, Harry regarda par la fenêtre. On frappa à la porte. Il bondit pour aller ouvrir, heureux de s'excuser, et se glissa dehors en répondant à l'appel chuchoté de sa sœur.

— Qu'est-ce qu'il y a, Anne ?

Beth arriva en courant. Toutes deux étaient pâles de frayeur.

— C'est Cousin Charles, dit Anne. Il a des ennuis terribles. Il y a là un monsieur qui vient le provoquer en duel !

CHAPITRE XX

— Nous ne trouvons Charles nulle part, assura Beth alors que tous trois se précipitaient dehors. C'est pour ça qu'Anne a interrompu votre réunion.

Harry traversa à grands pas la terrasse, et se dirigea vers le visiteur qui attendait à côté de son cheval.

— Je n'ai jamais rien entendu d'aussi ridicule ! Charles n'a que faire d'un duel. Ce n'est qu'un enfant.

— Je ne crois pas que ce monsieur s'en souciera, haleta Anne.

Harry pensa qu'elle avait raison. Le geste du jeune dandy, quand il ôta son chapeau haut de forme désuet, fut plein de morgue et d'hostilité.

— Serviteur, Mr Main. Je m'appelle Smith Dawkins.

— Je sais qui vous êtes. Que voulez-vous ?

— Ma foi, monsieur, je pensais que ces demoiselles avaient pu vous mettre au courant de ma mission. Je suis ici en qualité de représentant et parent de Mr Whitney Smith, qui a surpris hier soir Mr Charles Main, de cette plantation, en conversation galante avec Miss Sue Marie Smith. Ces messieurs ont eu des mots et Mr Main a donné un coup de poing, sur quoi Mr Smith a exigé réparation. Je viens prendre les dispositions. Je présume que vous êtes autorisé à agir en qualité de témoin de Mr Main ?

— Je ne suis autorisé à rien de tel. Ce que vous proposez est contraire à la loi.

Dawkins toisa Harry avec le plus profond mépris.

— Vous savez aussi bien que moi, monsieur, que le duel est couramment pratiqué en dépit des lois de Caroline du Sud.

Le jeune gandin tendait un piège dangereux. Le cousin Charles ne pouvait l'éviter à moins de passer pour un lâche. Naturellement, en sauvant la face et son honneur, il risquait de perdre la vie. C'était ce qui rendait ce code si stupide. Harry songea que si ce Smith Dawkins avait été à Churubusco, il n'aurait pas traité la mort avec autant de légèreté. Le visiteur remit son chapeau sur sa tête.

— Si vous pouviez m'indiquer où je puis trouver le témoin de Mr Main ou, à défaut, ce monsieur lui-même...

Harry soupira et céda.

— Je ne sais pas où est Charles en ce moment. Je serai son témoin.

— Très bien, monsieur.

— Je pense qu'il nous faudra faire le voyage au-delà de la Savannah pour éviter les poursuites ?

— Mon parent promet la discrétion absolue, sans autres témoins que les membres de la famille. Si vous pouvez donner des assurances semblables, il n'y a pas de raison que la rencontre ait lieu dans un autre Etat.

Si l'on considérait l'importance du clan Smith, les témoins risquaient de se compter par centaines, mais Harry repoussa cette pensée. Il acquiesça, avec brusquerie.

— Je vous écoute, dit-il.

Ils s'entretinrent pendant cinq minutes, s'entendirent au sujet de pistolets de duel normaux et prirent rendez-vous pour le mardi suivant à l'aube, dans une clairière appelée les Six Chênes, à trois kilomètres en amont.

Satisfait, le jeune Dawkins donna un nouveau coup de chapeau et se remit en selle. La mine orageuse, Harry partit à la recherche de Charles pour lui annoncer la mauvaise nouvelle.

Il décida de ne pas parler du duel à ses parents. Sa mère s'inquiéterait et son père voudrait probablement y assister. Il espérait garder la rencontre secrète. Il tenait surtout à ce qu'elle se termine sans que Charles soit blessé.

A cette heure de la matinée, on trouvait généralement le garçon du côté des cuisines, où il chapardait des saucisses ou du pain de maïs sortant du four. Là, aucun des esclaves ne l'avait vu. Harry se dirigea vers les écuries, pensant que les recherches seraient plus faciles à cheval. Au loin, un coup de feu claqua.

Changeant de direction, il courut sur la route des cases. Derrière lui, plusieurs filles de cuisine s'interrogèrent sur la raison de son air furieux.

Harry balança une jambe par-dessus la barrière de bois, puis l'autre. Au bout du champ, il vit Charles s'entraîner au pas mesuré d'un duelliste s'éloignant de son adversaire. Il tenait dans sa main droite un énorme pistolet rouillé qu'Harry n'avait jamais vu.

Il resta immobile jusqu'à ce que Charles eût fait son dixième pas et pivoté. Le garçon leva le pistolet d'un geste saccadé et maladroit. En se retournant, il aperçut Harry près de la barrière, sa barbe et sa manche repliée claquant au vent. Il ouvrit de grands yeux mais acheva son demi-tour et tira.

La petite bouffée de fumée se dissipa. Harry se hâta.

— Smith Dawkins vient de passer, dit-il. Nous avons pris des dispositions pour ta splendide entreprise. Au pistolet, mardi prochain. Il paraît que je dois être ton témoin.

— Je croyais que tu n'approuvais pas le duel.

— En effet. Toi et tous ces jeunes beaux esprits campagnards, vous n'avez pas la moindre idée de ce qu'est un vrai combat.

Charles tenta un de ses sourires éblouissants.

— Tu parles en vrai soldat !

La réponse fut un regard foudroyant. Le sourire disparut.

— Je regrette que tu y sois mêlé, Harry, reprit-il. J'ai oublié l'heure, hier soir. Je n'ai pas quitté Sue Marie assez tôt. Autrement, rien ne se serait passé.

— Mais c'est arrivé, alors nous devons partir de là. Que sais-tu des armes à feu ?

— Pas grand-chose. Je dois pouvoir apprendre tout ce dont j'ai besoin de savoir.

— Pas comme tu t'y prends, riposta Harry et il désigna d'un doigt méprisant le pistolet rouillé. Où as-tu trouvé cette monstruosité ?

Charles baissa les yeux et haussa les épaules.

— Qu'est-ce que ça peut faire ? marmonna-t-il.

Il l'a volé, pensa Harry dégoûté.

— Eh ! bien, pour commencer nous nous en débarrasserons.

Il arracha l'arme et la jeta au loin. Charles rougit et s'écria :

— Hé là ! Faut que je m'entraîne !

— Nous nous servirons de mon pistolet de l'armée. Les pistolets de duel sont généralement à pierre, mais malgré cette différence, le mien te donnera une meilleure idée de celui dont tu auras probablement à te servir. Un calibre soixante ou soixante-dix, sans doute. Autre chose. Ces pistolets ont généralement la détente ultra-sensible. Comme tu t'es retourné il y a une minute, en gesticulant comme un moulin à vent, le coup serait parti beaucoup trop tôt. Tu aurais atteint le ciel ou les arbres et laissé à ton adversaire tout le temps nécessaire pour te tuer. Tu dois être plus posé.

Harry repartit vers la route. Charles ne le suivant pas, il se retourna et lui fit signe.

— Allons, viens. Tu te bats mardi prochain, pas dans un an.

— Je pensais faire ça tout seul...

La voix mourut, emportée par la brise balayant le champ. Charles avait une expression pleine de ressentiment et de défi.

— Si tu veux te faire tuer par ignorance, lui cria Harry, tu peux certainement le faire tout seul.

— Pourquoi veux-tu m'aider ? Tu ne m'aimes pas !

— Ce que je n'aime pas, Charles, c'est ton comportement depuis plus d'un an. Si tu crois que je ne t'aime pas, à ton aise, mais je suis quand même responsable de toi. Je ne peux pas laisser Whitney Smith commettre un meurtre. Viens avec moi ou reste, comme tu veux.

Harry se remit en marche. Charles resta sur place, les poings crispés. Comme de la glace qui fond, son hostilité disparut, remplacée par un lent sourire d'étonnement. Il ramassa à ses pieds un goupillon, une vieille poire à poudre et un sac de balles, puis il courut pour rattraper son cousin.

Ils s'entraînèrent trois heures par jour. Harry avait fait jurer le secret à ses sœurs. Anne vendit quand même la mèche. Cela se passa au dîner et Charles fut surpris par la détresse de Clarissa. Harry fit observer qu'il donnait des leçons à Charles et que le garçon avait d'excellentes chances de s'en tirer avec une blessure superficielle ou rien du tout.

Theo fut d'accord avec cette prédiction et fit quelques commentaires désobligeants sur le caractère et l'audace de Whitney Smith. Il souhaita bonne chance à son neveu. Dans l'ensemble, ce fut pour Charles un moment exaltant. Personne encore ne s'était tant intéressé à lui.

Sur le terrain d'entraînement, le mot qu'Harry criait le plus souvent était « Non ! »

— Tu ne prends pas assez de temps pour viser. Je sais que la peur te pousse à la hâte, mais la hâte te poussera tout droit dans la tombe.

Il saisit le bras droit de Charles et le secoua.

— Bon Dieu, je te conseille de t'en souvenir. Tu me feras passer pour un imbécile si tu te fais tuer !

Il avait prononcé cette dernière phrase sans réfléchir, sans se rendre compte du ridicule avant que Charles pouffe.

— Ma foi, si j'ai une raison de ne pas vouloir mourir, c'est bien celle-là.

Soudain, au fond de la barbe en broussaille d'Harry, un reflet blanc apparut : c'était un sourire.

— Bien sûr que non, dit-il en comprenant enfin la sottise de sa réflexion. Au diable ta vie sauve. Sauve mon honneur. Sauve ma fierté. Je suis du Sud, après tout.

Ils rirent ensemble, aux éclats et longtemps. Enfin Harry toucha le canon étincelant du pistolet Johnson, si bien conservé qu'il n'avait pas la moindre trace de rouille.

— Nous n'accomplirons rien en bavardant comme des pies. Je vais compter jusqu'à dix. Tu marches, tu te retournes et tu touches cette branche. Essaye de faire ça comme il faut, cette fois. Nous n'avons plus que deux jours.

Le temps s'était mis au froid. Charles et Harry se levèrent à quatre heures et demie, le matin du duel. Ils mangèrent chacun un biscuit, burent du café et enfilèrent de gros pardessus. Harry ayant choisi le lieu et l'heure, les Smith fournissaient les armes.

Des palefreniers les attendaient dehors avec les chevaux. Il faisait encore nuit. Theo était là, Clarissa aussi ; les filles n'avaient pas eu le droit de descendre.

Des lambeaux de brume flottaient à ras du sol. C'était une matinée sinistre. A moins, pensa Harry en se mettant en selle, que le froid ne soit que dans mon cœur.

Theo serra la main de Charles, Clarissa l'embrassa. Quand ils suivirent l'allée, Harry vit le ciel pâlir à l'est. De longs plumets de vapeur montaient des naseaux des chevaux. Charles, timidement, lança :

— Harry...

— Oui ?

— Quoi qu'il arrive, je tiens à ce que tu saches que je te suis reconnaissant de ton aide. Je n'aurais jamais cru qu'on se souciait de moi.

— Nous t'aimons tous, Charles. Tu es un Main. Tu fais partie de la famille.

Harry parlait sincèrement. Il était surpris que son attitude à l'égard du jeune garçon se soit tellement modifiée en si peu de temps. Charles avait été un élève attentif, sans rien montrer de cette insolence qui l'avait fait mépriser. Bien sûr, cette fois sa vie était en jeu, mais Harry pensait que la transformation du jeune homme avait une autre raison. Il lui tendit la main et Charles la prit amicalement. Dommage que le changement se produise si tard, se dit Harry.

Le brouillard les enveloppait par vagues. Des étoiles brillaient encore dans le ciel plus pâle. Charles aspira profondément.

— Harry ?

— Quoi donc ?

— J'ai une peur bleue.

— Moi aussi, avoua Harry en tournant sur la route longeant le fleuve.

Le lever du soleil dissipait la brume quand ils arrivèrent aux Six Chênes. Harry fut irrité de trouver là plus de vingt hommes du clan Smith, divers parents de tous les âges. Avec un tel nombre de spectateurs, il y aurait au moins des jeunes gens pour servir de sentinelles sur la route et la berge. Ceux que l'on désigna protestèrent mais durent obéir.

Harry attacha les chevaux du côté de la clairière qui leur était réservée. Charles ôta son pardessus, son habit, son gilet et sa cravate et retroussa ses manches de chemise. A l'ombre d'un grand chêne vert, de l'autre côté, l'élégant Whitney Smith et les autres observèrent les préparatifs de Charles avec un dédain évident.

Smith Dawkins, le témoin de Whitney, s'approcha des Main, portant un magnifique coffret de bois de rose qu'il ouvrit et présenta à leur inspection. Les armes de calibre soixante-dix étaient dignes de leur étui. Chaque canon octogonal était fixé à une demi-crosse de noyer ciré et avait une petite baguette à bourrer nichée dessous. Les pistolets étaient magnifiquement ciselés et portaient le nom gravé d'un armurier de Londres et une date, 1828.

— Satisfaisant ? demanda Dawkins.

— Je vous le dirai quand je les aurai examinés.

Harry prit une des armes dans son écrin de velours violet.

Un peu de sueur luisait au front de Charles. Il marcha de long en large pendant que les témoins chargeaient les pistolets. Ils en tendirent un à chacun des duellistes, puis ils indiquèrent le point de départ convenu. Cinq minutes seraient accordées pour les derniers préparatifs.

Charles paraissait calme. Il ne trahissait sa tension qu'en lissant constamment ses cheveux sur ses tempes. Harry avait grande envie d'uriner — la nervosité, pensa-t-il — mais il ne voulait pas laisser Charles seul, surtout pas avec Whitney Smith et son cousin Dawkins qui ricanaient, prenaient des poses et chuchotaient des plaisanteries sur l'adversaire.

Harry leur tourna le dos.

— Je sais que tu as peur, Charles. Mais rappelle-toi ceci. Tu as un net avantage. Tu le verrais si tu regardais ce paon ridicule derrière moi. Les apparences sont plus importantes pour lui que l'aisance et il a gardé un habit très lourd. De plus, il est trop stupide pour avoir peur et les hommes effrayés sont prudents. A la guerre, les gens comme Whitney tombent généralement les premiers.

Charles voulut répondre mais ne put émettre qu'un coassement nerveux. Harry lui serra le bras. Charles posa sa main sur celle de son cousin et l'y garda une seconde.

— Merci, murmura-t-il.

— Messieurs, êtes-vous prêts? cria Smith Dawkins avec impatience.

Harry se retourna vivement.

— Prêts.

Il s'avança dans la clairière, Charles sur ses talons. Les spectateurs se turent. Un héron blanc s'envola brusquement dans les arbres ensoleillés. Au bord de la clairière, le fleuve roulait ses eaux dorées et paisibles.

Whitney et Charles se saluèrent de la tête, Whitney avec négligence. De près, on remarquait des boutons sur sa figure. Charles, plus jeune de cinq ans, paraissait plus mûr et posé. La main de Whitney trembla quand il leva le pistolet à la verticale devant son visage. Un bon signe, à moins que Whitney soit un de ces rares duellistes dont la précision est améliorée par la nervosité.

Dawkins toussota et s'adressa aux adversaires dos à dos, le pistolet levé.

— Je prononcerai d'abord le mot « commencez ». Ce sera votre signal pour couvrir la distance pendant que je compterai. Quand vous aurez fait votre dixième et dernier pas, vous serez libre de vous retourner et de tirer à volonté. Prêts? Commencez.

Charles partit d'un côté, Whitney de l'autre. Le cœur d'Harry se mit à battre plus vite. Il aspira profondément et retint son souffle. Dawkins et lui reculèrent. Dawkins comptait, à côté de lui.

— Trois. Quatre. Cinq.

Charles marchait d'un pas allongé, régulier. Le soleil filtrait entre les branches, éclairant ses cheveux. Harry pensait : « Il promet tant. Si seulement il peut en cueillir les fruits. Si seulement il vit assez longtemps pour réussir. »

— Sept. Huit.

De la sueur perlait sur la figure marbrée de Whitney. Le tremblement atteignait ses épaules. Allait-il d'abord tirer ou s'effondrer.

— Neuf.

Charles regardait droit devant lui. Harry vit le bout de sa langue cueillir une goutte de sueur sur sa lèvre supérieure, seul signe visible d'une anxiété qui devait lui crisper le ventre. Il avait envie de lui crier : « Rappelle-toi! Lentement et en souplesse! »

— Dix.

Les genoux de Whitney se dérobèrent, mais il resta debout et parvint à pivoter. Il brandit sa main armée devant lui avec toute la violence et la précipitation qu'Harry avait critiquée chez Charles, la première fois dans le champ. La détonation surprit Charles. Il cligna des yeux si vivement qu'Harry le crut touché. Puis, d'un arbre derrière lui, une branche tomba.

Une tache humide apparut sur le devant du pantalon de Whitney. Il exécuta un demi-tour maladroit et esquissa un pas. Un murmure choqué s'éleva parmi les spectateurs et Dawkins chuchota furieusement :

— Tu dois rester, Whitney. Debout!

Whitney s'immobilisa, non sans difficulté. La tache humiliante s'agrandit. Il tremblait si fort que le pistolet en était secoué. Lentement, Charles étendit le bras, visa et, regardant froidement le long du canon octogonal, il tira.

Whitney poussa un cri aigu de fille, pivota sur la gauche et tomba, une main crispée sur sa manche. Du rouge apparut entre ses doigts mais Charles l'avait à peine égratigné. Mieux encore, il avait touché le point précis qu'il visait. Harry se précipita, jubilant.

Whitney s'évanouit quand Dawkins se pencha sur lui. Les spectateurs applaudirent. Charles, déjà, s'en allait vers la berge. Harry le rattrapa.

— Tu dois répondre à ces applaudissements. Ils sont pour toi.

Le jeune homme le regarda, abasourdi. Puis il se tourna vers les cousins de Smith. C'était vrai. Ils applaudissaient sa précision, son courage et sa générosité, pour avoir simplement blessé Whitney alors qu'il aurait pu le tuer. Il a donné tous les signes d'un véritable gentilhomme de Caroline, pensa Harry, presque ivre de joie.

Charles salua les spectateurs avec son pistolet. Pourtant, il n'arrivait pas à comprendre ce qui était arrivé.

Ce même matin, Harry prit Charles en main.

Il commença par obtenir de petites modifications, par faire des suggestions presque hésitantes sur les apparences, les bonnes manières, les heures régulières. Au début, rien de trop important ni de trop exigeant car il s'attendait à de la révolte. Or, il obtint au contraire une docilité immédiate, spectaculaire. Charles arriva bientôt aux repas, la figure et les mains lavées, la chemise rentrée dans le pantalon, sans couteau à sa ceinture.

Trois semaines après le duel, Harry lui offrit deux livres, en lui conseillant de les lire. Il avait choisi des ouvrages faciles, des romans historiques de William Gilmore Simms, un Carolinien du Sud presque aussi populaire que Fenimore Cooper en son temps. La rapidité avec laquelle Charles termina les romans persuada Harry que le jeune homme était exceptionnellement intelligent, comme l'affirmait Clarissa depuis des années. Il ne l'avait jamais crue.

Ensuite, il donna à son cousin de courtes leçons de comportement : la courtoisie due aux dames, la manière correcte de s'habiller pour diverses sortes de réunions mondaines ou familiales. Non seulement Charles l'écouta mais il commença à obéir à certains de ces principes. Bientôt, il traita Anne et Beth avec une politesse nouvelle qui les ahurissait. Elles en étaient enchantées parce que Charles était beau et accomplissait toutes ces gracieusetés sans aucune maladresse.

— Ce garçon est un gentilhomme-né, déclara Harry à Madeline, à leur rendez-vous suivant. Il est gracieux, charmant et, de plus, cela lui vient tout naturellement. Où diable avait-il caché cet aspect de son caractère ?

— Sous une couche de saleté et de ressentiment, sans doute, dit-elle avec un doux sourire.

— Vous devez avoir raison. La métamorphose est incroyable. Il a suffi d'un peu d'affection de la part de sa famille pour qu'il s'épanouisse.

— De vous, surtout. Même à Resolute, on parle de sa transformation. Il paraît que Charles vous suit partout.

— Toute la journée. Comme un chien. C'est gênant, parfois, dit Harry mais son expression révélait que ce culte du héros ne lui déplaisait pas. L'ennui, c'est que si l'on résoud un problème, on en crée un autre.

— Qu'y a-t-il encore ? Vous dites que Charles devient sérieux.

— C'est exactement ça. Avant, j'étais certain qu'il finirait dans un fossé après une bagarre ou une course de chevaux. Maintenant, je me creuse la tête pour savoir ce qu'il doit faire de sa vie. Il faut que je suggère quelque chose, et bientôt...

— Vous parlez comme un père.

— Ne plaisantez pas. Ce n'est pas une mince responsabilité.

— Je le comprends. Je ne plaisantais pas. Je souriais parce que vous êtes heureux. Je ne vous ai jamais vu d'aussi bonne humeur. Vous aimez cette responsabilité.

Il la regarda dans les yeux, gravement.

— Oui, c'est vrai.


Tous les soirs après le dîner, quand Harry n'avait pas à travailler au bureau, Charles et lui buvaient un whisky dans la bibliothèque. Parfois Theo se joignait à eux, mais restait silencieux. Silencieux et stupéfait. Il savait que quelque chose de positif et de sain s'était passé entre son fils et son neveu. Il ne voulait pas intervenir. Il comprenait aussi qu'Harry devenait rapidement, en esprit et en fait, le chef de la famille. Il en éprouvait un certain ressentiment mais aussi de la satisfaction.

Quand Theo était présent, Charles restait sur la réserve. Quand il n'était pas là, il ne se lassait pas d'écouter Harry parler de son temps de cadet.

— Tu aimais vraiment la vie à West Point ?

— Eh bien, pas complètement. Mais j'y avais de très bons camarades, et c'est là que j'ai rencontré mon meilleur ami.

— George... Tu souhaitais rester dans l'armée ?

— Beaucoup. Le général Scott avait cependant un préjugé déraisonnable contre les officiers manchots, peut-être parce qu'il a encore ses deux bras.

Charles sourit. La plaisanterie était faible, mais il savait que jamais Harry n'avait pu parler légèrement de sa blessure. C'était un changement remarquable. Il se tourna vers l'uniforme toujours pendu au porte-manteau.

— Je n'en reviens pas qu'on puisse se battre et être payé pour ça.

Harry retint sa respiration. Etait-ce le bon moment ? Il saisit l'occasion.

— Charles... C'est une idée. Il est possible que nous puissions t'obtenir une admission à l'Académie.

— Mais... je ne suis pas assez intelligent !

— Si, tu l'es. Simplement, tu n'es pas assez instruit pour passer les examens d'entrée. Autrement dit, tu as l'intelligence mais pas l'instruction. Herr Nagel pourrait certainement te donner des leçons. Il faudrait que tu t'appliques, mais je sais que tu en es capable si tu le veux.

Frappé par le nouvel avenir qu'il entrevoyait, Charles garda un moment le silence avant de répondre :

— Oui, Harry. Je le veux.

— Admirable ! Je parlerai dès demain à Nagel !


A la fin de la première semaine d'avril, Harry alla trouver son père.

— D'ici deux ou trois ans, Charles sera prêt à entrer à l'Académie. J'ai appris qu'il y aurait une place à ce moment. Il n'est pas trop tôt pour la lui retenir. Nous pourrions commencer par une lettre au ministère de la Guerre. Nous demanderions au sénateur Calhoun de la transmettre. Veux-tu que je l'écrive, ou le ferais-tu ?

Theo lui montra le *Mercury*.

— Calhoun est mort.

— Dieu de Dieu ! Quand ?

— Le dernier jour de mars. A Washington.

Cela n'aurait pas dû être une grosse surprise. Il y avait longtemps que Calhoun déclinait et, politiquement, le mois précédent avait été un des plus orageux de l'histoire contemporaine. Les résolutions de compromis de Henry Clay avaient été débattues au Sénat. Comme Calhoun était le porte-parole du Sud, sa réaction, bien que prévisible, était vivement attendue. Il avait été trop malade pour monter à la tribune. Le sénateur Mason avait lu son discours à sa place. Naturellement, Calhoun dénonçait le programme de Clay et avertissait une fois de plus que l'hostilité du Nord rendait la sécession plus séduisante aux Sudistes. Depuis des années, Calhoun s'écartait de plus en plus de la position nationale de son parti pour donner la priorité au bien de sa région. Dans le Sud, presque tout le monde pensait qu'il y avait été poussé par les activités des abolitionnistes, au Congrès et ailleurs.

Trois jours après la lecture du discours de Calhoun, le sénateur Daniel Webster avait présenté le point de vue opposé. Il avait parlé avec éloquence en faveur des résolutions et de l'urgent besoin de placer la préservation de l'Union par-dessus tout. Cette allocution fut empreinte de trop de bonne volonté et d'esprit de compromis pour beaucoup d'amis nordistes de Webster, qui le traînèrent promptement dans la boue. Theo aussi déclara le discours de Webster du 7 mars une abomination, mais pas pour les mêmes raisons que les sénateurs abolitionnistes.

— Ce n'est pas seulement l'âge et la maladie qui ont tué John Calhoun. C'est Jackson, Garrison, Seward et toute cette sale bande qui s'est opposée à lui, et à nous, en tout ce que nous faisons. Ils l'ont harcelé comme une meute de chiens enragés, ils l'ont épuisé, gronda Theo en jetant le journal par terre, mais il ne sera pas oublié.

Harry garda le silence, troublé par le ton impitoyable de son père.

CHAPITRE XXI

Cooper main adorait

Charleston.

Il aimait ses rues étroites aux pavés ronds qui lui rappelaient l'Europe, les marchandises de prix dans les vitrines des magasins, le son des cloches de tous les clochers blancs qui avaient résisté depuis tant d'années à l'air salé et aux tempêtes. Il aimait les conversations politiques dans l'élégant bar du Charleston Hotel, le claquement des lourds chariots dont les cochers étaient constamment mis à l'amende pour avoir fait la course, les lumières de la ville après le passage d'un des deux allumeurs de réverbères municipaux ou de leurs esclaves. Et il adorait la maison qu'il avait achetée avec une partie des premiers bénéfices de la Carolina Shipping Company.

Elle était située dans Tradd Street et conçue pour la fraîcheur et l'intimité. Elle avait un balcon à chaque étage, sur toute une longueur d'à peu près vingt mètres. Elle était profonde de six mètres, la largeur d'une seule pièce, et elle était construite sur le terrain à ras du trottoir.

Bien que l'entrée soit sur la rue, le côté opposé donnant sur le jardin était considéré comme la façade. Cooper appelait ce jardin son second bureau. Derrière le haut mur de brique, il travaillait souvent pendant des heures, entouré par la beauté saisonnière des azalées et des magnolias, les verts contrastants des myrtes et des yuccas. Il trouvait dommage de vivre tout seul dans une aussi belle maison.

Mais il n'y pensait pas très souvent car il était trop occupé. De la petite entreprise d'expédition de coton, il avait fait une triomphale réussite et il était en train de construire un second entrepôt. Jamais il ne consultait son père. Théo estimait toujours que la Carolina Shipping Company était un fardeau, un risque financier. Cooper était donc libre de la diriger à sa guise.

Son siège, ses entrepôts et sa jetée étaient situés dans Concord Street, non loin du bâtiment des douanes. La marque de la compagnie, apparaissant sur la façade comme sur les cheminées de ses deux vieux vapeurs, était un ovale de cordage entourant trois autres bouts de cordages formant les lettres C.S.C.

Cooper savait que Charleston ne serait jamais le grand port du coton comme il avait été celui du riz. L'Alabama et le Mississippi étaient maintenant les grands producteurs de coton, mais Charleston expédiait encore un tonnage respectable et Cooper en voulait une part plus importante pour la C.S.C. Pour cela, il avait tout hypothéqué quelques mois plus tôt afin de commander aux chantiers navals Black Diamond de Brooklyn un nouveau bateau de conception moderne et même avancée.

Il serait propulsé par une hélice, au lieu de roues à aubes. Sous les ponts, trois parois transversales formeraient quatre compartiments étanches. Au cas où la coque se briserait sur les rochers côtiers, la cargaison, dans les compartiments intacts, serait sauvée.

Ces parois augmentaient substantiellement le prix du vaisseau, mais Cooper avait déjà parlé de cette innovation à deux expéditeurs de coton locaux et leur réaction avait été si enthousiaste qu'il savait que les frais supplémentaires lui donneraient un avantage sur la concurrence. Peu importait pourvu que les bateaux ne s'échouent pas si souvent; c'était la précaution contre ce risque qui influencerait le choix des négociants.

Une avarie à la coque était rendue encore plus improbable grâce à une autre nouveauté, l'emploi du fer à la place du bois. Hazard Fer fournirait des plaques spéciales.

Cooper était très fier de la conception de ce nouveau bateau, qu'il allait baptiser *Mont Royal*. Avant de dresser la liste des aspects et des spécifications désirés pour l'apporter à Brooklyn, il avait passé des mois à compulser des ouvrages d'architecture navale et à remplir des carnets de croquis. Le président de Black Diamond lui avait déclaré que si jamais il se lassait de Charleston, il l'embaucherait... et il ne plaisantait pas complètement.

En plus des immeubles de Concord Street, la C.S.C. possédait maintenant un autre terrain, une parcelle de treize hectares dans l'île James, en face de la péninsule de Charleston. Le terrain était bordé par la mer sur huit cents mètres et se trouvait non loin du fort Johnson abandonné. Cooper avait acquis cette terre apparemment sans valeur en vue d'un projet à long terme qu'il gardait secret. Il n'avait pas peur qu'on se moque de lui, mais pensait qu'un homme d'affaires prudent garde ses bonnes idées pour lui jusqu'à ce que ce soit son intérêt de les rendre publiques. Ce jour-là, au crépuscule du premier lundi de mai, il descendit sur le port et contempla son morceau d'île, au large. Il restait persuadé qu'il avait bien fait de l'acheter. Il lui faudrait peut-être attendre des années avant de s'en servir, mais il s'en servirait.

Cooper prit le train pour New York et passa deux semaines dans un petit hôtel bon marché près des chantiers Black Diamond. Son bateau était déjà en construction ; les parois transversales seraient terminées avant la fin du mois.

Il fit de nombreux dessins du bateau et du chantier et remplit plusieurs carnets de notes avant de repartir avec soulagement. Les villes jumelles de Brooklyn et de New York faisaient paraître Charleston endormie et arriérée. Leur taille et leur animation, leurs habitants agressifs intimidaient Cooper.

Il prit un train pour la Pennsylvanie. Depuis sa dernière visite, le nombre de voies partant de New York avaient décuplé. La première locomotive mise en service en Amérique avait fait son voyage inaugural historique vingt ans plus tôt, en décembre 1830. Trois ans plus tard, la ligne Charleston-Hamburg était créée, 218 kilomètres de voie allant du port jusqu'à la Savannah. Cooper trouvait tristement ironique que la construction ferroviaire prenne du retard dans l'Etat pionnier. Les Yankees allaient devenir les rois des chemins de fer, comme ils voulaient être les rois de toutes les autres industries.

Quand il arriva à Lehigh Station, George l'emmena à l'usine et lui montra le fer destiné à la coque du *Mont Royal*. Dans le vacarme, George hurla :

— Beaucoup d'architectes navals se moquent du fer pour les navires, mais c'est l'avenir.

Cooper cria une réponse que George n'entendit pas car il poursuivit :

— Un ingénieur anglais, Brunel, a construit le *Great Britain* en fer et il n'a pas eu de mal à traverser l'Atlantique. Il jure qu'un jour il construira un navire de fer si grand que le *Great Britain* aura l'air d'une coque de noix à côté. Alors tu es en excellente compagnie.

— Je sais, hurla Cooper. Le *Mont Royal* est d'ailleurs une version réduite du bateau de Brunel.

George lui fit visiter tout le complexe Hazard, qui s'était bien agrandi depuis que Cooper l'avait vu la dernière fois. Les énormes hauts fourneaux, la raffinerie et la fabrique de tôle, la manufacture de rails, tout marchait à plein rendement. Les flots de fer en fusion, dégageant des nuées d'étincelles, une lumière aveuglante et une chaleur d'enfer effrayèrent Cooper plus encore que les villes qu'il venait de quitter. Dans ce feu et ce bruit, il vit la puissance industrielle croissante du Nord.

Cette puissance et la foule grouillant dans les villes ridiculisaient les proclamations d'indépendance du Sud. Pourquoi, pensait Cooper, nos têtes brûlées de Caroline ne viennent-elles pas passer une semaine ici ? Ces Sudistes auraient tôt fait de constater que le Nord, et le Nord seul, fournit presque tout ce qui leur est nécessaire, du fer de construction aux outils agricoles, des épingles à cheveux de leurs femmes au métal des canons avec lesquels ils se proposent de défendre la liberté et l'indépendance du Sud.

Pendant le dîner, George parla de la nécessité de trouver une nouvelle méthode moins coûteuse pour produire l'acier. Il expliqua certains problèmes techniques avec tant de clarté que Cooper devait s'en souvenir longtemps. Constance comprenait le souci de son mari et le laissait parler. Quand le repas et le monologue prirent fin, les deux hommes se retirèrent au fumoir. George alluma un cigare pendant que Cooper buvait un cognac.

— Nous rejoindrons les dames au salon de musique dans un moment, dit George sans enthousiasme. Mon frère Billy viendra d'à côté, avec Stanley et sa femme. Billy va aller à l'Académie Militaire. Harry te l'a-t-il dit ?

— Non. C'est une agréable surprise. Peut-être ʼauras-tu aussi une surprise dans un an ou deux.

— Une surprise ?

— Tu te souviens du jeune cousin Charles ? Il a beaucoup changé depuis que tu l'as vu. Son ambition est d'aller à West Point.

George se redressa.

— Quoi ? Il y aurait un autre Main et un autre Hazard là-bas, ensemble ?

Ils comparèrent les dates et découvrirent que c'était tout à fait possible. George sourit et se carra dans son fauteuil.

— Voilà qui améliore la soirée. J'espère que le reste ne te sera pas trop désagréable.

— Pourquoi le serait-ce ?

— Ma sœur Virgilia est ici pour quelques jours. Elle dîne rarement avec nous, mais elle est là.

— Je me la rappelle très bien. Belle personne, mentit Cooper avec politesse.

— Obstinée, aussi. Surtout à propos de l'abolition. Elle a réussi à retourner contre elle jusqu'à la plupart des habitants de Lehigh Station. Elle prend une pépite de vérité et l'entoure des plus mons-trueux adjectifs et prétentions. Par exemple, elle proclame que la liberté des Noirs est philosophiquement liée au principe de l'union libre. Si l'on croit à l'une, on doit croire à l'autre. Naturellement, ce lien conduit à des rapports entre les races, ce qu'elle trouve parfaite-ment normal.

Cooper but une gorgée d'alcool, sans faire de commentaires.

— Sans discuter cette dernière question, reprit George, le cigare entre les dents, je puis dire sans crainte de démenti que par sa conduite Virgilia provoque énormément d'animosité, même chez des personnes qui seraient favorables, autrement, à ses opinions. Elle bouleverse aussi la maison. La patience de ma mère est à bout. Et je ne puis décrire à quel point elle exaspère la femme de Stanley... Ah, mais tu ne connais pas encore Isabel, n'est-ce pas ? Tu la verras ce soir. Et tu feras mieux sa connaissance cet été.

— Je crains que non, murmura Cooper, mentant à son profit cette fois. Mes devoirs me retiennent à Charleston.

— J'en suis désolé. Où en étais-je ?

— Isabel et ta sœur.

— Ah ! oui. Des deux, c'est Virgilia qui m'inquiète. Depuis son retour, elle a déjà reçu deux lettres anonymes odieuses. L'autre jour, au village, on lui a jeté de la boue. Impossible de savoir ce qui lui arrivera si elle continue de propager ses idées insensées. Je pense qu'elle se joindra à nous ce soir, alors j'ai préféré t'avertir.

Cooper sourit.

— Je te remercie. Elle ne me gênera pas.

— Je l'espère, mais je n'en suis pas trop sûr.

Cooper trouva Stanley Hazard plus collet monté que jamais. Il ne cessait de lâcher dans la conversation des noms d'hommes politiques de Pennsylvanie, comme s'il s'attendait à ce que Cooper les reconnaisse et soit impressionné.

Isabel lui fit l'effet d'une mégère. Elle avait amené ses jumeaux au salon de musique. Ils se tortillaient sur ses genoux et rivalisaient de hurlements. Constance offrit d'en prendre un mais Isabel refusa, très sèchement. De toute évidence, les belles-sœurs se détestaient. Stanley finit par prier sa femme d'emporter les bébés bruyants. Tout le monde fut soulagé.

Billy parlait avec animation des prochaines vacances à Newport. Il avait quitté le collège et maintenant il terminait ses études à la maison, aidé par des visites à Philadelphie chez un précepteur. Le garçon était indiscutablement un Hazard mais en aucune façon une copie conforme de George. Ses cheveux étaient plus foncés, ses yeux d'un bleu plus profond. Il avait une figure joviale et son menton carré lui donnait un air volontaire. Son torse puissant le faisait paraître solide comme un chêne.

Virgilia arriva. Elle saisit la main de Cooper et la serra, à la manière d'un homme. Sa mère fronça les sourcils. Après une brève conversation à bâtons rompus, Virgilia s'assit à côté de Cooper et se lança.

— Mr Main, quelle est la réaction aux propositions du sénateur Clay, dans votre région du Sud ?

Prudence, pensa-t-il en remarquant ses yeux flamboyants. Virgilia cherchait à le mettre en colère. A son avis, la politique de salon ne menait à rien sinon à des ressentiments et certainement jamais à un accord, aussi répondit-il avec un sourire poli :

— Celle que vous pouvez attendre, Miss Hazard. La plupart des gens de Caroline du Sud sont opposés à tout compromis avec...

— Moi aussi, trancha-t-elle.

Maude murmura un mot de reproche. Cooper était certain que Virgilia l'avait entendu mais elle n'en tint pas compte.

— Quand il s'agit de liberté humaine, il n'y a pas de place pour les compromis ou les négociations. Webster, Clay et toute cette bande devraient être lynchés.

Le sourire de Cooper devint crispé.

— Je crois que John Calhoun avait une opinion semblable, encore que moins violente, de ces messieurs et de leurs propositions, mais sûrement pas pour les raisons que vous citez.

— Alors, pour une fois, je suis d'accord avec le très peu regretté Calhoun. Par ailleurs, c'était un traître.

George, qui venait de craquer une allumette, la jeta sur le tapis sans réfléchir.

— Bon Dieu, Virgilia, où sont tes manières ?

Maude se précipita pour éteindre l'allumette.

— George, regarde ce que tu as fait !

Stanley renifla et croisa les bras.

— C'est la faute de Virgilia.

— Un traître ? répéta Cooper. Vous ne pouvez le penser, Miss Hazard.

— Il n'y a pas d'autre mot pour qualifier un homme qui prône la désunion afin de protéger l'esclavage. Tout comme il n'y a pas d'autre mot pour qualifier un propriétaire d'esclaves que celui de proxénète !

Un silence tomba instantanément, si total que l'on entendit les cris des jumeaux d'Isabel derrière la maison.

— Si je n'étais pas certain que vos paroles sont irréfléchies, reprit posément Cooper, je prendrais cela comme une insulte. Je ne nie pas que les Main possèdent des esclaves, mais ils dirigent une plantation, pas une maison de tolérance.

— Virgilia, tu dois des excuses à notre invité, déclara George.

— Je...

Elle tritura son mouchoir. Sa figure grêlée rosit légèrement. Elle tamponna de la transpiration sur sa lèvre supérieure.

— J'exprimais simplement une conviction personnelle, Mr Main. Si je vous ai offensé, c'est sans intention.

Mais ce n'était pas vrai. Elle continuait de tamponner sa lèvre, dissimulant ainsi une partie de son visage, mais ses yeux la trahissaient. Ils étaient fixés sur Cooper et brillaient d'une rage fanatique.

— J'ai réagi trop vivement moi-même et je vous en demande pardon.

Cooper eut du mal à rester courtois mais il le fallait. George marcha sur la brûlure du tapis et vint arracher Cooper à son fauteuil.

— Allons prendre l'air, veux-tu ?

Dès qu'ils furent dehors, il s'exclama :

— Bon Dieu, je suis navré qu'elle ait parlé ainsi. Je ne comprends pas le plaisir qu'elle trouve à être grossière.

— Ne t'en fais pas pour moi.

Cooper traversa la terrasse, jusqu'au bord de la pelouse. Sur sa droite, les trois hauts fourneaux teignaient le ciel d'un rouge ardent.

— Mais je m'en fais ! lança George. Je ne veux pas que Virgilia t'offense et je ne veux pas davantage qu'elle offense ta famille cet été ! Il faudra que j'aie une conversation avec elle, assura-t-il alors que sa résolution se changeait en perplexité. Elle est ma sœur, mais du diable si je la comprends. Chaque fois qu'elle s'emporte contre l'esclavage et le Sud, elle le fait en... eh bien, en des termes impossibles. Elle s'est fourré dans la tête que tout le Sud n'est qu'une mer houleuse de fornication.

Il jeta un coup d'œil rapide vers Cooper, pour voir s'il était choqué. Mais Cooper pensait : « Les gens condamnent souvent ce qu'ils désirent secrètement. »

Cooper aperçut la jeune fille sur le pont une heure après l'appareillage du vapeur côtier qui allait de New York à Charleston. C'était une grande fille aux bras maigres, à la poitrine plate et au long nez. Une masse de cheveux frisés, blond foncé, s'échappait en mèches de son chapeau. Elle marchait lentement le long de la rambarde, puis elle s'arrêtait et contemplait l'océan. Son aisance, son assurance indiquaient une familiarité avec le monde, l'habitude de l'affronter seule. Il l'observa, d'une distance respectueuse.

Elle avait un regard empreint de bonté et une bouche amicale, comme si elle souriait beaucoup et tout naturellement. Cependant, un observateur objectif aurait trouvé que ses traits, dans leur ensemble, manquaient de beauté. Pourquoi, se demanda Cooper, suis-je attiré ? Il n'en savait rien et ne chercha pas d'explication.

Il remarqua bientôt un autre homme qui observait la jeune fille, avec moins de discrétion. L'individu était gros, d'âge mûr, vêtu d'un costume à carreaux. Cooper fut irrité, puis déçu quand la jeune fille s'éloigna. Si elle avait conscience de l'attention du gros homme, elle n'en laissa rien voir.

Dès qu'elle fut hors de vue, Cooper comprit qu'il devait faire sa connaissance. Mais comment ? Un homme bien né n'accostait pas une jeune femme à laquelle il n'avait pas été présenté. Il se débattait encore avec son problème quand un steward noir sonna le gong du dîner.

Dans la salle à manger, Cooper s'aperçut avec colère que le hasard avait placé l'inconnue à la même table que l'homme en costume à carreaux. Celui-là n'était pas un gentleman. Il rapprocha sa chaise de celle de la jeune fille, sans se soucier des sourcils haussés des quatre autres passagers de la table. A plusieurs reprises, tout en mangeant, il heurta l'avant-bras de sa voisine. Et, plusieurs fois, il se pencha trop sur elle, pour débiter un mot d'esprit qu'elle accueillit avec un sourire poli. Elle dîna rapidement et fut la première à quitter la table. Quelques instants plus tard, Cooper courut sur le pont à sa recherche.

Il la découvrit à la rambarde tribord, contemplant les dunes lointaines de la côte du Jersey. Au diable le risque, pensa-t-il. Il s'éclaircit la gorge et carra ses épaules. Il se dirigea vers la jeune fille bien décidé à lui adresser la parole. Elle se retourna, en prenant note de sa présence d'une manière affable. Il s'arrêta, porta la main au bord de son chapeau et s'aperçut qu'il l'avait laissé dans sa cabine. Ses premiers mots moururent dans sa gorge.

Décontenancé, il émit un vague grognement et passa rapidement en se traitant d'idiot. Maintenant, jamais elle ne lui parlerait et il ne pourrait le lui reprocher. Il avait voulu faire bonne impression, laisser entendre qu'il était courtois et même timide, des qualités qu'il pensait devoir lui plaire, si seulement elle les remarquait. Son inexpérience avait causé sa perte. Elle n'avait vu qu'un imbécile qui ne disait même pas bonjour et se contentait de grommeler.

Il décida de ne pas assister au spectacle de la soirée, mais, à la dernière minute, il se ravisa et rejoignit un groupe d'une trentaine de personnes dans le grand salon. Le commissaire du bord, un Italien jovial, annonça qu'un programme spécial remplaçait celui qui avait été prévu. Il se trouvait qu'une des passagères avait un talent musical et avait été persuadée de se produire. Le commissaire l'accompagnerait au piano. Il présenta Miss Judith Stafford, de Boston.

Miss Stafford se leva. C'était l'inconnue. Elle avait été assise au premier rang, où Cooper n'avait pu la voir. Elle portait la même robe noire de coupe simple qu'il lui avait vue sur le pont et il fut certain que c'était sa « bonne robe ». Toutes les femmes en avaient une, généralement en soie.

Captivé, il écouta son premier numéro, un aria de *La Norma*. Elle avait une jolie voix de soprano, qu'elle accompagnait de gestes et d'expressions révélant un travail professionnel. Elle chanta trois autres sélections d'opéras et termina par un morceau brillant de l'*Attila* de Verdi.

A chaque note, Cooper tombait de plus en plus amoureux. Il sursauta quand il vit un spectateur se glisser le long du mur vers le devant du salon : l'individu en costume à carreaux. Il titubait un peu, et pas à cause du roulis. Ce soir, la mer était calme. Ses yeux indiquaient ce qui l'intéressait et ce n'était pas le talent musical de Miss Stafford.

Le public accueillit le dernier air par un tonnerre d'applaudissements et réclama un « bis ». Miss Stafford s'entretint avec le commissaire, puis elle enchanta tout le monde avec une version entraînante de « Oh ! Susanna ! », la vieille ballade nègre adoptée par les chercheurs d'or de Californie. Le public refusant toujours de la laisser partir, elle chanta encore un vieux succès, « Bûcheron, épargne cet arbre », qui fit briller des larmes dans bien des yeux.

Mais pas dans ceux de l'homme à carreaux comme l'appelait Cooper à part lui. Tout ce qui brillait dans ses petites pupilles répugnantes, c'était la concupiscence.

Après une dernière ovation, les passagers se dispersèrent. Le commissaire remercia la chanteuse et s'en alla aussi, la laissant seule et fort consciente du gros homme vacillant dans sa direction, un sourire huileux aux lèvres. Cooper se trouva propulsé vers eux comme une fusée. Il se pencha vers la jeune fille et lui prit le coude.

— C'était absolument délicieux, Miss Stafford. Je réclame maintenant cette petite promenade que vous m'avez promise.

Elle va hurler au secours, pensa-t-il.

— Hé là, minute ! cria l'homme en accourant et il tomba la tête la première dans un grand fauteuil de cuir qu'il n'avait pas vu.

Judith Stafford tourna vers Cooper un sourire adorable.

— Je m'en souviens, et je m'en fais une joie, dit-elle.

Cooper crut que son cœur s'arrêtait de battre quand elle prit le bras qu'il lui offrait. Elle se laissa entraîner dehors. Dès qu'ils furent sur le pont, elle lui serra impulsivement l'avant-bras.

— Ah, merci ! Ce crapaud me couve des yeux depuis le départ de New York, expliqua-t-elle, et elle retira vivement sa main. Pardon, je ne voudrais pas paraître effrontée, mais je vous suis très reconnaissante, monsieur... ?

Elle hésita. Il n'en croyait pas ses oreilles.

— Cooper Main, de Charleston. Seriez-vous par hasard de la Caroline du Sud ?

— Je suis du village de Cheraw, dans le haut-pays, et je vais chez moi pour une visite. Je vous remercie encore de votre aide, Mr Main. Bonsoir.

*Si tu la perds maintenant, elle est perdue pour toujours.* Il lui reprit la main et la glissa sous son bras.

— Miss Stafford, j'exige ma récompense. Cette promenade que... Tenez, allons par ici.

Judith Stafford rit de l'audace de Cooper mais elle resta à son bras et ils marchèrent rapidement vers l'arrière, au clair de lune. Il était si heureux que si elle lui avait demandé de sauter par-dessus bord, il l'aurait fait. Il l'aurait fait bien qu'il ne sût pas nager.

Ils passèrent ensemble presque toute la journée du lendemain. Cooper comprit qu'elle acceptait sa compagnie parce qu'elle la jugeait sans danger, parce qu'il éloignait par sa présence des compagnons moins dignes de confiance. Il espéra simplement que cette confiance s'épanouirait en amitié avant l'arrivée à Charleston. La jeune fille comptait y consacrer une journée à faire des achats, puis elle se rendrait à Cheraw par le train et la diligence.

Unique enfant d'un couple de fermiers, elle était née sur les contreforts des montagnes de Caroline du Sud. Sa mère était morte et son père vivait maintenant au village avec une parente ; un accident avec une charrue l'avait rendu infirme.

— Mon père est gallois, écossais et je ne sais quoi encore, confia-t-elle à la fin de la matinée, en buvant du consommé. Né fermier, il mourra fermier. Il travaillait la terre tout seul, sauf quand il avait l'aide de quelques voisins qu'il dédommageait en nature. Il déteste les planteurs de riz et de coton parce qu'ils ne peuvent réussir qu'en utilisant des armées d'esclaves. Il les déteste aussi parce qu'ils sont si peu nombreux et qu'ils détiennent le contrôle absolu de notre Etat. En fait, ce contrôle est une des raisons qui l'ont fait partir il y a cinq ans, quand j'en avais vingt et un.

— Beaucoup de fermiers du haut-pays partagent les sentiments de votre père, n'est-ce pas ?

— Des milliers. S'il ne tenait qu'à eux, l'esclavage serait aboli en une minute.

— Pour être suivi à la minute suivante d'un soulèvement des Noirs.

— Oh, ce n'est qu'un prétexte !

— Ma foi, je l'entends dire souvent, fit Cooper. Puis s'armant de courage, il lui dit la vérité : Ma famille plante du riz et possède des esclaves depuis des générations.

Elle poussa une petite exclamation de surprise.

— Vous m'avez dit votre nom mais je n'avais pas fait le rapprochement avec les Main de Mont Royal.

— Parce que je vous ai dit que je vivais à Charleston, ce qui est vrai. Je suis parti de chez moi, il y a deux ans. Mon père et moi sommes en désaccord sur un certain nombre de choses. L'une d'elles est l'esclavage.

— Y seriez-vous opposé ?

— Précisément. Pour des raisons pratiques autant que morales.

— Alors nous sommes du même avis.

— J'en suis heureux, Miss Stafford, murmura-t-il en rougissant.

Les yeux marron de la jeune fille s'illuminèrent d'une expression qu'il avait à peine osé espérer y voir. Soudain, il oublia complètement les hauts fourneaux de Lehigh Station et l'avenir lui parut tout à fait différent.

— Je vous en prie, appelez-moi Judith, voulez-vous ?

Ce fut un voyage de rêve et, à la fin, ils étaient tous deux amoureux et ne craignaient pas de l'avouer. Alors que le vapeur approchait de la rade de Charleston, Judith parlait d'abandonner le plus tôt possible son poste de professeur de musique dans une institution de jeunes filles du Massachusetts pour revenir vivre en Caroline du Sud.

Le pilote monta à bord au coucher du soleil. Cooper et Judith, accoudés côte à côte à la rambarde, contemplèrent les clochers de la ville flamboyant aux derniers feux du jour. Cooper n'avait jamais rencontré personne avec qui il se sentît totalement en confiance, personne à qui il pût parler sans crainte de malentendu ou de mépris.

Il avait enfin trouvé une compagne. Une femme probe, intelligente et, pour lui, étonnamment belle. Une femme qui avait comme lui une tournure d'esprit iconoclaste, qui partageait beaucoup de ses croyances et quelques-uns de ses doutes. Avec elle, si elle voulait bien de lui, il serait capable d'affronter les temps orageux qui menaçaient de survenir. Il se promit de faire sa demande le soir même, dans la maison de Tradd Street.

Se tenant par la main, sans souci des regards scandalisés de quelques passagers, ils se regardaient dans les yeux, tandis que le fort Sumter apparaissait à l'avant et disparaissait lentement derrière eux.

CHAPITRE XXII

CE PRINTEMPS-LA, LA TEN-sion et les querelles accablèrent les Hazard. Les domestiques lancèrent des paris au sujet des inimitiés familiales. Qui partirait pour Newport ? Certains affirmèrent même que personne n'accepterait d'y aller.

George découvrit que Stanley avait encore fait un don à Cameron, de deux mille dollars cette fois.

— Tu m'avais promis d'arrêter ça ! tonna-t-il.

Il ponctua l'accusation d'un coup de poing sur son bureau, si violent que les carreaux vibrèrent. Stanley recula au fond de la pièce avant de répondre. George était de petite taille, mais il lui faisait une peur bleue. Cependant, il avait encore plus peur de sa femme, Isabel.

— Je n'ai jamais accepté de cesser définitivement. Si tu l'as cru, tu m'as mal compris. D'ailleurs, Simon avait un besoin urgent...

— Ah ! tu l'appelles Simon, maintenant ? Quel poste achètes-tu ? Et à quel prix ?

Stanley rougit. George, comme un fauve en cage, marchait de long en large. Il reprit :

— Nos frais augmentent chaque jour, et tu gaspilles notre argent pour des politiciens marrons et des wagons de chemin de fer particuliers ! Bon Dieu de Dieu !

En effet, de son propre chef, Stanley avait commandé une voiture de voyageurs à huit roues, comprenant salon, lits et cuisine. Ce wagon, dont il n'existait que quelques-uns dans tout le pays, était en voie d'achèvement dans le Delaware. C'était Isabel qui l'avait poussé à cet achat, en répétant qu'elle refuserait de voyager dans des voitures publiques pour aller dans Rhode Island.

— Ne pouvons-nous discuter sans jurer, George.

— Il n'y a rien à discuter ! Il est trop tard pour la voiture mais je ne supporterai pas que tu donnes encore un centime à Cameron.

— Tant que j'aurai la responsabilité du compte en banque, je ferai ce qui me plaît. Parle à maman si cela ne te plaît pas.

En jouant cet atout Stanley n'eut pas le courage de regarder en face son jeune frère. George se cantonna dans un silence rageur, ainsi que Stanley l'avait espéré. Ce dernier savait que George avait la possibilité d'en référer à leur mère mais que sa fierté ne le lui permettrait jamais. Avec un sourire satisfait, il sortit du bureau. La porte claqua derrière lui, mettant un point final à la conversation.

George se rassit en jurant de nouveau. Il fit un effort pour se calmer et échoua. Stanley avait gagné. Oui. George ne courrait pas se plaindre à Maude, mais la situation serait intolérable. Il ne savait plus que faire. Pris de rage, il saisit un encrier et le lança contre le mur.

— Puéril, grommela-t-il une minute plus tard.

Mais le geste lui avait fait du bien, même si ses problèmes restaient sans solution et si l'encre avait taché sa chemise.

Pendant plusieurs semaines, il rumina sa colère et son ressentiment. Il ne fut pas du tout réconforté en recevant une lettre d'Harry lui apprenant qu'il y avait aussi de la discorde chez les Main. Cooper avait annoncé son prochain mariage avec une jeune fille unitarienne aux penchants abolitionnistes. Theo ne cachait pas son mécontentement, et Harry espérait que le séjour à Newport apaiserait les esprits, au moins pour un temps.

Virgilia partit passer dix jours à Philadelphie, où elle devait prendre la parole dans un rallye. Sa mère avait depuis longtemps renoncé à exiger la présence d'un chaperon. Virgilia n'en faisait qu'à sa tête.

Cinq jours plus tard, alors que l'on commençait à réunir les bagages pour Newport, une des amies d'Isabel vint la voir. Cette femme, Grace Truitt, revenait de Philadelphie. Elle raconta qu'elle et son mari étaient allés un soir au Chestnut Street Theatre pour une reprise de *The People's Lawyer*, pièce à succès dont le héros, paysan yankee, déjouait les ruses de gens plus intelligents. Le rustaud madré était depuis des années un personnage clef de la comédie américaine.

— Votre belle-sœur occupait une loge avec un beau cavalier nommé Toby Johnson, signala-t-elle.

— Je ne connais pas ce monsieur.

— Le contraire serait surprenant mais, à Philadelphie, tout le monde a entendu parler de lui. Virgilia et Mr Johnson étaient aussi ensemble au rallye abolitionniste.

Grace Truitt prit un temps pour ménager ses effets, avant d'ajouter :

— A cette occasion, Mr Johnson a raconté ses épreuves en Caroline du Nord avant son évasion.

— Son évasion ? Dieu du ciel, vous ne voulez pas dire qu'il est... africain ?

— Noir comme du charbon, confirma la dame en hochant la tête. Ils se sont donnés en spectacle au théâtre. Ils se prenaient la main, échangeaient des regards qui... eh bien... que l'on ne peut qualifier que d'amoureux. Je suis désespérée de vous apporter une aussi tragique nouvelle, mais j'ai pensé que vous deviez savoir.

Isabel était effondrée.

— Quelles étaient les réactions à leur sujet au théâtre ?

— Vous pensez ! Plusieurs personnes sont parties en signe de protestation avant même le lever du rideau. Au premier entracte, quelqu'un a jeté un sac d'ordures dans la loge. Un affreux geste vulgaire, bien sûr, mais Virgilia et son compagnon sont restés assis là, avec un toupet monstre, en feignant de tout ignorer.

Isabel saisit la main de son amie.

— Je vous en prie, Grace, gardez cela pour vous. J'informerai la famille le moment venu, au retour de Virgilia.

— Vous pouvez compter sur ma discrétion.

Mais c'était une fausse promesse.

Maude Hazard envoya une voiture et un cocher chercher Virgilia au bateau. A une centaine de mètres du canal, deux promeneurs aperçurent la jeune fille. Un des hommes ramassa une pierre.

— Ne vous avisez pas d'amener votre sale nègre à Lehigh Station ! cria-t-il.

La pierre fut lancée avec plus de colère que de précision. Virgilia la vit passer assez loin. Le cocher lui jeta un coup d'œil suffoqué. Elle se retourna et foudroya du regard ses insulteurs.

Dans la soirée, quand George et sa famille se rendirent chez Stanley pour dîner, l'incident était déjà le sujet de conversation des deux maisons.

Avant même le premier service, Maude s'adressa à sa fille.

— Virgilia, on m'a rapporté un incident déplaisant. Qu'est-ce qui l'a provoqué ?

Virgilia haussa les épaules, avant d'expliquer :

— Mon amitié pour Toby Johnson. Je suis allée au théâtre avec lui à Philadelphie. Les ragots circulent vite. Peut-être quelqu'un de Lehigh Station à l'esprit étroit m'aura reconnue.

Isabel furieuse de n'être pas la première à annoncer la nouvelle souligna l'énormité de la conduite de sa belle-sœur :

— Au cas où vous ne le sauriez pas, Johnson est un nègre.

Virgilia releva le menton d'un air de défi.

— Toby Johnson est un homme de valeur et je le verrai aussi souvent qu'il me plaira.

La famille, sauf Billy, était effondrée. Stanley bredouilla quelque chose, incapable de trouver ses mots. Maude examina sa fille avec une résignation affligée. George parla au nom de tous.

— Nous te laissons libre, Virgilia, mais tu vas trop loin. Je ne le dis pas simplement parce que cet homme est noir...

— Mais si, George. Ne sois pas hypocrite !

— Bon, d'accord, la couleur est peut-être en cause, et je m'y habituerai peut-être. Ce qui me choque, c'est que je suis certain que tu n'as pas une réelle amitié pour lui.

— Comment oses-tu prétendre cela ?

— Tais-toi et laisse-moi finir, Virgilia ! Je crois que tu cherches surtout à attirer l'attention sur toi-même. Tu fais un pied de nez au monde parce que tu penses à tort, qu'il t'a mal traitée. Par la même occasion, tu fais honte à ta mère et tu déshonores la famille. Certaines attitudes ne conviennent pas à des femmes bien élevées, que l'homme soit noir, blanc ou violet.

Virgilia roula sa serviette en boule et la jeta sur la table.

— Quel affreux pisse-froid tu deviens !

Maude poussa un soupir et détourna la tête.

— Nous ne parlons pas de moi mais de toi et de ta conduite, rétorqua George. Sache que nous ne la supporterons pas.

Virgilia se leva et le toisa froidement.

— Vous y serez bien obligés. Je suis adulte. Je couche avec qui je veux, c'est mon affaire.

Gênée, Constance se pencha vers Billy. George et Stanley se regardèrent, navrés et unis pour une fois par la stupéfaction et la colère. Isabel restait le souffle coupé. Virgilia sortit de la pièce. Maude Hazard porta une main à ses yeux pour cacher ses larmes.

A Philadelphie, la famille Hazard monta à bord de la voiture privée à quatre heures de l'après-midi.

Sur les flancs du wagon des lettres dorées de quinze centimètres de haut signalaient le nom *Hazard*, surmonté d'un aigle doré aux ailes déployées. L'intérieur était tout aussi opulent. On se récria d'admiration devant le verre gravé encadrant les fenêtres, les cuivres étincelants, les boiseries marquetées en bois de rose et les panneaux de damas rouge foncé.

Stanley n'avait pas lésiné. Les sièges étaient recouverts de la peluche la plus fine, les lavabos issus du plus beau marbre. George dut reconnaître que la voiture était magnifique mais il n'osa pas en demander le prix. Il aurait préféré être chez lui, confortablement assis et légèrement ivre pour supporter le chiffre de la facture.

Un chef noir avait été embauché pour l'été. Il était déjà à la cuisine et préparait des filets de sole pour le dîner. Virgilia alla lui parler, pendant au moins dix minutes.

— Comme s'il était son égal, persifla Isabel derrière sa main. C'est insupportable.

Constance ne répondit pas. Virgilia sortit enfin de la cuisine et disparut dans son compartiment, *The Liberator* à la main.

Les petits, William, Laban et Levi, couraient partout, grimpaient sur les meubles, secouaient bruyamment les poignées des portes, créaient une cacophonie sur l'harmonium dans le fond du salon. A cinq heures moins le quart, la voiture privée fut accrochée à l'express de New York qui partit quelques minutes plus tard.

La famille dîna de filets de sole arrosés d'un excellent vin blanc français tandis que l'express filait vers le nord à travers les lugubres plaines du New Jersey. Virgilia ne reparut pas, elle se contenta d'un plateau dans son compartiment.

— Elle est capable d'inviter son copain noir à Newport, lança d'une voix un peu hésitante Isabel, qui avait consommé pas mal de bordeaux, dédaignant le bourgogne blanc servi avec le poisson. Il faudra prendre des mesures.

George remarqua une flamme dangereuse dans les yeux de sa femme mais Constance garda son calme et répondit simplement :

— Il suffit peut-être d'un peu de patience. Si elle ne fréquente ce Johnson que pour affirmer son indépendance, cela ne durera pas.

— Et que faisons-nous en attendant ? geignit Isabel. Nous acceptons cette humiliation et l'ostracisme général ? Je répète qu'il faut prendre des mesures.

— Et alors, dit sèchement Maude. Que suggères-tu ?

Isabel prise de court ouvrit la bouche, la referma et se leva nerveusement.

— Excusez-moi, je crois que j'entends les enfants.

Elle se précipita vers son compartiment. George, sous la nappe de toile fine, trouva la main de sa femme et la pressa. Puis, il se versa un autre verre de vin et le vida en trois lampées.

Vers minuit, dans la gare de New York, le *Hazard* fut décroché du train de Philadelphie et accroché à un autre à destination de Providence. La voiture se trouva derrière les fourgons à bagages et à marchandises et devant les voitures publiques, au milieu du convoi.

A peu près à la même heure, le long de la côte du Connecticut, près du hameau de West Haven, un aiguilleur qui venait de se disputer avec sa maîtresse eut recours à une bouteille de gin pour noyer sa colère. Il but tant et si vite qu'il oublia de remettre en place un levier après avoir fait passer l'omnibus de New York sur une voie de garage parallèle à la voie principale. L'omnibus s'y gara en marche arrière et attendit là le passage de l'express de Boston.

Constance, qui n'aimait guère l'inconfort et l'exiguïté des couchettes, descendit cependant un moment dans celle de son mari.

— Avant que je voyage régulièrement par les trains de nuit, il faudra qu'un génie invente de meilleures conditions de couchage, murmura-t-elle contre son cou.

— C'est pourtant bien douillet, comme ça, fit-il. Au même instant le train sembla faire une brusque embardée. Tu as remarqué, dit George. On dirait que nous avons été aiguillés sur une autre voie.

Le mécanicien de la locomotive à huit roues, Winans terrifié, vit une seconde trop tard la position du levier de l'aiguillage. La locomotive vira brusquement sur la voie de garage et, alors même que Winans tirait le signal d'alarme, il se souvint que le serre-frein serait incapable d'arrêter le train à temps.

Dans le reflet du phare à pétrole, il découvrit devant lui une barricade.

— Saute, Fred ! hurla-t-il à son chauffeur qui avait déjà un pied sur le marchepied.

Ainsi, voilà comment je vais finir, pensa-t-il. Un nom dans un journal rapportant un nouvel accident. C'était pour cela que tant de pasteurs et d'hommes politiques déclaraient qu'on ne devait plus construire de chemins de fer.

Winans tira de nouveau sur le signal d'alarme. La corde se cassa dans sa main. A la lueur de la boîte à feu, il regarda le bout éraillé et ce fut tout ce qu'il vit. La locomotive fonça à travers la barricade à cinquante kilomètres à l'heure, escalada un petit talus et plongea dans un ravin comme un immense projectile, entraînant derrière elle le reste du train.

## CHAPITRE XXIII

— CONSTANCE, VA CHERcher les enfants ! cria George.

Il ne termina pas son avertissement superflu. Le wagon frémit et commença à se coucher lentement sur le côté gauche.

Constance eut la bizarre impression de flotter. Elle fit un effort pour remonter, sur le plancher soudain incliné, vers la porte séparant leur compartiment de celui des enfants. A cet instant la locomotive bascula dans la ravine. Quelques secondes avant le monstrueux fracas, Constance comprit que la voiture privée, et peut-être tout le train, avait quitté les rails.

Elle ouvrit fébrilement la porte de communication. La première chose qu'elle remarqua fut le verre de la lampe qu'elle avait laissée allumée. Ici tout était en bois et en laque. S'ils n'étaient pas tous écrasés, ils brûleraient vif.

La lente plongée dans le vide parut durer éternellement. Du fer hurla quand des attelages sautèrent. Un fourgon atterrit au fond de la ravine et la voiture *Hazard* s'écrasa dessus. Tout de suite, la chaudière explosa dans une grande gerbe de vapeur et de morceaux de métal. Un nuage monta et s'épanouit comme la fleur d'un jardin dément.

Des cris humains répondaient aux protestations du métal. La voiture *Hazard* s'effondra sur son toit. Le wagon de seconde classe qui la suivait rebondit contre son flanc et se planta à côté de la pile de fourgons sur laquelle reposait la voiture privée. Au-dessous, Constance entendit des blessés hurler dans le noir : des employés de la compagnie travaillant dans le fourgon postal étaient pris au piège sous l'amoncellement de ferraille.

— William ? Patricia ? Restez avec maman. Cramponnez-vous à moi. N'ayez pas peur, nous nous en sortirons tous.

Les enfants sanglotaient, tout comme dans chaque voiture des dizaines de passagers. Un chœur terrifié essayait de se faire entendre, dans le fracas du bois, du verre brisé, du crépitement des flammes. Et George ? Dans son affolement, Constance l'avait perdu de vue. Elle crut qu'il avait quitté leur compartiment par la porte du couloir.

Les lampes étaient éteintes dans la voiture *Hazard* mais on y voyait à la lumière des flammes. George apparut soudain marchant sur le plafond qui était devenu le plancher. Il se précipita vers la porte de communication.

— Donne-moi un des enfants ! cria-t-il en tendant les bras.

Derrière lui, Constance aperçut Stanley qui se débattait le long du couloir, poussant Maude devant lui et traînant Isabel, un jumeau dans chaque bras.

Constance passa William à George. Portant Patricia, elle le suivit hors du compartiment. Le couloir était bloqué par des débris. Isabel soudain perdit le contrôle d'elle-même. Laissant tomber les jumeaux à ses pieds, elle s'abandonna à une crise de nerfs.

La fumée s'épaissit alors que l'incendie consumait la voiture. Les jumeaux de trois ans sanglotaient en tirant sur les jambes de leur mère, dans l'espoir qu'elle les remarquerait. Elle ne les voyait plus.

— Sortons tous de là ! lança Constance en fourrant Patricia dans les bras de son mari. Puis, elle glissa derrière lui, saisit Isabel par les épaules et la secoua. Comme cela ne donnait rien, elle la gifla. Isabel chancela contre Stanley qui la prit par les poignets et réussit à l'entraîner dans la fumée rougeoyante.

— Laban... Levi..., appela Constance accroupie près des jumeaux.

Elle comprenait qu'elle n'avait plus que quelques secondes car le compartiment flambait. Des langues de feu jaillissaient par la porte.

Les enfants apeurés se serrèrent contre elle, alors qu'elle luttait pour conserver son sang-froid.

— Ne me lâchez pas, les petits, dit-elle en les prenant par la main.

Elle parvint au couloir. George avait disparu dans la fumée, les autres aussi. La paroi de bois, sur sa droite, était brûlante. A un mètre devant Constance elle se fendit brusquement et s'écroula en flammes. Plus d'issue de ce côté-là et derrière se dressait un mur de feu.

Elle se tourna vers les fenêtres. Elle en frappa une avec son pied nu. La vitre frémit mais ne se brisa pas. Elle rua encore. Enfin un grand craquement ; des éclats de verre lui entamèrent le talon, lacérèrent la plante de son pied.

Le brusque appel d'air attisa les flammes. Constance ne voyait rien au-dehors. A quelle distance était le sol ? Y avait-il des débris dangereux dessous... ? Mais c'était la seule issue. Elle arracha un lambeau de bois de la paroi et élargit l'ouverture de la fenêtre en faisant tomber la vitre, sans s'apercevoir des coupures que cela lui infligeait ; quand elle eut fini, elle fut étonnée de voir ses bras en sang. Lâchant le morceau de bois, elle souleva Laban, le jeta par l'ouverture et son frère après lui, puis elle sauta à son tour, quelques instants à peine avant que la voiture ne disparaisse dans un Niagara de feu qui coulait vers le ciel.

Elle atterrit deux mètres plus bas sur une pente couverte de pierres pointues, et roula sur elle-même, assommée. Au-dessus d'elle, l'épave en feu se brouillait à sa vue. Elle fit des efforts désespérés pour reprendre haleine, incapable de bouger, sur le point de perdre connaissance.

Partout, ce n'étaient que gémissements, fumée, grondement de l'incendie et sifflement aigu de la vapeur s'échappant de la locomotive en miettes.

En dépit de ses douleurs, de sa panique, Constance parvint à déceler, dans le vacarme, les sanglots des jumeaux terrifiés errant déjà sur la pente. Par un sursaut de volonté, elle s'arracha aux ténèbres qui envahissaient son esprit, releva sur son front, avec des mains ensanglantées, des cheveux rougis et se traîna dans la ravine jusqu'à ce qu'elle retrouve enfin les petits. En les soulevant, elle émit un bizarre gargouillement qui voulait être un rire.

— Tout ira bien, maintenant, leur murmura-t-elle, tout ira bien. Nous allons retrouver maman. Nous allons la trouver tout de suite.

Si elle n'était pas morte !

Un jumeau sous chaque bras, Constance remonta la pente. Les cailloux blessaient ses pieds déjà en sang, et elle se demandait si les petits garçons se souviendraient plus tard des cris des victimes enfouies sous la pile de wagons, du hurlement strident, étranglé, d'un voyageur prisonnier d'une voiture en flammes et qui brûlait vif. Elle savait, elle, qu'elle ne les oublierait jamais. Jamais.

La catastrophe de West Haven, comme l'appela la presse, fit vingt morts, quatorze voyageurs et six employés de la compagnie, dont le mécanicien. Parmi les pertes, on ne compta pas un seul Hazard, mais leur chef noir était mort, la poitrine transpercée par un brandon enflammé. Le centre du convoi avait été le plus protégé ; les morts étaient à l'avant ou dans les deux dernières voitures de voyageurs.

Constance retrouva les membres de la famille, un par un. Billy, le premier, puis Maude, assise par terre et incapable de se relever. George et ses enfants. Et Stanley essayant de calmer Isabel qui délirait et sanglotait.

Elle aperçut enfin Virgilia, à l'extrémité du monceau d'épaves. La sœur de George avait déchiré sa robe pour en faire des pansements. En jupon, sale et maculée de suie, elle courait sur le talus comme un chamois, cherchant des survivants pour les aider ou les dégager des décombres. Quant à la voiture *Hazard,* elle n'existait plus.

Stanley, assis par terre, examinait les pieds de ses fils.

— Comment vont-ils ? demanda Constance.

— Je ne sais pas. Comment se fait-il que leurs pieds soient si grièvement coupés ?

L'imbécile était en colère contre Constance. Incroyable !

— Qui est coupé ? Mes enfants sont blessés ? Laissez-moi les voir !

La voix stridente, mais manifestement remise, Isabel se précipita et tomba à genoux devant les jumeaux qui essayaient de ravaler leurs larmes.

— Laban... Levi... Oh, mes pauvres chéris ! Regardez-moi ce sang ! Ces horribles coupures ! Qu'est-ce qu'elle vous a fait ?

Elle prit les deux enfants entre ses bras et, les yeux débordant d'hostilité, elle cria :

— Constance, si jamais l'un d'eux reste infirme, je ne te le pardonnerai jamais !

— Infirme... ?

Constance trouva cela tellement grotesque qu'elle rejeta la tête en arrière et éclata de rire, d'un rire nerveux, aigu, qui assombrit encore la figure de Stanley et aussi celle de George.

— Seigneur ! haleta-t-elle enfin. As-tu la moindre idée de ce que tu dis ?

Isabel lâcha les petits garçons et se releva en chancelant. Des mèches tombant en désordre sur son front, elle marcha sur sa belle-sœur.

— Je le sais parfaitement. Regarde-les. Regarde leurs pieds.

— Je regrette que tu n'approuves pas ce que j'ai fait, Isabel. J'ai l'habitude, d'ailleurs. J'ai tenté de sauver tes jumeaux. Personne d'autre ne leur a porté secours. Et surtout pas toi ! Tu hurlais comme une folle. Tu avais abandonné tes enfants à un sort abominable.

— N'en dis pas davantage, murmura George.

Constance comprit qu'il lui demandait de s'en tenir là. Il ne l'exigeait pas mais tentait de ne pas aggraver le drame. Elle l'entendit clairement et elle le comprit. Mais elle avait vu la mort de trop près, elle ne pouvait plus taire des sentiments longtemps refoulés. En regardant fixement Isabel, elle déclara :

— Oh ! si, il y a encore beaucoup à dire. Isabel, ton ingratitude est insensée. Si tu n'étais pas une aussi pitoyable créature, je...

— Un instant ! protesta Stanley mais un cri d'Isabel couvrit sa voix :

— Sale Irlandaise ! jeta-t-elle et ramassant une pierre, elle se rua sur Constance. George s'interposa, lui arracha la pierre des mains et la lança vers le brasier du train. Isabel leva le poing pour le frapper. Il lui saisit le bras et la força à le rabaisser. Puis il parla d'une voix frémissante.

— Constance a raison, tu n'es qu'une ingrate. Tu l'accables de tes méchancetés depuis son arrivée à Lehigh Station. Elle a fermé les yeux, elle a essayé de te pardonner, et moi aussi. Mais cette fois, c'est fini. Elle a sauvé les jumeaux et au lieu de la remercier...

— Tu exagères, gronda Stanley derrière lui.

George ne se retourna pas.

— Ne te mêle pas de ça, toi. Isabel, je veillerai à ce que ma famille soit polie avec toi, mais c'est tout. Désormais, je ne veux plus te voir à Belvedere. Ne mets plus jamais les pieds dans ma maison.

— Je t'interdis de parler à ma femme sur ce ton, s'exclama Stanley en empoignant l'épaule de son frère.

Ce geste impulsif fut comme une allumette approchée d'une mèche. George pivota, fit tomber la main de Stanley en lui frappant l'avant-bras et recula pour prendre de l'élan.

Stanley bafouillait. Bien planté sur ses jambes, George resta sourd à un faible appel à la raison et fit ce qu'il rêvait de faire depuis longtemps. De toutes ses forces, il expédia son poing dans le ventre de son frère.

Isabel hurla. Stanley poussa un cri et George aussi. Il avait frappé si fort qu'il croyait s'être fracturé la main.

— Papa! cria un des jumeaux et il fondit en larmes. Stanley s'efforça de rester debout mais le coup l'avait déséquilibré. Battant des bras, il partit à la renverse et tomba assis. La lueur des wagons en feu teignait de rouge ses joues luisantes. Il leva vers son cadet des yeux où se devinait une triste prise de conscience. Il haletait. Assis là, il avait l'air effondré, vieux, soudain impuissant.

George regrettait déjà son acte, mais rien ne pouvait rattraper le coup de poing. Il existerait éternellement dans leur souvenir à tous, comme une lourde erreur. Curieusement, tout en regrettant son geste, il était en même temps soulagé et un peu fier. Il s'avança et tendit la main à son frère.

— Laisse-moi t'aider.

Stanley accepta et se releva, remerciant d'un signe de tête mais sans la moindre reconnaissance dans les yeux. George n'en attendait d'ailleurs pas. Il découvrait cependant autre chose, une émotion, une crainte déjà entrevue, ou tout au moins soupçonnée. Maintenant, c'était indéniable.

*Il a peur de moi*, pensa-t-il. *Il a toujours eu peur de moi!*

Il avait déjà reconnu cette frayeur dans le passé, mais n'avait pas senti le pouvoir qu'elle lui octroyait, jamais jusqu'à cet instant.

Son frère alla rassurer Isabel, puis il prit dans ses bras le jumeau qui pleurait et le consola. George et Constance, de leur côté, serraient leurs enfants contre eux. Billy s'était assis à côté de Maude Hazard. Pendant quelques minutes, ils se turent tous, encore sous l'effet du terrible choc mais George n'aurait su dire si cela venait de la catastrophe ou de leur dispute, règlement de compte qui s'imposait depuis longtemps.

Une vingtaine de minutes plus tard, Virgilia approcha accompagnée de cinq hommes du hameau de West Haven et deux d'entre eux emportèrent Maude sur une civière.

Quand le soleil se leva, deux cents cheminots et sauveteurs bénévoles s'agitaient sur les lieux de l'accident. Les Hazard se reposaient dans un hôtel de New Haven tandis que Virgilia prenait la décision de se rendre à Newport où plusieurs domestiques étaient déjà. Les commerçants de New Haven, devant ce cas d'urgence et cette belle occasion de profit, apportèrent avec zèle des vêtements et équipèrent entièrement toute la famille.

A la fin de la matinée, la circulation ferroviaire reprit dans les deux sens. Virgilia partit à trois heures. Billy surveilla les enfants pendant leur sieste. George et Constance allèrent à la gare et firent ensuite quelques achats supplémentaires. En rentrant à l'hôtel, ils passèrent voir Maude, encore au lit. Elle avait deux côtes cassées mais, à part un peu de vertige, elle se sentait bien.

— Une bonne nouvelle, maman, dit George. Voilà, je vais essayer de parler à Stanley.

Sa mère le regarda sans reproche.

— Où a-t-il été, toute la matinée ?

— Je ne sais pas.

— Isabel et lui ont disparu avec les enfants dans leurs chambres tout de suite après le petit déjeuner, intervint Constance.

Maude soupira.

— Je serais contente que tu te reconcilies avec lui.

George lissa sa moustache du bout de l'index.

— Oh ! Je ne lui ferai pas des excuses. Nous avons bien des choses à régler ensemble.

— Je comprends, murmura-t-elle avec résignation. Il y a un certain temps que je vois vos rapports s'envenimer. Le moment n'est sans doute pas plus mal choisi qu'un autre.

Elle ferma les yeux et croisa ses mains sur la courtepointe. George fut heureux que sa mère soit d'accord pour cette explication indispensable.

Il alla frapper à la porte de l'appartement de son frère. Isabel répondit et lui apprit froidement que Stanley était au bar où son frère le trouva effondré devant un grand verre de whisky du Kentucky. S'efforçant de parler sur un ton mesuré, il déclara :

— Stanley, dorénavant c'est moi qui aurai la responsabilité des comptes bancaires.

— Ah ? Tu en as parlé à maman ? demanda Stanley d'une voix amère et lasse.

— Non. Cela restera entre nous. Quand nous arriverons à Newport, nous composerons une lettre pour chacune de nos banques. Désormais, ma signature sera la seule à autoriser des dépenses au-dessus de cinquante dollars. Et nous n'aurons plus de wagon personnel pendant un moment.

Stanley contempla derrière le bar le grand miroir encadré d'acajou. Au-dessus, la tête naturalisée d'un dix-cors les contemplait avec indifférence de ses yeux de verre. Brusquement, Stanley rit.

— Je prévoyais ça. Je m'en moque. D'ailleurs, je n'ai jamais aimé le fer et tu as tout fait pour reprendre l'affaire.

George maîtrisa sa colère et reprit calmement :

— Je lui consacrerai toute mon attention. Toi, tu as d'autres intérêts. Si j'ai bien compris, tu souhaites occuper un poste politique ?

— Eventuellement, reconnut Stanley. D'abord, ça m'éloignerait de Lehigh Station.

*Et de toi*, pensa-t-il. George le devina et ne mordit pas à l'hameçon.

— Dans ce cas, c'est parfait. Nous sommes d'accord et je te demande pardon pour ce que j'ai fait hier soir.

Il tendit la main.

Stanley la regarda un instant, resserra ses doigts autour de son verre et se pencha en avant, comme pour le protéger.

— Si ça ne te fait rien, dit-il très bas, je préfère boire seul.
— Comme tu voudras.
Et George quitta le bar.


## CHAPITRE XXIV


LA PROPRIÉTÉ DE NEWPORT,
Fairlawn, était une splendide maison bien aérée, de trois étages,
resplendissante sous une récente couche de peinture blanche, mais
dont les jardins avaient été négligés. De mauvaises herbes envahissaient les massifs, des branches mortes défiguraient les arbres, le mur
de briques entourant le domaine avait besoin de réparations. A la
demande de George, Stanley surveilla les travaux des maçons et des
jardiniers, et cela avec un plaisir évident.

Tout le mobilier était compris dans le prix de la maison. Cependant,
très peu de meubles plurent aux femmes et elles passèrent les deux ou
trois premiers jours à en commander d'autres. Constance, le plus
souvent possible, s'en rapportait au goût d'Isabel. Cette mansuétude
ne modéra en rien l'animosité de sa belle-sœur.

Toute la famille cherchait à oublier la catastrophe. Les blessures de
Maude en restaient le souvenir le plus évident. Ses vertiges persistaient et, à cause de ses côtes cassées, elle se déplaçait lentement.
Constance souffrait de cauchemars, revivant sans cesse ses efforts pour
échapper à la voiture en flammes. William, son fils, rêvait aussi de
l'accident : pendant quinze jours, il se réveilla toutes les nuits en
criant.

Les Main arrivèrent le 5 juillet, le lendemain du jour où le président
Taylor mangea trop de concombres et but trop de lait froid à une fête
patriotique et tomba malade. Le 9, il mourut du *cholera morbus*.
Certains éditorialistes affirmèrent qu'il avait été tué par les soucis et
les tensions de sa fonction, en particulier par ceux que lui créaient
l'antagonisme régional. Le vice-président Millard Fillmore assuma la
présidence le 10 juillet.

Les Main étaient alors installés dans la maison qu'ils avaient louée,
pas très loin de Fairlawn, dans Old Beach Road. Les deux familles se
jetèrent dans les nombreux plaisirs de la saison estivale de Newport :
promenades en carrioles, pique-niques sur la plage, jeux sur les
pelouses pendant les longues soirées qui sentaient bon l'herbe fraîche-
ment coupée. La plage était proche mais, toujours bondée, on leur
préféra une petite crique plus intime, à l'extrémité méridionale de
l'île.

Au début, Theo parut mal à l'aise en territoire yankee. Bientôt,
toutefois, il noua des relations avec plusieurs autres familles de
Caroline du Sud, se détendit et commença à profiter agréablement de
ses vacances, sauf quand il lisait les nouvelles de Washington :
Fillmore manifestait l'intention de soutenir les compromis de Clay,
qui allaient certainement être votés, avant la fin de l'année sans doute.
Un groupe de jeunes parlementaires conduit par Stephen Douglas, de

l'Illinois, s'était juré de sortir le scrutin de l'impasse créé par la vieille garde.

Les quatre adolescents Main et Hazard passaient beaucoup de temps ensemble. Anne et Beth s'entendaient bien avec Billy, trapu et jovial, qui s'intéressait surtout à l'aînée. Il avait quinze ans, elle un an de moins; Beth n'était encore qu'une enfant de douze ans.

Charles, à quatorze ans, paraissait plus mûr que les autres. Sa taille y était pour quelque chose : il avait une tête de plus que Billy. Il était beau, très rieur. La cordialité entre Charles et Billy était celle de deux garçons qui apprennent à se connaître. Harry et George observaient avec grand intérêt la naissance de cette amitié.

George acheta une yole et un soir, après le dîner, les garçons la transportèrent sur la plage pour s'entraîner. George et Harry les accompagnèrent afin de surveiller les apprentis navigateurs. Billy avait un peu d'expérience des petites embarcations, Charles aucune.

Harry sourit.

— Regarde-les. En retaillant un peu leurs traits, ça pourrait être nous deux autrefois.

George hocha la tête en tirant sur son cigare.

— J'espère qu'à West Point ils seront aussi bons amis que nous l'étions, même s'ils sont espacés d'un an. Charles est vraiment beau garçon, l'image même du sémillant gentilhomme du Sud.

— Je suis fier de ce qu'il est devenu, avoua Harry. J'avais tant de regrets, quand je suis revenu du Mexique! Charles m'a aidé à en bannir quelques-uns.

— Le changement a percé dans tes lettres et m'a fait plaisir.

— Tout comme ces vacances me font plaisir. A part... j'ai toujours horreur de tes cigares qui empestent.

George éclata de rire. L'instant était agréable : un de ces moments calmes, heureux, si rares dans leur vie. Harry éprouvait les mêmes sentiments. Il s'attendrit.

— Tu sais, je me sens si bien que je regarde plus charitablement mon frère aîné.

— Comment va-t-il?

— Il est heureux. Il a épousé son unitarienne libre penseuse. C'est un bon mariage. Mon père l'admet mal, ce qui ne l'empêche pas d'accepter les bénéfices que Cooper tire de sa compagnie de navigation. T'ai-je parlé de notre nouveau bateau? Il sera lancé dans un mois. Cooper rêve déjà d'en faire construire d'autres. Il veut aller en Angleterre pour étudier leurs méthodes de construction navale.

George posa enfin la question qui le tourmentait depuis l'arrivée d'Harry.

— Reçois-tu des nouvelles de Madeline?

Harry se détourna du soleil, vers son ami. Ses yeux s'enfonçaient dans des poches d'ombre.

— Aucune. Rien n'a changé.

— Tu la vois toujours?

— Aussi souvent que je le peux. C'est difficile, mais cela vaut mieux que rien.

Un vent léger souleva le sable à leurs pieds. La plage s'assombrissait. George se leva et héla les garçons. Billy et Charles échouèrent la yole, démontèrent le mât et la hissèrent sur leurs épaules.

— Tu finiras par faire un bon marin, déclara Billy en suivant les aînés sur la route.

— Un marin peut-être mais jamais un Yankee, j'espère !

— Qu'est-ce que tu reproches aux Yankees ?

— Mr Hazard, lança Charles gaiement, je me ferai un plaisir de vous le dire, si vous avez toute une nuit de liberté.

— Pas pour écouter un ramassis de mensonges et de fanfaronnades, répliqua Billy, un peu irrité par la taquinerie. Parlons plutôt de choses sur lesquelles nous sommes d'accord.

— Des filles ?

— Des filles, approuva énergiquement Billy, sa bonne humeur revenue, en pensant à une nommée Anne.

— Hé ! qu'est-ce qu'on a là ?

— Un des gars qui nous embêtent l'été.

— J' te parle pas de lui, Oral. Vise un peu cette canne et ce panier.

Invisible, Billy entendit les voix basses et ne bougea pas. Il était perché tout en haut d'un arbre où il avait grimpé pour atteindre les bonnes pommes. Sous lui, quatre galopins avaient surgi par une brèche de la haie entourant les arbres fruitiers : trois blancs et un noir.

Billy et Charles, peu auparavant, avaient pêché en vain dans la baie pendant deux heures et, en rentrant, fait le détour pour se reposer dans le verger.

Billy, tapi dans une fourche formée par les deux plus hautes branches, était invisible d'en bas; d'ailleurs, les voyous n'avaient d'yeux que pour le luxueux matériel de pêche, posé dans l'herbe à côté de Charles assis, le dos contre l'arbre, le menton sur sa poitrine, les yeux fermés.

— Si elle te plaît, t'as qu'à te servir, lança Oral, le Noir. Il dira rien. Il dort.

Les yeux de Charles s'ouvrirent brusquement. Un des garnements sursauta. Charles profita de l'étonnement pour relever sa jambe droite de manière à ce que sa botte soit à portée de sa main : cette botte dans laquelle il cachait son couteau.

— J'ai peur que tu te trompes doublement, dit-il avec un large sourire.

Billy remarqua la façon nonchalante avec laquelle Charles posa sa main droite sur son genou, à quelques centimètres de la tige de la botte.

— Mais c'est un gars du Sud, ricana un gamin blond en donnant un coup de coude au Noir. Je te parie qu'y fouette tes cousins là-bas en Georgie !

— Ouais, j' parie aussi, grogna Oral, l'air mauvais. On lui prend son matériel.

Toujours souriant, Charles serra sa main autour de son mollet.

— Ce serait une regrettable erreur, les gars.

— Sans blague ? ricana Oral. On est à quatre contre un.

Il se baissa et tendit la main vers le grand panier d'osier de Charles. Soudain, le blond aperçut l'autre canne à lancer appuyée contre le tronc d'arbre.

— Hé, Oral, fais gaffe. Y a deux cannes. Pourquoi y en a deux ?

Oral était si avide de s'emparer du matériel de Charles qu'il n'entendit pas l'anxiété dans la voix de son camarade. Les deux autres eurent un air inquiet. Lentement, silencieusement, Billy déplia sa jambe gauche, sans quitter des yeux la main droite de Charles. Quand celui-ci saisit le haut de sa botte et roula sur lui-même, Billy sauta.

— Jésus Tout-Puissant ! hurla le blond épouvanté, une seconde avant que les lourds souliers de marche de Billy frappent ses épaules.

Le blond tomba à la renverse dans la haie. Ramassé sur lui-même, Charles bougea lentement sa main droite. Oral aperçut la pointe du couteau qui traçait un cercle dans l'air. Le jeune Noir se mit à transpirer.

— Eh bien, monsieur, lui dit Charles. Tous les Sudistes vous déplaisent ? Ou seulement les Sudistes qui ne supportent pas les voleurs ?

Billy s'était relevé. Un instant il avait perdu de vue les deux autres garçons. Il les retrouva brusquement, quand leurs ombres bondirent sur l'herbe. Ils arrivaient par-derrière en courant vers Charles et en brandissant chacun une branche d'arbre ramassée par terre.

— Derrière toi ! cria Billy.

Charles n'eut pas le temps de se retourner, une branche l'atteignit à la tête. Le bois était pourri. Il vola en éclats, mais le coup étourdit Charles et le jeta contre Oral, qui lui arracha le couteau sans effort. Les yeux du Noir se fermèrent à demi. Il ricana, fit un petit pas de côté, empoigna le col de la chemise de Charles sur la nuque et tenta de le frapper à la figure avec le couteau.

Terrifié, Billy s'élança, plaqua Oral aux jambes. Le couteau manqua d'un doigt la joue de Charles.

Billy et Oral roulèrent sur le sol. Charles s'empara de la première arme venue, sa canne à pêche, et lança le fil vers les deux autres garnements qui revenaient à la charge. Le blond brandit une grosse pierre pointue.

L'hameçon s'enfonça dans sa nuque. Charles ramena la canne en arrière d'une brusque torsion du poignet en retenant le fil avec son pouce. L'hameçon s'accrocha plus solidement. Le blond hurla.

Pendant ce temps, Billy se débattait, avec Oral à genoux sur sa poitrine. Le Noir était vigoureux, fort et résolu à le poignarder. Billy rejeta sa tête vers la droite un instant avant que le couteau s'enfonce dans la terre près de son oreille.

— Salaud de Blanc, gronda Oral, et il envoya un grand coup de genou dans l'aine de Billy.

Billy ressentit une explosion de douleur dans son bas-ventre. Cela ralentit ses réflexes. Il comprit qu'il n'éviterait pas le prochain coup de couteau. Oral le levait lentement, presque comme un prêtre païen s'apprêtant à sacrifier une victime expiatoire.

La large lame étincelait au soleil. Soudain, le couteau disparut de la main d'Oral qui ouvrit la bouche et tomba sur le flanc, dans l'herbe. Charles dégagea le couteau qu'il avait rapidement planté dans la cuisse du Noir.

Quoi qu'il respirât rapidement, Charles paraissait calme, maître de la situation. Il adressa un large sourire froid aux garnements.

— Filez avant qu'on vous tue ! lança-t-il. Et si jamais vous nous rencontrez dans les rues de Newport, tournez les talons et changez de direction, sinon gare à vous !

Les mauvais garçons s'éclipsèrent.

Alors seulement, Billy respira. Les épaules voûtées, il s'assit dans l'herbe.

— Qu'est-ce qu'ils te voulaient ?

— Ma canne à pêche et le panier et ils n'aimaient pas mon accent !

Mais dis donc, ça va bien, nous deux. Mille mercis pour votre secours venu à point, Mr Hazard.

Le sourire de Billy était moins assuré que celui de son camarade.

— A votre service, Mr Main. Mais sans plaisanter, j'aimerais avoir ton calme. J'étais mort de peur.

— Tu crois que je ne l'étais pas ? J'avais l'impression d'avoir des tripes en eau.

— Tu n'en avais pas l'air !

— Tant mieux. Si on cache aux autres ce que l'on ressent, ça les énerve, et ils commettent des erreurs. Harry m'a appris ça.

— Je devrais lui demander des leçons, dit Billy alors qu'ils rassemblaient leurs affaires.

— Mais il faudrait que tu expliques pourquoi, avertit Charles en perdant le sourire. Moi, j'aimerais rester discret sur cette petite altercation. Harry, tante Clarissa et oncle Theo croient que j'ai renoncé à me battre. Laissons-leur leurs illusions, ajouta-t-il et il tendit sa main ouverte. Tope ?

— Tope !

Billy serra la main pour sceller le pacte du secret. Pour la première fois, il sentit vraiment que Charles Main était son ami.

Mais, la bagarre n'allait pas rester secrète.

Deux jours plus tard, Anne et sa sœur descendirent sur la plage pour patauger dans le ressac. Charles et Billy étaient dans la yole. Au bout d'un moment, le vent tomba. Ils échouèrent le bateau et Charles s'allongea sur le sable pour faire un somme.

Anne était un peu plus loin et se reposait dans un fauteuil d'osier sous un parasol à rayures. Elle portait une robe d'été lilas, en tissu léger que la brise marine plaquait sur ses seins. L'effet était si provocant que Billy dut détourner les yeux.

Il pensait presque constamment à la jeune fille qui, elle, ne s'intéressait pas du tout à lui. Par contre, Beth essayait de ne pas le quitter longtemps.

Il s'agenouilla et commença machinalement à construire un château de sable, laissant couler du sable mouillé de son poing fermé pour former des tours pointues. Il travaillait depuis dix minutes quand une ombre tomba sur les remparts et les échauguettes. Beth était là, tortillant une de ses nattes.

— Bonjour, Billy.

— Ah ! salut.

Billy trouvait cette gamine assez jolie, malgré ses taches de rousseur que le soleil fonçait et multipliait, mais elle était plate comme une planche à pain.

— Il paraît que vous vous êtes battus, dit-elle.

Il sursauta et renversa une tour.

— Qui t'a dit ça ?

— Hier, je suis allée acheter de la réglisse. J'ai entendu un garçon raconter que deux grandes brutes t'avaient attaqué l'autre jour.

— Tu connais le garçon ?

Beth secoua la tête.

— Comment était-il ?

— Blond. Avec des cheveux presque blancs et un pansement sale sur la nuque, expliqua-t-elle en portant la main à son cou à peu près à l'endroit où s'était enfoncé l'hameçon de Charles.

— Continue !

— Je suis restée devant les bocaux de bonbons jusqu'à ce qu'il termine son histoire. Il a dit que c'étaient des estivants et j'ai bien compris qu'il parlait de Charles et toi.

Billy jeta un coup d'œil derrière elle. Anne se reposait toujours, sans faire attention à lui. Il pesta.

— Tu dois te tromper, Beth.

— Enfin quoi, pas la peine de me mordre ! C'était toi, va, insista-t-elle en le regardant d'une façon qui le mit mal à l'aise. Il t'arrivera des ennuis, si tu restes trop avec Cousin Charles. Il est peut-être amusant, mais il aime trop se battre. C'est une mauvaise influence.

Billy fronça les sourcils.

— Nom de Dieu, tu te mêles de ce qui ne te regarde pas !

— Tu ne dois pas jurer non plus.

Il se releva d'un bond et démolit le château de sable à coups de pied.

— Si j'ai besoin de tes conseils, je te les demanderai. En attendant, ne dis pas de mal de Charles. C'est mon ami.

Décontenancée, elle le regarda s'éloigner, furieux.

Ah, Billy, Billy, pensa-t-elle, tu ne me vois jamais comme je suis vraiment. Et tu ne vois pas à quel point je t'aime !

Anne avait ouvert les yeux pendant que Billy causait avec sa sœur.

Petite imbécile, pensa-t-elle. Tu n'as aucune idée de ce que signifie le mot *amour*. Anne, elle, savait, mais ce n'était pas grâce à ce crapaud de Huntoon.

Elle avait souvent entendu les conversations chuchotées des filles de son milieu un peu plus âgées qu'elle, et chacune de leurs réflexions laissait deviner le plaisir intense de l'amour.

Et un jour, à Charleston, par un temps sombre et humide, elle avait appris.

Comme le soir tombait et qu'un orage s'éloignait, elle s'était glissée toute seule, dans les rues presque désertes.

L'homme qu'elle avait rencontré par hasard était un marin au langage grossier, qui devait avoir au moins quinze ans de plus qu'elle. Vite, elle accepta, non sans appréhension, de l'accompagner dans une auberge misérable du port. Elle savait qu'elle risquait d'être reconnue, et perdue de réputation, mais elle était tellement surexcitée tout à coup qu'elle ne pensa pas à faire demi-tour.

A cent mètres de l'auberge, la pluie se remit à tomber, trempant son chapeau. Elle s'arrêta pour l'ôter et aperçut son reflet dans la vitrine d'un petit magasin.

La marchandise exposée n'était que de la pacotille, même le médaillon et la chaîne sur lesquels son regard tomba. Le marin s'impatientait et Anne, poussée par un instinct incompréhensible, lui montra ces piètres bibelots. Puis, en minaudant, à mots couverts, elle laissa entendre que ces babioles seraient le prix de ses faveurs. Le marin se précipita sans hésitation dans la boutique et elle découvrit le pouvoir de l'appétit sexuel chez un homme.

Ayant reçu cette surprenante leçon, ce fut pour elle un plaisir aigu de se déshabiller dans une chambre sordide et de se trouver à peine effrayée mais tremblante d'excitation, tandis que le marin défaisait son pantalon. Elle frémit ensuite épouvantée d'abord... mais, avec gémissements et blasphèmes, elle suffoqua bientôt dans une succession de spasmes, chacun plus violent que le précédent.

Personne ne l'avait préparée à un tel plaisir. Elle comprit qu'elle chercherait à le renouveler souvent. Mais deux leçons d'un coup, ce fut presque trop pour elle. Le lendemain elle jeta chaîne et médaillon mais resta troublée et satisfaite pendant des jours.

Forte de cette expérience, elle plaignait parfois sa petite sœur si naïve. Et pourtant, elle était soudain jalouse d'elle car sans la considérer comme une rivale sérieuse, elle ne tolérait aucune espèce de concurrence. Aussi, quand Billy remonta du bord de l'eau, en soulevant toujours rageusement du sable, elle le guetta en arborant son plus doux sourire.

Elle l'appela même en agitant la main. En deux secondes, il fut à genoux à côté d'elle.

— Je croyais que vous vous reposiez, balbutia-t-il.

— Si l'on se repose trop longtemps, on s'ennuie. Nous avons eu si peu d'occasions de mieux faire connaissance. Voulez-vous vous asseoir et bavarder un peu ?

— Oui. Bien sûr. Volontiers !

Cet empressement amusa Anne. Dans le fond, se dit-elle, il n'est pas mal, à sa manière trapue et plutôt lourde. Peut-être devrait-elle faire un peu plus que simplement l'éloigner de Beth.

Une dizaine de jours plus tard, elle entraîna Billy derrière un rocher posé sur la plage comme un énorme œuf brun. Elle s'y adossa, abritée des regards curieux. La mer roulait des flots gris sous un ciel gris. Des mouettes criardes plongeaient pour pêcher. La journée se teignait d'une mélancolie d'été finissant.

— Je déteste l'idée que nous partons demain, dit-elle.

Billy plaqua ses mains sur le rocher, de chaque côté de la tête d'Anne, comme pour la garder là éternellement. L'air froid couvrait ses bras nus de chair de poule.

— Je vous écrirai une fois par semaine, promit-il.

— Ah, c'est merveilleux !

— Vous me répondrez ?

Elle sourit, les lèvres humides et brillantes. Puis, elle fronça légèrement les sourcils.

— J'essaierai sûrement, mais je serai terriblement prise cet automne.

Elle était très habile. Elle le retenait juste assez pour l'empêcher d'être satisfait et à l'aise. Parfois Billy la détestait, puis il regardait au fond de ses yeux noirs et ne pensait plus qu'à la posséder, quelles que soient les conditions qu'elle imposerait.

— Vous reviendrez ici l'été prochain ? demanda-t-il.

— Je l'espère. Ces vacances ont été charmantes.

La figure de Billy s'assombrit.

— C'est tout ? Charmantes ?

Elle regarda de côté, vers l'océan.

— Ce serait malséant de ma part d'en dire plus. Peut-être ne me trouverez-vous pas trop effrontée si je vous montre ce que j'éprouve.

Elle se haussa sur la pointe des pieds et embrassa Billy sur la bouche insinuant sa langue entre ses lèvres. Billy eut le vertige. Il avait seulement entendu parler de filles embrassant ainsi.

Il la prit par la taille et l'attira tout contre lui. Elle laissa échapper un petit gémissement. Un gémissement de plaisir, pensa-t-il.

Il se demanda jusqu'où il pourrait aller. Et en partie pour le savoir — mais en partie seulement —, fit glisser une de ses mains sur sa taille et la remonta. Quand il lui toucha le sein, Anne se dégagea et courut vers la mer, en riant et en tapotant ses cheveux.

Il la poursuivit, craignant de l'avoir fâchée.

— Billy, souffla-t-elle, les yeux sur l'horizon, nous ne devons pas faire ça. Vous me faites oublier les convenances.

Il en fut flatté mais dérouté car il ne la croyait pas. Il savait qu'elle agissait sciemment. Il le sentait et cela faisait partie de sa terrifiante fascination. Cela ne le troubla pas longtemps, car il était bien trop sous l'empire de leur étreinte pourtant inoffensive.

Anne aussi, et elle s'en irritait. Elle avait manipulé Billy jusqu'au moment où il l'avait terrassée. Alors, il l'avait écrasée sous lui et l'avait totalement privée de ses moyens. Un instant, elle avait cru tomber amoureuse. Et cela, il ne le fallait pas. C'était elle, et jamais l'homme, qui devait toujours rester maîtresse de la situation.

Elle était incapable de traduire cet avertissement et, sur le chemin du retour, elle entrelaça ses doigts à ceux de Billy, pressa sa main contre sa jupe. Elle pencha la tête de côté, jusqu'à ce que sa tempe lui effleure l'épaule, et elle murmura comme une amoureuse transie stupide :

— J'insisterai pour qu'Harry nous ramène l'été prochain ici. Je veux tellement vous revoir, cher Billy. Je crois bien que je n'ai jamais rien souhaité aussi ardemment.

## CHAPITRE XXV

Un soir du début d'octobre, à Belvedere, Constance demanda :

— Chéri, est-ce que tu te souviens de cette cabane, derrière les usines ?

Il repoussa la feuille sur laquelle il rédigeait un projet d'expansion de l'usine de rails. En septembre, le gouvernement fédéral avait, pour la première fois, accordé aux chemins de fer la libre disposition de terrains publics, afin de stimuler la construction de nouvelles lignes. George payait de respectables honoraires mensuels à un avocat de Washington pour être averti de toutes les décisions concernant le marché du fer. Dans son rapport sur ces concessions, l'avocat avait prédit que d'autres seraient accordées dans l'ouest et le sud. Cela laissait prévoir un essor du marché des rails pour les dix, ou même les vingt prochaines années.

Il constata que Constance était restée longtemps silencieuse avant de poser sa question. Quelque chose d'important devait la préoccuper.

— L'ancienne resserre à outils ? dit-il. Et alors ?

— Est-ce que tu me permets de l'utiliser ?

— Toi ? Pour quoi faire ?

Elle répondit évasivement :

— Je ne m'en servirai pas souvent, mais je voudrais que tu sois au courant.

— En voilà, des mystères ! De quoi s'agit-il ?

Il souriait, mais elle fronçait les sourcils comme si elle craignait sa réaction. Elle se leva et courut vers lui.

— Tu vas savoir. Viens.

— Où donc ?

— A la cabane.

— Tout de suite ?

— Oui. S'il te plaît.

La curiosité et la gravité de sa femme le firent accepter. Quelques minutes plus tard, ils gravissaient la côte, derrière les usines. La nuit était froide et sans nuages. La petite baraque se distinguait nettement au clair de lune. Soudain, George s'arrêta. De la lumière brillait entre des planches disjointes.

— Il y a quelqu'un, là.

— Oui, je sais, dit Constance en prenant son mari par la main. Il n'y a aucun danger. Viens.

— Tu le savais ? Veux-tu m'expliquer ce que...

— Mr Belzer ? chuchota-t-elle à la porte de la cabane. C'est Constance Hazard. Il faut déplacer la lanterne. On la voit de l'extérieur.

La lumière disparut. La porte s'ouvrit et George reconnut un des commerçants du village, un Quaker, qui paraissait nerveux. Derrière lui, enveloppé dans de vieilles couvertures, il découvrit une silhouette, dont l'aspect le choqua et lui expliqua tout.

C'était un garçon qui n'avait pas vingt ans, mais la peur et la maigreur lui donnaient deux fois son âge. Il avait la peau marron clair.

— Nous n'avions pas d'autre endroit pour le cacher, s'excusa Belzer. Il est venu chez moi, ce matin de bonne heure. Je ne peux plus abriter sans risques des... voyageurs. Trop de gens savent ce que je pense. Cet après-midi, il est devenu impératif de cacher ce garçon. Un agent du nouveau commissaire de district est arrivé à Lehigh Station.

Belzer faisait allusion au commissaire fédéral chargé des esclaves en fuite. Le président Fillmore avait signé le décret le 18 septembre, et sa mise en application avait été immédiate.

Le fugitif renifla et éternua. George, l'air abasourdi, se tourna vers sa femme.

— Depuis combien de temps t'occupes-tu de cette œuvre ?

— Mr Belzer m'en a parlé au printemps. Depuis, je l'aide.

— Pourquoi ne m'en as-tu rien dit ?

— Ne sois pas fâché, George. Je n'étais pas sûre de ta réaction.

— Tu sais ce que je pense de l'esclavage, mais c'est très grave de transgresser la nouvelle loi. Si tu es surprise, tu risques la prison.

Constance indiqua le garçon grelottant.

— Et où ira-t-il s'il est rattrapé ? On le renverra en Caroline du Nord. A Dieu sait quel châtiment brutal.

— Pourquoi as-tu décidé de t'en mêler ?

— Parce que les propriétaires d'esclaves ont maintenant tous les avantages. Les commissaires fédéraux doivent en principe juger impartialement. Seulement la nouvelle loi leur accorde dix dollars par esclave repris. Où est l'impartialité ?

— C'était un compromis.

— Appelez cela comme vous voulez, Mr Hazard, protesta Belzer, mais la nouvelle loi est une offense à Dieu et à la conscience de ce pays. Je vous demande pardon, madame Constance, si j'ai causé de la discorde entre votre mari et vous. J'ai peur que nous ayons commis une erreur de jugement. Je vais essayer de trouver une autre cachette pour Abner.

Piqué au vif, George s'exclama :

— Un instant! Je n'ai rien dit, n'est-ce pas?

L'espoir remplaça la peine dans les yeux de sa femme :

— Ce qu'il nous faut, c'est quelques provisions, des couvertures, un cadenas pour la porte et une ou deux pancartes « défense d'entrer », afin d'écarter les indiscrets. Si je dois dépenser autre chose, je te le dirai. Autrement, tu n'auras pas à t'inquiéter de ce qui se passe ici.

— Ne pas m'inquiéter d'un asile clandestin sur mes terres? Pas d'accord! Pourquoi diable veux-tu utiliser justement cette cabane?

Ce fut Belzer qui répondit :

— Elle est isolée et il est facile de s'en approcher par les bois, du sommet de la colline. Les... euh... les passagers peuvent arriver et repartir pour le Canada sans se faire remarquer.

Pendant quelques secondes, George contempla le fugitif enrhumé et sous-alimenté. Il savait qu'il n'avait pas le choix.

— Bon, très bien, mais je dois imposer des conditions pour la sauvegarde de tout le monde et...

Constance ne le laissa pas finir. Elle se jeta à son cou et l'embrassa pendant que Belzer rassurait Abner.

George était fier de ce que sa femme avait fait. Ils mirent Maude dans le secret. Tous trois convinrent que personne d'autre, dans la famille, ne devait être au courant. En effet, Stanley et Isabel s'y opposeraient certainement parce que Stanley ne voulait être mêlé à aucune controverse. Depuis quelque temps, il ne passait que deux ou trois jours par semaine chez lui. Le reste du temps, il discutait avec ses nouveaux amis, à Harrisburg et à Philadelphie.

Quant à Virgilia, elle se démenait toujours au sein de son mouvement anti-esclavagiste. Elle aurait vu d'un œil favorable cette étape clandestine, mais elle risquait d'en parler trop librement et beaucoup d'ouvriers, chez Hazard, demeuraient farouchement anti-nègres car les Noirs affranchis les menaçaient en risquant de prendre leurs emplois. George aurait souhaité que cette haine n'existât pas dans ses aciéries, mais il savait qu'aucun gouvernement ne pourrait la supprimer car elle était ancrée dans la peur. Il était également inutile de faire appel à la conscience et il était convaincu qu'il faudrait au moins une génération pour faire définitivement table rase de cette attitude.

— Il ne serait pas prudent non plus d'en parler à tes amis du Sud, conseilla Constance.

George fronça les sourcils.

— Tu parles comme s'ils n'étaient pas tout à fait honnêtes. Je croyais qu'ils étaient aussi tes amis.

— Ils le sont, assura-t-elle, mais je ne suis pas aussi intime que toi avec eux. Si je devais choisir entre plaire à Harry ou aider Joel Belzer, mon choix pourrait ne pas te plaire.

Elle ne cherchait pas à l'irriter, il le comprenait : elle s'exprimait avec franchise. Malgré cela, ses propos l'agaçaient.

— Pourquoi? répliqua-t-il assez sèchement. Tu n'auras jamais à faire ce choix.

Cependant, il n'en était pas tellement sûr et cette incertitude, avec ses graves implications, était la cause réelle de ses soucis.

## CHAPITRE XXVI

UNE FAUSSE PAIX RÉGNAIT entre les deux familles et la nation en cet été de 1851. La plupart des Américains étaient épuisés par la guerre et par les querelles à propos de l'esclavage. Le compromis de 1850 n'avait pas apporté de solution définitive comme les gens feignaient de le croire. Dans les deux camps, des voix fortes continuaient à proclamer que peu de choses avaient changé et que rien n'était résolu : le cancer caché par des pansements demeurait un cancer. Les James Huntoon et les Virgilia Hazard avaient du mal à défendre leurs points de vue extrémistes durant ces mois chauds et ensoleillés. La majorité des Américains avaient besoin d'un répit, au moins pendant une saison ou deux.

Cooper et Judith s'étaient mariés le 1er juin 1850 et la nature avait rapidement compromis le projet de voyage en Angleterre de Cooper. Neuf mois exactement après le mariage, Judith donna le jour à Judah Theo Main, ou J. T. comme l'appela fièrement son grand-père dès qu'il apprit la naissance. A la fin de juillet 1851 les parents, le bébé et une nourrice arrivèrent à Newport pour passer dix jours avec les Main.

Quelques heures après cette arrivée, Theo s'installa dans un fauteuil à bascule, sur la véranda de la villa. Cooper s'assit à côté de lui. Theo admirait son petit-fils, endormi dans les bras de son père. Judith jouait aux quilles sur la pelouse avec George, Billy et Anne. Leurs ombres s'allongeaient au crépuscule. Theo déclara tout à coup :

— Ta femme est une personne très bien.

Cooper fut comblé de joie. Jamais son père n'avait complimenté Judith.

— Merci, Père. Je suis tout à fait d'accord.

Theo se carra dans le fauteuil et croisa ses mains sur son ventre qui prenait chaque année plus d'ampleur. Comme il paraît vieux, pensa Cooper. Quel âge a-t-il maintenant ? Cinquante-cinq ans ? Non, cinquante-six. Cela se voit à ses rides, à ses yeux. Cooper éprouva une bouffée de tendresse pour son père, un amour sans réserve.

Theo poursuivit cependant :

— Je peux faire son éloge sans être d'accord avec tout ce qu'elle dit. Je ne le suis pas, tu sais. Tout de même... les familles ne doivent pas se battre entre elles.

— C'est bien vrai, dit-il en songeant « mais combien difficile de nos jours »...

— Tu as très bien réussi avec ta compagnie, reprit Theo. C'est même remarquable. Ton dernier bateau est superbe, et c'est un magnifique succès commercial, par-dessus le marché.

— Il nous en faudrait trois autres, pour absorber tout le commerce qu'on nous propose. Je suis en train d'étudier ça. Et autre chose. On m'a demandé aussi de dessiner et de construire des bateaux, pour d'autres sociétés.

Theo se frotta le menton.

— Crois-tu qu'une expansion si rapide soit prudente ?

— Certainement. Nous tirerons des revenus plus sûrs et plus importants de la construction navale que du transport du coton.

— Où en es-tu dans ce domaine ?

— J'ai une commande d'une compagnie de navigation de Savannah, une autre d'une société de Baltimore. Certains points restent à négocier, mais chaque société veut un bateau comme le *Mont Royal*. J'ai bien l'intention d'essayer. Je vois déjà le jour, dans cinq ans, peut-être, où des vapeurs « Main » feront la navette le long de la côte atlantique et peut-être même jusqu'en Europe, sous les pavillons d'une dizaine de compagnies. Le marché du coton finira par baisser et je suis convaincu que la demande de transports maritimes rapides ne fera qu'augmenter au cours de notre vie.

— La mienne, peut-être. A long terme, je ne sais pas. Les politiciens yankees sont imprévisibles, cupides et retors comme... Ah, laissons cela et ne gâchons pas tout. Franchement, je suis impressionné par la réputation que tu as acquise, avec un seul navire.

— Le *Mont Royal* présente de nombreuses innovations, dont deux petites que j'ai fait breveter.

— Pourquoi ces autres compagnies de navigation ne s'adressent-elles pas directement à ce chantier de Brooklyn ?

— Elles le pourraient, mais elles veulent que je surveille la conception et la construction. Tout à fait par hasard, je suis devenu un expert sudiste en construction navale. Il n'y en a pas beaucoup, ajouta Cooper, et il sourit. Vous connaissez la définition de l'expert, n'est-ce pas ? Quelqu'un qui n'est pas du pays.

Theo éclata de rire. Le bruit réveilla son petit-fils qui se mit à crier. Cooper caressa la joue tiède jusqu'à ce que le bébé se calme.

— Ne sois pas trop modeste, dit Theo. Tu as travaillé dur à Charleston, je l'ai appris par différentes sources, et tu continues. Il n'y a qu'à voir toute cette lecture que tu as emportée en vacances : des ouvrages sur l'architecture navale, la métallurgie, des volumes que je puis à peine soulever et encore moins comprendre.

Cooper fit un petit geste de dénégation mais il savourait ces compliments inattendus.

— Dans le cadre de ce programme d'éducation, nous irons finalement en Angleterre en novembre.

— Mon petit-fils aussi ?

— Oui, nous tous. Le médecin assure que Judah peut voyager avec sa nourrice. Brunel m'a accordé un rendez-vous. Ce sera merveilleux de passer une heure avec cet homme. Son talent... l'ampleur de son imagination... incroyables ! Son père et lui ont construit le tunnel sous la Tamise, le savais-tu ?

— Non, mais pourquoi a-t-on besoin d'un tunnel sous un fleuve ? Que reproche-t-on aux bacs ? Ou aux ponts ? Et aussi, pourquoi vouloir des navires plus rapides ? Je me rappelle ce que disait le duc de Wellington des chemins de fer en Europe. Il assurait qu'ils ne pouvaient qu'aboutir à l'agitation sociale en permettant aux classes inférieures de se déplacer. C'est ce que je pense de toutes ces nouveautés qui surgissent de nos jours. Trop révolutionnaires.

— Le mot est juste, Père. Nous sommes en pleine révolution. La révolution pacifique de l'industrie et de l'invention.

— Nous devrions l'interrompre un moment.

— Ce n'est pas possible, pas plus qu'on ne peut revenir en arrière. La seule direction possible, c'est en avant.

— N'aie pas l'air d'en être si heureux, grommela Theo, puis il soupira. Enfin... ne parlons pas de cela non plus. Tu as certainement droit à un voyage. Tu as même mérité plus que cela, et il y a un moment que je veux te dire quelque chose... J'ai prié les avoués de la famille de préparer des documents changeant les statuts de propriété de la C.S.C. Désormais, tu contrôleras cinquante et un pour cent des actions, et tu recevras un pourcentage équivalent des bénéfices. J'ai lu tous les rapports que tu m'as envoyés. Au train où tu fais rentrer les revenus, avec ces nouvelles dispositions tu seras bientôt un homme très riche. Et qui se sera fait lui-même. Cela aussi est une distinction.

Au bout d'un long moment, Cooper revint suffisamment de sa surprise pour répondre :

— Je ne sais comment vous remercier. Pour votre confiance. Ou pour votre générosité.

— Tu es mon fils. Tu as donné mon nom à ton premier-né. C'est un grand remerciement. Les familles ne doivent pas se quereller.

Theo avait dit cela sur un ton un peu plus poignant. Etait-ce une prière ? Un avertissement ? J'espère que non, pensa Cooper. J'espère qu'il ne cherche pas à s'assurer de mon silence ou de mon accord avec ses opinions. Je l'aime, mais je ne suis pas à vendre.

Puis il se demanda s'il n'était pas ingrat. Il avait envie de demander à son père ce qu'il entendait par cette réflexion à propos des querelles de familles, mais il ne voulut pas troubler la paix du soir. Comme la tranquillité de la nation, elle était fragile. Elle ne durerait pas.

Les deux familles profitaient de l'été avec bonheur. Un soir, il y eut une conversation animée sur la véranda des Main, au sujet des efforts de quelques pasteurs pour faire interdire le roman osé de Mr Hawthorne, *The Scarlet Letter*. L'un d'eux appelait sa publication « le pousse au crime ».

Isabel et Theo étaient d'accord pour proclamer que de telles horreurs sexuelles devraient être proscrites par la loi. George répliqua que ceux qui s'exprimaient ainsi supprimaient la liberté de parole. Clarissa hasarda timidement que bien que le roman paraisse salace, George avait raison sur le principe.

— Femme, tonna Theo, tu ne sais pas ce que tu dis !

Heureusement, toute discussion fut évitée grâce à l'apparition sur la pelouse d'Anne, Billy et Charles.

Les jeunes gens allaient à la plage, comme presque tous les soirs, Charles servant de chaperon. Cela amusait Harry. Charles s'était assagi, mais c'était un peu comme si l'on embauchait le diable pour un travail de missionnaire.

George regarda les jeunes gens s'éloigner au clair de lune, puis il dit à Harry :

— J'ai l'impression que ta sœur a jeté son dévolu sur Billy.

— Pas si vite, George ! protesta Constance. L'été prochain, Billy sera à l'Académie, et pour quatre ans.

— Néanmoins, intervint Harry, je crois que George a raison.

Il ne prit pas la peine d'ajouter qu'il n'imaginait pas que cela se termine par un mariage. Anne était bien trop capricieuse. Naturellement, comme Charles, elle pouvait changer et, songeant à cette possibilité, il conseilla :

— Tu devrais amener Billy en Caroline du Sud pour quelques temps.

— Oui, nous serions ravis de vous avoir tous, déclara Clarissa.

Assise à l'écart à l'extrémité de la véranda, Virgilia parut sceptique.

— J'adorerai voir Mont Royal, murmura Constance.

Harry se redressa dans son fauteuil.

— Pourquoi pas cet automne ? Octobre est un de nos plus beaux mois. Cooper serait heureux de vous montrer Charleston et ensuite vous remonteriez le fleuve pour nous faire une longue visite.

— Parfait. C'est d'accord, lança George quand Constance lui eut pressé la main pour l'y encourager.

Un instant plus tard, il eut des remords. Virgilia avait écouté avec un grand intérêt. Pourtant, les Main risquaient de regretter sa présence.

Charles était adossé contre un rocher humide, les yeux fermés au clair de lune, imaginant des cuisses nues de diverses teintes de rose et de brun. Une de ces paires de cuisses appartenait à une fille potelée et peu farouche nommée Cynthia Lackey. Il avait fait sa connaissance durant la première semaine de l'été, en allant faire une course dans le magasin général de son père...

Au loin sur sa gauche, il entendit des rires. Il ouvrit les yeux et vit deux silhouettes émerger de l'ombre de la falaise, deux silhouettes qui n'en faisaient qu'une. Enlacées, elles avancèrent sur le sable brillamment illuminé.

— Attention, voilà notre chaperon, dit Billy, et Anne pouffa.

La forme obscure se divisa. Charles battit des paupières pour chasser ses rêves érotiques et il se dit qu'il était temps d'aller revoir Cynthia.

Anne lissa ses cheveux. Billy rentra sa chemise dans son pantalon. Charles plaignait son ami. Il n'avait pas de renseignements précis sur les expériences amoureuses d'Anne, mais de très nets soupçons. Au minimum, c'était une allumeuse experte, capable de faire marcher un soupirant jusqu'à le rendre malade de frustration.

Sur le chemin du retour, Anne parla de projets pour le lendemain soir. D'abord, la pêche aux coquillages. Ensuite, un feu de bois sur la plage et...

— J'ai peur que nous ne puissions pas, demain, interrompit Charles. Billy et moi avons un rendez-vous de longue date à l'autre bout de l'île.

Ahuri, Billy s'exclama :

— Tu crois ? Je ne m'en souviens...

Charles lui imposa silence d'un coup de coude.

Anne bouda, puis elle insista presque désagréablement. Charles sourit et tint bon. Après l'avoir accompagnée jusqu'à la porte de la maison de Beach Road, il revint en courant vers Billy qui était assis au clair de lune sur la véranda, les pieds sur la balustrade.

— Qu'est-ce que c'est que ce rendez-vous fictif à l'autre bout de l'île ?

— Ce n'est pas du tout fictif, mon vieux. Je vais te présenter à Miss Cynthia Lackey et à sa sœur Sophie. Je sais de bonne source que

Sophie est tout aussi avide que Cynthia de plaire aux garçons et de prendre à son tour du plaisir. Tu as déjà été avec une fille ?

— Naturellement.

— Combien de fois ?

Sous le regard pénétrant de Charles, Billy bafouilla.

— Oh ! bon. Non, jamais.

— C'est ce que je pensais. Nous ferons de cet été un été mémorable, déclara-t-il en claquant l'épaule de son ami. D'ailleurs, je connais la réputation de coquetterie de ma cousine Anne. Je vous ai trop laissés seuls, tous les deux. Je suis sûr que tu as bien besoin d'une soirée avec Miss Sophie.

Le lendemain soir, les deux garçons partirent en carriole pour la maison des Lackey, une petite ferme en pleine campagne. Ils revinrent à Newport à deux heures du matin. Billy remercia son ami et lui déclara que c'était maintenant un été mémorable, en effet.

— Mais je veux voir le Sud, affirma Virgilia. Et ils m'ont invitée.

— Ils t'ont invitée par politesse, c'est tout ! répliqua George.

Ils étaient de retour à Lehigh Station depuis deux jours et c'était leur quatrième discussion à propos du voyage.

— Ils ne veulent pas de toi là-bas, car tu les insulteras et dénigreras leur façon de vivre à tout instant. Tu exhiberas même cela dans tout Mont Royal !

Il s'empara du large ruban de satin qu'elle avait apporté dans la bibliothèque, et qu'elle devait arborer le samedi en défilant pour la manifestation du nouveau parti « Terre Libre », à Harrisburg. Le slogan du parti était inscrit sur le ruban : *Terre libre — libre parole — travail libre — hommes libres.*

— T'inviter à venir avec nous équivaudrait à porter une torche dans une forêt desséchée, Virgilia. Je serais fou d'accepter.

— Et si je promets de très bien me tenir ? Je sens qu'il est important pour moi de voir le Sud de mes yeux. Si tu m'emmènes, je serai sage comme une image. Je ne dirai pas un mot de la terre libre, ni de rien qui puisse offenser les Main.

Il l'examina à travers les volutes de fumée montant de son cigare.

— Tu parles sincèrement ? Tu seras polie d'un bout à l'autre ?

— Oui. Je le promets. Je le jurerai sur la Bible, si tu veux.

Il réussit à sourire.

— Ce ne sera pas nécessaire.

Arrondissant sa bouche, il souffla un rond de fumée, tout en soupesant les risques. Puis il finit par céder.

— Très bien. Mais à la première incartade, je te renvoie à la maison.

Elle se jeta à son cou en débordant de remerciements. Il y avait bien longtemps qu'elle ne s'était conduite d'une façon si féminine. Pendant un instant, George eut l'impression d'avoir de nouveau une sœur.

Quand Virgilia alla se coucher, elle était bien trop excitée pour dormir. Le sommeil vint enfin. Elle rêva de corps nus d'hommes noirs.

# CHAPITRE XXVII

Huit PERSONNES COMPO-saient le groupe des Hazard : Maude, George et Constance, les enfants, leur nurse, Billy et Virgilia. Tous, sauf Billy, souffrirent du mal de mer pendant le voyage houleux jusqu'à Charleston. Ils se reposèrent quelques jours chez Cooper et se remirent vite.

Le deuxième soir, après dîner, Judith leur joua du piano. Puis elle réunit ses invités autour d'elle et ils passèrent une heure très agréable en chantant des cantiques et des airs populaires. Tout le monde prit part au chœur, sauf Virgilia, qui s'excusa et monta dans sa chambre.

Le *Mont Royal* était justement à quai et embarquait du coton à destination de New York. Cooper leur fit visiter le bateau, leur en montra tous les détails, depuis la proue élancée jusqu'à l'hélice ultra-moderne. Les visiteurs ne comprenaient pas l'utilité de ces innova-tions aussi bien que leur hôte et ne pouvaient donc être aussi enthousiastes, mais tous surent apprécier les lignes extérieures du navire. Il était long, effilé, gracieux, indiscutablement très moderne.

Cooper les emmena ensuite à James Island, sur le nouveau terrain qu'il avait acquis.

— Je me propose de construire ici un chantier naval, en utilisant mes bénéfices de la C.S.C. Un chantier pour construire des navires de commerce. Un chantier qui sera le meilleur de la côte atlantique.

— Vous commencez à parler comme un Yankee, dit George, et ils rirent tous les deux.

Cooper et Judith leur firent visiter Charleston et leur montrèrent la stèle de marbre du tombeau de Calhoun, dans le petit cimetière de l'église Saint-Philip. Puis Cooper proposa d'emmener ceux que cela intéressait à un rallye organisé par une association appelée la Coalition de Charleston pour les Droits du Sud.

— C'est un parti politique ? demanda George.

— On n'en sait trop rien. Pas encore, du moins. Les partis tradition-nels disparaissent à toute vitesse. Par ici, les étiquettes « whig » ou « démocrate » ne veulent pratiquement plus rien dire.

— Qu'est-ce qui a remplacé les partis normaux ? demanda Virgilia.

— Des groupes qui s'intègrent dans deux camps. Dans l'un, on a les Unionistes, des hommes comme Bob Toombs, de Georgie, qui adorent le Sud mais ne peuvent avaler la pilule de la sécession. Dans l'autre camp, les partisans des droits sudistes : Yancey, Rhett, Huntoon, l'ami d'Anne, qui doit d'ailleurs prendre la parole au rallye. Ce que vous entendrez ne vous plaira sans doute pas, ajouta Cooper, ce qui amena un sourire pincé aux lèvres de Virgilia, mais cela vous donnera une idée du courant de pensée à Charleston.

Seuls, George et sa sœur acceptèrent l'invitation. George craignait que Virgilia ne fasse une scène, malgré ses promesses, qu'elle trouble même un des discours en lançant des insultes. Cependant elle parut surtout préoccupée et guère intéressée par les orateurs. Alors que

Huntoon occupait la tribune et proclamait la nécessité d'une « grande république esclavagiste du Potomac aux latitudes tropicales », elle chuchota qu'elle avait besoin de prendre l'air et sortit.

Elle courut dans l'escalier obscur jusqu'au foyer et se précipita dehors. Ainsi il était bien là, avec les autres cochers, devant l'entrée principale. C'était un très bel homme noir, en livrée de velours. Elle l'avait remarqué en arrivant, alors qu'il ouvrait la portière d'une voiture pour son maître, Huntoon, justement.

Soudain, Virgilia eut l'impression d'avoir les seins lourds, d'étouffer, tandis qu'elle marchait de long en large, en s'éventant machinalement avec son mouchoir. De la sueur brillait dans le duvet de sa lèvre supérieure. Elle ne parvenait pas à détacher ses yeux du grand Noir.

Il la remarqua enfin mais ne manifesta rien de peur d'être puni de son audace. Elle le comprit. Avec un long regard, elle essaya de l'attirer. Surpris, il cligna des yeux, puis, regardant au-delà de l'épaule d'un autre cocher, il sourit. Il lui manquait quatre dents sur le devant. Elle retint sa respiration. C'est un de ces malheureux, pensa-t-elle, que leurs propriétaires traitent de façon inhumaine.

Il abaissa une seconde ses regards brillants sur les seins de Virgilia. Elle crut défaillir. Il comprenait ! Un autre cocher vit le manège et regarda son camarade avec stupeur.

— Ah, te voilà ! lança George en se hâtant vers elle. Tu es partie si vite que je m'inquiétais. Tu es malade ?

— Non, mais il faisait tellement chaud ! Je me sens mieux, maintenant.

Elle glissa son bras sous celui de son frère et rentra avec lui.

Elle ne put chasser le grand Noir de sa pensée. En rentrant à Tradd Street, elle demanda si cela avait une signification particulière quand il manquait plusieurs dents à un esclave.

— J'ai vu un homme comme ça, devant le théâtre.

George se crispa pendant que Cooper expliquait la raison de cette extraction dentaire. Virgilia réagit peu, aucun éclat ne suivit. Puis Cooper dit :

— Celui que vous avez vu doit être à Huntoon. Il était grand, beau ? C'est Grady.

— Je n'ai pas remarqué, prétendit Virgilia en pressant ses cuisses l'une contre l'autre.

Elle savait ce qu'elle désirait.

*Grady*. Elle savoura le nom ce soir-là en s'endormant. Une brise chaude soufflait du jardin embaumé. Les parfums, l'humidité de la nuit aiguisèrent sa faim, au point de lui faire mal.

— Grady, murmura-t-elle dans le noir.

Elle ne le reverrait jamais, mais s'il avait pu en être autrement...

Un temps plus frais arriva à Mont Royal en même temps que les Hazard. Le pâle soleil d'octobre prêta aux journées une mélancolique beauté, que Billy ne remarqua pas. Il ne voyait rien ni personne, à part Anne.

Il passait le plus de temps possible avec elle. Elle lui fit visiter à cheval la plantation, mais il la soupçonna d'improviser beaucoup de ce qu'elle lui expliquait. Il sentait trop qu'elle ne connaissait pas grand-chose à la culture du riz et ne s'y intéressait pas du tout.

Les esclaves exerçaient sur lui une sombre fascination, presque morbide. Ils lui rendaient ses regards curieux avec leurs grands yeux désespérés. Il entendit des rires, mais peu. Pour la première fois, il comprit pourquoi Virgilia, Constance et le reste de sa famille s'opposaient à l'esclavage. Si les esclaves étaient insouciants et heureux, comme le prétendaient les Sudistes, il n'en voyait guère de preuves. Cela le hérissa et il en fut troublé. Ce fut comme une écharde dans le pied, pas vraiment douloureuse mais qui causait de la gêne.

Une autre écharde le gênait dans ses rapports avec Anne. Au début, il ne s'expliqua pas pourquoi il était mal à l'aise en sa présence. Elle l'excitait toujours autant quoique une bonne partie du mystère de l'amour physique eût disparu pour lui grâce à la soirée avec Sophie dans une grange de Newport.

Physiquement, Anne était une des plus parfaites créatures qu'il eût jamais vues. Et sans être précisément intelligente, elle avait de l'esprit et une langue acérée. Ce qui le troublait surtout, conclut-il à la fin de la première semaine à Mont Royal, c'était sa façon de l'embrasser, de lui toucher le visage, de le regarder. Ses manières étaient celles d'une adulte ; il n'y avait pas d'autre mot, et elle n'avait pourtant que quinze ans.

Harry organisa un pique-nique en l'honneur de ses invités. Quand la nuit tomba, des torches furent plantées dans des supports pour illuminer la pelouse et chasser les insectes. Billy et Anne la main dans la main filèrent subrepticement vers le bord de l'eau.

— C'est merveilleux de vous avoir ici, dit-elle comme ils suivaient la jetée et contemplaient l'eau sombre ridée par le vent. Vous allez rester longtemps ?

— George prévoit encore une semaine.

— J'en suis très heureuse. Triste, aussi.

— Triste ? Pourquoi ?

— Quand je suis près de vous...

Elle se tourna vers lui. Les torches lointaines allumaient de petits reflets brillants dans ses yeux.

— Eh bien ? murmura-t-il.

— Quand nous sommes tout près, je dois constamment lutter contre mes sentiments, et je veux être encore plus près.

Elle pressa contre lui son corsage, sa bouche et puis tout son corps. Il sentit ses lèvres remuer quand elle chuchota :

— Beaucoup plus près qu'il ne serait convenable.

Il commença à l'embrasser mais soudain, Dieu de Dieu ! Il sentit qu'elle se saisissait de lui à travers le pantalon ! Il n'aurait pas été plus stupéfait si la terre s'était ouverte sous ses pieds.

Elle gémit son nom, crispa sa main et l'embrassa fébrilement. Il surmonta rapidement son étonnement et rendit le baiser. Elle enroula son bras gauche autour du cou de Billy tandis que sa main droite continuait à serrer, à serrer. Cela aboutit rapidement à une conclusion embarrassante. Elle le sentit se raidir entre ses bras et recula vivement, les mains sur sa bouche.

— Mon Dieu, aurais-je causé... ?

Billy était profondément humilié, incapable de parler. Il se retourna vers le fleuve.

— Billy, je suis désolée. Je n'ai pas pu me retenir, mon chéri.

— Ce n'est pas grave, marmonna-t-il.

Ils rejoignirent la compagnie quelques minutes plus tard, mais la conduite d'Anne laissa Billy abasourdi et son expérience le troubla. Bientôt il fut dévoré par la jalousie. Il voulut savoir d'où elle tenait sa façon d'agir, et puis il refusa d'y penser. Alors il comprit que leurs rapports s'étioleraient et il en fut à la fois attristé et soulagé.

Billy se pencha sur l'encolure de son cheval. La visibilité était réduite à deux ou trois mètres par cette pluie battante. Les arbres craquaient. Des branches mortes se cassaient et le vent les emportait. Ce n'était que le milieu de l'après-midi mais le ciel était d'un gris foncé surnaturel.

— Voilà la maison ! cria Charles devant lui.

Sans lui pour le guider, Billy se serait perdu. Cinq minutes plus tard, ils arrivèrent aux écuries. Dans leurs stalles, les autres chevaux s'agitaient et ruaient contre les parois.

Les deux chasseurs étaient très mouillés, très fatigués et très malchanceux. Ils n'avaient aperçu qu'un chevreuil, de toute la journée. Charles avait laissé Billy tirer le premier. La flèche s'était perdue et le chevreuil avait détalé. Charles coupa en deux le pan de chemise de Billy, marque traditionnelle du novice qui a raté son coup.

Ils coururent sous la pluie vers la maison et s'y engouffrèrent avec soulagement, mais ils s'arrêtèrent net dans le vestibule à la vue d'un groupe familial.

— Eh bien, vous êtes au moins sains et saufs tous les deux, lança George.

Billy écarta de son front ses cheveux trempés.

— Qu'est-il arrivé ?

Ce fut Harry qui répondit :

— Votre sœur a tenu à partir à cheval à la fin de la matinée. J'ai envoyé un de mes gens avec elle. Ils ne sont pas revenus.

Billy aperçut Beth près de l'escalier. Elle l'observait d'un air anxieux.

— Voulez-vous que nous allions à leur recherche ? demanda-t-il.

— J'ai posé la même question, dit George. Harry ne veut pas.

— Pour de bonnes raisons, riposta Harry sur un ton sec, comme s'il était blessé par la critique impliquée. Virgilia risque d'emprunter n'importe laquelle des dizaines de pistes et de petites routes de la région. Je ne saurais où commencer à la chercher. Et avec cet ouragan, nous pourrions passer à dix mètres d'elle sans la voir, mais j'irai si tu veux, George.

— Non, si tu dis que c'est trop téméraire.

— Cuffey est un garçon de confiance, assura Harry. Il trouvera un abri. Je suis sûr qu'il ne leur arrivera rien.

Au premier étage, le vent arracha un volet et tourbillonna dans une des pièces, en renversant des meubles dans un bruit de verre brisé. Clarissa se précipita dans l'escalier. Maude la suivit, puis trois des servantes. Beth courut vers Charles. Billy remarqua l'absence d'Anne.

— Je suis heureuse que vous soyez revenus tous les deux, dit-elle.

Elle s'accrochait au bras de son cousin, mais regardait Billy. Soudain, il eut l'impression qu'il la voyait vraiment pour la première fois. Il était surpris et content qu'elle manifeste de l'anxiété.

Theo invita les chasseurs à se réchauffer avec du whisky. Charles accepta avec enthousiasme. Billy le suivit plus lentement. En passant devant Beth, son regard s'attarda sur ses yeux. Elle était jeune et jolie. Son visage avait une douceur qui manquait à Anne. Il la trouva extrêmement séduisante.

Peut-être me suis-je trompé de sœur ? pensa-t-il.

— M'moiselle, nous ferions mieux de rentrer, dit Cuffey une heure après leur départ de Mont Royal.

— Non, c'est trop passionnant, répondit Virgilia dans les gémissements du vent.

Cuffey fit une grimace, mais comme, sur une vieille mule, il était devant Virgilia elle ne put voir sa réaction.

Elle montait en amazone. Elle avait demandé au jeune Noir de lui montrer des endroits pittoresques le long du fleuve et c'était là qu'il la conduisait maintenant, en suivant un sentier forestier qui n'était guère qu'une étroite ornière boueuse. Il faisait très sombre sous les arbres denses et la pluie en trempant les cavaliers indiquait avec quelle violence le vent soufflait.

Virgilia était assez effrayée. Elle n'avait jamais connu de cyclone. En même temps, la férocité de la tempête l'excitait d'une manière tout à fait inattendue. Sous son amazone, elle se sentait tendue et moite. Son corset la blessait.

— Cuffey, vous n'avez pas répondu à la question que je vous ai posée tout à l'heure.

— Je m'inquiète de la tempête, m'moiselle. Me souviens pas de la question.

Menteur, pensa-t-elle avec plus de pitié que de colère. Derrière eux, un arbre fut déraciné dans un monstrueux craquement et un fracas de branches. Quand l'arbre tomba, la terre trembla.

— Attendez ici une minute, m'moiselle ? Faudrait que je retourne voir si la piste est encore dégagée.

Il frappa les flancs de sa mule avec ses talons nus et trotta, jetant vers Virgilia un coup d'œil inquiet. C'était un beau garçon, à peu près de l'âge du cousin Charles. Il était intelligent, aussi, mais s'efforçait de le cacher. Il s'effrayait des questions dont elle le bombardait depuis une demi-heure. Elle était convaincue que les Main l'avaient terrifié au point qu'il dissimulait l'esprit que Dieu lui avait donné. C'était une raison de plus pour qu'elle méprise cette famille et tous les maudits esclavagistes.

Pour venir en Caroline du Sud et examiner de près la situation, elle avait été forcée de feindre l'amitié, d'étouffer ses convictions, ses émotions, ses désirs. Elle n'y avait pas pleinement réussi. Dans la matinée, quand Harry avait voulu la dissuader de faire cette promenade, elle lui avait poliment tenu tête. D'abord par principe et ensuite parce qu'elle voulait enfin s'entretenir en particulier avec un esclave.

Cuffey revint en tapant sur sa mule avec un bâton.

— M'moiselle, l'arbre a ouvert tout un nid de serpents, en tombant. Ils sont partout sur la piste. La grosse tempête, ça leur fait peur. Ça les rend méchants. Peux pas risquer de repasser par là. Faudra faire le grand tour. Ça prendra bien une heure de plus.

— Ça ne fait rien, je n'ai pas peur. Vous êtes un excellent guide.

Souriante, elle se pencha pour lui tapoter la main. Il recula comme si elle l'avait brûlé. Puis, il talonna sa mule.

— Pouvons rien faire d'autre que d'aller jusqu'à la route de la rivière, maintenant, marmonna-t-il.

— Comme nous allons mettre plus de temps pour rentrer, vous pourriez répondre à ma question. Je veux savoir si vous comprenez ce que signifie le mot *liberté*.

216

Le bruit de la pluie meubla le silence. Les secondes devinrent une minute.

— Cuffey ?

— M'moiselle ? dit-il sans broncher.

— Avez-vous la moindre notion de ce que serait votre vie si vous étiez libre ?

— La moindre quoi, m'moiselle ?

— La moindre idée de ce que serait la liberté ?

— Non, m'moiselle. Je ne pense jamais à ça. Je suis heureux ici.

— Répétez-moi ça en me regardant en face.

Il ne dit rien et ne se retourna pas.

— Cuffey, je pourrais vous donner de l'argent, si vous vouliez vous enfuir.

En entendant cela, il fit tourner bride à la mule et il regarda de tous côtés sous la pluie diluvienne.

Le pauvre garçon est terrifié à la pensée que quelqu'un puisse écouter, au milieu de la forêt, pensa Virgilia. Et elle les maudit tous, les Main, les gens du Sud, son frère George et son amitié pour Harry. Elle aurait donné n'importe quoi pour les châtier tous. Cuffey la regardait avec de grands yeux suppliants.

— Jamais je voudrais m'échapper, m'moiselle. Missié Theo et Missié Harry, ils me traitent bien. Je suis un nègre heureux.

— Bon, bon, dit-elle sèchement. Avançons. La pluie redouble.

Le sentier s'assombrit en serpentant au plus profond des bois. La pluie devint une cataracte qui transperça l'amazone de Virgilia. Elle vit deux cerfs bondir vers l'ouest. Les fourrés s'animaient, bruissant d'une vie animale alors que toutes les bêtes de la forêt fuyaient devant la tempête.

La colère de Virgilia s'enflait comme le vent hurlant. Elle avait fait de fausses promesses afin de persuader George de l'emmener dans le Sud. Maintenant, elle se sentait incapable de poursuivre son séjour sans dénoncer ceux qui avaient déformé l'esprit de Cuffey et castré son courage. Elle voulait les battre, les...

— Qu'est-ce que tu fais là, nègre ?

Surprise, Virgilia s'aperçut que Cuffey avait atteint l'orée de la forêt. Il s'adressait à quelqu'un qu'elle ne voyait pas. Rapidement, elle le rejoignit.

Elle vit alors une belle voiture aux roues arrière embourbées jusqu'au moyeu. Le cocher était encore perché sur son siège, la pluie ruisselant sur sa tête nue. Il montra vite la carte manuscrite accrochée à son cou par de la ficelle.

— Ne crie pas après moi, négro. J'ai mon laissez-passer.

Virgilia resta figée. Le cocher grimaçait, comme pour écarter la pluie de sa figure. Sa grimace montrait ses dents. Il en manquait quatre. Cuffey grommela avec moins d'hostilité :

— Je t'avais pas reconnu, Grady. Qu'est-ce qui s'est passé ?

— Qu'est-ce que tu crois ? La vieille Mrs Huntoon, elle a voulu que je ramène la voiture à Charleston, pour que Mr James il puisse s'en servir. J'y ai bien dit que l'orage allait embourber toutes les routes, mais elle a pas voulu écouter.

Virgilia perçut du ressentiment, et même une fureur contenue dans cette protestation. Elle en conclut que les propriétaires de Grady ne l'avaient pas privé de toute virilité.

Cuffey remarqua que l'autre esclave examinait Virgilia avec grand intérêt. Il l'avertit :

— Cette dame est une invitée à Mont Royal. Nous avons remonté le sentier, par là, mais ça grouille de serpents. Faut qu'on fasse le long détour pour rentrer.

— Vaut mieux pas le tenter tout de suite, conseilla Grady. Du moins, pas la dame. La tempête est trop forte. Fais-la monter dans la voiture et je veillerai sur elle. Cours vite à Mont Royal leur dire qu'elle va bien.

Cuffey se mordilla la lèvre.

— Tu devrais y aller, toi.

— Tu connais le chemin mieux que moi. Vas-y !

Cuffey ne savait que faire. Visiblement, il avait peur d'être puni si jamais il arrivait quelque chose à l'invitée. Grady, plus âgé et plus fort, l'intimidait, mais il ne céda pas avant que Virgilia lui eût ordonné, dans les hurlements du vent et le crépitement de la pluie :

— Oui, allez, Cuffey. Ils vont s'inquiéter. Je ne risquerai rien avec cet homme.

— Bon. Mais tu veilles bien sur elle, Grady. Je reviendrai avec les missiés aussi vite que possible.

Il repartit et disparut bientôt. Quand le dernier claquement des sabots de la mule fut couvert par le vacarme de la tempête, Grady descendit de son siège. Sans quitter Virgilia des yeux, il contourna la voiture.

— Sais pas si vous voudrez vous mettre à l'abri là-dedans, m'moiselle. Ça doit être sale et mouillé.

— Oui. Surtout si la portière ne ferme pas bien.

Des yeux et du sourire, elle s'efforça de lui faire comprendre qu'il n'avait pas à avoir peur.

Il l'examina encore un moment, puis il accrocha ses deux mains au rebord de la fenêtre et tira violemment. Quand il lâcha prise, la portière tomba dans la boue, uniquement retenue par le gond de cuir d'en bas. Les deux autres avaient été arrachés.

— C'est sûr qu'elle peut plus se fermer, à présent. L'eau va bientôt l'envahir.

— Et si... Si Cuffey se souvient que la porte n'était pas cassée quand nous sommes arrivés ?

— Il est trop inquiet pour se souvenir. Et même, il ne dira rien. Je m'en occuperai.

Elle manqua défaillir d'excitation.

— Où pouvons-nous aller ?

— A quatre cents mètres, le long de la route, y a un moulin abandonné. Je devrai monter la garde quand ils arriveront, mais ça sera pas avant des heures.

Il posa sur elle un dernier regard appuyé, puis il prit le cheval par la bride et se mit en marche.

— Je m'appelle Grady.

— Oui. Je sais.

Cela le fit sourire.

Le vieux moulin était plein de toiles d'araignée et sentait le moisi mais il avait un toit solide et offrait un excellent abri. Virgilia était aussi nerveuse qu'une jeune fille à son premier bal, réaction anormale chez elle. Grady la provoquait, avec son air dur et royal. Elle lui trouvait l'allure magnifique, en dépit de ses vêtements salis, de ses mains et de ses pieds boueux. Une lueur cynique dans l'œil, il demanda :

— Pourquoi vous voulez faire ça ?

— Grady, Grady, murmura-t-elle en laissant courir sa main sur son avant-bras noir et mouillé, ne me regardez pas comme ça. Je suis votre amie.

— Y a pas un Blanc ni une Blanche qui est l'ami d'un nègre. Pas en Caroline du Sud.

— Dans le Nord, c'est différent.

— Vous venez de là-haut ?

— Oui. Les gens du Nord ont horreur de l'esclavage. Je le déteste. Je fais partie d'organisations qui aident les esclaves fugitifs à se faire une nouvelle vie. En hommes libres.

— J'ai pensé à y aller, une ou deux fois. Savais pas si le risque en valait la peine.

— Oh si ! croyez-moi.

Elle lui saisit le bras à deux mains et lui pétrit la chair.

— Vous voulez juste m'aider, c'est tout ?

— Non, souffla-t-elle. Vous savez que ce n'est pas tout.

Il sourit largement.

— Mais je demande quand même pourquoi. Vous avez encore jamais été avec un nègre ?

— Qu'est-ce que vous dites ?

Cette flambée de colère provoqua un rire de gorge.

— Ma foi, vous n'êtes pas la plus jolie femme que j'aie jamais vue...

Elle se mordit la lèvre et encaissa l'insulte en s'efforçant de sourire. Il menait les opérations.

— ... mais vos yeux sont bien chaleureux. C'est sûr que j'aimerais voir le reste.

Il lui frotta la joue légèrement, avec son poing fermé. De haut en bas.

Une seconde plus tard, brûlante de fièvre, Virgilia soulevait le devant de sa jupe et ses jupons. Le sourire de Grady disparut.

— Probable que j'ai pas parlé trop gentiment, tout à l'heure. Vous êtes pas mal.

— Ça n'a pas d'importance.

— Mais je m'en vais vous dire la vérité, Miss Virgilia. J'ai encore jamais été avec une Blanche.

— Alors viens, murmura-t-elle.

Et, perdant la notion du temps, elle se donna avec passion, tandis que le cyclone faisait rage.

D'importantes destructions s'étaient produites le long de la côte, mais en remontant l'Ashley, le cyclone perdit de sa force. Quand il passa sur Mont Royal, il déracina des arbres, rendant les routes infranchissables, mais la plantation, comme ses voisines, n'eut à déplorer que quelques dégâts, des tuiles emportées et des meubles endommagés quand la pluie pénétra par des carreaux brisés. Le raz de marée ne fut pas assez violent pour repousser l'eau salée aussi loin en amont. Dans l'ensemble, les Main s'estimèrent heureux d'avoir échappé à la fureur d'une des grandes tempêtes habituelles.

Au cours de la dernière semaine du séjour des Hazard, Virgilia annonça qu'elle prenait le bateau fluvial pour aller faire des achats à

Charleston. Elle souhaita qu'une des esclaves l'accompagne, avec la permission de Mrs Main. Celle-ci ne demanda pas mieux.

La conduite de Virgilia plongeait Maude Hazard dans la perplexité. Elle se comportait si anormalement pendant cette visite aux Main. Elle était aimable, ne faisait pas d'esclandres, si bien que sa mère supposa qu'elle allait acheter des cadeaux à distribuer au moment du départ. Elle-même comptait envoyer les siens depuis Lehigh Station. La transformation de Virgilia était trop satisfaisante pour que l'on y fasse obstacle.

Virgilia eut plus de mal qu'elle n'avait escompté à échapper à l'esclave qui la chaperonnait. Elle dut attendre que la fille s'endorme, et ce fut plus long que prévu. Enfin, elle put se glisser hors de la chambre d'hôtel.

Cette femme seule se hâtant le long de Meeting Street provoqua les regards curieux de quelques passants attardés, mais elle ne s'en soucia pas sachant qu'elle ne les reverrait jamais. Sa nouvelle passion l'aidait à bannir toute peur. Dans une sombre ruelle, près du théâtre de Dock Street, elle retrouva Grady. Ils avaient décidé de l'heure et du lieu de rendez-vous, dans le vieux moulin. Dès qu'elle apparut, il l'apostropha.

— Vous êtes en retard !

— Je n'y peux rien. Tu n'as pas eu de mal à quitter la maison ?

— Non, je n'ai jamais d'ennuis de ce côté-là mais le couvre-feu des nègres a sonné il y a une heure. Mon laissez-passer est vieux de six semaines. Nous aurions dû trouver un moyen de nous retrouver en plein jour.

— Mais c'était impossible, dit-elle en le serrant dans ses bras pour l'embrasser farouchement. Il aurait fallu attendre des mois avant que je puisse organiser les étapes d'un voyage clandestin. Nous avons décidé que ce serait tout de suite. Nous avons décidé ensemble, souviens-toi.

— Ouais...

Elle l'embrassa encore, puis elle ouvrit son réticule.

— Tiens. Voilà tout l'argent que j'ai. Et voilà aussi une adresse à Philadelphie. C'est une maison sûre, tenue par des amis. Des Quakers, expliqua-t-elle en voyant qu'il la comprenait mal.

Il regarda le bout de papier, l'air penaud.

— Je sais pas lire.

— Ah, mon Dieu ! Je n'avais pas pensé à ça.

— Mais je sais trouver l'étoile polaire par une nuit claire.

— Bon ! Si tu te perds, demande ton chemin dans une église. Les églises ne sont pas toujours sûres pour les fugitifs, mais je ne vois rien de mieux, ni qui soit plus facile à reconnaître. Maintenant, pour manger. Tu sais compter ?

Il secoua la tête.

— Alors tu risques de te faire voler si tu ne connais pas l'argent. Et tu éveilleras des soupçons. Chaparder serait peut-être moins dangereux. A toi de décider...

Il perçut l'anxiété dans la voix de Virgilia et lui caressa la joue.

— J'arriverai bien, vous en faites pas. J'ai de bonnes raisons d'aller là-haut, maintenant.

Leur longue étreinte fut plus passionnée. Virgilia pressa sa joue contre la chemise propre de Grady.

— Dans le Nord, reprit-elle, je t'apprendrai à lire et à compter. Nous achèterons de belles dents. Tu seras le plus bel homme de la création.

Elle s'écarta et le contempla dans la faible lumière filtrant de la rue.

— Ah ! que je t'aime !

Elle en était la première étonnée. Que s'était-il donc passé ? Avait-elle seulement voulu contrarier les Main et leurs semblables, prouver son dévouement total à la cause ? C'était cela mais... bien plus encore.

Après un petit rire embarrassé, Grady chuchota :

— Des fois j'ai peur qu'on aille tous les deux brûler en enfer, pas vrai ?

Pour le rassurer elle plaisanta :

— L'enfer des Blancs ou celui des Noirs ?

— Oh ! le blanc. Il paraît que c'est bien mieux.

— Ne t'inquiète pas. Tu verras. Nous aurons une belle vie utile, ensemble.

Et que George, ou qui que ce soit, essaye de nous en empêcher ! pensa-t-elle.

Une ombre apparut à l'entrée de la ruelle. Une lanterne sourde brilla.

— Qui est là ? lança quelqu'un.

— File, Grady ! chuchota Virgilia avant qu'il prenne ses jambes à son cou.

Elle compta jusqu'à dix, le cœur battant frénétiquement alors que l'ombre approchait. Elle lança le réticule de l'autre côté de la ruelle, puis elle appela :

— Veilleur de nuit ! Par ici ! Un gamin a arraché mon sac à main et je lui ai couru après.

Le gros veilleur de nuit la rejoignit en soufflant, et haussa sa lanterne.

— Un nègre ?

— Non, il était blanc. Quinze ans, environ, un petit anneau d'or à l'oreille gauche. Ce doit être un garçon de cabine d'un des vapeurs. S'il vous plaît, dirigez votre lumière par là, il me semble apercevoir quelque chose.

Un instant plus tard, elle montrait l'intérieur du réticule.

— Plus un seul dollar. J'ai été stupide de sortir de l'hôtel pour respirer un peu d'air frais. Je croyais les femmes blanches en sécurité à Charleston, quand le tambour du couvre-feu avait chassé les esclaves des rues.

Son habile comédie abusa le naïf veilleur de nuit. Il ne posa aucune question gênante et l'escorta jusqu'à son hôtel.

## CHAPITRE XXVIII

Deux jours plus tard, le propriétaire de Grady se présenta à Mont Royal.

Quand le visiteur fut annoncé, Harry et la famille étaient groupés autour de la table de la salle à manger où Virgilia avait déposé ses cadeaux. Seul, Theo avait déjà admiré le sien, une luxueuse cravate de soie. Harry repoussa sa chaise.

— Excusez-moi, je vais voir ce qu'il veut.

— Crois-tu, dit son père, que cela ait un rapport avec l'évasion de Grady ?

— Pourquoi viendrait-il ici ? demanda Clarissa.

Puis, elle remarqua que son mari regardait fixement Virgilia qui s'était assise au haut de la table sans y être invitée. Celle-ci, l'air content d'elle, pinçait bizarrement les lèvres. George le nota et fronça les sourcils.

Harry sortit dans le vestibule.

— James... Bonjour.

Il tendit la main pour serrer celle de Huntoon, qui était molle, comme toujours, et aussi singulièrement moite. Il faisait frais mais le visiteur transpirait abondamment ; la sueur embuait ses lunettes. Comme il les ôtait pour les essuyer sur le revers de son habit et les remettait sur son nez, Harry se demanda comment Anne pouvait supporter un crapaud pareil.

— Quel bon vent vous amène ? ajouta-t-il.

— Ce n'est pas un bon vent, je vous l'assure. Savez-vous qu'un de mes esclaves a décampé ?

— Oui. Grady. Nous l'avons appris et en sommes navrés.

— Vous ne trouvez pas que c'est une curieuse coïncidence qu'un nègre qui n'a jamais manifesté le moindre signe d'insatisfaction choisisse de s'enfuir subitement alors que vous recevez des visiteurs du Nord ?

Harry se redressa.

— James ! Vous n'insinuez pas...

— Je n'insinue rien. Je le déclare ouvertement.

Par la porte ouverte, Huntoon avait aperçu les Main et leurs invités et il avait parlé d'une voix forte pour être entendu. Une chaise racla le plancher. Harry reconnut le bruit lourd des pas de son père.

— Je suis convaincu, reprit Huntoon, que quelqu'un a encouragé Grady à s'enfuir. De plus, je pense que la responsable demeure dans cette maison.

L'ombre de Theo s'allongea sur le pâle éventail de soleil tombant de l'imposte.

— Harry, continua Huntoon, de plus en plus furieux, il est de notoriété publique qu'une de vos invités s'applique à encourager la rébellion parmi les nègres du Sud. La nuit du cyclone, Grady a protégé, ou prétendu protéger, cette même personne. Je poserai la question directement à Miss Hazard, ajouta-t-il en marchant vers Virgilia qui approchait. Avez-vous aidé mon esclave à s'échapper ?

Harry retint Huntoon par le bras.

— Un instant, James. Vous ne pouvez vous adresser à mes invités comme un procureur. Je comprends que vous avez subi une perte financière, mais ce n'est pas une excuse pour...

— Laissez-la répondre !

A la porte de la salle à manger, Anne regardait Virgilia sans cacher son hostilité. Billy considérait Huntoon de la même façon. Theo paraissait malheureux, Clarissa déroutée, George navré. Et Virgilia...

Harry eut l'impression de recevoir une pierre dans le ventre, car Virgilia relevait le menton avec une expression de défi.

— Non, James! coupa-t-il. Pas avant que vous ne vous soyez expliqué.

Les joues de Huntoon révélèrent sa colère croissante.

— Expliquer quoi ?

— Vos soupçons. Il est difficile de croire qu'une simple supposition vous amène ici, dans notre plantation, pour y cherche un coupable.

Avec la vivacité d'un chat bondissant sur sa proie, Huntoon répliqua :

— Ah! mais je ne suppose rien du tout. D'abord, j'affirme que Miss Hazard a passé toute une nuit en compagnie de mon nègre, ce qu'aucune Blanche du Sud n'avouerait, bien entendu, mais là n'est pas la question. J'imagine qu'elle a bourré la tête de Grady de pensées déloyales...

— Virgilia, te rends-tu compte de ce que dit cet homme ? intervint George.

Elle ne perdit pas un instant le sourire.

— Parfaitement.

— Réponds-lui que ce n'est pas vrai, bon Dieu !

— Pourquoi ? Pourquoi accorderais-je du crédit à ses élucubrations ?

Harry se crispa plus encore : ainsi, elle ne se défendait pas. George le comprit aussi. Il eut l'air malade, tout à coup.

— Et j'ai une autre preuve, déclara Huntoon. Le soir où Grady s'est enfui à Charleston, avec un vieux laissez-passer que j'avais négligé de détruire, Miss Hazard était en ville, je le sais.

C'était vrai. Harry l'avait oublié. Huntoon éleva la voix.

— Son unique compagne était une jeune négresse de chez vous. Une fille à l'intelligence limitée caractéristique de sa race, une fille facile à tromper. J'ai été informé, de plus, que cette fille s'est réveillée après neuf heures, pendant la nuit en question, et elle a constaté que Miss Hazard n'était pas dans leur chambre d'hôtel. Que faisait-elle dehors en pleine nuit, si elle ne contribuait pas à la fuite de mon esclave ? Qu'avez-vous à répondre à cela, Miss Hazard ?

— Oui, lança Anne exaspérée. Il est temps que vous nous remerciiez de notre hospitalité en disant la vérité.

Theo tendit la main vers sa fille.

— Ne te mêle pas de cela, toi.

Mais elle l'évita et alla glisser son bras sous celui de Huntoon. Harry la regarda, et comprit : c'était Anne qui avait confirmé les soupçons de Huntoon par des bribes de renseignements. Il en fut choqué, mais pas surpris. Il avait remarqué depuis longtemps qu'Anne détestait Virgilia. Et il commençait à éprouver les mêmes sentiments.

— Il serait plus simple, Virgilia, fit-il, que vous répondiez à ce que James vient de dire.

— Répondre ? Comment ?

— En niant ! cria George.

— Pourquoi le nierais-je ?

— Nom de Dieu, Virgilia, cesse de sourire, et nie.

— Non ! s'exclama-t-elle en tapant du pied. Je refuse d'être intimidée par cet homme dont les mains sont souillées. Comment ose-t-il parler de culpabilité alors qu'il frappe des êtres humains comme du bétail ?

D'une voix un peu désespérée, Constance tenta d'intervenir.

— Personne ne cherche à contester vos principes, mais soyez raisonnable. Ne remerciez pas vos hôtes en manifestant de l'hostilité et de mauvaises manières.

— Je regrette, Constance, mais j'obéis aux ordres de ma conscience.

Elle est aussi folle que Huntoon, pensa Harry.

L'avocat avança sa grosse figure aux bajoues frémissantes près de celle de Virgilia.

— C'est vrai, n'est-ce pas ? C'est pour cela que vous refusez de nier ?

Elle retrouva son sourire sucré.

— Vous ne le saurez jamais, Mr Huntoon.

— Et que lui avez-vous donné d'autre, à mon nègre ? Vos faveurs ? Avez-vous forniqué avec lui pour démontrer vos opinions égalitaires ? Je n'en attendrais pas moins d'une putain abolitionniste !

Billy et sa sœur n'avaient jamais été proches. Mais ce mot, interdit dans la conversation polie, fut trop fort pour lui. Poussant un rugissement, il se rua sur Huntoon.

Anne cria et tenta vainement de le repousser. Huntoon recula vivement ; alors, au lieu de le prendre à la gorge, Billy ne réussit qu'à faire tomber ses lunettes. Elles claquèrent sur le plancher et scintillèrent dans la flaque de soleil. George les réduisit en poudre quand il bondit pour saisir Billy par le bras.

— Assez ! Maîtrise-toi. Laisse-le tranquille !

— Il n'a pas le droit d'insulter Virgilia !

George passa devant son frère et leva un bras comme une barrière. Theo ramassa les lunettes cassées et les tendit en les tenant par une branche.

— Je vous prie de partir, James, dit-il. Et tout de suite.

Huntoon agita les lunettes tordues sous le nez de Virgilia.

— Elle m'a volé ce qui m'appartient. Ce jeune vaurien m'a assailli. J'exige réparation. Mon témoin vous rendra visite.

— Ne comptez pas sur un duel, déclara Harry.

Charles, qui était resté silencieux en arrière du groupe, parut déçu. Billy essayait de repousser le bras de son frère.

— Pourquoi ? lança-t-il. Je veux me battre avec lui. Je le tuerai, cet infect salaud !

Huntoon blêmit. Anne regarda Billy d'un air surpris, presque admiratif ; puis elle pivota et poussa son soupirant vers la porte. Il tempêta et mena grand train mais, quelques instant plus tard, remontait dans sa voiture. Le cocher, effrayé, fouetta les chevaux.

De la poussière vola par la porte ouverte, étincelant dans le rayon de soleil de l'imposte. Harry n'attendit pas pour déclarer :

— Quand cette histoire sera connue dans la région, elle provoquera des remous désobligeants. Il serait prudent que vous partiez pour Charleston aujourd'hui même.

— Nous serons prêts dans une heure, répondit George.

Il poussa Billy vers l'escalier. Virgilia les suivit la tête haute, sans rien perdre de son arrogance. Harry fut surtout troublé par la réaction de son ami qui semblait furieux contre lui. Il secoua la tête, jura tout bas et sortit prendre l'air.

Billy ne pouvait partir sans revoir Beth. Il se demanda comment elle réagirait. Avec colère? Avec mépris? L'un ou l'autre, pensait-il. Pourtant il se précipita dans la chaleur et le vacarme de la cuisine pleine de serviteurs noirs et d'odeurs délicieuses : biscuits au four et jambon épais grillant sur l'immense fourneau. De temps en temps, le vent s'engouffrant dans la cheminée faisait tourbillonner de la fumée âcre. A travers un de ces nuages, il aperçut la jeune fille qui pétrissait de la pâte.

— Oui, missié? Que voulez-vous, missié? demanda la grosse cuisinière, visiblement fâchée par l'intrusion d'un étranger dans son domaine.

— Je voudrais parler à Miss Main.

Beth leva les yeux, le vit et rougit. Avec un coin de son tablier, elle essuya de la farine sur ses joues. Tandis qu'elle se hâtait de contourner la grande table, les esclaves noires échangèrent des regards amusés.

— Je ne voulais pas partir sans te dire au revoir, annonça Billy.

— Je croyais que tu ferais tes adieux à Anne.

— Elle est l'amie de Mr Huntoon.

La fumée fit tousser Billy. Beth le prit par la main pour l'entraîner dehors. Le vent d'automne les rafraîchit et la rougeur disparut lentement de leurs jeunes visages.

— Je dois être hideuse, dit Beth. Je ne pensais pas qu'on viendrait me chercher là.

— Je voulais te voir avant de partir. Virgilia a gâché notre visite, mais je ne veux pas que cela compromette l'amitié de nos deux familles, alors que nous commencions à bien nous entendre, tous les deux.

— Ah? Tu veux dire...

Beth souhaitait mourir. Mortifiée par ce qu'elle prenait pour un manque total de grâce féminine, elle était incapable de prononcer deux mots de suite. Elle se croyait horrible, en tablier, couverte de farine, mal coiffée. Jamais elle n'avait imaginé cette rencontre. Elle avait bien rêvé qu'un jour Billy la remarquerait... mais pas alors qu'elle transpirerait dans la cuisine !

— J'espère que nous sommes... serons...

Billy aussi bafouillait. Il renonça à parler et rit. Cela brisa la tension.

— Personne ne t'en veux pour ce que ta sœur a fait, assura Beth.

Il regarda mieux ses yeux. Comme ils étaient jolis ! Et innocents ! Elle n'avait pas la splendeur flamboyante d'Anne et ne l'aurait jamais, mais elle possédait une beauté plus simple, plus profonde, faite de la gentillesse timide de son regard et de la bonté de son sourire. Et cette beauté-là, contrairement à celle de sa sœur, ne se fanerait jamais, car elle venait du cœur.

Du moins ce fut ce que pensa l'esprit attendri de Billy.

— Tu es gentille de me le dire, Beth. Virgilia a fait un horrible gâchis, mais tous les autres, nous souhaitons que vous reveniez à Newport l'été prochain. Alors je me demandais...

La porte de service de la grande maison s'ouvrit. La nurse des enfants apparut.

— Billy? Nous vous cherchons partout. Nous sommes prêts à partir.

— J'arrive !

La porte se referma. Il renonça à la prudence.

— Si Harry vient à Newport, tu seras avec lui ?

— Je l'espère.

— En attendant... est-ce que je peux t'envoyer une petite lettre de temps en temps ?

— Oh ! cela me ferait plaisir !

Son sourire emplit Billy de joie. Il se demanda s'il oserait l'embrasser. Au lieu de céder à la tentation, il s'inclina, lui prit une main et la porta à ses lèvres, comme un aristocrate transi d'amour. Puis, ses jambes à son cou, il courut cacher sa figure rouge comme une betterave, tandis que Beth joignait ses mains sur sa poitrine et le suivait des yeux, le visage radieux. Au bout d'un long moment, elle se retourna et rentra dans la cuisine.

L'angle du soleil, à ce moment, faisait étinceler toutes les fenêtres. Il était impossible de voir si quelqu'un les avait observés. Anne, à la fenêtre du premier, recula vivement, furieuse d'avoir surpris la rencontre de sa sœur et de Billy Hazard.

## CHAPITRE XXIX

CET HIVER-LA, SANS L'AVOIR vraiment choisi, Beth eut un autre soupirant.

Chez Francis Lamotte un fils était né beaucoup plus grand que son père et plus beau que ses parents. Forbes Lamotte était un superbe garçon de plus d'un mètre quatre-vingts aux cheveux blonds, à la démarche fanfaronne et au penchant naturel pour l'indolence, sauf quand il s'agissait de boire, de monter à cheval et de courir les filles. Son père avait espéré voir son fils entrer à la Citadelle, l'équivalent de West Point en Caroline du Sud et qui avait été créé en 1842. Mais après un trimestre à l'école militaire de Charleston, Forbes avait été renvoyé pour études insuffisantes.

Las des filles trop faciles et peu intéressé par Anne Main, qui l'effrayait un peu, Forbes remarqua Beth. En 1852, elle aurait quatorze ans, continuerait de s'épanouir, à prendre de l'aisance et conscience de ses pouvoirs de séduction.

Forbes se rendit à Mont Royal pour demander la permission de lui rendre visite. Normalement, il aurait dû s'adresser à Theo, mais la santé du patriarche déclinait depuis quelque temps. Il souffrait de troubles respiratoires et devait souvent rester alité. Harry avait repris pratiquement toutes les responsabilités familiales.

Les potins du voisinage avaient révélé à Forbes que Beth recevait, de temps en temps, une lettre de ce garçon de Pennsylvanie qui avait été invité à la plantation l'automne précédent, mais il ne le considérait pas comme un rival dangereux. Billy Hazard était loin et, à la longue, son caractère ne pourrait jamais s'accorder avec celui d'une jeune fille élevée dans le Sud. Et si jamais Billy se révélait un rival sérieux, Forbes, qui était plus grand, se promettait de lui casser la figure et de lui faire peur.

Harry trouvait Forbes moins odieux que certains autres Lamotte, cependant il ne l'aimait guère. Néanmoins, il accéda à sa requête. Une permission de visites n'avait rien à voir avec une autorisation d'épouser. D'ailleurs, il ne pensa pas que sa sœur accorderait beaucoup d'attention aux menus cadeaux que Forbes commença immédiatement à envoyer, ni qu'elle serait très amicale envers lui quand il lui rendrait visite.

Et Beth surprit son frère. Elle avait ses raisons.

Même si elle n'avait pas connu Billy, jamais elle n'aurait considéré Forbes comme un soupirant sérieux. Comme la plupart des Lamotte, il pensait que ses opinions étaient paroles d'évangile et il se mettait facilement en colère quand on n'était pas d'accord avec lui. A jeun et de bonne humeur, cependant, il savait être charmant.

Beth n'avait guère d'illusions sur les intentions de Billy. De longs intervalles séparaient ses lettres brèves et maladroitement tournées, et la jeune Main envisageait la possibilité qu'il soit tout à coup séduit par une fille du Nord. En recevant de temps en temps Forbes, elle espérait s'armer contre une déception possible, car elle aimait Billy plus qu'elle ne tenait à se l'avouer.

Forbes avait cinq ans de plus qu'elle et trois de moins que ce pâle crapaud de Huntoon. Les deux soupirants ne se ressemblaient pas du tout. Celui d'Anne était un chien en laisse ; Forbes avait sa tête bien à lui et cela plaisait assez à Beth.

Cependant, elle devait constamment repousser les privautés qu'il cherchait à prendre. C'est ce qu'elle venait de faire alors que se penchant par-dessus son épaule pendant qu'elle jouait du piano, il avait négligemment laissé sa main errer vers sa jeune poitrine.

— Non, Forbes, lança-t-elle et comme il ne la lâchait pas, elle prit son éventail sur le casier à musique et lui donna un coup sec sur la main. Pourquoi persistez-vous à me traiter comme ces catins que vous fréquentez à Charleston ?

— Parce que vous êtes dix fois plus jolie qu'elles toutes et que je vous désire dix fois plus.

— Désirer est un mot pour les maris et uniquement les maris, répliqua-t-elle en souriant.

— Eh bien ! Voilà un propos osé pour une fille d'âge si tendre.

— Si vous vous souciez tant de mon âge tendre, pourquoi votre main tâtonne-t-elle sans cesse comme si j'étais je ne sais quelle vieille cocotte ?

— Je ne peux pas m'en empêcher, dit-il en se glissant vers l'extrémité du piano pour s'y accouder et la contempler avec une gravité inquiétante. Vous savez que je suis fou de vous, Beth. Nous nous marierons un de ces jours.

— N'y comptez pas, déclara-t-elle en se levant. Vous ne m'apportez même pas les cadeaux que je demande !

— Ah, c'est que je ne connais personne qui vende le *National Era* à Charleston. Et si quelqu'un le vendait, pour rien au monde je ne voudrais être surpris à acheter un torchon abolitionniste !

— Mais, Forbes, tous les journaux et les périodiques parlent du feuilleton de Mrs Stowe. Je veux en lire une partie.

Harry lui-même avait exprimé de l'intérêt pour le nouveau roman.

— Lire ! railla Forbes avec un rire méprisant. Les filles n'ont pas à lire. Des magazines de modes, peut-être, oui. Et certains des poèmes de Mr Timrod qui sont inoffensifs. Voyons, si Dieu avait voulu que les femmes soient instruites, il les aurait laissé aller dans des endroits comme Harvard. Elles ne peuvent pas y entrer, alors vous voyez bien !

— C'est un propos stupide, stupide et arriéré.

— Jamais de la vie. Mon oncle Justin souffre le martyre parce que tante Madeline lit continuellement. Si vous voyiez les horreurs qu'elle commande à New York ! Il en prend des rages folles.

— Toute votre famille s'y entend pour prendre des rages folles chaque fois que vous n'aimez pas quelque chose. Bonne nuit, Forbes, dit-elle sur un ton décidé et elle quitta le salon, toutes voiles dehors.

Sidéré, il regarda bouche bée la porte ouverte.

— Beth ? Attendez, Bon Dieu ! Je ne voulais pas dire...

Inutile. Les pas décroissaient déjà dans l'escalier. Forbes fit un geste coléreux du poing, puis il leva les yeux et vit dans le vestibule Anne et Huntoon. Ils s'étaient trouvés dans la bibliothèque, depuis une heure. Le soupirant d'Anne avait peu d'occasions de marquer des points contre quelqu'un d'aussi fort que Forbes. Il se garda de manquer celle-là.

— Des jurons, l'ami ? Tss, tss, ce n'est pas ainsi que l'on fait sa cour à une jeune demoiselle. Et surtout pas à sa famille. Ce que vous devriez savoir...

Huntoon ravala le reste de ses conseils car Forbes se retournait contre lui.

— Encore un mot, et je flanque mon poing dans cette vessie de porc qui vous sert de figure, gronda-t-il en saisissant le jabot de Huntoon. Il y aura du sang sur tous vos beaux habits, vous en perdrez connaissance !

D'un mouvement brusque il déchira le jabot. Puis prenant son chapeau, sa canne et ses gants, il sortit dans la nuit douce de février.

— Nègre, va me chercher mon cheval ! hurla-t-il.

Anne en frémit de dégoût.

— Quel animal ! fit-elle.

— Absolument, approuva Huntoon en regardant d'un air désolé son jabot déchiré. Je ne comprends pas que votre sœur le tolère.

Anne jeta un coup d'œil sur les joues luisantes et réprima un nouveau frisson de répugnance. Cependant, avec un doux sourire, elle prit le bras de Huntoon.

— Elle n'a pas d'ambition. Elle court après tous les vauriens.

Y compris celui que je veux..., songea-t-elle.


Le printemps s'annonçait. Un soir de mars, Harry se retira dans la bibliothèque. Il tenait une lettre de Billy qu'il avait déjà lue trois fois. Après la troisième lecture, il n'était pas encore sûr de sa réaction.

Il s'assit et regarda dans le vague, le papier à la main. La pièce s'assombrit. Au portemanteau étaient toujours accrochés son uniforme et son épée. Juste avant que la nuit tombe tout à fait, Harry entendit un cheval monter dans l'allée. Quelques instants plus tard, Charles entrait gaiement, son pantalon havane et sa chemise de fine batiste maculés de sueur. Il souriait largement.

— Où as-tu été ? demanda Harry, qui le devinait.

— J'ai mené Minx sur la route du bord de l'eau.

— Tu faisais la course ? As-tu gagné ?

Charles se jeta dans un fauteuil et lança une jambe sur l'accoudoir.

— Bien sûr. J'ai battu Forbes et aussi Clinch Smith. Minx a laissé leurs montures à huit cents mètres. J'ai gagné vingt dollars.

Il montra deux pièces d'or, referma le poing dessus et se leva d'un bond.

— Je meurs de faim. Tu devrais allumer une lampe. Il fait noir comme dans une cave, ici.

Le conseil était inutile. Quand Harry était d'humeur triste, il restait parfois pendant des heures dans la bibliothèque obscure. Les esclaves le trouvaient souvent dans son fauteuil, à l'aube, ronflant, un verre vide et une carafe de whisky près de lui.

Il ne s'était jamais complètement remis de sa blessure de guerre. Charles comme tous ceux de Mont Royal le comprenaient. Mais ce soir-là, les souvenirs du Mexique n'étaient pas en cause. Cette humeur mélancolique avait une autre raison, qu'Harry tenait à la main. Charles désigna la lettre.

— De mauvaises nouvelles ?

— C'est une lettre de Billy.

Harry tendit la main, offrant la lettre. Perplexe, Charles la prit, alluma une lampe et lut. Avant de se rendre à l'Académie Militaire en juin, Billy voulait revenir à Mont Royal et, selon la coutume, demander officiellement la permission de faire sa cour à Beth.

— C'est merveilleux ! s'exclama Charles, mais il reprit brusquement son sérieux. Tu crois que cela créerait des ennuis si Billy venait ici ? Avec Huntoon surtout ?

— Non. Il y a longtemps que j'ai payé treize cent cinquante dollars pour Grady, rien que pour éviter les tracas.

Charles émit un long sifflement et se rassit.

— Je n'en savais rien.

Harry haussa les épaules.

— Je me sentais un peu responsable de cette perte et je voulais que George puisse revenir ici sans histoires. Personne n'est au courant de ce paiement, à part Huntoon et mon père. Garde ça pour toi.

— Bien sûr.

— Le prix d'un bon mâle ne cesse de monter. Francis Lamotte prédit que d'ici six ou sept ans, il sera de deux mille dollars. La semaine dernière, un éditorial du *Mercury* demandait que le commerce des esclaves avec l'Afrique redevienne légal. J'ai lu plusieurs articles réclamant la même chose... Enfin, peu importe. Nous parlions de Billy.

Charles agita la lettre.

— Beth est au courant de cette demande ?

— Pas encore.

— Tu vas lui permettre de venir ? Et tu l'autoriseras à faire sa cour ?

— Je ne sais pas. Billy est très bien mais il veut entrer dans l'armée, être officier.

— Moi aussi. Je vais à West Point l'année prochaine, tu t'en souviens ? Bon Dieu, Harry, c'est toi qui as organisé tout ça ! Tu m'as encouragé !

— Je sais, je sais. Et je suis heureux que tu y ailles. D'un autre côté, depuis notre première conversation sur l'Académie, la situation a changé dans le pays. Elle a empiré. En cas de troubles, tu seras certainement loyal envers ton Etat natal. Billy, lui, est un Yankee.

— Tu prévois des troubles ?

— Parfois, oui. Je ne sais pas de quelle espèce, ni jusqu'où cela ira.

— Qu'est-ce que ça changerait ? Les Hazard et les Main sont bons amis, en dépit de Virgilia. En dépit de tout. Si tu ne le croyais pas, si tu ne le voulais pas, tu n'aurais pas remboursé Huntoon.

— Tu as sans doute raison. Et pourtant, je redoute de pousser Beth sur une route qui mène au malheur.

— C'est à elle de choisir ! protesta Charles.

— A moi aussi. Maintenant que mon père peut à peine quitter son lit, je suis le chef de famille.

Ils discutèrent pendant cinq minutes. Charles cita toutes les raisons pour lesquelles Harry devait accéder à la requête de Billy. A la vérité, Harry était d'accord. Ce soir, il se faisait l'avocat du diable car il considérait que c'était son devoir.

Il réfléchissait aussi qu'il était peut-être exagérément pessimiste. Certains événements laissaient craindre un conflit, mais d'autres étaient plus rassurants. Les Sudistes jouaient encore un rôle vital dans la vie de la nation. Le général Scott, un Virginien, restait commandant en chef et Harry avait lu récemment que Robert Lee, qui avait déjà de fortes chances de succéder à Scott, serait fort probablement le prochain directeur de West Point. Dans l'armée, les officiers les plus remarquables venaient du Sud.

Cooper, de son côté, affirmait avoir constaté dans la région un nouvel intérêt pour l'industrialisation. Certes, le coton cultivé par des esclaves demeurait roi, mais les propriétaires de chemins de fer du Sud s'activaient à l'expansion et à l'amélioration de leurs lignes, *Mont Royal* recevait plus d'offres de cargaisons qu'il ne pouvait en transporter. Cooper était revenu d'Angleterre avec un renouveau d'enthousiasme pour le commerce en général et sa compagnie de navigation en particulier. Harry espérait que les nouvelles méthodes remplaceraient progressivement les anciennes, que des hommes de bonne volonté écarteraient les Rhett et les Huntoon, résoudraient les différends...

Cependant, il n'arrivait pas à s'en persuader.

— Harry ?

Arraché à ses réflexions, il releva la tête.

— Oui ?

— Tu répondras oui à ses deux questions, n'est-ce pas ? Tu permettras à Billy de venir en visite et de faire sa cour à Beth ?

— Je lui montrerai cette lettre et j'y réfléchirai. C'est tout ce que je peux faire pour le moment.

Déçu, Charles s'en alla.


— Il m'a interdit de lire ce roman, s'exclama Madeline. Il me l'a arraché des mains et l'a fait brûler... comme si j'étais une enfant !

Elle s'éloigna vers le bord du marécage. Harry resta assis sur les fondations en ruine. Il tenait dans ses mains le volume qu'il avait apporté au rendez-vous. C'était un volume de poésie, d'un style nouveau, insolite, écrit par un journaliste du Nord nommé Whitman. Cooper admirait beaucoup ces vers, et assurait qu'ils captaient le rythme de l'ère de la machine. Harry les trouvait difficiles tout en appréciant leur cadence qui évoquait pour lui les roulements d'un tambour.

— Je demanderai à George de m'en envoyer un exemplaire, dit-il. Encore que je ne comprenne pas pourquoi vous tenez à lire cette incitation à la violence.

Madeline se retourna vivement.

— Ne parlez pas comme Justin, je vous en prie! Le roman de Mrs Stowe est le succès du jour.

Elle avait raison. George avait écrit que toute sa famille avait lu cette histoire sentimentale entre esclaves et propriétaires d'esclaves, d'abord en feuilleton, puis dans l'édition en deux volumes qui venait d'être publiée. Malgré tout, Harry ne parvenait pas à s'intéresser à *La Vie parmi les inférieurs*, ainsi qu'était sous-titré l'ouvrage. Il voyait cette existence tous les jours et n'avait pas besoin qu'on lui en énumère les difficultés qui troublaient sérieusement sa conscience depuis quelque temps. En réponse à la réflexion de Madeline, il grommela doucement :

— Ce n'est pas le succès du jour dans cette partie du pays. Le mot scandale serait plus approprié.

Elle aurait aisément pu répliquer mais elle n'en fit rien, car elle savait qu'il s'inquiétait surtout en ce moment de la lettre de Billy Hazard, dont il lui avait longuement parlé. Elle retourna s'asseoir à côté de lui et l'embrassa.

— Vous êtes tous tellement emportés, en Caroline du Sud. Je ne cesse de l'oublier... à mon éternel regret.

— Qu'est-ce que cela veut dire ?

— Quand Justin a découvert mon exemplaire de *La Case de l'Oncle Tom*, la semaine dernière, cela a été extrêmement désagréable.

— Il a piqué une colère...

— Il a été incohérent pendant une demi-heure. Mais ce n'est pas le pire. La découverte a eu lieu juste avant le dîner. Francis dînait avec nous ce soir-là. Alors, Justin et son frère n'ont cessé de hurler pendant tout le repas pour proclamer la nécessité d'un Sud libre et indépendant.

— Je suis désolé que vous soyez obligée de supporter une telle situation.

Elle baissa la tête.

— Je ne l'ai pas supportée. J'ai déclaré avec véhémence que c'était un beau discours mais que, dans la pratique, c'était ridicule. Je sais que j'ai eu tort mais avec ces deux-là, il y a des moments où je ne peux pas tenir ma langue. Justin, cependant, ne se gêne pas pour me faire comprendre quelle est ma place... et que je n'ai pas à exprimer mon opinion sur des sujets plus importants que le dernier point de broderie !

Harry posa l'ouvrage de Whitman sur les pierres et prit les mains de Madeline.

— Quand vous avez dit ce que vous pensiez, comment Justin a-t-il pris cela ?

— Très mal. Il m'a enfermée dans ma chambre pendant une journée et une nuit entières. Il a ordonné à Nancy de ramasser tous mes livres et de me servir mes repas dans la chambre. Elle est la seule personne que j'ai vue pendant tout ce temps. Dieu, quelle humiliation !

— La canaille ! Je devrais le tuer.

D'un geste bref, elle chassa les larmes de ses yeux.

— Oh ! Harry, je ne devrais pas vous le dire... mais je n'ai personne d'autre que vous à qui parler.

— Et je serais plus furieux si vous vous taisiez. Ah ! Comme je voudrais vous arracher à cette maison infernale ! Resolute n'est pas un foyer, c'est une prison.

— C'est vrai. J'ai de plus en plus de mal à tolérer Justin. Auparavant, j'avais de nobles idées sur l'honneur et la sainteté des liens du mariage, avoua-t-elle avec un pauvre sourire. Justin les a toutes tournées en ridicule.

— Quittez-le. J'irai le voir pour vous. Je lui dirai...

— Non, Harry, il est trop tard. Maintenant, trop de gens dépendent de moi, à Resolute. Je ne peux pas faire grand-chose pour améliorer leur sort mais je sais que si je partais, ce serait bien pire. Et puis, qui me permet de supporter cette lugubre existence ? C'est vous ! Rien que vous !

Elle le prit par la taille et le regarda, les yeux brillants de larmes, puis, par un besoin désespéré d'affection et de réconfort, elle le serra violemment entre ses bras et l'embrassa avec passion.

Il enfouit son visage dans les cheveux de Madeline, savoura leur parfum, leur douceur soyeuse. Comme toujours, son corps le trahissait. Elle sentit qu'il la désirait et se colla plus fort contre lui pour lui montrer qu'elle le voulait aussi. La tension provoquée par leur retenue avait toujours été atroce. Ce jour-là, elle devenait insoutenable.

Madeline dégrafa son corsage, rejeta la tête en arrière. Les yeux fermés, en extase, elle le laissa embrasser ses seins.

Jamais, ils n'étaient allés jusque-là. Seul, un prodigieux effort de volonté les retint de poursuivre plus loin.

— Harry, il ne faut pas, gémit-elle bientôt.

— Non... non...

Mais il se demanda combien de temps il aurait la force de supporter la souffrance de l'aimer, de la désirer et de refouler ce désir.

Deux jours plus tard, après le dîner, Harry et Charles s'installèrent sur la terrasse pour boire un whisky. La brume cachait le coucher du soleil et teintait le ciel d'un rose pâle délicat. Harry contempla les reflets dansant sur l'eau pendant que Charles parcourait le *Mercury*. Il avait pris l'habitude, dernièrement, de consacrer chaque jour quelques minutes au journal, autre signe de maturité qui plaisait à Harry.

Charles replia le quotidien.

— Tu l'as déjà lu ?

— Pas encore.

— Huntoon a fait un nouveau discours.

— Où donc, cette fois ?

— A Atlanta. Qu'est-ce que c'est que la souveraineté populaire ?

— Le sénateur Douglas a inventé cette locution. Cela veut dire qu'une fois un nouveau territoire organisé, ses habitants ont le droit de décider s'ils autorisent ou interdisent l'esclavage.

— Huntoon assure que c'est inacceptable, tout comme la doctrine de la terre libre. Je ne sais pas ce que c'est non plus.

— La doctrine de la terre libre stipule que le Congrès a le devoir moral de prohiber l'esclavage dans les nouveaux territoires. La volonté du peuple ne compte pas. J'entends d'ici le discours de Huntoon, continua Harry et il plaqua sa main droite sur sa poitrine, à la manière d'un orateur, en prenant un ton pompeux. Je me range à l'avis du grand Calhoun. L'esclavage doit suivre le drapeau. C'est la responsabilité sacrée du Congrès de protéger tout bien importé dans un territoire... « Bien » signifiant les esclaves, ajouta-t-il de sa voix normale. C'est la seule doctrine territoriale que la plupart de nos voisins jugent acceptable.

— Qu'est-ce que tu en penses ?

Harry réfléchit un moment.

— Je me range à l'avis de Douglas. George aussi, je crois.

— Moi, j'essaye de me mettre au courant. Il le faut parce que lorsque j'irai à West Point, je rencontrerai des garçons venus de partout.

— La question des territoires risque de se poser plus tôt. Certains disent que ce sera dès que nous aurons élu un nouveau Président, à l'automne. L'Ouest se peuple rapidement. Nos loyautés vont être sévèrement mises à l'épreuve. Nos loyautés familiales et d'autres, conclut Harry en posant sur Charles un regard appuyé.

Le jeune homme allongea les jambes et considéra le fleuve où ne restaient que quelques touches écarlates.

— Tu ne cesses de t'inquiéter, Harry. C'est pour cette raison que tu n'as pas répondu à Billy, n'est-ce pas ?

Harry fronça les sourcils.

— Comment le sais-tu ?

— Si tu avais répondu, Beth ne ferait pas cette triste mine. Je ne crois pas te manquer de respect en insistant, mais j'ai dans l'idée que tu refuses pour une seule raison. Il est un Yankee. Tu agis exactement comme... comme Huntoon. Ou Virgilia Hazard. Ils collent tous les gens de l'autre camp dans le même sac.

Harry fut irrité que Charles ait l'audace de le juger, mais cette réaction ne dura que quelques secondes. La raison prévalut. La raison, et aussi le désir que les liens entre les deux familles se resserrent car Virgilia avait été bien près de les dénouer.

Un sourire apparut dans la broussaille de sa barbe.

— Tu deviens un jeune homme bien avisé, Charles. J'en suis heureux... J'écrirai à Billy, ce soir, une lettre qu'il sera heureux de recevoir. Va chercher Beth pour le lui annoncer.

Charles poussa un cri de joie, serra vigoureusement la main d'Harry et se précipita dans la maison.

Harry écrivit la lettre, comme promis. Il déclara que Billy serait le bienvenu à Mont Royal et l'invita à se faire accompagner par tous les Hazard, Virgilia mise à part, mais il jugea qu'il était inutile de le préciser. Il promit que, si la famille venait, il donnerait une réception ou un bal pour compenser la triste fin de la précédente visite.

Cette lettre lui fit du bien. Ce n'était qu'un simple geste, mais important. Si des amis du Nord et du Sud ne parvenaient pas à faire la paix entre eux, comment les hommes qu'ils envoyaient à Washington y parviendraient-ils ?


CHAPITRE XXX


LES HAZARD ACCEPTÈRENT l'invitation. Ils débarquèrent au cours de la troisième semaine de mars. Maude ne les accompagnait pas. Elle s'était foulé la cheville en travaillant dans son jardin et ne pouvait voyager.

Un bal était annoncé à Mont Royal, et tout le voisinage fut invité.

Ce soir-là, des bougies dans des chandeliers à plusieurs branches étincelèrent à toutes les fenêtres ; des lanternes japonaises décorèrent les pelouses. La maison ne pouvant contenir tous ceux qui arrivaient à cheval ou en voiture, la foule envahit les jardins, se déploya sous les arbres, se promena dans l'ombre par couples ou en petits groupes.

Tous les meubles, à part les chaises, avaient été enlevés du rez-de-chaussée. La salle à manger était réservée à la danse, au son de l'orchestre Von Grabow, de Charleston. Harry avait affrété l'*Eutaw* pour amener à la plantation les quatorze musiciens et leurs instruments. A minuit, si le temps le permettait, le bateau fluvial emmènerait les invités en croisière, et un souper serait servi à bord.

Des buffets avaient été dressés sur la terrasse donnant sur le fleuve. De jeunes esclaves armés de chasse-mouches protégeaient des insectes les grands plats de jambon braisé, de mouton et de bœuf, les poulets rôtis, les huîtres, les langoustines, les crabes. Cent kilos de jambon avaient été achetés pour l'occasion et tout le reste en quantités équivalentes. Le champagne de France coulait à flots, ainsi que d'autres vins français et allemands.

Les invités étaient vêtus avec élégance. L'air embaumait autour des épaules poudrées et des décolletés parfumés. L'huile de Macassar brillait sur les cheveux des hommes. Avant qu'une heure ne s'écoule, Harry put fermer les yeux, écouter le tumulte de la fête et être certain du succès. Le brouhaha et les rires devaient s'entendre à des kilomètres.

La nuit était chaude, et sous son habit, son gilet et sa cravate, il commençait à transpirer. Et la température semblait monter... à moins que ce soit l'effet du champagne. Il circulait, un verre à la main. Quand il était vide, une main noire le remplissait vite, qu'il le veuille ou non.

La joie d'Harry surpassait de loin son malaise. A ses yeux, cette réception représentait tout ce qu'il y avait de beau, de bon, de gracieux dans son Etat natal. Les lumières étincelantes, les mets de choix, le vin et la musique, tout donnait une impression de bien-être. C'était une soirée de féerie.

Theo Main et George Hazard racontaient des histoires et riaient tous deux à gorge déployée, comme s'il n'avait jamais été nulle part question de sécession. Harry les vit remplir leurs verres et s'éloigner bras dessus, bras dessous.

Constance quitta la piste de danse, hors d'haleine, rieuse. Un des Smith l'avait invitée à une polka et avait vaincu, par son charme, ses hésitations. Beaucoup de Smith, hommes et femmes, étaient venus au bal, mais aucun n'était proche parent de Whitney Smith, dont l'absence n'était pas remarquée.

Harry s'adossa contre une colonne blanche, souriant à tout le monde et buvant son champagne. Il n'avait pas les idées très claires mais se sentait de belle humeur. Son euphorie n'était pas entièrement partagée autour de lui. Cooper, à l'écart, semblait faire la tête. Harry s'approcha et lui donna une bourrade amicale, renversant du champagne sur la manche de son frère.

— Allons, amuse-toi, pour une fois. Avoue que c'est une bien belle fête.

— Très belle, reconnut Cooper sans grande sincérité. Ce serait merveilleux si les gens étaient toujours aussi charitables envers les Yankees.

Sans s'attarder sur la réflexion, Harry lança :

— Eh bien, si le bal te plaît, pourquoi n'as-tu pas le sourire ?

— Parce que je pense à tout ce que cela coûte. Tout le monde ne s'amuse pas, comme tu peux le remarquer.

D'un geste de son verre, il attira l'attention de son frère sur un homme en sueur qui traversait la terrasse avec deux lourdes caisses de vin sur les épaules. C'était un esclave, âgé de soixante-huit ans.

Furieux, Harry tourna les talons et s'en alla.

A partir de cet instant, son humeur s'aigrit. Tout se ligua pour teinter son plaisir de mélancolie.

Un des fils Bull tira sur une corde où étaient accrochées plusieurs lanternes de papier. L'une d'elles prit feu, et faillit incendier la crinoline de la tante Betsy Bull. Celle-ci gronda son jeune neveu et lui conseilla vivement de trouver un abreuvoir et de s'y tremper la tête jusqu'à ce qu'il soit dégrisé. Le sourire du jeune homme disparut comme si la remontrance l'avait touché.

Quelques instants plus tard, dans la maison bondée, Harry heurta Justin Lamotte, un pied posé sur une chaise cannée.

— ... franchement, je me moque de qui les partis nommeront, pérorait Justin. Yancey avait raison. La loyauté traditionnelle au parti est devenue une maladie honteuse. Votez pour la liste whig et vous votez pour un infirme, sinon un cadavre. Votez pour les démocrates, et vous soutenez une organisation politique qui ne représente plus les intérêts de cette région. Moi, je suis pour le parti américain. Pas d'immigrants. Pas de papistes. Je suis sûr qu'ils vont bientôt ajouter « pas d'abolition » à ce programme.

Harry regarda fixement la botte étincelante de Justin. Celui-ci comprit le regard de son hôte et avec défi garda son pied sur la chaise tout en continuant de pontifier. Harry s'éloigna, écœuré.

Dix minutes plus tard, adossé au mur de la salle à manger, il regarda George valser avec Madeline. Il paraissait y prendre un grand plaisir. Machinalement Harry répandit du champagne sur sa chemise en levant son verre. Il comprit qu'il était ivre, mais il s'en moqua. La fête battait son plein. Il se contenta de contempler Madeline. Elle était plus belle que jamais, tourbillonnant gracieusement sous le lustre. Sa robe de soie émeraude faisait ressortir la blancheur de sa gorge et l'éclat de ses yeux.

George valsait admirablement.

Et Harry souffrit une fois de plus. Il n'était pas capable, lui, d'inviter Madeline à danser au son de cette musique, de ne plus cacher son amour pour elle, et son désir si douloureux. Il serra les dents. Ses yeux noirs où brillaient les mille lumières reflétèrent sa colère. Il tendit son verre sans regarder. Quelqu'un le lui remplit une fois de plus.

En valsant, Billy et Beth passèrent devant lui, sans remarquer son expression assombrie. Sous les pendeloques de cristal du lustre, entourés par les flammes vacillantes des lampes et des chandelles, ils ne voyaient rien, perdus qu'ils étaient dans leur propre émoi. Billy aurait voulu que cette valse ne finît jamais, que la nuit durât éternellement.

— Les camélias sont arrivés juste avant que je descende, annonça Beth, et Billy poussa un soupir de soulagement car elle n'avait pas encore mentionné son cadeau. Il y en a tant ! Cette corbeille a dû coûter une fortune.

— Les Hazard peuvent se le permettre, Beth.

Aussitôt, il se sentit idiot. Cette réflexion était peu élégante. Mais Beth lui faisait perdre ses moyens, avec ses yeux brillants, sa tête penchée, son sourire ironique, et cependant affectueux. George lui avait raconté que beaucoup de cadets de West Point étaient « anti-romance », parce que la sentimentalité troublait l'esprit, ce qui compromettait les études. Billy comprenait mais reconnaissait que, pour lui, il était trop tard pour qu'il adopte cette attitude. D'ailleurs, il ne le souhaitait pas.

— Quoi qu'il en soit, reprit Beth, les fleurs sont vraiment charmantes... ainsi que la pensée qui les a envoyées.

— Merci. Certaines filles n'auraient pas la bonté de le dire.

— Je le crois volontiers.

— C'est vrai. C'est pourquoi tu es si différente. Tu ne flirtes pas, tu ne minaudes pas. Tu dis ce que tu penses. C'est ce que j'aime... enfin... ce qui me plaît en toi.

— J'ai pourtant eu quelquefois l'impression que cela ne te plaisait pas du tout.

Il sourit.

— Ne parlons pas de ma bêtise passée. On n'en finirait pas.

— Tu ne commets pas beaucoup d'erreurs, il me semble.

— Oh ! que si !

Du coin de l'œil, il apercevait le visage pâle d'Anne. Elle était avec Huntoon mais c'était lui, Billy, qu'elle observait.

— Cependant, tout de même, j'ai fait quelque chose de bien : j'ai demandé à Harry la permission de te rendre visite. Je regrette seulement que ça ne puisse être qu'une fois par an.

— Moi, j'en suis heureuse et heureuse aussi qu'il ait accepté, assura Beth en lui pressant la main. Je t'écrirai souvent. Et Harry me conduira peut-être à West Point pour une visite. C'est encore une villégiature à la mode, n'est-ce pas ?

— Il paraît. Mais tu ne vas pas trop t'ennuyer, ici, j'en suis sûr. Ce fils Lamotte te fera la cour...

— Plus maintenant. Forbes est beau mais il se conduit mal... et puis, il est trop vieux. Il ne reviendra plus me voir.

— Il le sait ?

— Oui. Je le lui ai dit tout à l'heure. J'ai pensé que je le devais, puisque tu as envoyé les camélias et... oh ! Billy, ne me regarde pas comme ça ! Je me sens fondre. Je suis stupide de tant parler mais je ne peux m'en empêcher... Il y a si longtemps que je t'aime. Je croyais que tu ne me remarquerais jamais.

Il s'écarta d'elle et la contempla en face. Cette fois, il n'eut aucun mal à trouver ses mots.

— Jamais je ne remarquerai personne d'autre, Beth. Jamais.

# CHAPITRE XXXI

L E 1er JUIN 1852, BILLY débarqua à West Point. Une brume de chaleur recouvrait le fleuve et la montagne. Il chercha des yeux l'Académie. Elle était cachée par la haute falaise s'élevant derrière l'appontement. Il se demanda ce qu'avait éprouvé son frère le jour de son arrivée, s'il avait été, lui aussi, nerveux, excité.

Billy était résolu à bien travailler pendant ces quatre ans. Il voulait être nommé dans le génie et, pour cela, il lui fallait avoir les meilleures notes. Il se sentait capable de les obtenir, avec de l'application et un peu de chance. Il avait déjà commencé à se préparer, à bûcher avant et pendant le voyage. Son grand sac de voyage en tapisserie était bourré de livres, des exemplaires d'occasion de l'*Algèbre* de Bourdon, de *la Géométrie et la trigonométrie* de Legendre, de la *Géométrie descriptive*, des manuels adaptés et annotés d'après les ouvrages originaux par le professeur Davies, de l'Académie Militaire.

— Monsieur, ne restez pas planté là bouche bée. Vous êtes le seul nouveau sur le vapeur ? Très bien, monsieur. Mettez votre valise dans la carriole, monsieur.

La voix à l'accent irlandais appartenait à un petit homme ridé, à la mine assez féroce, à l'uniforme fripé, qui s'éloigna d'un air fanfaron, une main sur la poignée de son sabre. Ce n'était pas du tout l'image idéale du soldat mais il impressionna Billy en lui rappelant le sens de la tradition. Par ailleurs, il se sentait fier d'être là où avait été son frère, dix ans plus tôt. Au temps de Jackson, l'Académie avait acquis une mauvaise réputation, mais George assurait que c'était fini et que West Point reprenait sa place parmi les premières écoles militaires du monde, Woolwich et Sandhurst en Angleterre, Saint-Cyr et Polytechnique en France. Le vieux Thayer, en remaniant le programme de West Point, avait pris pour modèle la vieille Ecole Polytechnique française.

— Monsieur, je ne vous répéterai pas de vous dépêcher, reprit le soldat. Je suis le sergent Owens, prévôt du poste, et je vous rappelle que vous êtes maintenant sur un terrain réservé de l'armée. Comportez-vous en conséquence !

— Oui, monsieur, dit Billy et il se hâta de suivre le sous-officier.

Le capitaine Elkanah Bent grattait sa lèvre inférieure avec l'ongle de son index. De la sueur coulait de son menton sur le dossier ouvert devant lui. Toutes les fenêtres de la vieille bâtisse de brique, située au bord occidental de President's Park, étaient ouvertes, mais l'officier obèse étouffait. Dans huit mois, un nouveau venu viendrait s'installer dans la résidence, au centre de ce parc ombragé de Washington. Les démocrates avaient élu Franklin Pierce, du New Hampshire. Quand Pierce avait été promu général, pendant la guerre du Mexique, on l'avait promptement mis à l'écart en le considérant comme un politicien de plus qui rêvait d'obtenir un grade militaire, mais il s'était révélé, à l'étonnement de tous, excellent commandant et de nombreux officiers de métier approuvaient son élection.

Les whigs, de leur côté, avaient choisi Scott comme commandant en chef. Scott avait souhaité cette nomination en 1848, mais avait été forcé d'attendre encore quatre ans. Cette fois, il l'avait obtenue au cinquante-troisième tour de scrutin, après que le président Fillmore se fut vu refuser la nomination par son propre parti, s'il était toutefois possible d'appeler les whigs un parti.

Le pays aurait donc un Président possédant une expérience militaire. Bent espérait qu'il serait capable de comprendre que la principale mission du gouvernement était de préparer la guerre contre les traîtres qui voulaient contrôler le Sud.

Cela faisait un peu moins de quatre semaines que Bent était au ministère de la Guerre. Déjà, il détestait la capitale, ainsi qu'il l'avait prévu en acceptant sa mutation. Washington était une ville perpétuellement inachevée, sudiste par son style et ses points de vue, pleine de mouches, d'égouts à ciel ouvert et d'autres aspects indésirables. Il détestait les nègres affranchis qui se pavanaient en public, comme s'ils étaient les égaux des Blancs. Il avait horreur des fonctionnaires civils, fourmis courant en tous sens pour prouver qu'elles avaient une raison d'être.

Le 1$^{er}$ Bureau de l'Etat-Major s'occupait de tous les dossiers du personnel de l'armée. Peu après son arrivée, Bent avait parcouru la liste des admissions confirmées de l'Académie Militaire pour l'année suivante. Il y avait découvert le nom de Charles Main, de Caroline du Sud. Une petite enquête lui avait appris que ce Charles Main était le neveu d'un certain officier de sa connaissance.

Et puis voilà que le courrier officiel lui apportait la liste finale et révisée des admis déjà au camp, ainsi que celle de ceux qui n'arriveraient qu'au début du trimestre d'automne. Un nom lui sauta aux yeux, dans celle de juin : William Hazard II, Lehigh Station, Pennsylvanie.

Ce ne pouvait être qu'un garçon de la même famille...

Bent ne se tenait plus de joie car il avait perdu la trace d'Harry Main et de George Hazard. Les aléas de sa carrière y avaient contribué, et puis les deux amis avaient quitté l'armée et s'étaient mis, pour ainsi dire, hors de l'atteinte de leur ennemi.

Mais jamais ce dernier n'avait renoncé à son désir de se venger. Par leur faute, à cause des doutes qu'ils avaient semés à son sujet, il n'avait pu avoir l'avancement rapide qu'il avait désiré. Pour cette raison et d'autres, il nourrissait, pour les deux hommes, une haine tenace. Et voilà que, par l'intermédiaire de membres de leur famille, il allait avoir une occasion d'exercer ses représailles.

# LIVRE TROISIÈME

## « LES CORDES QUI ENTRAVENT SE CASSENT UNE PAR UNE »

*S'ils rompent, au nom de Dieu abandonnons l'Union... J'aime l'Union comme j'aime ma femme. Mais si ma femme demandait et exigeait une séparation, elle devrait l'obtenir, même si cela me brisait le cœur.*

JOHN QUINCY ADAMS à propos de la rumeur de complot de sécession de Burr.
1801

CHAPITRE XXXII

GEORGE HAZARD PRÉTEN-
dait ne pas éprouver de sentiments particuliers pour West Point. Il en
avait pourtant parlé souvent et longuement à son jeune frère. Si bien
que lorsque Billy arriva à l'Académie, il la connaissait déjà presque
parfaitement.

Pourtant des changements avaient eu lieu depuis six ans que George
en était sorti. Les plus visibles étaient architecturaux. Les vieilles
casernes Nord et Sud avaient été rasées et remplacées par un nouveau
bâtiment de 176 chambres, pour la somme époustouflante de 186 000
dollars. Avec ses corniches de grès rouge, l'édifice rappelait à Billy des
images de châteaux anglais. Sa vaste salle, au-dessus de la porte
cochère, offrait un asile permanent à la société de débat des cadets et,
au sous-sol, un pensionné de l'armée avait ouvert une cantine où l'on
pouvait acheter biscuits, sucreries et condiments. Le chauffage central
aussi avait été installé.

Pour assurer des démonstrations pratiques et peut-être inspirer des
vocations, une compagnie du génie y était cantonnée depuis la fin de la
guerre du Mexique. On reconnaissait ses hommes à leur longue
tunique bleu foncé à parements de velours noir et à l'écusson de leur
arme : une tour crénelée. Billy espérait porter un jour cet insigne.

Il savait qu'il lui faudrait travailler dur pendant ses quatre ans,
mais il découvrit que ses études en prévision des examens d'entrée
avaient été superflues. Pour passer l'épreuve de mathématiques, il
n'eut qu'à résoudre un problème facile au tableau et à répondre à trois
questions tout aussi simples, à l'oral. Il ne s'étonna plus que des civils
jugent ces exigences ridicules.

Le clairon avait remplacé le tambour, pour convoquer les cadets. On
servait, dans le mess, la même cuisine insipide, et Billy n'était pas
dans sa chambre depuis dix minutes qu'un ancien de troisième année
y entrait d'autorité, se présentait sous le nom du cadet Caleb Slocum
et exigeait qu'il se mette au garde-à-vous devant lui.

Billy fit de son mieux. L'ancien, un garçon brun émacié au teint
brouillé, déclara alors d'une voix traînante :

— Parlez-moi un peu de vous, monsieur. Votre père est-il un
démocrate ?

— Je crois que cela dépendra de la personne que le parti désignera ce mois-ci, répondit aimablement Billy.

— Monsieur, je vous ai posé une question exigeant une réponse par oui ou par non. Vous choisissez au contraire de me faire une conférence sur la politique. Puis-je en déduire que votre père est un homme politique, monsieur ?

Billy ravala sa colère.

— Non, monsieur. Il est maître de forges.

— Monsieur ! rugit l'autre, je vous demande si oui ou non votre père est un homme politique et vous me régalez d'un discours sur l'industrie. Mettez-vous dans ce coin, face au mur, pendant un quart d'heure. Je reviendrai vérifier. En attendant, méditez ceci : continuez d'être bavard et obstiné et votre carrière à l'Académie sera brève et déplaisante. Maintenant, monsieur, au coin !

Rouge de fureur, Billy obéit. S'il avait eu le caractère de son frère, il aurait envoyé son poing dans le nez du cadet et se serait soucié des conséquences trop tard. Mais il avait une nature plus réfléchie et, pour cette raison, George estimait qu'il ferait un remarquable ingénieur. D'ailleurs, son caractère confiant faisait de lui une victime facile. Il resta au coin pendant près d'une heure, jusqu'à ce qu'un ancien de deuxième année arrive, le prenne en pitié et lui donne l'ordre de se mettre au repos, car Slocum n'avait eu aucune intention de revenir.

Slocum. Billy frotta sa jambe ankylosée et se promit de ne pas oublier ce nom.

— Je vous conseille de vous habituer à ce genre de brimades, dit l'ancien, car vous resterez plèbe pendant pas mal de temps.

— Oui, monsieur, marmonna Billy.

Resté seul, il songea que certaines choses, à West Point, n'avaient pas changé et ne changeraient probablement jamais.

Toujours en civil, Billy et les autres nouveaux s'en allèrent vers la Plaine pour le campement d'été, derrière les bataillons en uniforme, tout comme l'avaient fait George et Harry. Les plèbes chancelèrent dans la poussière, sous le poids du paquetage des anciens, s'écorchèrent les mains et piquèrent des colères en essayant d'enfoncer les piquets de tentes dans le sol dur.

Dès le premier jour, Billy remarqua un autre changement, moins net que d'autres, mais non moins important. Plus tard, on dirait même qu'il avait été le plus important de tous par son caractère destructif.

Chaque tente abritait trois hommes, leurs couvertures, un râtelier pour les mousquets qui leur seraient fournis et une vieille cantine cabossée peinte en vert. Ce coffre avait trois compartiments, un pour chaque cadet afin qu'il y range son linge, et servait aussi d'unique siège. Quand Billy entra, suivi par un maigre et pâle plèbe à la mine effarée, le troisième occupant de la tente était assis sur la cantine et astiquait de luxueuses bottes d'équitation. Il leva les yeux.

— Bonsoir. Je m'appelle McAleer. Dillard McAleer, dit-il en tendant la main.

Billy la serra, en cherchant à identifier l'accent du cadet, un accent du Sud mais un peu plus dur et plus nasillard que celui de Caroline.

— Billy Hazard, de Pennsylvanie, fit-il. Et voici Fred Pratt, de Milwaukee.

— Frank Pratt, reprit le garçon dégingandé comme s'il s'excusait.

— Tiens, tiens. Deux Yankees, ricana Dillard McAleer.

Il avait des yeux bleus très pâles et des boucles blondes tombant sur un front rose. Billy l'avait déjà vu, quand les nouveaux étaient passés à la toise et avaient été séparés en quatre escouades, une pour chaque compagnie de cadets. Billy et McAleer étaient de taille moyenne et avaient donc été rattachés à l'une des compagnies centrales. Frank Pratt, qui humblement restait près de l'entrée de la tente, mesurait plus d'un mètre quatre-vingts. Il avait été versé dans l'escouade d'une compagnie de flanc.

— Vous allez être deux contre moi ? lança McAleer.

Quelque chose dans son attitude rappelait de vagues souvenirs. Qu'était-ce donc ? McAleer souriait mais il posait la question très sérieusement. Billy jugea que c'était un mauvais signe.

Il entendait du bruit dehors, des pas furtifs, des chuchotements. Que se passait-il ? Il répliqua à la question de McAleer par une autre :

— Pourquoi serions-nous contre vous ? Nous allons tous souffrir ensemble ici.

— Je n'ai pas l'intention de souffrir. Le premier salopard de Yankee qui me cherche des crosses aura le nez renfoncé dans la tête.

Billy se frotta le menton.

— D'où êtes-vous, McAleer ?

— D'un petit coin du Kentucky, appelé Pine Vale. Mon papa a une ferme là-bas. Et quatre esclaves.

Le cadet espérait visiblement une réaction. Il resta assis sur la cantine, son expression joyeusement belliqueuse révélant qu'il riposterait à toute critique. Billy ne s'attendait pas à affronter une hostilité régionale à West Point. Sa naïveté foncière reçut un choc, mais il refusa de se laisser engager dans une discussion sur l'esclavage.

Après tout, puisqu'ils partageaient la même tente, ils étaient égaux tous les trois et McAleer devait l'admettre.

— J'aimerais ranger mon linge, dit-il. Voudriez-vous vous déplacer ?

— Non, ça m'ennuie.

McAleer se redressa lentement, comme un serpent qui déroule ses anneaux. Bien qu'il soit trapu, il possédait une grâce naturelle qui exagérait ses traits féminins, mais quand il se frotta les mains, comme s'il se préparait à se battre, Billy constata qu'elles étaient calleuses. McAleer sourit largement et dit, la voix traînante :

— Si vous voulez ouvrir cette cantine, faudra me déplacer.

Frank Pratt laissa échapper une petite plainte pitoyable. Billy comprenait maintenant pourquoi Dillard McAleer lui semblait familier. Il se conduisait comme certains jeunes gens qu'il avait rencontrés à Mont Royal, arrogants et délibérément hostiles. Ce devait être une défense normale contre les Yankees. Il regarda le Kentuckien dans les yeux.

— McAleer, reprit-il, je ne veux pas me quereller avec vous. Nous allons vivre dans cet enfer de toile pendant soixante jours et il vaut mieux nous entendre. Pour moi, cette entente ne dépend pas de notre identité ni de notre pays d'origine, mais de notre façon de nous traiter mutuellement. Je n'ai rien demandé d'extraordinaire, simplement d'ouvrir cette cantine, dont un tiers me revient. Mais s'il faut que je vous déplace, eh bien, j'en suis capable.

La fermeté du propos impressionna McAleer. Il fit un geste.

— Allons, allons, Hazard, je plaisantais, dit-il et, s'inclinant profondément, il s'écarta. La cantine est toute à vous. A vous aussi, Fred.

— Frank.

— Ah ! oui, bien sûr, Frank.

Billy se détendit et se tourna vers l'entrée où il avait déposé ses affaires. Soudain, on entendit crier.

— *Tous ensemble, les gars ! Tirez !*

Billy reconnut la voix de Slocum un instant avant que les piquets de tente ne fussent arrachés : mâts et toile s'écroulèrent.

McAleer jura et quand les trois plèbes se furent dégagés, Billy dut le retenir pour l'empêcher de se jeter sur les anciens qui s'enfuyaient en riant.

Une semaine avant la fin du campement d'été, Dillard McAleer entama une discussion avec deux plèbes du Nord. Ils se disputèrent à propos de la question de la terre libre. Cela dégénéra en dispute. McAleer tint bon jusqu'à ce qu'un ancien de dernière année intervienne. C'était un garçon au langage ordurier nommé Phil Sheridan, de New York, et qui avait une réputation de bagarreur. Comme il était l'officier du jour, il s'interposa au nom de la discipline.

Il chercha à séparer les combattants. Cela ne fit qu'aggraver la colère de McAleer. Le Kentuckien arracha une branche d'un arbre voisin et courut sur Sheridan pour l'assommer. Heureusement, quatre autres cadets bondirent sur lui mais il fallut au moins cinq minutes pour le calmer.

Le lendemain, le directeur, Henry Brewerton, le convoqua dans son bureau. Personne ne sut ce qui se dit derrière la porte fermée mais, dans l'après-midi, McAleer fit ses bagages.

— Mes amis, lança-t-il avec un sourire fanfaron, ça m'ennuie de vous quitter tous les deux mais le directeur m'a rendu le choix assez clair. Prendre la route de Canterberry ou répondre à une accusation officielle. Ma foi, si je risque d'être expulsé de cette auge à cochons abolitionniste, je préfère partir avec grand style.

Agitant la main, il s'en alla. Le souvenir de la branche d'arbre et de la figure convulsée de haine de McAleer demeurèrent dans le souvenir de Billy.

Il continua à découvrir de pénibles divergences au sujet de l'esclavage. Selon leur taille, les cadets étaient affectés à diverses compagnies, mais Billy observa que deux des compagnies étaient uniquement composées de Sudistes ou d'hommes qui sympathisaient avec eux et cela malgré leurs gabarits différents. Manifestement, il y avait là quelque connivence de la part de l'adjudant-major. Laquelle ? Il ne put le savoir.

Le 1er septembre, le nouveau directeur, Robert Lee, arriva.

Comme Brewerton, il appartenait au génie, mais sa réputation était de beaucoup supérieure à celle de son prédécesseur. Il était généralement considéré comme le meilleur militaire d'Amérique ; on disait que Winfield Scott le vénérait. Cependant, à l'Académie, il se trouvait devant un problème particulier : son fils aîné, Custis, faisait partie de la classe 54, et des plaisanteries désobligeantes circulaient sur le favoritisme inévitable.

Billy vit mieux le nouveau directeur le dimanche suivant, à la chapelle, où tous les cadets devaient assister à l'office... encore un détail qui n'avait pas changé depuis l'époque de George. Lee était très grand, il avait des yeux marron, de gros sourcils et un visage d'où irradiait la force de caractère. Quelques mèches grises striaient ses cheveux noirs mais pas sa moustache, dont les pointes retombaient de chaque côté de la bouche. Billy lui donna dans les quarante-cinq ans.

L'aumônier fit un de ses habituels sermons soporifiques, récita une prière à l'intention du nouveau directeur puis, sur son invitation, le colonel Lee se leva et prononça une brève allocution.

— Bien que des querelles fassent rage à l'extérieur de cette Académie, dit-il, vous qui êtes là, devant moi, avez le devoir de vous élever au-dessus de ces dissensions.

Citant le jeune roi du *Henry V*, de Shakespeare, il désigna les cadets comme une association fraternelle. Il intima à ses auditeurs d'avoir à se considérer ainsi et leur demanda de se souvenir que les hommes de West Point n'avaient à avoir de loyauté envers aucune région en particulier, mais uniquement et entièrement envers la nation qu'ils avaient juré de défendre.

— Qu'est-ce que tu penses de lui ? demanda Frank Pratt, de sa voix hésitante.

Le sort avait donné à Billy ce garçon du Wisconsin comme compagnon de chambre. Ils mettaient de l'ordre chez eux avant l'appel du dîner.

— Il correspond bien à l'image du soldat idéal, répondit Billy. J'espère qu'il arrivera à maintenir la paix ici.

— Une association fraternelle ! Je n'arrive pas à me sortir ça de la tête. C'est ce que nous sommes, n'est-ce pas ?

— Ce que nous devons être, en tout cas.

Une vision passa dans l'esprit de Billy : la figure de McAleer quand il avait attaqué Sheridan.

Un coup péremptoire à la porte fut suivi de la question habituelle :

— Tout va bien ?

— Tout va bien, répondit Billy, et Frank le répéta pour que l'officier cadet sache qu'il était là aussi.

Au lieu de poursuivre sa ronde, l'officier d'inspection entra. James E.B. Stuart était un troisième-année, extrêmement populaire, de Virginie, avec une réputation de bagarreur égale à celle de Sheridan. Quelqu'un l'avait surnommé Beauté, justement parce qu'il en manquait complètement.

— Messieurs, dit-il sur un ton faussement sévère, je vous conseille de vous surveiller maintenant que la Virginie a l'un des siens à la tête de cette Académie.

Puis, après un bref regard par-dessus son épaule et, baissant la voix :

— Je suis venu vous avertir. Un des tambours a introduit en fraude une caisse d'alcool dans le poste. Slocum en a acheté. Il est ivre et il parle de vous deux, alors évitez-le si vous pouvez.

Frank Pratt pâlit. Billy remercia l'officier.

— Je ne voudrais pas que vous pensiez du mal de tous les Sudistes, dit Stuart, et il disparut.

Songeur, Billy contempla le soleil d'automne filtrant par les petits carreaux de la fenêtre. *Je ne voudrais pas que vous pensiez du mal de tous les Sudistes.* Même dans la conversation de tous les jours, il était impossible d'échapper au fossé qui s'élargissait. Frank rompit le silence.

— Qu'est-ce que nous avons fait à Slocum ?

— Rien.

— Alors pourquoi nous en veut-il ?

— Nous sommes des plèbes et il est un ancien. Il est du Sud et nous sommes Yankees. Comment veux-tu que je sache pourquoi il nous en veut ? Il y a toujours quelqu'un dans le monde pour vous détester.

Frank se mordilla la lèvre, en imaginant quelque sinistre avenir. Ce n'était pas un lâche, Billy s'en était aperçu, mais il était pessimiste et aisément effrayé. Une fois qu'il aurait surmonté cette nervosité, il ferait sans doute un bon officier.

— Ecoute, dit finalement Frank, j'ai l'impression qu'un de ces jours, Slocum va réellement nous clouer au mur.

— D'accord. Le mieux, c'est de suivre le conseil de Beauté et de l'éviter.

Mais Billy sentait bien qu'un affrontement avec Slocum serait inévitable. Il s'y résigna. Le moment venu, il tiendrait tête au cadet de l'Arkansas, et tant pis pour les conséquences.

Il voulut rassurer Frank, mais à ce moment le clairon sonna. Dans le couloir, des portes claquèrent ; les cadets se précipitèrent bruyamment hors des chambres, puis ils se formèrent pour marcher au pas jusqu'au réfectoire. Dans l'escalier, Frank trébucha, tomba et déchira son pantalon au-dessus d'un genou. Dehors, au soleil, Slocum aperçut la déchirure et mit Frank au rapport.

Billy voulut protester mais il se retint. Slocum sourit méchamment et l'inscrivit également au rapport pour « expression et maintien insolents ».

Pas de doute, il y aurait un jour un règlement de comptes entre eux trois.

## CHAPITRE XXXIII

ACCABLÉ PAR L'INSOMNIE, hanté par des pensées tournant autour de Madeline, Harry reprit la lettre de George.

L'écriture lui parut brouillée. Il déplaça le feuillet de quelques centimètres et la date, 16 décembre, lui devint lisible, le reste aussi. Il avait remarqué ce problème de vision au début de l'automne. Comme tant d'autres choses, cela le déprimait.

La lettre était un mélange de bonne humeur et de cynisme. George était allé voir Billy à West Point, au début du mois. Le jeune homme se débrouillait très bien mais on ne pouvait pas en dire autant du directeur. Lee n'aimait pas avoir à imposer une discipline aux cadets. Il estimait qu'ils devaient se bien conduire par simple devoir, sans menaces de démérites ou de renvoi.

Un fracas soudain, au rez-de-chaussée, fit sauter Harry de son lit. Avant qu'il n'arrive à la porte, il eut mal aux jambes. Mon Dieu, pensa-t-il, je perds tous mes moyens. L'âge et l'humidité du bas-pays en hiver ne me valent rien.

— Harry ? Qu'est-ce que c'est que ce bruit ? lança sa mère depuis sa chambre.

— Je descends voir. Je suis sûr que ce n'est rien de grave. Recouche-toi, maman.

Il avait souhaité parler avec douceur mais l'anxiété rendit sa voix rude. Au pied de l'escalier, il découvrit des figures noires, dans le halo de bougies tenues par des mains tremblantes. Serrant la rampe, il se hâta sur les dernières marches. L'effort aggrava la douleur de ses articulations.

— Laissez-moi passer.

Les esclaves reculèrent. Le cousin Charles dévalait l'escalier derrière lui. Harry poussa la porte de la bibliothèque.

La première chose qu'il vit briller sur le plancher ciré fut une mare de whisky renversé. Le verre de Theo était en miettes. Le bruit avait été celui du fauteuil de son père qui tombait.

Harry se précipita, suffoqué par le chagrin. Theo gisait sur le côté, les yeux et la bouche ouverts comme s'il avait été surpris.

Une attaque, pensa Harry.

— Papa ? M'entends-tu ?

Il ne savait pas pourquoi il demandait cela. Le choc, sans doute. Alors même que lui parvenait déjà la voix inquiète de sa mère au premier, il comprenait qu'il posait sa question à un mort.

Theo Main fut enterré le 2 janvier dans le petit cimetière de la plantation. Derrière la grille de fer se pressait la foule des esclaves. Pendant la prière précédant la mise en terre, il commença à pleuvoir. De l'autre côté de la tombe, Anne se tenait à côté de Huntoon, défiant la coutume qui exigeait que tous les membres de la famille soient ensemble. Le cercueil fut déposé dans la fosse avec de grandes précautions.

Clarissa ne pleurait pas, elle fixait le sol devant elle. Elle n'avait pas pleuré depuis la mort de son mari. Après les obsèques, Harry lui parla. Elle eut l'air de ne pas entendre. Il lui demanda si elle se sentait bien. Elle répondit par un murmure incompréhensible, sans changer d'expression.

Quand la famille se fut éloignée, les esclaves entourèrent la tombe pour présenter leurs respects au mort, par une prière, un cantique, ou simplement un signe de tête. Cooper s'étonna que les Noirs semblent éprouver de bons sentiments pour leur maître. Mais aussi, pensa-t-il, les êtres humains, de quelque couleur qu'ils soient, n'ont jamais été renommés pour leur logique ou leur cohérence.

Judith et Beth encadraient Clarissa. Cooper contempla tendrement sa femme. A la mi-décembre, elle lui avait donné une fille, Marie-Louise. Le bébé était dans la grande maison, aux mains des servantes.

Il remarqua les épaules voûtées et les traits sombres de son frère. Il chercha ce qu'il pourrait dire pour lui faire un peu oublier la mort de leur père.

— Avant de quitter Charleston, j'ai appris des nouvelles au sujet de Davis.

— Ah oui ?

— Tu sais que le mois dernier, il a refusé de s'entretenir avec Pierce à Washington...

— Oui.

— Il paraît qu'il s'est ravisé. Il ira peut-être à la cérémonie d'investiture, après tout. Ce serait excellent pour le Sud s'il faisait partie du cabinet. C'est un homme honnête, et plein de bon sens, dans l'ensemble.

Harry haussa les épaules.

— Sa présence ne changera rien.

— Voyons, ne me dis pas qu'un homme ne peut rien changer. Si tu adoptes cette attitude, à quoi bon continuer ?

— Washington n'est qu'une vaste maison de fous, ces temps-ci, reprit Harry sans répondre à la question. Et les pires fous sont ceux que le peuple américain élit pour le représenter au Congrès. Je ne vois pas de corps législatif moins respectable, à moins que ce soit celui de notre propre Etat.

— Si tu n'aimes pas ce qui se passe en Caroline du Sud, présente-toi aux élections pour le modifier.

Harry s'arrêta croyant avoir mal entendu et se tourna vers son frère.

— Tu dis que je devrais me lancer dans la politique ?

— Pourquoi pas ? Wade Hampton l'a bien fait. Tu as le temps et l'argent nécessaire. Et ton nom te rend éminemment éligible dans cette région. Tu ne t'es pas aliéné comme moi la moitié de la population. Hampton et toi, vous vous ressemblez. Tu serais une autre voix de raison et de modération dans la tempête de rhétorique de la capitale. Il y en a si peu !

Harry fut tenté, mais un instant seulement.

— Je crois franchement, dit-il, que j'aimerais mieux être proxénète que politicien. c'est plus respectable.

Cooper ne sourit pas.

— As-tu entendu parler d'Edmund Burke ?

— Non, pourquoi ?

— J'ai lu et étudié tous ses discours et ses écrits. Burke était un ami loyal et un homme plein de bon sens. Il a écrit une fois que la seule chose nécessaire au triomphe des mécréants, c'est l'inaction des bons.

Piqué au vif, Harry allait répliquer quand un cri de Beth l'en empêcha.

— C'est maman ! s'exclama Cooper.

Clarissa, en effet, était effondrée dans les bras de Judith et sanglotait bruyamment. Harry fut soulagé qu'elle exprime enfin sa douleur.

Son soulagement se changea en anxiété une heure plus tard quand il entendit sa mère pleurer encore dans sa chambre. Il fit venir le médecin qui lui administra du laudanum pour la calmer et annonça :

— Un deuil n'est jamais facile à supporter, et c'est particulièrement dur pour une femme qui a toujours été inséparable de la vie de son mari. Mais Clarissa est forte. Elle se remettra.

Il se trompait.

— Tout droit, bon Dieu, tout droit ! Qu'est-ce que vous avez tous ?

C'était une belle matinée ensoleillée de février. Harry surveillait la préparation des champs pour les semailles de mars. Il s'adressait avec colère aux esclaves, des Noirs expérimentés assez âgés pour la plupart, qui traçaient au cordeau des lignes parallèles espacées de trente centimètres. Ils se retournèrent pour regarder leur maître avec étonnement, car leurs lignes paraissaient bien droites.

Harry ferma les yeux et se frotta les paupières. Il avait passé presque toute la nuit debout, s'inquiétant de l'état de santé de sa mère et écrivant à George pour lui annoncer que les Main n'iraient plus à Newport. Il donnait comme raison la santé de Clarissa. La vérité, c'était que, l'été précédent, il avait senti l'indéniable hostilité d'une partie des habitants de la petite station balnéaire. Supporter l'animosité des Yankee était incompatible avec de bonnes vacances.

— Harry, les lignes sont parfaitement droites.

La voix de Beth lui fit rouvrir les yeux. Il se retourna et la vit un peu plus loin, le long de la chaussée. Elle avait les joues roses et le souffle court, comme si elle était arrivée en courant quand il réprimandait les esclaves.

Il regarda par-dessus son épaule en clignant des yeux. Elle avait raison. La fatigue, ou une aberration de l'esprit, l'avait fait juger mal. Les esclaves s'étaient déjà remis au travail, sachant qu'il s'était trompé. Beth s'approcha et lui posa une main sur le bras.

— Tu t'es encore couché trop tard... Je viens d'apaiser une querelle à la cuisine. Dilly a giflé Sue parce qu'elle a oublié de commander des sacs de sel. Sue jure qu'elle t'a dit que nous en avions besoin.

Harry se frappa le front.

— Mon Dieu, c'est vrai! C'est moi qui ai oublié. La semaine dernière, j'allais mettre le sel sur la liste quand j'ai été appelé auprès du bébé de Semiramis qui avait la rougeole.

— La crise est passé. Le bébé va bien.

— Pas grâce à moi. Je ne savais absolument pas que faire avec un bébé de six mois. Mais comment sais-tu tout ça ?

Beth s'efforça de parler gentiment.

— Après ton départ, on est venu me chercher. Je ne pouvais pas grand-chose pour le nourrisson, à part l'envelopper et le tenir au chaud, mais Semiramis était folle d'inquiétude, alors je lui ai tenu la main et je lui ai parlé un moment. Ça l'a calmée et le bébé a pu se reposer. C'était précisément ce qu'il lui fallait surtout.

— Je n'en avais pas la moindre idée. Je me faisais l'effet d'un incapable stupide.

— Ne te fais pas de reproches, Harry. Maman s'occupait tellement de tous ces détails sur la plantation. Plus que vous ne l'avez jamais compris, vous les hommes. Ecoute, laisse-moi t'aider à la diriger. J'en suis capable.

— Mais tu n'es...

— Qu'une petite fille ? Oh ! Tu parles comme Anne !

Entre toutes les flèches, elle avait choisi la bonne pour venir à bout de la résistance d'Harry. Il éclata de rire. Puis il reconnut :

— Tu as raison. Je ne me rendais absolument pas compte de tout ce que maman faisait. Papa non plus, d'ailleurs. Je serai heureux que tu m'aides. Et reconnaissant! Prends la relève chaque fois que tu en verras la nécessité. Si quelqu'un fait des objections, réponds que tu agis sous mon autorité. Envoie-moi ceux qui réclameront... Qu'est-ce qui ne va pas ?

— Si les esclaves doivent te faire confirmer tout ordre important, ce n'est pas la peine. Dans ce cas, je ne ferai rien. Il faut que j'aie une autorité personnelle et que tout le monde le sache.

— Bon. Tu as gagné, fit-il avec une admiration teintée de respect. Tu es extraordinaire, et tu n'auras que quinze ans cette année...

— L'âge n'a rien à voir. Certaines filles apprennent tout et même à être des femmes à douze ans sans minauder, ni flirter.

La flèche décochée vers Anne n'échappa pas à son frère. Il sourit affectueusement.

— Eh bien, allons commander du sel.

— Cuffey est déjà en route pour Charleston avec la carriole. J'ai écrit son laissez-passer moi-même.

Il rit encore et enlaça les épaules de sa jeune sœur.

— J'ai l'impression que tout va aller beaucoup mieux dans cette plantation.

— J'en suis certaine, répliqua-t-elle.

Dans le champ, deux des esclaves échangèrent un regard et un sourire de soulagement éclaira leurs visages.


CHAPITRE XXXIV


A LA FIN DU MOIS DE MAI 1854, le Sénat vota la loi Kansas-Nebraska. Le sénateur Douglas en avait fait la proposition en janvier, attisant ainsi la controverse sur l'esclavage.

La loi organisait deux nouveaux territoires. Douglas la déclara l'expression de la souveraineté populaire. Les anti-esclavagistes parlaient de trahison, d'une abrogation du vieux compromis du Missouri qui interdisait l'esclavage au nord de 36° 30' de latitude. On prétendit que le ministre Davis avait influencé le président Pierce pour qu'il soutînt la nouvelle loi. Les anti-esclavagistes proclamèrent qu'un nouveau parti politique devenait indispensable pour combattre les sinistres combinaisons de Washington.

Harry écrivit à Charles, toujours à West Point, qu'à en juger par les propos échauffés des deux camps, le compromis de Clay, vieux de quatre ans, n'était plus qu'un chiffon de papier. Et Charles, sans connaître grand-chose des questions nationales ni s'y intéresser, se trouva mis sur la défensive. Des anciens le signalaient de temps en temps au rapport pour un regard ou une réplique ravalée, en l'accusant d'insolence sudiste. Les hommes du Sud, tels que Slocum, réagissaient en brimant cruellement les plèbes du Nord. Lee continuait d'exhorter les cadets à vivre en frères, mais Charles voyait l'ensemble se scinder rapidement en deux camps ennemis.

Naturellement, il y avait des niveaux de comportement dans les deux camps. Slocum représentait une extrémité du spectre sudiste, Beauté Stuart l'autre, surtout quand il se tenait bien et à condition que sa susceptibilité ne soit pas agressée. Stuart prétendait imiter le Modèle de Marbre, nom donné au directeur, mais il aimait trop les fuites le long du Sentier du Flirt pour que la ressemblance soit parfaite. Charles se modelait d'une part sur Stuart et de l'autre sur Billy, parce que ce dernier restait au-dessus des discussions politiques et s'appliquait à obtenir de bonnes notes, ce qu'il réussissait sans grand effort.

Malgré tout, étant donné son éducation et l'époque, Charles avait parfois du mal à garder son sang-froid. Au printemps, alors qu'il se tenait au garde-à-vous pour le premier appel du jour, il fut choisi comme sujet de brimade par un exécrable cadet-sergent du Vermont. Le Yankee arracha trois boutons de son uniforme sous prétexte de les inspecter.

— Pas étonnant que vous ne soyez jamais net, monsieur, gronda le Yankee. Vous n'avez pas vos nègres pour s'occuper de vos affaires.

A voix basse, Charles marmonna :

— J'astique mes cuivres moi-même. Et je livre mes propres combats.

Le cadet du Vermont avança la mâchoire. Ses yeux lancèrent des éclairs.

— *Qu'avez-vous dit, monsieur ?*

— Je dis...

Charles se rappela soudain le total de ses démérites. Il était de 190 et il lui restait encore deux semaines pour terminer son année de plèbe.

— Rien, monsieur.

Le cadet-sergent s'éloigna, l'air content de lui. Peut-être était-il soulagé aussi. Charles s'était taillé une belle réputation d'expert, au couteau comme avec ses poings.

Il avait horreur de courber l'échine sous les insultes d'un Yankee et ne s'y résignait que parce qu'il devait à Harry de faire de bonnes études à l'Académie. Cette dette était plus importante pour lui que des injures réelles ou imaginaires faites à son honneur.

Pour le moment, du moins.

Curieusement, ce fut un des siens qui le premier poussa Charles à réfléchir sérieusement à l'esclavage. Le coupable fut Caleb Slocum, promu cadet-sergent.

Le garçon de l'Arkansas avait un excellent palmarès d'études. Il était dans la première section pour la plupart des sujets. Billy assurait qu'il arrivait en tête en volant à l'avance les questions des examens et par diverses autres formes de tricherie. Bien que tricher ne fût pas approuvé par les officiers et professeurs, cela ne recevait jamais l'attention accordée aux autres manquements à la discipline, tels que l'ivresse.

Billy avait donc une raison de plus de mépriser Slocum et il confia à Charles son intention de lui casser un jour la figure.

Slocum était devenu maître dans l'art de la brimade. Il passait beaucoup de temps chez Benny Haven — le tavernier était encore en vie, immortel semblait-il — et y avait appris certaines formes de brimades qui avaient été tentées dans le passé et abandonnées parce qu'elles étaient trop cruelles.

Elles ne le parurent pas à Slocum et ses cibles restèrent les plèbes des Etats du Nord. Quand Charles constata le pouvoir absolu que Slocum détenait sur eux, il fut frappé à la pensée que le même rapport de forces existait, chez lui, entre le maître blanc et l'esclave noir. Cela avait toujours existé, mais Charles s'aperçut qu'il n'avait jamais compris ce que cela représentait d'abus et de cruauté.

Brusquement, il s'en voulut de mettre en doute le Sud, ne fût-ce qu'un peu, mais il ne put s'en empêcher. Des idées différentes des siennes l'assaillaient chaque jour. Comme la nation, l'Académie était en pleine ébullition. On en voyait une preuve aux réunions de la Société Dialectique où les cadets organisaient moins souvent de débats sur des sujets dits anodins, comme l'éducation des femmes. La plupart du temps, ils raisonnaient, discutaient, se disputaient même à propos de questions dures : « Un Etat a-t-il le droit de se séparer de l'Union ? », « Le Congrès a-t-il l'obligation de protéger les biens des colons dans les nouveaux territoires ? ».

Charles commença à réfléchir sur les divers aspects de l'esclavage, sa justice, sa nécessité à long terme. Il eut du mal à admettre que le système était foncièrement mauvais — il était du Sud, après tout — mais si tant de gens se révoltaient, c'était que quelque chose devait aller de travers. Compte tenu de l'animosité qu'il provoquait, l'esclavage devenait plus un fardeau qu'un bienfait pour le Sud. Charles se sentait parfois presque prêt à être d'accord avec cet homme politique de l'Illinois, Lincoln, qui prônait l'émancipation progressive comme seule solution.

Cependant, malgré son inquiétude, il était bien résolu à éviter toute bataille ayant le moindre rapport avec cette question. Le soir du 1er juin, cette résolution fut anéantie.

A neuf heures et demie, Charles prit du savon et une serviette et descendit à la salle de bains de la caserne. Comme il était tard, il espérait y être seul. Les cadets devaient prendre un bain une fois par semaine mais ne pouvaient le faire plus souvent sans une autorisation spéciale du colonel Lee.

Des lampes à pétrole éclairaient faiblement le couloir du sous-sol ; le bruit courait que le ministre Davis espérait bientôt y installer l'éclairage au gaz. Charles passa rapidement devant la cantine car il ne voulait pas être remarqué. Il était fatigué par une longue marche faite dans la journée, et avait hâte de se tremper dans l'eau chaude pendant dix ou quinze minutes avant l'extinction des feux.

Il se mit à siffloter en approchant de la salle de bains. Soudain, il se tut et écouta. Il fronça les sourcils en entendant des voix à l'intérieur, deux voix basses et une troisième plus forte...

Quelqu'un implorait, suppliait.

Il ouvrit brusquement la porte. Surpris, Caleb Slocum et un maigre cadet de Louisiane se tournèrent vers lui. Slocum avait dans une main un bocal ouvert d'où montait, dans les odeurs de savon et d'humidité, un fort relent de térébenthine.

Le Louisianais maintenait un troisième garçon la tête en bas au-dessus d'une baignoire vide. Le malheureux ouvrait de grands yeux humides, épouvantés, et Charles reconnut un nouveau, arrivé le jour même.

— Sortez, monsieur, ordonna Slocum. Cette affaire disciplinaire ne vous regarde pas.

— Affaire disciplinaire ? Allons donc. Ce garçon est arrivé cet après-midi. Il a le droit de n'être pas au courant.

— Ce Yankee nous a insultés, gronda le cadet de Louisiane.

— Pas du tout, protesta l'autre garçon. Ils m'ont empoigné et m'ont traîné ici...

— Ferme ça, coupa le cadet en serrant le cou du nouveau jusqu'à ce qu'il gémisse.

Slocum s'avança pour le dissimuler à Charles. Sa figure au teint brouillé s'assombrit.

— Je ne vous le répéterai qu'une fois, monsieur. Sortez.

Lentement, Charles secoua la tête. La tuyauterie dégageait de la chaleur. Il essuya sa main en sueur sur le devant de sa chemise et répliqua :

— Pas avant de voir ce que vous voulez lui faire.

Il pensait le savoir. Rapidement, il fit un pas de côté et s'élança avant que Slocum ait le temps de réagir. La victime était nue. Elle était pathétique, avec ses maigres fesses exposées. Entre ses jambes, Charles aperçut une ficelle autour des testicules. Elle était si serrée que les bourses enflaient déjà.

Charles se souvint que c'était une des brimades tentées dans le passé et abandonnées depuis longtemps. Il était arrivé juste avant la conclusion : l'essence de térébenthine versée dans l'anus. La colère et la nausée lui rendirent la voix pâteuse. Il dit posément :

— On ne traiterait pas un chien ainsi. Lâchez-le.

Slocum ne pouvait se laisser commander par un plèbe.

— Main, je vous avertis...

La porte s'ouvrit de nouveau. Charles pivota et se trouva en face de Frank Pratt, une serviette sur le bras. Frank contempla la scène, l'air surpris, puis il blêmit. Charles lui parla tout bas, mais avec autorité.

— Va chercher Billy. Je veux qu'il voie ce que Slocum manigance cette fois.

Frank partit en courant. Alors Slocum posa le bocal de térébenthine sur le carrelage glissant et se mit à se masser le poing droit de la main gauche.

— Apparemment, il n'y a qu'une seule sorte d'ordre que vous comprenez, monsieur. Parfait, je vais vous le fournir.

Charles faillit en rire. Il se retint parce que ces adversaires étaient des anciens, et pris sur le fait. Cela les rendait dangereux.

Le cadet de Louisiane lâcha le nouveau qui poussa un cri et s'affala dans la baignoire sur le ventre. Slocum se massait toujours la main d'un geste mélodramatique. Son camarade lui prit le bras.

— Ne lui cherche pas d'histoires, Slocum. Tu connais sa réputation. Il est à dix points du renvoi. Si nous le collons au rapport, nous serons débarrassés de lui.

L'idée plut à Slocum, qui n'avait aucune envie réelle de se mesurer avec quelqu'un d'aussi grand et redoutable que Charles. Il continua cependant à se frotter la main, en lançant, comme à la cantonade :

— Le crétin devrait être de notre côté. Nous sommes tous du même bord...

La porte s'ouvrit. Frank et Billy entrèrent. Devant ce qu'il comprit Billy poussa un juron explosif.

— Nom de Dieu ! Toi, dit-il à la victime apeurée, rhabille-toi et va-t'en dans ta chambre.

— Oui, monsieur, bredouilla le nouveau.

Il tâtonna par-dessus le rebord de la baignoire mais ne put atteindre ses vêtements. Charles les poussa du pied vers lui. Slocum foudroya Billy du regard.

— Ne venez pas ici donner des ordres, monsieur. Rappelez-vous que je suis votre supérieur et...

— Jamais de la vie ! Vous prenez West Point pour votre plantation et tous les plèbes pour des nègres à maltraiter. Vous n'êtes que de la merde du Sud !

— Allons, Billy ! s'exclama Charles. Pas la peine de parler ainsi.

Mais Billy était fou de rage.

— Alors, tu penses comme lui ?

— Salaud !

Le cri de Charles se répercuta dans la salle humide. Son poing se leva et jaillit soudain. Il parvint par miracle à retenir le coup. Billy avait déjà reculé d'un pas et levait les mains pour la parade. Il paraissait presque aussi ahuri que son ami.

Le geste de Charles le bouleversait lui-même. Il avait été prêt à se battre pour quelques mots qu'il avait interprétés, non pas personnellement, mais en Sudiste. Il s'était comporté exactement comme Whitney Smith et sa bande. Avec stupéfaction, il découvrait qu'une certaine fierté existait en lui, et qu'elle était profonde. Il passa une main sur sa bouche.

— Excuse-moi, Billy.

— D'accord, marmonna Billy sans aménité. Ça va.

— C'est Slocum que nous devrions...

— J'ai dit : ça va !

Le regard furieux de Billy s'accrocha une seconde à celui de son ami. Puis, sa colère sa calma. Il désigna la porte de la tête.

— Sortez tous. Sauf vous, Slocum. Votre discipline n'est pas appréciée par ici. Il est temps qu'on vous le démontre.

Inquiet, Frank Pratt bredouilla :

— Billy, tu vas avoir la moitié des cadets sur le dos si tu fais ça.

— Je ne crois pas, mais j'en accepte le risque. Dehors.

— Je vais monter la garde dans le couloir, dit Charles. Personne ne te dérangera.

Charles faisait là un geste que tous comprendraient. Un Nordiste réglant son compte à Slocum pendant qu'un Sudiste montait la garde révélerait que la cause de la bataille était le comportement de Slocum, pas son lieu de naissance.

— Dépêche-toi, lança-t-il au nouveau qui enfilait fébrilement sa chemise. Tu mettras tes souliers dehors.

Le garçon s'en alla suivi par Frank Pratt. Charles regarda le cadet de Louisiane.

— Probable qu'il va falloir vous traîner, vous.

— Non... Non !

Et il battit en retraite, marchant de biais comme un crabe. Une fois dehors, il tourna les talons et partit en courant.

Charles regarda à droite et à gauche dans le couloir mal éclairé, désert à part Frank Pratt près de l'escalier et qui lorgnait le plafond avec appréhension.

Charles encore secoué par ce qui s'était passé s'adossa à la porte de la salle de bains. Au loin, le clairon sonna les premières notes de l'extinction des feux. Il entendit une sorte de gémissement peureux dans la salle de bains, juste avant le bruit sourd du premier coup.

Dix minutes plus tard, Billy sortit, du sang sur sa tunique et les poings écorchés. Aucune autre marque n'était visible. Non, ce n'est pas exact, pensa Charles car un curieux malaise se devinait dans les yeux de son ami.

— Il peut marcher ? demanda-t-il.

— Oui, mais il n'en aura guère envie pour le moment... Ça m'a fait trop de plaisir.

De l'escalier, Frank Pratt leur fit signe de se dépêcher. Ils auraient tous des démérites si l'officier d'inspection demandait : « Tout va bien ? » devant leur porte et ne recevait pas de réponse.

Mais Charles s'en moquait. Il réfléchissait à la réponse de Billy. Celui-ci s'inquiétait-il d'avoir pris plaisir à maltraiter Slocum, parce que c'était un Sudiste ? Ils rejoignirent Frank qui s'informa anxieusement :

— Qu'est-ce qui va se passer quand Slocum parlera ?

En commençant à monter les marches Billy expliqua :

— J'ai essayé de lui faire comprendre qu'il aurait intérêt à se taire. Il doit savoir que si notre petite séance apparaît d'une façon ou d'une autre au rapport, la seule chose que je ferai avant d'être renvoyé sera de lui rendre à nouveau visite, à lui et à son copain de Louisiane.

— Naturellement, reprit Frank, tu pourrais l'accuser officiellement d'avoir maltraité ce nouveau...

— Non, car, alors, Slocum deviendrait un héros et moi un Yankee vindicatif. Il y a déjà assez de frictions ici. Je crois que nous devrions en rester là.

Billy paraissait cependant trop soucieux et, finalement, Charles lui donna les assurances qu'il avait implicitement appelées quelques instants plus tôt.

— Tu dis que tu y as pris trop de plaisir, mais je ne te crois pas. Crois-moi, quoi que tu aies fait, Slocum le méritait.

Billy lui jeta un coup d'œil reconnaissant. En silence, ils montèrent l'escalier obscur. Et Charles se sentit triste, pour Billy et pour lui-même. Il était évident qu'ils avaient tous deux succombé à la contagion de la maladie dont souffrait tout le pays. Il prit la ferme résolution de ne pas laisser cela s'aggraver.

## CHAPITRE XXXV

Harry ET SES SŒURS ARRI-vèrent à l'hôtel, près de West Point, un vendredi de septembre, à temps pour le défilé du soir. Quand Beth aperçut Billy, elle battit joyeusement des mains. Il arborait de nouveaux chevrons.

Il avait été promu premier sergent de compagnie, et avait manqué de peu le grade le plus élevé de la seconde classe, sergent-major.

Anne remarqua l'expression radieuse de sa sœur. Sa jalousie flamba, ainsi qu'une réaction inattendue à la vue de Billy Hazard. Elle s'en voulut de le trouver beau et réprima son admiration par un effort de volonté. Comment ! Il l'avait abandonnée, il faudrait qu'il le paye.

Mais elle décida d'éviter qu'il s'aperçoive de son changement, ni maintenant ni plus tard. Donc, son visage illuminé par le soleil resta calme et aimablement souriant. Bientôt, elle s'aperçut que deux hommes l'observaient. Cela lui fit grand bien. Après tout, sa terne petite sœur n'attirait aucune attention, aucun désir masculin surtout.

Billy Hazard n'est pas seul au monde, se dit-elle. Sous ses yeux, des centaines de cadets exécutaient des marches et des contre-marches en formation précise. Il y en aurait sûrement quelques-uns pour l'aider à passer de bonnes vacances, ses dernières de fille libre peut-être, car James Huntoon insistait pour fixer la date de leur mariage.

Elle regarda les fortes jambes des garçons défilant au pas cadencé.

Le bout de sa langue courut sur sa lèvre supérieure. Une agréable chaleur se répandait dans ses reins. Elle comprit qu'elle s'amuserait merveilleusement à West Point.

Pour Harry, le défilé fut un grand moment d'émotion. Il était heureux d'entendre de nouveau les tambours, les fifres et les clairons. Les drapeaux claquant devant la toile de fond des collines éclaboussées du jaune et du rouge de l'automne lui rappelaient de nostalgiques souvenirs. Et quand il distingua Charles parmi les grands cadets d'une compagnie de flanc, il éprouva une immense fierté.

Le lendemain, Billy invita Harry et les jeunes filles à assister à un cours d'escrime. Anne plaida un mal de tête et resta dans la véranda de l'hôtel. Beth et son frère passèrent une heure, assis sur un dur banc de bois, à admirer une dizaine de cadets qui s'exerçaient avec diverses armes d'escrime : épées de bois pour les débutants, fleurets ou, pour Billy et son adversaire, sabres d'entraînement.

Le maître d'armes, M. de Jarman, se tenait près des visiteurs. Billy dérouta son adversaire avec une suite de feintes, de bottes et de parades.

— Ce jeune homme a un talent naturel pour ce sport, déclara le Français avec l'enthousiasme d'un parent admiratif. Mais les cadets qui excellent aux études l'ont généralement, car l'escrime est avant tout cérébrale.

— C'est vrai, reconnut Harry qui n'y avait jamais été très bon.

La rencontre de Billy se termina par un simple coup droit en octave qui amena la mouche de son sabre en plein centre de la cible, sur le gilet matelassé de son vis-à-vis. Puis, il salua l'adversaire, ôta son masque et se retourna pour sourire à Beth. Elle s'était levée d'un bond et applaudissait.

Harry souriait largement. Il remarqua alors le visage de l'autre escrimeur. Un cercle violacé entourait son œil droit.

— Comment a-t-il reçu ce coup à l'œil ? demanda-t-il quand Billy les rejoignit.

— Il paraît qu'il a eu une discussion avec un de ses compagnons de chambre, répondit le jeune homme avec un sourire forcé.

— Quelle sorte de discussion ? précisa Beth.

— Quelque chose à propos du sénateur Douglas, je crois. Mon adversaire est de l'Alabama...

Troublé, Harry grommela :

— Est-ce que cela arrive souvent, ici ?

— Oh! non, très peu.

Billy avait répondu trop vivement. Son regard croisa celui d'Harry. Tous deux savaient qu'il mentait.

Ce soir-là, Harry alla à pied jusqu'à Buttermilk Falls, pour ce qu'il appela sa première visite autorisée chez Benny Haven. Avec sa permission, Billy emmena Beth sur le Sentier du Flirt.

Des ombres glissaient par couples sur le chemin assombri. Entre les branches, les derniers rayons du couchant illuminaient des nuages, très haut à l'est. En bas, sur le fleuve, les lumières du bateau de nuit d'Albany passèrent comme des lucioles.

Beth avait mis son plus joli canezou de dentelle et des mitaines, pas très à la mode dans le Nord, avait-elle fait remarquer. Billy la trouvait délicieuse. N'était-elle pas pour lui la plus jolie fille du monde ?

— *Mademoiselle, vous êtes absolument ravissante,* lui dit-il en français.

Elle rit et lui prit le bras.

— Ce doit être un compliment, cela paraît trop charmant pour être autre chose. Qu'est-ce que ça veut dire ?

Ils s'étaient arrêtés près d'un des bancs, dans un berceau de feuillage, au bord du sentier. Nerveusement, Billy lui prit les deux mains.

— Ça veut dire que j'ai enfin trouvé un usage pratique pour des heures et des heures d'études de français.

Elle rit encore. Enhardi, il se pencha et posa un petit baiser sur sa bouche.

— Cela veut dire aussi que je te trouve belle.

Le baiser troubla Beth et, pourtant, comme elle en avait rêvé ! Elle ne trouva rien à dire. Elle avait peur que Billy se moque d'elle, si elle employait le verbe aimer. Au désespoir, elle se haussa sur la pointe des pieds, le prit par le cou et l'embrassa, elle aussi, mais avec plus de fougue. Ils s'assirent sur le banc, en se tenant les mains dans l'obscurité.

— Dieu, je suis heureux que tu sois là, Beth. J'ai cru que ce moment ne viendrait jamais. Je pensais que ma permission ne finirait jamais.

— Tu as tout de même été content de retourner chez toi ?

— Oh ! oui, dans un sens. J'étais heureux de revoir Lehigh Station mais moins que je le prévoyais. Tout le monde était là, mais pas la seule personne qui compte pour moi. Les jours se traînaient et, à la fin, j'avais hâte de plier bagages et de partir. George le comprenait, mais pas ma mère. Je crois que mon ennui la blessait. Je le regrettais, j'essayais de dissimuler mes sentiments, mais... mais tu me manquais trop.

Après un bref silence, elle murmura :

— Toi aussi tu m'as manqué, Billy. Tu ne peux imaginer combien je me suis sentie seule, toute l'année. Je ne vivais que pour les jours qui m'apportaient une lettre de toi. Comment trouverais-tu le temps de t'ennuyer ici ? Votre emploi du temps est épouvantable ! Je suis contente d'avoir fait la connaissance de tes amis, mais certains me regardaient d'un drôle d'air quand j'ouvrais la bouche.

— Ils étaient charmés par ton accent.

— Charmés... ou agacés ?

Deux cadets, des Yankees sans doute, lui avaient décoché des regards nettement inamicaux.

Billy ne répondit pas. Il connaissait la grossièreté, et même l'hostilité flagrante de certains garçons du Nord envers les quelques visiteuses du Sud. La différence de milieu, entre Beth et lui, poserait certainement des problèmes dans l'avenir, des problèmes qu'il ne voulait pas voir maintenant mais qu'il ne pourrait ignorer indéfiniment.

Il se dit que ce n'était pas le moment d'en parler. Ecartant son épée, il glissa une main dans sa poche et en retira le bout de velours noir découpé dans sa casquette de permission. Il le tortilla entre ses doigts, expliqua la tradition, et conclut :

— Mais je n'ai pas pu le donner à la demoiselle de mes pensées quand je suis allé chez moi cet été. Elle était en Caroline du Sud.

Il lui remit l'écusson. Elle passa le bout de l'index sur la couronne de broderie dorée, en chuchotant un remerciement.

— J'espère... J'espère, bafouilla-t-il, que tu seras toujours la dame de mes pensées.

— Je le désire, Billy. Eternellement.

Un cadet et sa compagne, passant dans le noir, l'entendirent et ricanèrent. Billy et Beth restèrent sourds à ce qui n'était pas eux. Serrés dans les bras l'un de l'autre, ils s'embrassaient.

Au bout d'un moment, ils revinrent sur leurs pas vers le sommet de la colline. Billy n'avait jamais connu de nuit aussi parfaite, ni ressenti une telle certitude que l'avenir serait parfait lui aussi.

Des silhouettes surgirent dans l'obscurité. C'était un cadet-lieutenant, une fille à son bras. Le cadet, du Michigan, ne s'était jamais montré amical. Au passage, il dit à sa compagne, assez fort pour que Beth l'entende :

— Tiens. Croyez-vous qu'une fille du Sud donne à un soupirant yankee des leçons sur le traitement à infliger aux nègres ? Cela au cas où il irait dans sa famille ?

La fille pouffa. Billy voulut s'élancer mais Beth le retint.

— Non. Ça n'en vaut pas la peine.

Le couple disparut. Billy pesta, puis il s'excusa de cette conduite du cadet-lieutenant. Beth lui assura qu'elle avait connu pire. Mais leur belle euphorie était brisée. La réflexion malséante avait rappelé à Billy que s'il épousait Beth, ils auraient, tous deux, à affronter la colère et les préjugés, dans leurs régions respectives.

Son frère George n'avait-il pas eu à subir ce genre de méchanceté, qui se tournait en haine maintenant, quand il avait ramené Constance du Texas ? Il l'avait dominée et Billy songea que si un Hazard avait une fois réussi, il réussirait lui aussi.


— Seigneur ! quel est cet endroit nauséabond ? chuchota Anne au Yankee de dernière année qui essayait de glisser une clef dans une serrure dans l'obscurité.

— Le Repaire de Delafield, répondit-il d'une voix étouffée.

Le jeune homme avait manifestement beaucoup bu avant d'entraîner Anne hors de l'hôtel, mais cela ne la troublait pas. Au contraire, il lui donnerait probablement plus de plaisir. Il avait peu d'esprit mais de très puissantes épaules, et elle supposait que cette force avait sa réplique ailleurs.

— C'est le laboratoire d'artillerie, expliqua-t-il en poussant enfin la porte. Des odeurs de poix, de colle et de poudre les assaillirent. On travaille ici en dernière année. On mélange de la poudre, on démonte des fusées...

— Comment avez-vous eu la clef ?

— Je l'ai achetée à un cadet qui est sorti en juin. Vous n'entrez pas ? Je croyais que vous vouliez...

Il n'était pas suffisamment ivre pour terminer sa phrase.

— Je l'ai dit mais je ne savais pas que vous m'emmèneriez dans un endroit aussi minable.

Elle hésitait sur le seuil. Au-dessus d'elle, une des tourelles crénelée cachait une partie des étoiles. Le bâtiment était isolé, assez loin au nord de la Plaine. Le cadet lui attrapa la main et la tira à l'intérieur.

— Entrez et je vous donnerai un souvenir. Toutes les filles qui descendent à l'hôtel veulent un souvenir de West Point.

Il s'appuya contre le coin de la porte et tripota un des boutons dorés de sa tunique. Elle avait déjà examiné ces boutons de près. Ils portaient le mot *Cadet* en haut, *U.S.M.A.* en bas et, au milieu, un aigle et un bouclier.

Elle hésitait encore. La puanteur du laboratoire l'étouffait, mais le désir qu'elle sentait en elle depuis des semaines la consumait.

— Si j'entre ici avec vous, vous me donnerez un bouton ? C'est ça ?

Il donna une chiquenaude sur l'un d'eux.

— Vous n'avez qu'à choisir.

— Bon... très bien.

Elle eut un lent sourire, puis murmura :

— Ce n'était pas à ces boutons-là que je pensais. Et elle avança la main au-dessous du ceinturon.

Plus tard, dans le noir, il chuchota :

— Comment te sens-tu ?

— Avec un renouveau d'appétit, mon cœur.

Il avala sa salive.

— J'ai deux copains. Je pourrais aller les chercher. Ils seraient drôlement reconnaissants. Le temps que je revienne, je serai prêt à recommencer moi-même.

Anne était allongée, un bras en travers des yeux.

— Va les chercher, mon chou. Va en chercher tant que tu veux mais ne me faites pas trop attendre. Assure-toi simplement que tous les garçons que tu amèneras seront d'accord pour me donner un souvenir.

— Je vous dis que je l'ai vue ! affirma un cadet du New Jersey que Billy connaissait assez bien.

C'était trois jours après le départ des Main.

— Une boîte en carton, grande comme ça, reprit le cadet ; il y avait les boutons de ceux avec qui elle avait été.

— Combien de boutons ?

— Sept.

Billy sursauta, visiblement suffoqué.

— En une heure et demie ?

— Ou un peu moins.

— Est-ce qu'il y en avait de sa région ?

— Pas un seul. Dites donc, certains Yankees ont drôlement surmonté leurs préjugés contre les Sudistes.

— Sept ! Je ne peux pas y croire. Quand Charles l'apprendra, il va se mettre à lancer des défis à droite et à gauche.

— Pour défendre le beau sexe ?

— Bien sûr. C'est sa cousine.

Le premier cadet s'exclama :

— Dis donc, personne ne l'a forcée ! Ce serait plutôt le contraire. D'ailleurs, je ne crois pas qu'il l'apprendra.

— Pourquoi ?

— Elle a déclaré qu'elle reviendrait pour une autre visite avant six mois, et que si jamais un des sept avait prononcé son nom dans l'intervalle — son nom ou un mot sur cette soirée — elle le saurait et ils le paieraient cher.

Le cadet souriait nerveusement. Billy s'aperçut alors que, dans sa stupéfaction, il avait négligé l'évidence, qui était là, sous son nez, dans ce sourire...

— Une seconde ! Puisque tout le monde se tait, comment es-tu au courant ?

Le sourire s'élargit, devint salace mais sans rien perdre de sa nervosité.

— J'étais le numéro sept.

Billy pâlit.

— Pourquoi me racontes-tu tout ça ?

— Par simple amitié, répondit l'autre ; mais cela sonnait faux. Et puis je t'ai vu avec l'autre sœur, et j'ai pensé que tu aimerais savoir. Tu as tiré la meilleure des deux, pour un gentilhomme honorable du moins.

Il cligna de l'œil. Billy le vit à peine et s'écria :

— Dieu de Dieu ! Sept boutons ! Il faut absolument que Charles ne sache rien.

Le cadet avait perdu le sourire.

— C'est en réalité ce que j'ai voulu te dire, Hazard. Peu d'hommes me font peur, mais celui-là, oui. Il nous fait peur à tous les sept. Personne ne va se vanter, personne n'en parlera, tu peux compter dessus.

Plus tard, une fois le premier choc passé, et quand il fut seul, Billy réfléchit que le cadet avait eu raison sur un point : lui, Billy, avait eu une chance incroyable en échappant à une liaison avec la sœur de Beth. Il ne savait comment qualifier Anne, mais il sentit qu'elle était certainement anormale. Il se souvint que, pendant toute la visite, elle lui avait à peine adressé la parole et s'était comportée comme s'il n'existait pas. Elle l'avait complètement oublié, grâce à Dieu !

## CHAPITRE XXXVI

V IRGILIA REMONTA SUR SES épaules son châle élimé et l'épingla. Puis, elle se remit à tourner la bouillie de gruau sur le petit fourneau de fonte, dont un pied était remplacé par quelques briques cassées.

Une tempête de novembre recouvrait d'une couche blanche les toits de tôle des masures voisines. La neige comblait les ornières gelées de la ruelle. Un vent glacial secouait les fenêtres de papier huilé et chassait des flocons par les fissures du mur, près d'une gravure de Frederick Douglass.

Grady était assis devant une table bancale, sa chemise bleue délavée boutonnée jusqu'au cou. Il avait beaucoup maigri et paraissait malade. Quand il souriait, rarement, il exhibait des dents parfaites, dont, seule, une légère teinte jaune trahissait le côté artificiel.

Il avait en face de lui un visiteur, un mince Noir élégant à la peau marron clair, aux cheveux gris crépus et au regard fanatique qui s'appelait Lemuel Tubbs.

La tasse de café léger que Virgilia avait posée devant lui restait intacte. Tubbs n'aimait pas visiter les faubourgs misérables par une tempête de neige mais son devoir l'exigeait. Il s'adressa à Grady d'une voix insistante.

— Un récit de vos épreuves donnerait de l'authenticité à notre prochaine réunion publique et accroîtrait son impact. Rien n'est plus puissant pour persuader le peuple des maux de l'esclavage que les récits de ceux qui l'ont subi.

— Une réunion publique, murmura Grady. Je ne sais pas, Mr Tubbs. Ça pose un problème. Les chasseurs d'esclaves de Caroline du Sud risquent d'en entendre parler.

— Je comprends votre souci. Vous seul pouvez prendre la décision, naturellement, dit Tubbs avec compassion, et il hésita avant d'aborder une autre difficulté. Si votre décision était affirmative, cependant, nous imposerions une restriction. Nous tenons à la plus nette condamnation de l'esclavage, mais il ne doit pas y avoir d'appel à des soulèvements violents dans le Sud. Ce genre de propos alarme et décourage certains Blancs dont nous avons désespérément besoin pour défendre notre cause. En un mot, ça leur fait peur et ils refusent de nous donner de l'argent.

— Alors, vous édulcorez la vérité ? intervint Virgilia. Vous vous prostituez, vous et votre organisation, pour quelques deniers ?

Un froncement de sourcils marqua les traits du visiteur. Pour la première fois, un peu de colère apparut dans ses yeux.

— Je n'emploierais pas les mêmes termes, Miss Hazard.

Elle était toujours connue sous ce nom dans les milieux anti-esclavagistes, le préférant à Mrs Grady.

A la vérité, les chefs du mouvement, à Philadelphie, étaient divisés au sujet de l'aide apportée par Virgilia et son amant, car leurs opinions extrémistes créaient des problèmes. Leur simple présence aussi, d'ailleurs. Une des factions ne voulait rien avoir affaire avec eux ; l'autre, dont Tubbs était le principal représentant, acceptait d'utiliser Grady à condition qu'il se soumette à un certain contrôle. A contrecœur, Tubbs jugea bon d'insister encore sur ce point.

— En traitant avec le pouvoir, certains compromis sont toujours nécessaires si l'on veut...

— Mr Tubbs, interrompit Grady, je crois que vous feriez mieux de partir. Cela ne nous intéresse pas de discuter vos conditions.

Tubbs fit un effort pour se maîtriser.

— J'aimerais bien que vous ne vous hâtiez pas trop de décider. Réfléchirez-vous si j'ajoute ceci : vous pouvez être très utile à la cause de l'abolition, mais dans notre société actuelle tout le monde ne partage pas ce point de vue. Il a fallu beaucoup de temps pour persuader certains de nos membres de vous proposer cette invitation. Je doute qu'elle soit renouvelée.

Virgilia secoua la tête. Ses cheveux étaient ternes, sales, mal peignés.

— Grady ne veut pas parler à des timorés et des putains. Notre abolitionnisme est celui de Mr Garrison.

— Brûler la Constitution ? C'est cela que vous préconisez ?

Le jour de la Fête de l'Indépendance, Garrison, au cours d'un rallye près de Boston, avait causé un tollé en approchant une allumette d'une copie de la Constitution. Virgilia pensait que, de toute évidence, il avait bien agi.

Tubbs hésita un moment puis, sentant leur hostilité, il se leva et se recoiffa de son chapeau haut de forme.

— Je crains de perdre mon temps, reconnut-il.

Virgilia lui rit au nez.

— C'est certain !

Il pinça les lèvres, mais ne répondit pas. Il se retourna et marcha vers la porte en boitant. Virgilia lui cria sur un ton aigu :

— Ne manquez pas de la tirer en sortant.

Pas de réponse. La porte se ferma sans claquer, mais fermement.

Grady était resté jusque-là assis très droit sur sa chaise. Tout à coup, ses épaules s'affaissèrent.

— Ça ne change rien de fermer la porte, grommela-t-il en frissonnant tant à cause du froid que de sa détresse. Remets du bois dans le feu.

— Il n'y en a plus, et il reste juste assez d'argent pour que j'aille à Lehigh Station. Il faut que je retourne à la maison.

Grady s'était fait chiffonnier pour les faire vivre. Quand il ne trouvait pas de chiffons, il volait. Lorsque cela ne rendait pas non plus, Virgilia allait passer quelques jours à Lehigh Station.

— Je ne sens même pas la chaleur du fourneau, dit-elle. Nous ferions mieux de nous glisser un moment sous les couvertures.

— Ça me fait mal de t'imposer ce genre de vie...

— Tais-toi, Grady, murmura-t-elle en lui posant une main froide sur la bouche. Je l'ai choisie. Nous sommes des soldats, toi et moi. Nous allons aider le capitaine Weston à remporter la victoire.

Le regard de Grady la réprimanda.

— Tu ne dois pas dire son nom tout haut, Virgilia.

Elle éclata de rire, et l'irrita avec sa supériorité de femme blanche.

— J'espère que tu n'es pas impressionné par ces sottises ? Les noms de guerre, les manuels de code ! Des dizaines de gens connaissent la véritable identité de celui qui se fait appeler le capitaine Weston. Des centaines sont au courant de ses activités et des millions les connaîtront dans quelques mois. Quand nous l'aurons aidé à libérer ton peuple dans le Sud, nous nous occuperons du mien ici. Nous réglerons leur compte à tous les Blancs, hommes ou femmes, qui se seront opposés à nous, activement ou par leur indifférence. A commencer, je crois, par mon cher frère Stanley et cette garce qu'il a épousée.

Sa voix basse et son sourire effrayèrent tant Grady qu'il en oublia sa colère.

George se réveilla brusquement, en pleine nuit, et s'aperçut que Constance s'était levée.

— Qu'est-ce qu'il y a ? Tu es encore malade ?

Cette explication lui venait immédiatement à l'esprit car elle était souffrante depuis un mois. Elle avait fait une fausse couche soixante jours après s'être aperçue qu'elle était de nouveau enceinte. C'était la troisième en trois ans et chaque perte lui laissait des séquelles de plus en plus longues, des vertiges, des bouffées de chaleur, des nausées nocturnes. George s'inquiétait, non seulement pour la santé de sa femme, mais pour son état mental, car le médecin laissait entendre qu'elle ne pourrait plus porter un enfant à terme.

— Je vais très bien, assura-t-elle. Je dois m'habiller et partir pour une heure. Nous attendons un nouvel arrivage.

— C'est vrai, j'avais oublié.

— Rendors-toi.

Déjà, il posait les pieds sur le plancher froid.

— Il n'en est pas question. Il fait un temps abominable. Tu ne peux pas aller à pied à la cabane. Laisse-moi m'habiller et j'amènerai la voiture devant la porte.

Ils discutèrent pendant une minute ou deux, Constance répétant qu'il n'avait pas besoin de sortir dans le froid avec elle, et lui insistait. Tous deux savaient que George imposerait sa volonté. A vrai dire, Constance était heureuse qu'il veuille l'accompagner. Elle se sentait affaiblie, avait un commencement de rhume et cela ne lui disait rien du tout de s'aventurer seule dans la nuit d'hiver. Elle l'aurait pourtant fait. Il le fallait.

George était heureux de l'accompagner pour une autre raison. Il aurait l'occasion de voir le nouvel arrivant, de lui parler. Plus que tous les orateurs, les éditorialistes et les pasteurs réunis, les clandestins passant chez lui l'aidaient à se faire une opinion sur la question qui divisait le pays. Il enfila des caoutchoucs sur ses chaussures et tapota l'épaule de sa femme.

— J'y vais. Plus de discussion.

Vingt minutes plus tard, il arrêta la vieille carriole devant la cabane. Une lanterne brillait à l'intérieur. Il aida Constance à descendre avec la valise qu'elle avait apportée. Impulsivement, elle l'embrassa. Elle avait les lèvres et la joue glacées, raides comme du parchemin. Pourtant, son baiser le réchauffa.

Elle courut à la porte et donna le signal : deux coups brefs, une pause, deux autres. George la suivit ; ses pas crissaient dans la neige profonde qui débordait au-dessus de ses souliers et mouillait ses chaussettes. La tempête était passée. La pleine lune brillait dans le ciel comme une belle assiette de porcelaine.

Belzer ouvrit la porte avec précaution et sursauta en distinguant une seconde silhouette.

— Ce n'est que moi, dit George.

— Ah ! bon. Entrez vite.

Le fugitif était assis à la table, un morceau de bœuf séché à la main. Il était grand, musclé, et son teint aux reflets cuivrés, ses pommettes saillantes, révélaient une trace de sang indien. Il devait avoir 35 ans, mais ses cheveux crépus étaient déjà blancs. George imagina pourquoi.

— C'est Kee, dit Belzer, comme s'il présentait un membre de sa famille. Il nous vient de l'Alabama. Son nom est le diminutif de Cherokee. Sa grand-mère maternelle était de cette tribu.

— Bonjour, Kee. Je suis heureuse que vous soyez ici, dit Constance en posant la valise sur la table. Voilà des bottes et deux chemises de rechange. Avez-vous un manteau d'hiver ?

— Oui, madame, dit le fugitif d'une voix de basse sonore.

— On lui en a donné un à la station près de Wheeling, expliqua Belzer.

— Parfait. Il fait encore plus froid au Canada qu'en Pennsylvanie, bien souvent. Une fois que vous serez là-bas, vous n'aurez plus à craindre les chasseurs d'esclaves.

— Je veux travailler, reprit Kee. Moi bon cuisinier.

— Si j'ai bien compris, c'est ce qu'il a fait toute sa vie, dit Belzer.

George écoutait à peine la conversation, tant il était fasciné par l'attitude de l'ancien esclave. La tête de Kee était renfoncée dans ses épaules, comme pour se défendre perpétuellement; même ici, en territoire libre, ses yeux noirs exprimaient la peur et la méfiance. Il regardait à tout instant du côté de la porte, comme s'il craignait une intrusion.

— Il appartenait à un maître particulièrement strict, odieux, dit Belzer. Kee, montrez-leur ce que vous m'avez fait voir, s'il vous plaît.

Le Noir se leva, déboutonna sa chemise et la fit glisser jusqu'à la taille. Constance réprima un cri et saisit le bras de son mari. George fut tout aussi écœuré à la vue de tant de marques et de cicatrices. Elles allaient des épaules jusqu'au creux des reins; par endroits, on aurait dit un nœud de serpents pétrifiés sous la peau. Les yeux généralement doux de Belzer fulguraient.

— Certaines ont été causées par le fouet, d'autre par des fers rouges. Quand est-ce arrivé pour la première fois, Kee?

— Quand j'avais neuf ans. J'ai cueilli des groseilles dans le jardin du maître. Ça, de groseilles...

Il réunit ses deux mains, pour montrer une petite poignée. George secoua la tête. Voilà pourquoi ses opinions étaient devenues fermes comme le roc, depuis quelques mois.

Plus tard, de retour à Belvedere, il prit Constance dans ses bras, pour qu'ils se réchauffent tous les deux.

— Chaque fois que je rencontre un homme comme Kee, je me demande pourquoi nous avons toléré si longtemps l'esclavage.

Il ne vit pas l'admiration dans ses yeux quand elle répondit :

— Te rends-tu compte, George, à quel point tu as changé? Tu n'aurais pas parlé ainsi, quand nous avons fait connaissance.

— Sans doute pas, mais je sais ce que j'éprouve maintenant. Nous devons mettre fin à l'esclavage. De préférence avec le consentement et la collaboration de ceux qui perpétuent le système. S'ils refusent d'entendre raison, sans eux.

— Et si le choix se pose, entre l'abolition et ton amitié pour Harry? Il est de ceux qui perpétuent le système, non?

— Je sais. J'espère que nous n'en viendrons jamais là.

— Et s'il fallait choisir? Je ne veux pas te faire de peine, mais il y a longtemps que je désire le savoir. Je comprends combien tu aimes et respectes Harry...

Malgré la douleur que cela lui causait, la conscience de George ne lui permit qu'une seule réponse :

— Je sacrifierais l'amitié avant de sacrifier ce que je crois juste.

Elle le serra contre elle. Blottie tout près de lui, elle ne tarda pas à s'endormir.

Si les planteurs attardés du Sud représentaient un extrême que George détestait, sa sœur en représentait un autre. Pendant les deux jours qu'elle passa à Belvedere, ils se disputèrent au sujet de la souveraineté populaire, des lois contre les fugitifs, de tous les aspects de l'esclavage. Virgilia ne souffrait aucun compromis, en aucun cas.

— Moi, je résoudrais le problème d'un seul coup, déclara-t-elle un soir à table. Une journée dans le Sud, et ce serait fini. C'est mon rêve, en tout cas, ajouta-t-elle avec un sourire qui glaça George.

Elle planta sa fourchette dans son troisième morceau de génoise, mordit une bouchée, puis se versa encore de la crème au rhum contenue dans la saucière d'argent. Puis, elle dévisagea calmement son frère.

— Tu peux frissonner et grimacer tant que tu voudras, George, parler de scrupules et de miséricorde à en perdre la voix, mais ce jour viendra.

— C'est ridicule, Virgilia. Une révolte d'esclaves ne peut réussir.

— Bien sûr que si... bien financée et organisée. Une nuit glorieuse de feu et de justice. L'iniquité lavée dans un grand fleuve de sang.

Il fut tellement atterré qu'il faillit lâcher sa tasse de moka. Constance et lui se regardèrent. Virgilia contemplait le plafond... ou quelque scène apocalyptique qu'elle imaginait. George eut envie de hurler, mais il préféra traiter la chose à la légère.

— Tu devrais écrire des mélodrames pour le théâtre.

— Plaisante tant que tu voudras. Le jour viendra !

Sans se laisser troubler par le regard vengeur de sa belle-sœur, Constance intervint :

— Vous devez bien comprendre que c'est la peur d'une révolte de la majorité noire qui empêche beaucoup de Sudistes de parler même d'émancipation progressive et compensée.

— L'émancipation compensée est une idée pernicieuse. Comme le dit Mr Garrison, cela équivaut à payer un voleur pour qu'il rende le bien volé.

— Néanmoins, ce que les Sudistes voient, dans le sillage de l'émancipation, ce sont des esclaves affranchis se ruant sur eux avec des pierres et des fourches. Vos spéculations enflammées n'aident guère la situation.

Virgilia repoussa son assiette à dessert.

— Ce sont plus que des spéculations, croyez-moi.

— Tu l'as dit. Et répété, coupa George avec brusquerie. Et pendant que nous y sommes, laisse-moi te parler franchement. Tu devrais rompre tes liens avec le capitaine Weston.

Virgilia ouvrit de grands yeux et, pour une fois, la voix lui manqua.

— Que sais-tu du capitaine Weston ? souffla-t-elle.

— Je sais qu'il existe. Je sais que Weston n'est qu'un nom de guerre et qu'il est tout autant extrémiste que la pire des têtes brûlées du Sud.

— Tu as embauché des espions pour me surveiller ? demanda-t-elle avec mépris.

— Ne sois pas idiote. J'ai des relations d'affaires dans toute la Pennsylvanie et je connais beaucoup des législateurs de Harrisburg. Tous entendent les gens parler. Ils entendent dire en particulier que ce capitaine Weston fomente activement la révolte noire dans le Sud. Il soulève une terrible animosité, même parmi les gens opposés à l'esclavage. Tu ferais mieux de t'éloigner de lui, si tu ne veux pas en subir les conséquences.

— S'il y a des conséquences, comme tu dis, je serai fière de les subir !

Comme une reine offensée, elle se leva et quitta la pièce, la tête haute. Constance pressa ses mains sur ses yeux.

— Je ne peux plus la supporter. Quelle abominable obsédée !

George lui prit une main pour la calmer, mais son regard resta fixé sur la porte par laquelle Virgilia avait disparu.

— Ça dépasse l'obsession, murmura-t-il. Parfois j'ai l'impression qu'elle n'a pas toute sa raison.

Les yeux exorbités, la langue violacée saillant entre les dents serrées, l'homme était pendu à une poutre. La position de sa tête indiquait que la corde lui avait brisé la nuque.

Sous le cadavre raidi qui tournait lentement, six hommes parlaient à voix basse. Deux tenaient des torches fumantes. Derrière eux, de longues caisses portaient des inscriptions au pochoir : GEOR., AL., MISS. Une des caisses avait été ouverte au ciseau à froid. Elle contenait des carabines neuves.

Mortellement terrifié, Grady voyait tout cela par une fissure de la porte de la grange. De Philadelphie il avait été envoyé aux faubourgs de Lancaster avec une dépêche chiffrée de deux pages. Et l'homme à qui il devait la remettre se trouvait pendu devant lui. Il remercia le ciel d'avoir entendu les voix en se glissant dans la cour et de s'être arrêté à temps.

Il s'apprêta à repartir furtivement. Comme il passait devant la porcherie, une truie allaitant ses porcelets grogna bruyamment. Le bruit attira un homme armé.

— Hé, toi ! Arrête !

Grady se mit à courir. Une balle siffla au-dessus de sa tête.

— Attrapez ce nègre ! Il nous a vus !

Grady courait comme il n'avait jamais couru de sa vie. De temps en temps, il risquait un coup d'œil derrière lui. Les hommes le poursuivaient à cheval. Derrière eux, la grange rouge vif était éclairée par la lumière triste d'un crépuscule de décembre. Tout à coup, des flammes jaillirent du fenil et commencèrent à lécher l'énorme marque de maléfice peinte sur le mur. Quelqu'un avait mis le feu.

Les balles n'atteignaient pas Grady mais l'éperonnaient. Il escalada fébrilement une barrière, perdit l'équilibre et tomba de l'autre côté en se meutrissant la bouche. Du sang coula mais il n'y fit pas attention et, hors d'haleine, il se jeta dans d'épais fourrés. Il finit par échapper aux cavaliers en se couchant pendant une demi-heure dans l'eau glacée, sous la berge d'un ruisseau. Ce fut alors seulement qu'il comprit quel prix il avait payé pour avoir la vie sauve. En tâtant sa lèvre supérieure, il se mit à pleurer.

Le lendemain matin, il arriva en chancelant dans le taudis de Philadelphie. Là, il s'effondra enfin, laissant échapper un torrent de paroles.

— Le capitaine Weston est mort. Je l'ai vu pendu. Ils l'ont brûlé, aussi, dans la grange. Ils ont failli m'avoir. J'ai couru et je suis tombé. J'ai cassé mes dents. J'ai perdu mes dents. Mon Dieu, mon Dieu, j'ai perdu mes dents !

De grosses larmes coulèrent sur sa figure ; il s'appuya contre Virgilia qui le serra dans ses bras.

— Ne pleure pas. Le capitaine Weston n'était pas un bien bon chef. Il parlait trop. Trop de gens étaient au courant. Un jour, un autre viendra, un homme meilleur. Alors la révolution sera victorieuse.

— Oui, mais... j'ai perdu mes nouvelles dents...

Elle attira sa tête contre ses seins et ne répondit pas. Elle regardait derrière lui, en souriant légèrement, imaginant un ruissellement de sang, du sang de Blancs.

## CHAPITRE XXXVII

ANNE DONNA UN TOUR DE clef et s'assura que la porte était bien fermée. Elle traversa sa chambre en courant pour fermer les volets, en essayant de ne pas céder à la panique, mais sans succès.

Elle se déshabilla, jetant robe, camisole, jupons, dessous en tous sens. Nue, elle s'approcha de la haute psyché pour s'examiner.

Est-ce que cela se voyait ? Non, pas encore. Son ventre était toujours lisse et plat, mais il ne le resterait pas longtemps. Quatre-vingt-dix jours s'étaient écoulés depuis le séjour à West Point. Son imprudence avait des suites...

Cela ne pouvait arriver à un plus mauvais moment. Un mois plus tôt, lasse de l'insistance constante de Huntoon, elle avait cédé et accepté de l'épouser au printemps. A ce moment, déjà, ses règles n'étaient pas venues. Elle s'était dit que c'était à cause d'un petit problème féminin qui s'arrangerait, que cela ne pouvait être la conséquence de la folle nuit dans le laboratoire des poudres.

Cela ne s'était pas arrangé. Et Huntoon avait, avec Harry, fixé une date, en mars. Maintenant, Anne était prise au piège.

— Dieu de Dieu, qu'est-ce que je vais faire ? demanda-t-elle à son reflet.

Harry. Elle parlerait à Harry. Il serait bon et compréhensif. Elle réussit à s'en convaincre pendant cinq minutes, tout en se rhabillant et en se coiffant. Puis, elle réfléchit qu'elle était stupide. En y pensant sérieusement, elle comprit que jamais son frère n'accepterait ce qu'elle voulait faire.

Beth alors ? Elle haussa les épaules. Pas question de donner à sa sœur la satisfaction de la savoir dans l'ennui. D'ailleurs, pensa-t-elle, Beth est bien trop proche d'Harry, ces temps-ci, toujours à lui courir après, à parler avec lui de ci et de ça, comme si elle était la maîtresse de Mont Royal... Petite garce présomptueuse ! Si elle se confiait à elle, sa sœur n'aurait rien de plus pressé que d'aller tout rapporter à Harry.

Un affreux point de migraine naquit au milieu de son front. Elle rouvrit sa porte et descendit lentement. Au pied de l'escalier, elle crut sentir un frémissement dans son ventre. Frénétiquement, elle y plaqua sa main, chercha des signes de distension.

Depuis quelque temps, tout son corps était aussi bouleversé que son esprit. Elle sortit et, sous le soleil bas de décembre, elle courut vers le bord de l'Ashley. Elle avait presque atteint l'extrémité de la jetée avant de voir où elle était.

Elle injuria un grand geai bleu qui la regardait avec curiosité, puis elle cria :

— Il y a pas une seule personne dans tout l'Etat de Caroline du Sud qui soit assez intelligente ou digne de confiance pour...

Soudain, un visage lui apparut. Oui quelqu'un pouvait l'aider, Madeline saurait lui indiquer au moins vers qui se tourner. On affirmait partout que ses nègres la vénéraient. De plus, ils avaient en elle une confiance aveugle.

Mais que penserait-elle de la solution qu'Anne envisageait ? Certaines femmes considéraient cela comme un péché mortel.

Le seul moyen de le savoir, c'est de le lui demander, se dit Anne. Quel autre choix avait-elle, à moins de se résigner au déshonneur et à la ruine totale, ce dont il ne pouvait être question ?

Curieusement, plus elle s'attardait sur la pensée de Madeline, plus elle était soulagée. Cette nuit-là, elle dormit bien et ce fut la mine fraîche et reposée qu'elle descendit, le lendemain matin, élégamment vêtue, portant ses gants et son ombrelle.

Un vieux laquais noir ouvrit la porte.

— Maîtresse Madeline ? Dans le salon de musique. S'il vous plaît d'attendre ici, je vais vous annoncer, Miss Anne.

Il s'éloigna d'un pas digne. Une autre porte s'ouvrit et Justin passa la tête.

— Qui est-ce ? Ah, Anne. Bonjour. Il y a des siècles qu'on ne vous a pas vue par ici.

— Oui, c'est vrai, cela fait trop longtemps, répondit-elle en souriant. Vous avez l'air fâché, Justin.

— Qui ne le serait ? s'exclama-t-il en brandissant le *Mercury*. De nouveaux groupes de républicains insensés se forment dans le Nord et ils réclament tous la même chose, l'abrogation des lois sur les fugitifs et de la loi Kansas-Nebraska.

Anne soupira.

— C'est vraiment terrible. Harry dit cependant qu'il y a une meilleure nouvelle. Il assure que, dans le Kansas, on a élu un délégué esclavagiste au Congrès... C'est vrai ? ajouta-t-elle, car elle n'était jamais très sûre d'elle en ce domaine.

— Certainement. Mais beaucoup de braves gens ont dû franchir la frontière du Missouri pour que le résultat des élections soit bon. J'espère que ce nouveau parti va mourir dans l'œuf. Ce n'est rien de plus qu'un ramassis de Yankees fanatiques résolus à nous faire du mal !

Froissant le journal dans sa main, il tourna les talons ; Anne fut soulagée. Tirant de son réticule un petit mouchoir de dentelle, elle se tamponna la lèvre supérieure. Le laquais revint et la conduisit au salon de musique.

Madeline se leva pour l'accueillir en souriant. C'était un sourire poli, pas plus. Les deux femmes n'avaient jamais été que de simples relations. Les yeux d'Anne se portèrent sur le petit livre que Madeline avait posé sur un guéridon : *Walden, or Life in the Woods*. Elle n'en avait jamais entendu parler. Les gens prétendaient que Madeline lisait beaucoup trop de mauvais livres venant du Nord.

— Voilà un plaisir inattendu, Anne. Vous avez une mine superbe.

— Euh... vous aussi.

Après cette hésitation, Anne se ressaisit et s'appliqua à jouer la comédie comme elle ne l'avait jamais jouée.

— Voulez-vous que je sonne pour qu'on apporte des rafraîchissements ?

— Non, merci. Je suis venue pour vous parler très sérieusement. Personne d'autre que vous ne peut m'aider.

Après un regard ostensible derrière elle, elle demanda :

— Vous permettez que je ferme la porte, pour que notre conversation reste privée ?

Madeline haussa les sourcils.

— Certainement. Quelqu'un est-il malade dans votre famille ? Serait-ce Harry ?

Anne courut à la porte pour la fermer. Elle aurait sans doute pu remarquer que la voix de Madeline se brisait un peu, en prononçant le nom d'Harry, mais elle était trop préoccupée par son propre jeu.

— Non, non, tout le monde va bien. C'est moi qui ai besoin d'aide. Je ne prendrai pas de gants, Madeline. Je ne connais pas une autre âme à qui je puisse me fier pour me conseiller. Je ne puis naturellement pas m'adresser à ma famille. Voyez-vous, il y a quelques mois, j'ai...

Anne prit un temps, pour ménager ses effets.

— J'ai commis une... une bêtise. Et maintenant je suis... eh ! bien, comme on dit, j'ai des ennuis.

— Je comprends.

Grâce à Dieu, il n'y avait aucune condamnation dans le ton de Madeline. Elle désigna un fauteuil.

— Asseyez-vous, je vous en prie.

— Merci. C'est tellement dur de porter ce secret toute seule. Je suis vraiment à bout...

Des larmes montèrent aux yeux d'Anne sans qu'elle eût besoin de se forcer. Elle était désespérée. Tout devait marcher à la perfection, sinon sa vie serait ruinée : elle n'aurait pas de seconde chance.

— Je comprends, murmura de nouveau Madeline.

— Vous connaissez tant de gens dans le voisinage... tout le monde pense le plus grand bien de vous... c'est pour cela que je savais que je pouvais vous parler, implorer votre aide...

— Si je comprends bien, vous ne voulez pas avoir cet enfant ?

— Je ne peux pas ! Je dois épouser James Huntoon au printemps. La date est déjà fixée. Je l'aime, Madeline...

Qui croirait ce mensonge ? se demanda-t-elle. Ses genoux tremblaient sous ses jupons. Elle les serra l'un contre l'autre.

— Mais que Dieu me pardonne...

Elle poussa un soupir qu'elle trouva un peu exagéré et baissa les yeux.

— ... l'enfant n'est pas de lui.

— Je ne vous demanderai pas qui est le père, Anne, mais je ne serais ni franche ni honnête si je ne vous avouais pas que, moralement, je réprouve la solution que vous cherchez.

Vas-y ! pensa Anne prise de panique. Vas-y, ne te retiens pas et, se penchant en avant, elle éclata en sanglots si déchirants qu'ils lui parurent presque vrais.

— Ah, c'est ce que je craignais ! gémit-elle. Tant de femmes s'y opposeraient ! Je comprends que vous ayez vos convictions. Je reconnais que j'ai péché. Mais dois-je perdre James et voir toute ma vie détruite pour une seule faute stupide ? Ne pouvez-vous au moins me donner un nom ? Je sais qu'il y a des personnes dans le bas-pays qui aident les filles dans l'ennui. Je ne révélerai jamais la source du renseignement. Dites-moi simplement vers qui me tourner. Je vous en supplie, Madeline, implora-t-elle en joignant les mains.

Madeline l'examina. Peu à peu, les yeux rougis d'Anne eurent raison de ses soupçons. Elle s'approcha d'elle dans un frou-frou de soie et glissa un bras autour de ses épaules.

— Calmez-vous. Je vous aiderai. Je ne prétendrai pas que je trouve cela bien. Mais, comme vous le dites, il ne serait pas bien non plus que votre vie soit gâchée pour quelques instants d'émotion incontrôlable. Nous en avons tous... Je connais une femme qui vit au fond des marais. Elle m'a dit que je pouvais faire appel à elle, si jamais j'avais besoin d'aide. Il ne serait pas prudent que vous y alliez seule. Vous aurez besoin d'être accompagnée.

Anne avait relevé un visage illuminé d'espoir. Madeline aspira profondément, comme si elle s'apprêtait à plonger dans un bassin profond. C'était un peu l'impression qu'elle avait. Elle ne voulait pas se mêler des problèmes de cette fille superficielle et orgueilleuse qui se tournait vers elle uniquement par désespoir, mais d'un autre côté, Anne était un être humain qui avait besoin de secours. Madeline, pour son malheur, cédait toujours à ces considérations.

— J'irai avec vous, dit-elle brusquement. Il me faudra quelques jours pour prendre des dispositions et me faire indiquer le chemin. Je ne suis encore jamais allée chez Tante Belle.

— Ah, merci ! Ah, Madeline, vous êtes la plus merveilleuse, la plus compatissante...

— Pas si fort, s'il vous plaît, interrompit Madeline sans dureté. Je vais être obligée de me confier à ma servante, Nancy, mais, en dehors d'elle, personne ne saura rien, à part vous et moi. Nous ne voulons pas ternir votre réputation ni aggraver vos ennuis.

Ni les miens, se dit-elle en pensant nerveusement à Justin.

Les préparatifs furent délicats. Il fallait d'abord prendre contact avec Tante Belle. Nancy s'en chargea. Puis, on dut choisir une date et en informer Anne par un billet cacheté discrètement apporté à Mont Royal par le seul homme en qui Nancy pouvait avoir confiance, un grand esclave à la peau bistrée, nommée Pete, avec qui elle vivait depuis plus d'un an.

Plusieurs jours avant la date prévue, Madeline dit à Justin qu'elle voulait aller faire des achats à Charleston. Il marmonna une autorisation, en l'écoutant à peine quand elle ajouta qu'elle y passerait la nuit. Il stipula cependant qu'elle devait se faire accompagner par un esclave mâle et aussi par Nancy. Elle s'y était attendue.

Au matin du jour dit — une belle journée ensoleillée, deux semaines avant Noël — Nancy fit la valise de Madeline. A midi, Pete arriva avec le cabriolet, la capote levée pour les protéger des intempéries. Depuis une heure, le soleil avait disparu et le temps devenait menaçant. Madeline ne tenait guère à voyager par des sentiers perdus en pleine tempête, mais il était trop tard pour prendre d'autres dispositions.

Une fois hors de vue de Resolute, elle prit les rênes des mains de Nancy. Pete trottait à pied, à côté de la voiture. Ils arrivèrent ainsi à un carrefour isolé où Anne attendait dans son boghei, le visage pâle et anxieux.

Pete prit le boghei et le conduisit sous les sapins. Il avait un ami dans le voisinage, un affranchi chez qui il passerait la nuit. Il retrouverait les femmes le lendemain à la même heure, à ce carrefour.

Toutes trois se serrèrent dans le cabriolet, Anne au milieu. Il était évident qu'elle n'appréciait pas d'être assise à côté d'une négresse, mais elle n'en montra rien.

Madeline claqua les rênes et le cabriolet s'ébranla. De temps en temps, elle regardait avec appréhension les nuages poussés par le vent.

Cette expédition l'inquiétait de plus en plus. Le seul aspect favorable était l'isolement complet de la case de Tante Belle, située très loin au fond des marais au-dessus de Resolute et accessible seulement par des chemins de terre très rarement fréquentés.

Elles avaient fait à peu près la moitié du chemin quand le ciel devint plus noir. La pluie se mit à tomber, chassée par un vent violent et mêlée de grêle. L'étroite chaussée, traversant en cet endroit un marécage, se transforma vite en fondrière. Madeline arrêta le cheval.

Au bout de dix minutes, la grêle et la pluie se calmèrent, le vent tomba un peu. Madeline claqua de nouveau les rênes et le cabriolet repartit, pour s'embourber cinquante mètres plus loin, la roue gauche enfoncée jusqu'au moyeu.

— On descend, ordonna Madeline.

Puis, avec Nancy, elle poussa la roue de l'épaule et finit par la dégager, pendant qu'Anne restait à l'écart et les observait. A l'instant où la roue s'arracha à la boue, Madeline entendit un bruit qui lui glaça le cœur. Un cavalier approchait.

— Couchez-vous. Allez vous cacher, dit-elle à Anne qui restait interdite.

Allait-elle risquer de gâcher sa belle toilette en s'accroupissant dans des herbes sales et mouillées! Madeline la poussa sans ménagements.

— Allez! Dépêchez-vous!

Il n'était que temps. Le cavalier arrivait au galop. Il ralentit en apercevant la voiture.

Devant la silhouette trapue, le chapeau noir à larges bords, Madeline sentit son estomac se crisper.

— Miss Madeline! Que diable faites-vous si loin de Resolute par un temps pareil? s'exclama Watt Smith, un homme d'un certain âge qui faisait souvent courir ses chevaux contre ceux de Justin.

— Une simple course, Mr Smith.

— Par ici? Personne n'habite par ici à part quelques nègres ignorants. Vous êtes sûre de ne pas vous être perdue?

Madeline secoua la tête. Smith ne parut pas convaincu. Il jeta un coup d'œil hostile à Nancy.

— Ce n'est pas prudent pour des femmes blanches de courir les routes alors que la moitié de la population nègre ne cesse de marmonner et de parler de révolte. Voulez-vous que je vous accompagne?

— Non, je vous remercie. Nous ne risquons absolument rien. Bonne journée.

Remis à sa place, un peu vexé et fort perplexe, Smith fronça les sourcils, porta une main au bord de son chapeau et repartit au trot.

Madeline attendit cinq minutes avant de rappeler Anne. Son cœur battait violemment. Elle avait peur que le complot ne soit divulgué, maintenant. Mais le mal était fait. Autant continuer.

A l'intérieur de la misérable cabane, Anne pleurnichait, bien qu'il ne se soit encore rien passé. Madeline, assise dans le fauteuil à bascule de Tante Belle, sur le petit perron de bois, était épuisée par les tensions de l'après-midi.

La vieille Noire écouta les gémissements de sa patiente et tira sur sa pipe en terre.

— Dès que ce sera fini et qu'elle se reposera, grommela-t-elle, nous arrangerons des paillasses pour vous et Nancy.

— Ce sera parfait, Tante Belle. Merci.

— Vous savez, Mame Madeline, c'est uniquement pour vous que je fais ça parce qu'elle, elle maltraite ses gens.

— Je sais, Tante Belle. Nous n'avons jamais été amies, elle et moi, mais il fallait l'aider. Elle ne savait vers qui se tourner.

— Faut pas vous habituer à risquer votre peau pour des personnes comme ça, Mame. C'est une méchante, gâtée, égoïste, pas digne de baiser le bas de votre robe.

Madeline sourit avec lassitude. Tante Belle rentra à l'intérieur, ferma la porte.

A sa vue les lamentations et les gémissements d'Anne redoublèrent. Tante Belle lança :

— Nancy ! Attrape cette bouteille de gnôle et verses-en dans sa gorge. Et vous, mam'zelle, taisez-vous et restez tranquille, sinon je vous renvoie. Vous vous débrouillerez avec votre bâtard, que ça vous plaise ou non.

Les plaintes d'Anne cessèrent. Ecrasée de fatigue dans le fauteuil, Madeline essaya de se détendre. Elle n'y parvint pas. Elle se rappelait sans cesse le regard soupçonneux de Smith.

Le lendemain, alors que les trois femmes roulaient sur la route du retour, Anne s'évanouit plusieurs fois. Madeline sentit nettement qu'elle jouait la comédie. Pete les attendait dans le second cabriolet. Anne y monta. C'est tout juste si elle marmonna un remerciement.

La tempête de la veille avait jonché les chemins de branches et de larges feuilles de choux-palmistes. Le parc de Resolute était bouleversé. Madeline pensa qu'il lui faudrait réunir une équipe pour tout nettoyer. Demain, il serait bien assez tôt...

— Miss Madeline !

Le chuchotement angoissé de Nancy l'arracha à ses réflexions. Levant les yeux, elle vit Justin sortir de la maison, son expression n'était pas rassurante.

— Ainsi, lança-t-il, il paraît que tu cherchais Charleston en amont ? Avais-tu oublié où c'était ?

Elle fut prise de panique. Smith avait dû raconter qu'il l'avait rencontrée sur un chemin isolé où aucune femme blanche respectable ne s'aventurait. Madeline s'y était presque attendue, de la part de Smith, mais n'avait pas voulu l'admettre.

— Justin...

Elle s'interrompit, trop effrayée et lasse pour imaginer un mensonge. Nancy et Pete échangèrent des regards terrifiés. Justin s'approcha du cabriolet, saisit le bras de sa femme et la fit violemment descendre. Elle fut surtout épouvantée par son sourire : il semblait enchanté de la prendre au piège !

— Où étais-tu ? cria-t-il en lui tordant le poignet. Appliquée sans doute à me coiffer d'une paire de cornes ?

— Justin, pour l'amour du ciel, pas devant les... *Aïe !*

Des larmes montèrent aux yeux de Madeline : Justin lui serrait le bras à lui faire mal. Il avança son visage contre le sien.

— Tu forniquais derrière mon dos, hein ? Nous allons bientôt le savoir !

Il la traîna dans la maison.

— Je vais te le demander encore une fois. Où étais-tu ?

— Ecoute-moi, Justin. Je ne t'ai pas trahi. Je ne le ferai jamais. Je t'ai juré fidélité en me mariant.

Elle recula tout en parlant. Il la suivit à travers la chambre, ses bottes souillées de fumier claquant sur le plancher. Une petite sellette supportant un vase se trouva sur son chemin. Il la souleva et la jeta derrière lui. Le vase se brisa.

— Alors, dis-moi : où étais-tu ? répéta-t-il rageusement.

— C'était pour une... une affaire privée. Une affaire de femme.

Absolument terrifiée, elle ne trouva rien d'autre à dire.

— Ce n'est pas une réponse. Je veux la vérité.

Il lui saisit de nouveau le poignet.

— Lâche-moi, Justin. Cesse de me faire mal ou je vais hurler et ameuter la maison.

Amusé, il la lâcha et ricana :

— Crie tant que tu veux. Personne n'y fera attention, à part peut-être cette putain de négresse dont tu as fait ton amie. Je vais m'occuper d'elle aussi, ne t'en fais pas !

— Justin, j'ai dit la vérité. Je ne t'ai pas trahi. Je ne le ferai jamais.

Il poussa un long soupir exaspéré.

— Ma chère, cela ne me suffit pas. Je vais te laisser dans cette chambre jusqu'à ce que tu retrouves la raison.

— Me laisser... ?

Elle comprit à retardement. Comme un animal fuyant la mort, elle se précipita vers la porte. Elle faillit l'atteindre, ses doigts frôlèrent le bouton de cuivre. Justin lui empoigna le bras et la rejeta à travers la pièce. Elle poussa un cri, heurta le lit et tomba par terre.

— Depuis longtemps tu m'offenses avec tes mensonges et ta désobéissance. Cette fois je ne limiterai pas ta détention à une nuit et un jour. Adieu, ma chère.

— *Justin !*

Elle secoua la poignée de la porte et réussit à l'entrouvrir d'un centimètre, mais il était le plus fort. Il tira de son côté et la clef tourna dans la serrure.

Dans le couloir, il cessa de sourire et donna libre cours à sa fureur. Ce châtiment qu'il venait d'imposer, un emprisonnement d'une semaine au moins, n'était qu'un simple palliatif. Madeline le défiait depuis des années avec ses livres et ses opinions si peu féminines. Cette dernière escapade était le comble de sa révolte. Une révolte engendrée par sa propre tolérance...

Sa faiblesse.

Il se jura que la situation allait changer et il descendit en criant aux esclaves de maison de lui amener immédiatement Nancy et Pete. On ne les trouva pas.

Au bout d'une heure, il comprit qu'ils s'étaient enfuis. Sa rage décupla. Il expédia un jeune Noir chez son frère pour faire organiser immédiatement une patrouille. Une patrouille qui aurait ordre de tuer les fugitifs à vue.

On ne les aperçut qu'une fois, deux jours plus tard, traversant la Savannah sur un bac. Ils s'étaient procuré de faux laissez-passer et on ne pouvait leur contester le droit de voyager. Dans les environs de Resolute, personne ne les revit plus.

Madeline ne savait plus depuis combien de temps elle était enfermée. Trois jours ? Non, quatre ?

Et qu'était-il arrivé à Nancy et à Pete ? Elle craignait qu'ils eussent été torturés ou même tués. Démoralisée, elle se rappelait à peine la raison pour laquelle elle s'inquiétait d'eux. Elle dormait dans la journée et arpentait sa chambre — sa cage — la nuit. Derrière les volets clos donnant sur la terrasse, un esclave montait la garde à toute heure. Le matin dès l'aube, deux esclaves s'approchaient de sa porte. Le premier surveillait le couloir pendant que l'autre glissait à Madeline sa ration de la journée : trois morceaux de pain noir et un petit bol d'eau. Pendant ces quelques secondes, les esclaves la regardaient tristement, mais n'osaient rien dire tout haut.

On ne lui donnait pas d'eau pour se laver. Chaque jour, elle utilisait un peu celle du bol. Ce n'était pas suffisant. Le troisième jour, pendant qu'elle dormait, quelqu'un entra et vida son seau hygiénique. Déjà, la chambre sentait l'étable.

Quelle importance ! D'heure en heure, Madeline perdait conscience de ce qui l'environnait. Elle croyait entendre des bourdonnements, des cloches bizarres. D'étranges lumières, violettes ou d'un blanc éblouissant, semblaient danser dans les coins de la pièce... à moins que ce soit dans sa tête.

— Harry, Harry, pourquoi ne t'ai-je pas connu plus tôt ? suppliait-elle.

Elle le voyait debout près de la porte, la main tendue, les yeux tristes. Éperdue de reconnaissance, elle courait vers lui, mais dès qu'elle croyait toucher sa main, il disparaissait.

Elle commença à pleurer. Une petite voix calme, au fond de son âme, lui soufflait : « Comme ton père aurait honte s'il voyait cela ! »

Elle ne l'écouta pas. Elle se sentait malade, épuisée, terrifiée. Soudain, ses sanglots se changèrent en hurlements.


— Un repas nourrissant, voilà ce qu'il lui faut.

— Oui, docteur, répondit Justin avec sollicitude, mais toute la semaine nous avons essayé de la persuader de manger. Elle refuse.

Justin et le médecin représentaient l'image même de la compassion et du souci. Seuls, leurs yeux transmettaient leurs vrais sentiments.

Madeline n'en comprit pas la signification. Elle était à demi inconsciente, couchée dans son lit, ses cheveux noirs épars, ses yeux immenses, le visage blême. Le médecin hocha la tête.

— Cela ne m'étonne pas. C'est un symptôme fréquent de la prostration nerveuse.

C'était un homme corpulent, élégant, éclatant de santé. Il s'appelait Lonzo Sapp.

— Heureusement, reprit-il, la médecine moderne connaît un traitement qui en général réussit : repos au lit, beaucoup de thé chaud, et surtout une bonne alimentation dès qu'elle se sentira mieux. Il faudra aussi lui donner chaque jour une dose généreuse de tonique au céleri.

— Un tonique au céleri ? répéta Justin.

— Oui. A base de vinaigre de vin, mais l'ingrédient thérapeutique est de la pulpe de céleri.

Il se pencha sur le lit et releva une mèche sur le front de Madeline. Elle avait la peau moite, luisante à la lumière du chandelier sur la table de chevet. Lissant et caressant les cheveux, il reprit d'une voix paternelle :

— Si vous m'entendez, Mrs Lamotte, sachez que vous allez bientôt vous remettre. Vous le voulez, n'est-ce pas ?

Elle passa le bout de sa langue sèche sur sa lèvre inférieure crevassée. Sans un mot, elle regarda le praticien avec des yeux angoissés, puis elle abaissa les paupières en signe d'assentiment.

— Alors, il faut suivre mon régime à la lettre. C'est votre mari qui m'a fait venir de Charleston. Il se fait énormément de souci pour vous. Je l'ai rassuré, mais la guérison est entre vos mains. Ferez-vous tout ce que j'ordonne ?

— Oui...

Justin se pencha à son tour et embrassa la joue de sa femme. Il se sentait beaucoup mieux maintenant qu'il avait trouvé un remède à ce caractère rebelle qui avait gâché son mariage. Ce remède permettait aussi de la punir de l'avoir trompé, car il était certain qu'elle était allée chez un amant la semaine précédente, et même qu'elle le trompait depuis des années. Elle sortait si souvent seule !

En l'enfermant et en l'affamant, il avait brisé presque toutes ses défenses. Presque, car elle n'avait encore rien avoué, elle n'avait pas raconté où elle était allée et avec qui.

Avant de monter chez Madeline, il s'était abondamment aspergé d'une lotion à la cannelle car la chambre empestait. Cela pouvait finir maintenant, et il alla vers la fenêtre pour ouvrir les volets.

Un air frais coucha les flammes des chandelles. Les yeux de Madeline brillèrent de reconnaissance.

— Elle ira très bien dès qu'elle aura repris des forces, assura Sapp quand ils sortirent. C'est la faiblesse qui cause son désarroi.

Il referma la porte, regarda à droite et à gauche dans le couloir, et poursuivit à voix basse :

— Au bout d'une semaine, elle sera habituée au tonique. Elle ne s'en méfiera pas. Vous pourrez alors le remplacer par la formule dont nous avons parlé auparavant.

— Celle qui contient du laudanum ?

— Une petite dose seulement. Rien de dangereux. Juste de quoi la maintenir calme et de bonne humeur. Si nous souhaitons supprimer le tonique, il y a d'autres moyens de lui administrer ce remède. La teinture d'opium peut être incorporée à des gâteaux, des sauces. C'est un traitement d'une grande souplesse. Naturellement, si vous avez lu Quincey, vous connaissez les symptômes : fatigue, constipation, parfois un vieillissement prématuré. Mais on les attribuera à d'autres causes ; tension, soucis de la vie quotidienne. Elle ne saura jamais qu'elle prend du laudanum.

— Voilà une bonne nouvelle, déclara Justin avec la ferveur d'un homme qui n'a pas dormi de la nuit et voit enfin une occasion de repos. Puis il sourit tristement : Je me suis tellement inquiété pour elle !

— Naturellement.

— Je veux faire tout mon possible pour calmer ses nerfs et lui rendre la paix de l'âme.

— C'est un admirable but.

— Une dernière question, docteur. Pendant combien de temps peut-on poursuivre le traitement ?

— Ma foi, si vous êtes satisfait des résultats, un an, deux. Indéfiniment même.

De nouveau les deux hommes se regardèrent. Ils se comprenaient parfaitement. Bavardant comme de vieux amis, ils descendirent...

# CHAPITRE XXXVIII

A LA FIN DE MARS 1855, LE mariage d'Anne Main avec James Huntoon fut célébré à Mont Royal. Harry trouva la cérémonie lugubre. Clarissa, qui ne s'était jamais remise de la mort de son mari, sourit à la mariée, mais ne la reconnut pas.

Au lunch, Anne fit une scène déplaisante parce que Huntoon refusait catégoriquement d'envisager un voyage de noces à New York, le seul endroit où elle voulait aller. Elle ne considérait pas comme illogique de mépriser les Yankees tout en adorant leurs restaurants et leurs théâtres. Jusqu'à la toute dernière minute, Huntoon répéta qu'ils iraient seulement à Charleston. Anne lui jeta un morceau du gâteau de mariage à la tête et bouda. A la suite de quoi le jeune marié navré se hâta de changer d'avis craignant surtout que des semaines se passent avant que sa femme lui accorde ses faveurs. Quand leur voiture s'éloigna enfin, Anne avait retrouvé le sourire.

Par ailleurs, Cooper scandalisa la plupart des invités masculins par ses opinions. Il demanda avec insistance pourquoi ni les abolitionnistes ni les planteurs ne voulaient réfléchir un instant à la proposition qu'Emerson avait faite à la Société anti-esclavagiste de New York, en février. Ce projet d'émancipation progressive, soigneusement étudié, exigeait des propriétaires d'esclaves des paiements qui se monteraient en gros à deux cents millions de dollars, somme assez raisonnable pour mettre fin à une honte nationale et préserver la paix.

— Les deux camps se sont moqués de lui, déclara Cooper. Pour ma part, je ne vois qu'une explication à cela. Dès qu'on élimine la raison de la contestation, les contestataires se retrouvent sans cause.

— Insinueriez-vous que la lutte pour les droits du Sud est livrée par des hommes cyniques? riposta un auditeur.

— Certes, certains sont sincères, mais d'autres souhaitent que les abolitionnistes s'obstinent à agir en extrémistes. Cela permettrait au Sud de justifier sa séparation de l'Union, ce qui est une folie.

Mais ce fut Cooper que l'on jugea fou et dangereux. On l'avait naguère considéré comme un trublion inoffensif. L'état d'esprit avait maintenant changé. Cette modification était le résultat de l'intérêt qu'il professait pour l'anglais Edmund Burke et sa sagesse politique, et aussi parce qu'il commençait à prendre part aux activités du parti démocrate à Charleston.

Un après-midi, sur la jetée de la C.S.C., Cooper engagea la conversation avec le contremaître de ses docks, un Charlestonien de la seconde génération, nommé Gerard Hochwalt. Celui-ci savait être sévère avec les tire-au-flanc, mais il avait un caractère doux, généreux, et de fortes convictions religieuses. Marié, onze enfants, il possédait dans les faubourgs une maison à peine assez grande pour eux tous.

Cooper et Hochwalt évoquèrent bientôt le récent congrès anti-esclavagiste de Big Springs, dans le Kansas, où il avait été question de la demande d'admission du territoire comme Etat libre. Un éditorial particulièrement enflammé du *Mercury* avait condamné ce congrès. Hochwalt approuvait cet article.

— Je l'ai lu, dit Cooper. Je n'y ai trouvé que la même éternelle rhétorique usée.

Tout en parlant, les deux hommes surveillaient le défilé des dockers noirs montant, à bord du *Mont Royal*, les balles de coton destinées à un fabricant de Liverpool. A chaque traversée, le bateau partait les cales pleines. Et pour chaque client, Cooper en avait trois autres en attente. La compagnie de navigation faisait un bénéfice mensuel de soixante à soixante-dix pour cent. Harry lui-même commençait à apprécier cette réussite.

Hochwalt cria une réprimande à un docker qui avait trébuché et retardait le chargement, puis il s'épongea le front avec un mouchoir à carreaux.

— Les sentiments exprimés par Mr Rhett sont peut-être usés, Mr Main, mais j'y crois.

— Comment le pouvez-vous, Gerard ? Il réclame encore une fois un gouvernement séparé !

— Et pourquoi pas, monsieur ? Aussi loin que je peux me souvenir, les gens du Nord nous ont méprisés et insultés. Ils nous ont traités de tenanciers de bordels ! C'est bien ce qu'ils disent, n'est-ce pas ? Et pourtant, je n'ai jamais possédé un esclave, ni, à aucun moment de ma vie, approuvé l'esclavage. Les insultes du Nord me scandalisent. S'ils continuent, eh bien, nous devrons nous séparer d'eux.

— Vous pensez sincèrement que des hommes comme Bob Rhett, James Huntoon et Mr Yancey, de l'Alabama, ne nous font pas marcher au bord d'un précipice ?

Hochwalt réfléchit.

— Probablement, monsieur, mais s'ils nous y font marcher, eh bien, moi je marcherai avec eux.

— Mais enfin, bon Dieu, pourquoi ?

Le contremaître examina Cooper comme s'il ne le trouvait pas très intelligent.

— La Caroline du Sud est mon pays, monsieur, et ces hommes prennent sa défense. Personne d'autre ne le fait, Mr Main.

Cette conversation troublait encore Cooper quelques jours plus tard, quand Harry vint à Charleston pour examiner avec lui les comptes de la compagnie. Les deux frères consacrèrent presque toute la journée à ce travail et Harry se déclara très satisfait ; il eut même quelques mots de félicitations, ce qui ne lui arrivait pas souvent. Ils rentrèrent ensuite à Tradd Street et s'installèrent dans le jardin où le petit Judah, un solide bonhomme trapu, lançait une balle au bébé, Marie-Louise, assise dans l'herbe.

— Je t'assure, Harry, quand Hochwalt m'a répondu, je me suis senti glacé, dit Cooper en revenant sur la conversation. Mon contremaître n'est pas un révolutionnaire fanatique. C'est un Hollandais posé, respectacle. Si d'honnêtes gens comme lui écoutent les têtes brûlées, nous nous sommes égarés plus loin que je ne croyais.

— Oh! fit nonchalamment Harry, je m'occupe peu de tout cela. J'ai déjà trop de soucis en tête.

Mais tu n'es pas satisfait non plus, pensa Cooper en remarquant les yeux mélancoliques de son frère qui, dans son fauteuil d'osier, ses longues jambes étendues devant lui, regardait jouer les enfants avec une expression ressemblant beaucoup à de l'envie.

Au bout d'un moment, Harry ramena la conversation sur les affaires de la compagnie.

— Je suis heureux que les bateaux soient pleins à chaque voyage. En Europe, le marché du riz est de nouveau en pleine dépression. Chaque mois, il baisse un peu plus. Tu as eu raison de diversifier les chargements.

Il parlait paisiblement, et pourtant Cooper sentit vaguement que quelque chose n'allait pas. Il n'identifiait pas le problème ni sa cause, et il allait interroger son frère quand Judith sortit de la maison.

— Le dîner est presque prêt, annonça-t-elle. Rachel prépare des crabes bleus depuis l'aube.

Rachel était la grosse affranchie noire employée comme cuisinière.

— J'ai invité Anne et James à dîner avec nous, mais ils étaient pris. Nous les voyons rarement. Ils habitent tout près, et ils ne sont jamais venus pour un repas. Chaque fois que je les invite, ils ont autre chose.

Pendant le dîner, Cooper essaya à plusieurs reprises d'exposer un projet d'expansion de l'affaire qui le passionnait depuis quelque temps. C'était un plan original, exigeant du cran et beaucoup plus de capital que les Main ne pouvaient réunir à eux seuls. Il envisageait donc de prendre George Hazard comme associé, mais il ne put en parler. Harry repoussa toute discussion commerciale. En fait, il ne prononça pas vingt mots durant le repas. Ce soir-là, avec sa femme, Cooper conclut que, depuis son retour du Mexique, il n'avait jamais vu son frère d'une humeur aussi bizarre et aussi triste.

Le nouvel amant d'Anne avait déniché un charmant lieu de rendez-vous : les ruines d'une petite église de campagne appelée la Chapelle du Salut. Et la jeune femme était particulièrement excitée d'avoir à soulever ses jupons et à se donner à Forbes Lamotte en plein soleil, sur des fondations de pierres meulières.

Tout près, son cheval à l'attache hennit et gratta le sol. Au loin, on entendait des détonations. Dans une plantation, des surveillants effrayaient à coups de mousquet les oiseaux venant picorer le riz de septembre. Ces bruits augmentèrent le plaisir d'Anne. Bientôt, elle retomba, alanguie de satisfaction.

— Je crains toujours de te faire un gosse, murmura Forbes, levant juste au-dessus d'elle sa belle tête en sueur.

— Pour moi, le risque ajoute du piment, souffla-t-elle en souriant.

Elle ne le pensait pas vraiment d'ailleurs car depuis que son mari s'acharnait sur elle, elle n'avait pu concevoir. Elle soupçonnait même que l'intervention de Tante Belle avait causé des dégâts en elle. Après tout, c'était assez commode, mais parfois l'idée d'être stérile l'attristait un peu.

— Tu dis ça jusqu'au jour où tu en auras un qui me ressemblera, dit Forbes.

— Ne t'inquiète pas. Tu es ici pour moi.

Sur ce, elle l'attira de nouveau sur elle.

Forbes était un excellent amant, prévenant et enthousiaste mais qui acceptait de se passer d'elle tant qu'il n'était pas convoqué. S'il avait d'autres femmes, qu'importait puisqu'il arrivait en courant chaque fois qu'elle l'appelait.

— Il paraît que vous avez reçu Mr Yancey, il y a quelques jours, dit Harry à sa sœur, venue dîner à Mont Royal.

Anne était très fière de la demi-colonne que le *Mercury* avait consacrée à sa réception.

— Certainement. Il a dit des choses assez piquantes sur les Yankees. James aussi. Naturellement, fit-elle en regardant sa sœur assise en face d'elle à ce dîner, nous faisons des exceptions pour les amis de la famille.

— Je me le demandais, murmura Beth sans sourire.

— Bien sûr. Billy est à part. Est-ce qu'il a fixé une date pour son mariage ?

Le sourire d'Anne était charmant et semblait sincère. Pourtant ses vrais sentiments étaient si violents, si venimeux qu'elle en avait mal à l'estomac.

Harry répondit à sa question :

— Non. Il ne sortira pas de West Point avant juin prochain. Qu'est-ce qu'un sous-lieutenant peut gagner de nos jours ? Mille dollars par an ? Cela ne suffit pas pour faire vivre une famille. Il est bien trop tôt pour parler de mariage.

Mais cela viendra inévitablement, pensa Anne. Et c'est là que je frapperai, au moment où ils seront le plus heureux.

Après, elle descendit seule au cimetière. Un vent violent s'était levé qui faisait claquer ses cheveux autour de sa tête comme un drapeau noir. Elle s'agenouilla devant la tombe de Theo Main, seul endroit au monde où elle avait parfois honte de sa conduite et, tout bas, elle parla avec émotion :

— Tout marche admirablement bien pour James, papa. J'aimerais que tu nous voies. Tu voulais un autre fils au lieu d'une fille, mais je le rendrai fier de moi, comme je te l'ai déjà promis. Je serai célèbre. On connaîtra mon nom dans tout le Sud. On quémandera mes faveurs. Et celles de James aussi. Je te le jure, papa. Je le jure.

Quand Anne fut partie, Harry se rendit dans la bibliothèque et souffla la lampe. Il ouvrit les volets et aspira l'air frais de la nuit, qui sentait l'automne. Son regard fit lentement le tour de la pièce et se posa dans le coin obscur où pendait son uniforme. Il voulut songer à la récolte à rentrer mais une seule pensée l'absorba.

*Qu'était-il arrivé à Madeline ?*

Cette question le torturait depuis des jours car Madeline restait enfermée chez elle et quand, très rarement, elle quittait Resolute, c'était toujours en compagnie de son mari. Quelques semaines plus tôt, Harry avait croisé la voiture des Lamotte sur la route du fleuve. Il avait salué les occupants, en agitant la main avec un peu trop d'enthousiasme. Peut-être avait-il eu tort de s'inquiéter car la réaction de la jeune femme avait été exactement semblable à celle de son mari : sourire fixe, regard terne, main à peine levée. Et la voiture était passée...

Trois fois, pendant l'été, Harry avait été attendre à la Chapelle du Salut, dans l'espoir que Madeline viendrait en réponse à l'un des billets qu'il avait discrètement fait porter à Resolute. Elle n'était jamais venue.

Et comme, la dernière fois, il avait découvert des branches cassées et de l'herbe piétinée, indiquant que quelqu'un d'autre avait découvert la chapelle en ruine, il n'y était plus retourné. Désespéré, il s'était informé pour essayer de savoir si ses billets avaient été interceptés. Il avait appris que Nancy s'était enfuie depuis plusieurs mois mais cependant, au bout de quelques jours, un Noir lui confia :

— J'ai eu des nouvelles de Resolute, Mr Harry. Mame Madeline a bien reçu les lettres. Une fille nommée Cassiopée les lui a apportées.

— Est-ce que Mrs Lamotte les a lues ?

— Ben, oui, je crois. Mais elle les a déchirées et jetées au feu.

Ce souvenir fit mal à Harry, et lui fit constater une fois de plus son impuissance.

Une pensée lui vint pourtant qui lui rendit un peu d'espoir. Le samedi suivant, il y aurait un tournoi près des Six Chênes. Il était possible que Madeline et Justin y assistent. En général Harry évitait ce genre de réunion, mais il décida d'assister à celle-là, pensant qu'il aurait une chance de découvrir les raisons de cette disparition incompréhensible.

Le samedi, le temps était lourd, orageux. Une foule enthousiaste s'était rassemblée pour le tournoi, mais Harry ne parvenait pas à s'intéresser aux jeunes champions qui s'étaient hardiment baptisés Sir Gawain et Sir Kay. Pendant qu'ils galopaient furieusement vers les anneaux qu'ils tentaient d'arracher avec leur lance, il erra à la recherche des Lamotte.

Il aperçut enfin Justin en conversation animée avec son frère et quelques hommes. Encouragé, il continua d'avancer, cherchant Madeline. Il la vit enfin, assise sur une souche et regardant la pluie légère qui ridait le fleuve. Elle dut entendre ses pas mais ne se retourna pas. Gêné, craintif comme un adolescent, il toussota.

— Madeline ?

Elle se leva lentement. Harry recula en voyant son visage. Il était blanc, d'une pâleur de malade. Madeline avait beaucoup maigri, ses joues s'étaient creusées et elle semblait faire un effort pour le reconnaître.

— Harry, dit-elle enfin, quel plaisir de vous voir.

Elle sourit, mais du même sourire poli qu'elle lui avait adressé quand il avait croisé sa voiture. Il s'effraya du regard morne de ses yeux. Ils avaient toujours été si vifs, si chaleureux. A présent...

— Madeline, qu'y a-t-il ? Pourquoi n'avez-vous pas répondu à mes messages ?

Bien qu'il n'y eût personne près d'eux, il chuchotait. Elle eut l'air vaguement troublée et regarda au loin. Puis ses yeux revinrent vers lui. Il crut y voir une douleur et un appel au secours. Il s'avança.

— Voyons, dites-moi...

La voix de Justin l'interrompit et l'arrêta net.

— Madeline ? Viens nous rejoindre, ma chérie. Nous allons bientôt partir.

Harry tourna la tête, essayant de rendre son mouvement naturel en dépit de sa tension. Justin était de l'autre côté de la clairière. Pour apaiser tout soupçon possible, Harry ôta son chapeau et Justin répondit à son salut. Avec un large sourire, comme s'il n'échangeait que quelques aimables banalités avec la femme d'un voisin. Harry souffla.

— Madeline, il faut que je vous voie seule au moins une fois.

Elle le regarda de nouveau. Il crut sentir en elle une tendre nostalgie, mais elle soupira et répondit :

— Non, je regrette, c'est vraiment trop difficile.

Et, d'un pas lent, presque languissant, elle alla rejoindre son mari. Harry bouillonnait de rage. Il avait soudain envie de prendre Justin à la gorge et de le secouer jusqu'à ce qu'il révèle la vérité car Madeline ne dirait rien. Apathique, égarée, elle semblait n'être plus elle-même.

Mais ce fut surtout le souvenir de ses yeux qui tortura Harry sur le chemin du retour. Ils avaient une si curieuse expression de soumission, une telle absence de vie. C'étaient les yeux d'un chien battu.

CHAPITRE XXXIX

Sur LE POINT D'ARBORER les parements jaunes et la tour crénelée du génie, Billy Hazard examinant son univers le jugeait magnifique.

Il se laissait entièrement influencer par les événements de sa vie quotidienne, plutôt que par ce qui se passait ailleurs. S'il avait regardé au-delà de l'Académie et de Beth, il aurait senti monter la dangereuse agitation du monde.

Une guerre sanglante se poursuivait en Crimée. Un des condisciples de son frère, George McClellan, y avait été envoyé en observateur par le ministre de la Guerre, Davis. D'autres violences menaçaient l'Amérique : des hommes se battaient au Kansas et même dans les couloirs du Congrès. Au cours d'un discours sur le Kansas, le sénateur Summer, du Massachusetts, avait mêlé à son éloquence politique une attaque personnelle déplacée contre le sénateur Andrew Butler, de Caroline du Sud. Le 22 mai, le représentant Preston Brooks, de Caroline du Sud, avait surgi dans le Sénat, armé d'une canne à pommeau d'or, dont il s'était servi pour montrer ce qu'il pensait du discours et de Summer. Le sang avait coulé.

Mais aucun de ces événements ne pouvait décourager Billy. Il n'était qu'à quelques jours de son départ de l'Académie où il avait bien réussi, en particulier cette dernière année. On l'avait publiquement félicité de son travail au cours de génie civil et militaire et il sortirait sixième de la classe de 1856.

George, Constance, Maude, même Stanley et Isabel, viendraient à West Point pour la dernière cérémonie ; George et Isabel parvenaient maintenant à s'adresser la parole, quand l'occasion l'exigeait. Cependant l'interdiction de visites entre les deux maisons demeurait en vigueur. Billy avait entendu Constance se plaindre que l'on puisse nourrir de telles rancunes alors que la vie était si courte, à quoi George avait répondu que c'était précisément parce qu'elle était courte qu'il ne voulait pas en gâcher une partie en compagnie de sa belle-sœur.

Charles félicita Billy de ses bonnes notes, tout en le soulageant de ses couvertures et de ses affaires personnelles de cadet. Il n'avait jamais rivalisé avec son ami pour les études et restait membre des immortels, destiné au service monté, ce qu'il avait souhaité. Les perspectives d'avancement dans la cavalerie — dans toutes les armes d'ailleurs — s'étaient beaucoup améliorées depuis que Davis avait pris des mesures en faveur de l'armée, l'année précédente. Deux nouveaux régiments d'infanterie avaient été formés ainsi que deux autres dans la cavalerie. Le directeur Lee avait été muté au nouveau régiment de cavalerie commandé par Albert Sidney Johnston, un autre ancien de l'Académie. Charles espérait être versé quelques mois plus tard dans une des nouvelles unités.

Billy connaissait déjà son premier poste de sous-lieutenant breveté. Après sa permission, il devait se présenter à Fort Hamilton, sur la rade de New York, pour y travailler aux fortifications côtières et aux améliorations portuaires.

En rentrant chez lui avec sa famille, il prit, pour la première fois, la ligne qui desservait maintenant tout le haut de la vallée, y compris Lehigh Station. Quand les Hazard descendirent du train, le chef de gare félicita George sur la belle prestance de son frère.

— Vous avez raison, il a l'allure d'un bon soldat. Il me ferait presque regretter l'armée.

— J'aimerais bien que Beth vienne ici pendant ma semaine de liberté en juin, déclara Billy.

George examina le bout de son cigare.

— Avez-vous des projets à discuter, tous les deux ?

— Pas encore, mais cela viendra. J'ai besoin d'en parler à quelqu'un.

— Est-ce qu'un frère aîné ferait l'affaire ?

— J'espérais que tu le proposerais.

— Ce soir, alors, dit George en remarquant l'expression sérieuse de son cadet.


Après le dîner, Billy monta se mettre en civil. George embrassa ses enfants et retourna vivement à son bureau où il ouvrit avec impatience une lettre arrivée en son absence. Elle portait le cachet de la poste d'Eddyville, dans le Kentucky.

Quelques mois plus tôt, il avait entendu parler d'un homme de Pittsburgh, William Kelly, qui possédait un haut fourneau et une raffinerie à Eddyville. Kelly prétendait avoir découvert une méthode rapide, efficace, pour brûler le silicone, le phosphore et d'autres éléments de la fonte, réduisant ainsi fortement la teneur en carbone. Ce qu'il appelait son procédé pneumatique produisait un acier doux très acceptable, à l'en croire. George lui avait écrit, en proposant de se rendre à Eddyville pour examiner le convertisseur. Il avait ajouté que s'il était satisfait, il financerait les travaux de Kelly en échange d'un intérêt partiel dans l'affaire.

Ses traits s'assombrirent quand il lut la réponse. Kelly se disait accablé de dettes et dans la nécessité absolue de trouver de l'argent pour éloigner les créanciers, mais il refusait de montrer son convertisseur à qui que ce soit avant d'avoir obtenu le brevet qu'il avait demandé. Cette méfiance était certes fondée. Certains métallurgistes étaient capables de tout pour apprendre les secrets d'un nouveau procédé, et le pirater ensuite sans vergogne s'il n'était pas protégé. Cependant, la réponse de Kelly décevait George et ce fut dans cet état d'esprit qu'il alla rejoindre son frère sur le perron.

— Veux-tu que nous montions sur la colline ? proposa-t-il.

Billy acquiesça. Ils contournèrent la maison, passèrent devant les écuries et parvinrent bientôt au sommet de la colline où du laurier sauvage poussait dans les crevasses des rochers.

A leurs pieds, le panorama des maisons du village et des usines s'étendait avec une parfaite netteté. Billy admira un moment la vue, puis il tira de sa poche un carton qu'il donna à son frère.

— Je voulais te montrer ça.

Aux dernières lueurs du jour, George se pencha sur l'image.

— Par exemple ! C'est Charles et toi. Eh ! vous n'avez pas l'air à jeun !

Billy sourit et reprit la photographie.

— Nous avons posé alors que nous revenions de chez Benny.

— Depuis quand la photo a-t-elle atteint West Point ? demanda George.

— On a commencé à prendre les groupes de classes l'année dernière. Charles et moi en voulions une de nous deux.

George rit tout bas, en secouant la tête.

— Cooper Main a raison. Nous vivons une ère miraculeuse.

Billy perdit son sourire.

— J'aimerais bien que quelques miracles se produisent en Caroline du Sud. Je crois qu'Harry ne souhaite pas que j'épouse Beth.

— Tu voulais m'en parler ?

— Oui.

— As-tu écrit à Harry pour lui faire part de tes intentions ?

— Non, et je ne le ferai pas avant au moins un an, pas avant de pouvoir faire vivre une femme.

Brave garçon posé et réfléchi, pensa George. Il fera un bon ingénieur.

— Beth y a fait quelques allusions, cependant. Nous avons tous deux l'impression qu'il n'est pas favorable à ce mariage. Je ne dois pas lui plaire.

— Ce n'est pas ça du tout. Beth et toi appartenez à des milieux différents, à deux régions qui deviennent de plus en plus hostiles l'une envers l'autre. Je parie qu'Harry a peur de l'avenir qui vous attend. J'avoue que je partage cette inquiétude.

— Que puis-je faire, alors ?

— Suivre le conseil que maman m'a donné quand les gens assuraient que j'avais tort d'épouser une catholique et de l'amener à Lehigh Station. Elle m'a dit d'écouter seulement mes sentiments, et pas les préjugés ou les idées préconçues des autres. Elle m'a dit que l'amour sera toujours victorieux de la haine, qu'il le fallait bien pour que l'humanité survive. Harry ne te déteste pas, mais il doute de vos perspectives d'avenir. Courage, lieutenant ! Ne te rends pas, et Harry capitulera.

— Et si c'est long ?

— Eh bien, quoi ? Tu veux épouser Beth, oui ou non ?

Soudain George se baissa, cassa une petite branche de laurier et l'éleva dans le crépuscule.

— Tu sais ce que maman pense de cette plante ? Elle prétend que c'est une des rares qui survit à ses ennemis naturels. Tiens, prends-la. Tire une leçon de ce laurier et que tes sentiments pour Beth soient plus forts que tous les doutes des autres. Quand tu sentiras l'espoir t'abandonner, pense au laurier qui pousse ici sous le soleil et dans les tempêtes. C'est le meilleur avis que je puisse te donner.

## CHAPITRE XL

A NEW YORK, AU RETOUR d'un voyage en Angleterre, Cooper mit Judith et les enfants à bord d'un vapeur à destination de Charleston et se rendit tout droit à Lehigh Station. Il y arriva au milieu de la nuit et prit une chambre au Station House. L'hôtel, construit à peu près en même temps que la ligne de chemin de fer, était à deux pas de la gare. L'établissement était petit mais ultra-moderne. Chaque chambre avait une baignoire dans une petite pièce attenante et l'éclairage au gaz.

Après un solide petit déjeuner, Cooper fit porter un mot au sommet de la colline, annonçant son arrivée à George et l'invitant à dîner ce soir-là avec son frère. Cooper n'avait pas très envie de montrer ses plans de bateau à Stanley, mais pensait qu'il le devait. George était responsable de toutes les dépenses de Hazard Fer, seulement le bateau représentait un investissement différent et si important que George n'oserait peut-être pas l'autoriser sans consulter son frère. Mieux valait avoir Stanley avec eux que contre eux.

Donc, à table dans la salle à manger privée de l'hôtel, George parcourait des notes et des coupures de presse.

— Cela ressemble beaucoup au procédé de Kelly.

— Qui est Kelly ? demanda Cooper.

George parla du métallurgiste du Kentucky et ajouta :

— Mais si votre Bessemer a déjà fait la demande d'un brevet américain...

— Il l'a obtenu avant que je quitte Londres.

— Alors Kelly n'a aucune chance. Bon, je vais immédiatement retenir nos cabines et pendant que j'étudierai ça Constance ira voir les cathédrales de France.

— Ce serait fou de risquer..., commença Stanley.

— De risquer quoi ? Mon temps ? Le prix du voyage ? Bon Dieu, si l'on ne veut pas stagner, le risque est inévitable en affaires. Tu dois l'admettre. Imagine que Hazard obtienne une licence américaine pour le procédé Bessemer ? Pense à tout ce que nous gagnerons en étant les premiers sur le marché !

— Ou perdrons, riposta Stanley. Il n'est pas encore établi que ce procédé produise de l'acier d'une qualité acceptable.

Soudain furieux, George abattit son poing sur la table.

— Qu'est-ce que ça peut te faire, nom de Dieu ? Je paierai le voyage sur ma cassette personnelle !

— Oui, j'en serai plus heureux, dit Stanley avec un sourire.

George pinça les lèvres, aspira profondément et se tourna vers Cooper.

— J'aimerais voir Bessemer en personne. Il se méfiera moins de moi, peut-être, puisque je suis dans la métallurgie.

— Peu probable. Pratiquement toute l'industrie britannique du fer lui rit au nez.

— Vous croyez qu'ils en savent plus que nous ? demanda Stanley dans un soupir, et il se leva.

George regarda sévèrement son frère.

— Stanley, depuis que tu fréquentes des politiciens, tu ne sais plus te conduire. Cooper nous a fait une grande faveur en s'adressant à nous. Nous lui devons au moins d'écouter ce qu'il a à dire, car il y a autre chose, n'est-ce pas Cooper ?

— Oui.

Furieux, Stanley se rassit. Avec un mauvais pressentiment, Cooper ouvrit sa valise. Il détestait d'avoir à montrer son *Star of Carolina* dans cette atmosphère de scepticisme et d'hostilité.

Il repoussa assiettes et couverts, puis déroula ses plans. Lentement, avec conviction, il se mit à parler. Il commença par les particularités de sa conception. Il décrivit avec enthousiasme la capacité du grand vapeur et, finalement, révéla son intention de le construire à Charleston. Il conclut :

— Notre famille mettra tout ce qu'elle peut dans ce projet, mais elle n'a pas assez pour une entreprise d'une telle ampleur. Si Hazard s'associait à nous, nous pourrions aller de l'avant et je crois que nos deux familles auraient d'excellentes chances de faire de beaux bénéfices, des bénéfices très importants.

Stanley regarda de nouveau les dessins d'un air dubitatif.

— Qu'en répondent les banques ?

— Je n'ai pris contact avec aucune banque. Je voulais vous donner la première chance. Naturellement, il y a des risques...

Stanley ricana et marmonna quelque chose de désobligeant. George entendit le mot « litote ». Il regarda son frère de travers. Stanley s'adossa, croisa les bras et ferma à demi les yeux.

— Vous nous les avez déjà signalés, dit George s'adressant à Cooper. Mais je ne suis pas qualifié pour évaluer votre proposition. Je ne connais rien à la construction navale.

— Moi, reconnut Cooper, je ne sais que ce que j'ai appris par des études personnelles, aussi ai-je l'intention de faire venir à Charleston les meilleurs entrepreneurs et architectes navals de Nouvelle-Angleterre...

Il s'expliqua pendant dix minutes. Il aurait pu s'épargner cette peine. Les bras toujours croisés, Stanley déclara :

— Je m'y oppose. Je n'y mettrai pas un centime.

La figure de Cooper s'allongea. George baissa la tête, puis il se redressa, carra ses épaules et demanda :

— Combien vous faudrait-il ?

— Pour commencer ? Environ deux millions.

Le frère aîné renifla bruyamment et se leva de nouveau. George fronça les sourcils.

— Pour l'amour de Dieu, Stanley, assez ! Je regrette de t'avoir invité. Je n'engage que mon argent. J'hypothéquerai mes biens, ou je liquiderai tout. Personne ne touchera à ton précieux revenu.

Stanley fut pris de court.

— D'où te viennent des biens valant deux millions ?

— Je ne suis pas certain qu'ils les valent, du moins, pas tout à fait. Je m'adresserai aux banquiers. Et puis j'ai pas mal d'argent dont tu ne sais rien. Je l'ai gagné pendant que tu tentais de te mettre dans les petits papiers de Cameron. Chacun pour soi, ajouta-t-il avec un haussement d'épaules qui renvoya Stanley sur sa chaise, muet d'humiliation.

George tendit la main à Cooper.

— Nous sommes donc associés. Tout au moins nous allons étudier les possibilités d'une association. Il me faudra une semaine environ, pour savoir si je puis réellement trouver l'argent.

— Tu es fou ! cria Stanley. Tu l'as toujours été ! Combien de temps vous faudra-t-il pour concevoir et lancer votre grand vaisseau ? demanda-t-il en se penchant vers Cooper. Cinq ans ? Dix ?

— Trois. Il peut entrer en service en 1860.

— Parfait, ricana Stanley. Alors vous en ferez le navire amiral de votre nouvelle nation du Sud, celle que tous les traîtres de votre Etat ne cessent de prophétiser !

Il se leva, prit son chapeau, sa canne et son pardessus.

— Son ami Cameron flirte avec le républicanisme, persifla George. Stanley s'essaye à la rhétorique du parti.

Cela lui attira un regard haineux de son frère, qui montra le dessin du bout de sa canne.

— Cette histoire est une plaisanterie. Vous allez tous vous ruiner, vous pouvez m'en croire.

Et il sortit. George soupira.

— Il ne vous a même pas remercié de ce dîner. S'il n'était pas mon frère, je lui tordrais le cou.

Cooper rit en roulant son plan.

— Aucune importance. Nous ferons le lancement sans lui.

Dans les quinze jours, George engagea un capital d'un million neuf cent mille dollars pour la construction du *Star of Carolina*.

Un billet à ordre de cinquante mille dollars et la même somme venant des Main paieraient les premiers travaux, comprenant arpentage et plan de la propriété de l'île James, débroussaillement du terrain et dépôt en banque représentant trois ans de salaire pour un homme que Cooper alla débaucher dans le Nord, à la compagnie Black Diamond. Cet homme s'appelait Levitt Van Roon et c'était un des premiers architectes navals du pays. Cooper fit bientôt emménager Van Roon à Charleston avec sa famille. Puis, il l'envoya en Angleterre visiter les Chantiers Millwall, et conférer avec Brunel.

Les statuts de la Carolina Marine Company durent être préparés, ainsi que l'accord d'association entre les Main et George Hazard. Pour cela, Cooper s'adressa au mari d'Anne ; Huntoon coûtait cher, mais était un expert. Cooper approuva les vingt-sept pages du document d'association et le remit à Harry qui l'expédia à George.

Trois semaines plus tard, Harry annonça à son frère :

— George a déchiré le contrat.

— Mon Dieu ! Il se retire ?

— Non, pas du tout. Il pense qu'un contrat est inutile. Il déclare que vous vous êtes serré la main tous les deux, et que cela suffit.

— Et sur cette base, il me fait confiance pour près de deux millions de dollars ?

Harry hocha la tête, amusé par la réaction de son frère. De son côté, Cooper comprit mieux que jamais le respect et l'affection d'Harry pour ce petit homme trapu de Pennsylvanie.

Au printemps de 1857, Billy termina son bref stage à Fort Hamilton. Il y avait été l'assistant de l'officier supérieur chargé des réparations sur le terre-plein de vingt-trois canons et avait entrepris un autre projet, confié à lui seul.

Ce n'était pas un bien grand projet : la restauration de deux étages et d'un plafond à l'arsenal de la Batterie Morton, dont les canons gardaient le détroit. Il avait fait tous les calculs lui-même, les dessins, embauché et surveillé six ouvriers civils qui tous avaient au moins dix ans de plus que lui et étaient fréquemment querelleurs. Ceux-ci s'étaient moqués de ses qualités et de ses études d'ingénieur, mais quand il eut mis fin à une bagarre et tenu tête à la forte tête du groupe en deux minutes de combat brutal, il eut droit à leur respect.

Billy aimait le pittoresque et l'animation de New York. Etant un Yankee, il s'y sentait chez lui. Cependant, son cœur restait dans le Sud. Il espérait que son prochain poste l'en rapprocherait. Cela pourrait être l'île de Cockspur, par exemple, dans la Savannah ou, mieux encore, les fortifications de Charleston, mais la bizarre administration de l'armée choisit de lui faire traverser la moitié du pays. Le lieutenant breveté Hazard fut envoyé à Saint-Louis, pour y effectuer des réparations sur les digues du Mississippi, construites vingt ans plus tôt par Robert Lee.

Billy écrivit à Beth qu'il avait l'impression d'être banni sur une lointaine frontière. Il n'avait qu'une bonne chose à lui assurer : en vue d'un commun « fond de mariage », il mettait de côté une partie de sa solde chaque mois. Dans ses lettres fréquentes et extrêmement sentimentales, Beth promit d'aller le voir à Saint-Louis, si elle arrivait à persuader Harry de l'y accompagner.

En dépit du programme d'expansion de 1855 qui avait créé quatre nouveaux régiments, l'armée américaine était encore assez réduite. Il n'était donc pas du tout impossible qu'un jeune officier soit affecté à un poste où le « Modèle de Marbre » avait servi, ni même qu'il soit placé sous son commandement : ce fut le cas pour Charles.

Il sortit de West Point avant-dernier, dans la classe de 1857. Il commanda des uniformes à parements jaunes, y épingla l'insigne de la cavalerie et rentra chez lui en permission. Il était nommé au Deuxième Régiment de Cavalerie, au Texas, une des nouvelles unités.

Quand Anne apprit la nouvelle, sa réaction fut semblable à celle de Billy :

— Mais c'est au bout du monde ! Il n'y a rien là-bas, que de la poussière, des nègres et des Peaux-Rouges.

— Grotesque, Anne. Il y a des Texans, des Espagnols, et le meilleur régiment monté de l'armée. Robert Lee le commande, maintenant. Il a été promu quand Albert Johnston a été muté. Lee a écrit à des amis, à l'Académie, et il affirme que le Texas est très beau. Il a un jardin et un serpent à sonnettes apprivoisé. Je crois que j'en aurai un aussi.

— J'ai toujours su que tu étais fou, répliqua-t-elle en frémissant.

# CHAPITRE XLI

SAN ANTONIO S'ÉTENDAIT le long de la rivière du même nom. La ville était un curieux mais charmant mélange bigarré. Tandis que la diligence cahotait dans les faubourgs, Charles vit d'abord de petites maisons sans étages, en pierre de taille blanche, portant sur des plaques peintes le nom du propriétaire, allemand en général. Ensuite, dans l'étroite Commerce Street, il remarqua des boutiques avec des enseignes où se mêlaient allemand et anglais. La colonie américaine habitait près de ce quartier, dans de massives résidences de brique à un ou deux étages, entourées de haies de troènes.

Et puis, naturellement, il y avait des maisons en pisé au toit plat. Dans l'ensemble, la ville lui plut tout autant que le reste de l'Etat. Là population paraissait amicale, les gens avaient l'air de trouver la vie aimable et d'avoir confiance en l'avenir. Il remarqua beaucoup d'hommes des plaines, lourdement armés, et fut particulièrement charmé par les jeunes Espagnoles au teint mat.

Avant d'aller se présenter à Lee, il brossa avec soin la poussière de son pantalon bleu clair et de sa tunique cintrée bleu foncé. Il astiqua l'aigle de cuivre et lissa les deux plumes noires de son chapeau Hardee, version cavalière du chapeau de feutre gris à larges bords attribué à l'armée en 1855. Le côté gauche du bord était relevé et maintenu en place par les serres de l'aigle de métal.

Après avoir remis ses papiers à l'aide de camp de Lee, un Polonais jovial nommé Radziminski, Charles fut reçu par le commandant du régiment qui l'invita vite à s'asseoir. Le soleil de septembre inondait le bureau aux murs blancs, les fenêtres ouvertes laissaient entrer un air sec et vivifiant.

Lee fut pointilleux mais cordial.

— Cela me fait plaisir de vous revoir, lieutenant. Vous avez bonne mine. L'Académie vous a fait du bien, on dirait.

— Oui, mon colonel. Je m'y suis plu, mais j'avoue que je n'ai pas fait sensation dans les salles de cours.

— Par ici, d'autres qualités sont tout aussi importantes que l'instruction. Bien monter à cheval et supporter la vie dure. Savoir commander des hommes de milieux différents, précisa Lee, et il se tourna vers une grande carte du Texas accrochée au mur derrière lui, où tous les postes militaires étaient identifiés par des épingles ornées de petits rubans. Là où vous serez envoyé, les soldats sont en majorité des hommes de l'Alabama et de l'Ohio. Naturellement, nous avons notre part d'immigrants récents, dans tout le régiment. Au fait...

Sans avoir satisfait la curiosité de Charles en indiquant sa destination, Lee se retourna vers lui.

— Mon neveu sert dans le Deuxième.

— Oui, mon colonel, je sais.

— Vous étiez amis, Fitz et vous.

— Très bons amis. Je serai heureux de le revoir.

Lee hocha la tête et réfléchit un moment.

— Le général Twiggs va bientôt arriver pour assumer le commandement de la région. Le major George Thomas reprendra le régiment et ramènera son quartier général à Fort Mason. Je dois retourner en Virginie.

Charles essaya de cacher sa déception.

— Une nouvelle affectation, mon colonel ?

Gravement, Lee secoua la tête.

— Non. Le père de ma femme vient de mourir et je dois solliciter une permission pour m'occuper d'affaires de famille.

— Je vous présente mes condoléances, mon colonel. Je suis navré que vous partiez.

— Merci, lieutenant. J'ai l'intention de revenir dès que possible. En attendant, vous verrez que le major Thomas est un commandant très capable. Il est sorti de West Point avec la classe de 1840.

Cette dernière phrase semblait frapper Thomas d'un cachet d'approbation. Charles apprit ainsi ce qui unissait les officiers passés par l'Académie et les séparait de ceux qui n'en sortaient pas.

Lee se détendit et devint un peu plus bavard.

— Notre travail ici se limite à peu de tâches mais toutes sont importantes : protection des malles-poste et des convois d'émigrants, reconnaissance du territoire, et, naturellement, répression de toute révolte d'Indiens. La menace indienne n'est pas aussi constante que nos auteurs dramatiques et nos romanciers veulent le faire croire à la population crédule de l'Est, mais elle n'est pas imaginaire non plus. Je crois que vous trouverez votre service à la fois intéressant et passionnant.

— Je n'en doute pas, mon colonel. J'aime déjà beaucoup le Texas. On y respire une atmosphère de liberté.

— Nous verrons ce que vous en penserez quand vous aurez subi une tempête du nord, répliqua Lee avec un sourire. Ah ! mais je n'ai pas encore mentionné votre poste, je crois ?

Il se leva, retourna à la carte et indiqua un des rubans épinglé au nord de San Antonio, à une distance d'environ 400 kilomètres.

— Camp Cooper. Sur la Clear Fork, un embranchement du Brazos. C'est à trois kilomètres en amont de la réserve des Comanches Penatekas. Votre commandant est également un ancien de West Point, récemment transféré de Washington pour reprendre du service actif. Le capitaine Bent.

Charles reçut son fourniment et un beau cheval, un rouan, pour se rendre à Camp Cooper. Il devait voyager vers le nord avec le trésorier-payeur militaire et son escorte.

Trois fois par an, le trésorier apportait, de La Nouvelle Orléans, la solde de la région militaire, en espèces. Six fois par an, il effectuait le circuit des forts du Texas, transportant la solde dans un coffre cadenassé. Il voyageait dans une ambulance traînée par des mulets, accompagné par un chariot de provisions et six cavaliers commandés par un sergent.

Les cavaliers étaient des dragons en uniforme à parements orange. A leurs côtés, Charles se sentit l'objet du mépris des anciens pour le nouveau. Les uniformes et l'équipement des dragons étaient bien usagés, alors que le sien était flambant neuf.

Un vent du sud-ouest brûlant lui criblait la nuque de sable et de poussière. Soudain, en moins de dix minutes, le vent sauta de près de 180°, le ciel se couvrit d'énormes nuages noirs, la température tomba brusquement et un vent du nord arriva en trombe, accompagné d'une pluie torrentielle et de grêlons si gros que l'un d'eux écorcha jusqu'au sang la joue de Charles.

Une heure plus tard, le soleil brillait de nouveau. La route devenue boueuse serpentait le long de collines basses vers un horizon qui se dégageait rapidement. Alors que le convoi remontait d'un vallon de noyers luisants vers un bouquet de grands chênes, un lapin effrayé bondit devant le rouan. Sous les chênes, des oiseaux chantaient.

Charles retrouva son sourire insouciant. Son uniforme était trempé mais cela lui était égal. Le temps changeant, violent, plaisait à sa nature aventureuse. Il aimait de plus en plus le Texas.

D'une éminence dominant la Clear Fork, le convoi du trésorier découvrit une vallée verdoyante s'étendant vers le nord où elle disparaissait sous la brume de chaleur de midi. Charles avait rarement vu paysage plus attrayant. Les arbustes de mesquite rabougris et les figuiers de Barbarie accentuaient sa beauté sauvage.

Mais ce n'était qu'une illusion d'optique. Au bord du cours d'eau sinueux, les feuilles desséchées des grands ormes s'agitaient à peine dans l'air lourd. Le convoi longea des champs desséchés, de melons et de pois. Çà et là, des Indiens regardaient passer les soldats, avec des yeux tristes ou hostiles.

Au-delà des champs, Charles aperçut son premier village indien, environ deux cents tipis de cuir décorés de figures géométriques et de symboles rouges et jaunes, qui donnaient une terrible impression de pauvreté.

Charles transpirait et il avait mal aux cuisses, en dépit de la protection des basanes réglementaires. Quand il arriva enfin à Camp Cooper, il crut voir le paradis, bien que ce ne fût qu'un assortiment de quatorze baraquements primitifs faits de pierre, de rondins, de planches.

Sur l'esplanade centrale, près du mât du drapeau, un peloton de fantassins pratiquait mollement le maniement d'armes. Charles se souvint que deux compagnies du Premier d'Infanterie étaient cantonnées là, ainsi qu'une escouade du Deuxième de Cavalerie. Le sergent des dragons trotta vers lui.

— Les écuries sont par là, mon lieutenant. Ces deux bâtiments en rondins.

Charles lui rendit son salut et entra dans la première écurie, ouverte à chaque extrémité et déserte, à part les chevaux. Une minute plus tard, un homme dégingandé entra par le fond. Il portait un pantalon de treillis délavé et une chemise de flanelle. Un couteau pendait sur sa hanche gauche et, sur la droite, un Colt 1848 de l'armée.

L'homme examina Charles. Il avait une quarantaine d'années et une longue figure sympathique à demi cachée par une barbe rousse. Il portait un anneau de cuivre à chaque oreille, à la manière des pirates. C'est un civil attaché à la réserve indienne, pensa Charles, et, mettant pied à terre, il l'interpella avec quelque brusquerie :

— Indiquez-moi le bureau du commandant du poste, s'il vous plaît.

L'homme montra le chemin. Pour une raison inexplicable, ses yeux fulgurèrent soudain.

— Où puis-je trouver le capitaine Bent ? ajouta Charles.

— Dans ses quartiers, il soigne une mauvaise dysenterie.

Fatigué, irascible, Charles frappa sa jambe avec les rênes de Palm, son cheval.

— Qui commande la compagnie K, alors ?

— C'est moi, lieutenant, répliqua sèchement l'homme. Lieutenant Lafayette O'Dell.

— Lieu...

— *Garde-à-vous, lieutenant !*

L'aboiement, rappelant les milliers d'autres entendus à West Point, mit immédiatement Charles en position correcte. La figure écarlate, il salua automatiquement. O'Dell prit son temps pour rendre le salut. Il considéra Charles avec une expression qui lui parut hostile.

— Toutes mes excuses, mon lieutenant. Je...

— Vous êtes le nouveau sous-lieutenant, hein ? Je vous attendais. Un ancien de l'Académie ?

— Oui, mon lieutenant. J'en suis sorti en juin.

— Le capitaine est aussi de l'Académie. Sacré club, ce régiment. Je n'en fais pas partie. Je ne suis qu'un petit fermier de l'Ohio passé des chevaux de labour aux canassons de l'armée. Le capitaine n'a pas beaucoup de goût pour le service en campagne, surtout ici. Mais moi, ça me plaît. Si vous voulez être respecté par les hommes, vaudrait mieux que ça vous plaise aussi.

— Certainement, mon lieutenant, grommela Charles en faisant un effort pour ravaler son embarras et sa colère.

— Un autre conseil, pour le service au Texas. Vous feriez bien d'apprendre à vous habiller en conséquence. Cette belle tunique n'est pas pratique pour les longues patrouilles, pas plus que cette épée que vous traînez. Les Indiens ne restent pas tranquilles et n'attendent pas sagement une charge au sabre. Le temps que vous dégainiez votre lardoire, ils vous grouilleront dessus et vous scalperont. Le capitaine n'aime pas ces réalités non plus, mais il faut bien qu'il les supporte.

Charles se maîtrisa avant de répondre mais ses yeux flamboyèrent quand il marmonna :

— Merci du conseil, mon lieutenant.

Soudain, l'expression sévère d'O'Dell disparut. Il rit et s'avança.

— Voilà qui va mieux. J'ai cru un instant qu'on nous avait envoyé un bleu sans jugeote. Laissez-moi vous aider à desseller ce cheval. Ensuite, vous irez au rapport et présenterez vos compliments au capitaine Bent, à condition qu'il ne soit pas sur son pot. Ne riez pas. L'eau fait ça à tous les nouveaux venus.

En souriant, le lieutenant O'Dell tendit sa main calleuse.

— Bienvenue dans le nord du Texas ou le sud de l'enfer, au choix.

Charles fut heureux que le lieutenant ne soit pas aussi hargneux qu'il l'avait paru au premier abord. Comme toutes les autres troupes, la compagnie K n'avait que trois officiers et il imaginait aisément les problèmes qui se poseraient s'ils se détestaient. Il était déjà évident que le capitaine n'était pas aimé.

O'Dell accompagna Charles près d'un bâtiment de pisé et indiqua une porte à la peinture écaillée, celle du capitaine. A ce moment, un détachement arriva au petit galop, son fanion rouge et blanc en queue d'hirondelle claquant au vent. Seuls, trois soldats portaient l'uniforme réglementaire, les autres étaient vêtus comme O'Dell.

Une heure plus tard, après avoir présenté ses papiers et s'être fait indiquer sa minuscule chambre, Charles alla frapper à la porte du capitaine. Une voix bourrue le pria d'entrer.

Le commandant du poste occupait une vaste pièce. La moitié du mur du fond n'était qu'une fenêtre ouverte dont le store de toile était roulé au sommet.

Bent était en robe de chambre matelassée maculée de sueur. Dès que Charles eut présenté ses compliments, il se plaignit :

— Je suis ici depuis quatre mois. Je devrais avoir surmonté cette maudite maladie. Mais elle persiste. Vous pouvez vous asseoir là.

Il désigna une cantine où s'entassaient des livres.

— Merci, mon capitaine, mais je préfère rester debout. J'ai passé la journée en selle.

— À votre aise.

L'abondance de livres intimidait Charles, tout comme la bizarre expression des petits yeux noirs de Bent. Le capitaine prit l'unique chaise, en poussant un soupir.

— Je regrette que vous me trouviez dans cet état.

— Le lieutenant m'a prévenu, mon capitaine. Je...

— Ah ! vous avez fait la connaissance d'O'Dell. Nous sommes tous deux de l'Ohio, mais nous n'avons rien de commun. Un bel exemple, vous ne trouvez pas ? L'officier le plus dépenaillé que j'aie jamais vu. Le pire, c'est que tous les hommes l'imitent. Le major Thomas m'a averti que si j'étais trop strict sur l'uniforme, j'aurais une mutinerie sur les bras. Le capitaine Van Dorn l'a confirmé. J'ai été pratiquement contraint d'accepter ce désordre. Rendez-vous compte !

Il y avait de la hargne vindicative dans cette protestation. Charles s'éclaircit la gorge.

— Quoi qu'il en soit, mon capitaine, je suis navré que vous soyez malade.

— Dans cet endroit de malheur, même la maladie est une diversion.

Dans l'espoir de rompre la tension, Charles tenta une plaisanterie.

— Si la dysenterie est une diversion, on m'a dit que je serais fort probablement diverti.

— Souhaitez que ce ne soit pas pire. Certains nouveaux ont des ulcères à l'estomac. Tous ne s'en remettent pas, répliqua Bent sans sourire. Comment trouvez-vous le Texas ?

— Jusqu'à présent, ça me plaît.

— Vous devez être fou. Non, vous êtes du Sud, hein ? Ça revient au même... Hé là ! ne vous hérissez pas. Je plaisantais.

— Oui, mon capitaine.

— Comme vous vous en doutez, je n'ai pas demandé ce poste et je l'ai en horreur. Je ne suis pas un officier de campagne, par inclination. Mon fort, c'est la théorie militaire, déclara Bent en montrant les livres. Ça vous intéresse ?

Un peu de couleur revenait aux joues de Charles.

— À l'Académie, j'ai trouvé le sujet difficile, mon capitaine.

— Un peu d'étude particulière serait peut-être utile et agréable, pour nous deux.

Les yeux vifs de Bent détaillaient Charles et ravivaient sa nervosité. La courtoisie exigeait qu'il répondît mais il ne put que murmurer :

— Oui, mon capitaine, peut-être.

— Parfait. Merci de votre visite, lieutenant. Je crois que je devrais me reposer, maintenant. Ah ! au fait. Savez-vous que la compagnie K a été recrutée à Cincinnati et alentour ? La majorité des hommes est de l'Ohio. Nous essaierons de ne pas retenir contre vous le fait que vous venez d'une région moins éclairée.

Charles retint de justesse une réplique téméraire, comprenant que le capitaine le harcelait exprès, pour voir s'il savait garder son sang-froid.

— Une autre petite plaisanterie, lieutenant, reprit Bent. J'aime assez rire. Il vous faudra faire un choix dans cette troupe. C'est comme ça dans l'armée. Vous pouvez placer en premier les besoins et les souhaits de vos hommes, en second ceux de votre commandant. Je n'ai pas besoin de vous dire lequel servira le mieux votre carrière et votre avenir. Rompez.

Charles salua et s'en alla. Dès qu'il sortit au soleil et referma la porte, il frissonna. L'avertissement de Bent sautait aux yeux. S'il se mettait du côté du capitaine, il aurait la vie facile, mais s'il s'alliait aux hommes — et par implication à O'Dell — il le payerait.

Il se rappela la favorable impression qu'il avait du lieutenant et se demanda si Bent avait donné cet avertissement par force ou par faiblesse. Par faiblesse, plus probablement. Le capitaine devait craindre son subordonné.

Aucune importance, pensa Charles. Il savait déjà dans quel camp il se rangerait et ce ne serait pas celui de ce gros inadapté derrière la porte écaillée.

## CHAPITRE XLII

Sous une pluie glaciale, la colonne rentrait de manœuvres au nord de la vallée. On était le 2 décembre 1857.

Sur les conseils d'O'Dell, Charles avait très vite abandonné l'uniforme. Ce jour-là, il portait un chapeau de feutre à larges bords baissés sur sa figure barbue, un pantalon en cuir de bison et une veste de daim. Au cou, il avait un collier de griffes d'ours.

De la boue jaillit quand Bent poussa son cheval vers lui. Le regard du capitaine exprimait nettement sa réprobation mais pour une fois il préféra en sourire.

— Un bon feu nous fera du bien, hein, Charles ?

Cet emploi familier du prénom était insolite et inquiétant.

— Oui, mon capitaine.

— Quand vous aurez bouchonné votre monture et mis des vêtements secs, passez donc chez moi prendre un whisky. J'aimerais vous montrer mon exemplaire du *Sommaire de l'Art de la guerre*, de Jomini. Vous connaissez les idées du baron, je présume ?

— Naturellement, mon capitaine. Nous en avons beaucoup entendu parler par le Vieux Sens Cobbun.

En fait, beaucoup d'adversaires du professeur Mahan avaient affirmé qu'il consacrait une trop grande partie de son cours de science militaire aux conceptions du théoriste militaire suisse.

— Je vous attendrai, alors. Nous aurons une passionnante conversation.

Clignant des yeux sous la pluie, Charles examina la figure mouillée de Bent. Quelque chose dans son regard l'alerta. Il savait qu'il devait rester poli, mais il se refusait à aller plus loin.

— C'est une invitation très généreuse, mon capitaine, mais j'ai peur de couver une grippe.

C'était vrai. Il se sentait fiévreux après la longue marche par ce mauvais temps.

— Alors, une autre fois. La semaine prochaine...

— Mon capitaine, si ça ne vous fait rien, je préfère que vous m'excusiez. Je n'ai jamais été très calé sur la théorie.

Bent perdit son air de fausse cordialité.

— Parfait, lieutenant. Votre refus est clair.

Talonnant sa monture, il alla reprendre la tête de la colonne. Un éclair fulgura à l'horizon. Charles frissonnait quand Lafayette O'Dell se laissa distancer pour être à sa hauteur.

— Qu'est-ce qu'il voulait?

Charles le lui expliqua.

— Vous avez refusé?

— Carrément. Ça ne lui a pas plu.

O'Dell s'accouda sur le pommeau de sa selle.

— Vous avez raison de ne pas trop fréquenter le capitaine. Je devrais un peu vous parler de lui.

— Ah?

— Il possède ce que l'on appelle poliment des appétits. De gros appétits.

— Comme nous tous.

— Non, pas les mêmes. Du moins je ne crois pas. Le capitaine prétend détester les Indiens, mais ça ne s'étend pas aux squaws. D'après ce qu'on raconte, il couche avec toutes les femmes qu'il peut trouver. Quand il ne peut pas mettre la main sur une fille, un garçon fait son affaire, ou même un première classe trop balourd ou effrayé pour refuser. Nous en avons deux ou trois au poste, au cas où vous ne l'auriez pas remarqué.

— Non, en effet...

— Le capitaine ne supporte pas qu'on repousse ses avances. Je prévois que vous allez en voir de dures.

Soudain, O'Dell se redressa, l'air surpris. Ni lui ni Charles ne s'étaient aperçus que Bent avait arrêté son cheval sur le bord de la piste boueuse et les observait, la pluie dégoulinant de la visière de son képi. Quelques secondes plus tard, Bent se haussait sur ses étriers et criait :

— Au trot! En avant, *marche!*

Le chemin était bien trop mauvais pour aller au trot, mais Charles comprit la raison de l'ordre. A cause de son refus, toute la troupe souffrirait.


— La diligence de Butterfield a quatre heures de retard, lança Bent dans les hurlements du vent.

Un feu de bois de mesquite odorant crépitait dans l'âtre de la petite salle de garde. O'Dell se chauffait les mains aux flammes. Bien qu'à l'abri, il portait une longue veste de fourrure, vêtement informe qui, auprès des Comanches, avait valu aux cavaliers le surnom de « soldats-bisons ». Le manteau n'était pas superflu. Le feu ne produisait presque pas de chaleur. La pièce était une glacière. Dehors, il faisait moins vingt. Pendant ces tempêtes de fin d'hiver, la température baissait parfois plus encore.

Bent examinait une carte clouée au mur de pisé. La nouvelle ligne de diligences reliait Fort Smith à El Paso et à la Californie. Une partie de son itinéraire suivait au sud-ouest la route militaire partant de Camp Cooper. La diligence s'était perdue de ce côté-là.

— Ils ont dû s'arrêter pour attendre que la tempête se calme, supposa O'Dell.

— Ce serait le plus logique, en effet, mais nous ne pouvons pas nous permettre des illusions. Et s'il y a eu un accident ? Et si les passagers sont blessés ? S'ils ont besoin de secours ? Nous devons envoyer une patrouille à leur recherche. J'ai déjà parlé au commandant et il est d'accord.

— Mon capitaine, le vent souffle à près de cent à l'heure ! Il y a partout une couche de glace de deux doigts d'épaisseur. Il vaut mieux au moins attendre le matin pour...

— Le commandant a laissé cela à ma discrétion, trancha Bent. Le détachement partira dans une heure. Dix hommes, avec des rations supplémentaires et du whisky. Mettez le lieutenant Main à sa tête.

O'Dell fut tellement suffoqué qu'il ne put se résoudre à envoyer un sous-officier réveiller Charles. Il y alla lui-même et il lui fallut dix minutes pour y arriver en luttant contre la tempête. Grelottant dans son sous-vêtement long, Charles se redressa, l'air ahuri.

— Cette nuit ? Dieu de Dieu, il est fou !

— On le dirait, mais naturellement, les circonstances sont pour lui. La diligence a énormément de retard et il est quand même possible que les passagers aient besoin de secours.

— Ils se sont plus probablement mis à l'abri. Ou ils sont morts. Je crois que ce salaud veut me tuer.

— Parce que vous lui avez opposé un refus ?

— Je sais que ça n'a pas de sens, mais je ne vois pas d'autre raison.

Charles repoussa les couvertures et les peaux de bison sous lesquelles il avait tenté de se réchauffer.

— Je ne sais pas pourquoi il tient tant à se débarrasser de moi, mais je ne vais certainement pas lui donner cette satisfaction. Et je ne le laisserai pas risquer non plus la vie de nos hommes. Je reviendrai et je ramènerai tout le détachement avec moi, ne vous en faites pas !

Il parlait avec plus d'assurance qu'il n'en avait. Pendant qu'au-dehors le « nordé » du Texas rugissait comme une bande de démons, il enfila toutes les chemises de flanelle et tous les pantalons qu'il possédait.

Les onze cavaliers quittèrent Camp Cooper à une heure du matin. La grêle chassée par le vent recouvrait tout, mais elle n'était pas profonde, comme l'aurait été de la neige, et cela permettait de rester sur la route carrossable. Le terrain était extrêmement traître cependant. En quatre heures, ils firent à peine deux kilomètres. Alors, le sergent Breedlove traita Bent de tous les noms malsonnants qu'il connaissait et, quand il eut épuisé son vocabulaire, il inventa.

A l'aube, le vent sauta brusquement au sud-ouest, puis, il se modéra. Des déchirures apparurent dans les nuages, révélant le lever du soleil. Une demi-heure plus tard, alors qu'ils traversaient une plaine qui ressemblait à du verre, Breedlove croassa :

— Regardez, mon lieutenant. En bas de la route.

Une mince colonne de fumée s'élevait dans le ciel qui se dégageait.

— Je parie que c'est la diligence, dit Charles d'une voix tout aussi enrouée. Ils doivent la démolir et la brûler pour se réchauffer. Elle a l'air d'être à moins de deux kilomètres.

Finalement, c'était à trois kilomètres et il leur fallut plus de trois heures pour y arriver. La voiture était couchée sur le flanc ; ses deux roues arrière et les portières manquaient. Juste au moment où le détachement arriva assez près pour distinguer nettement la situation, le cheval de Breedlove glissa et se mit à boiter de la jambe antérieure gauche.

Les autres cavaliers découvrirent les survivants de l'accident : le cocher, le garde et trois passagers presque comateux. Le cocher marmonna que la diligence s'était retournée sur la glace. A côté gisaient les cadavres gelés de trois des chevaux ; les trois autres étaient partis au galop mourir plus loin dans la tempête.

Charles regarda Breedlove qui examinait son cheval blessé. Le cœur lourd, il lui offrit son revolver.

— Abattez-le. Je le ferai, si vous ne pouvez pas.

Le sergent n'avait plus le courage de regarder sa monture à terre.

— Comment rentrerai-je au camp ?

— Comme les passagers. En croupe de quelqu'un. Je vous prendrai.

— Mon lieutenant, je sais... je sais que vous êtes aussi attaché à Palm que je le suis à mon vieux Randy. Un cheval portant une double charge aussi loin, par ce temps, sera fourbu bien avant que nous arrivions au camp. Pratiquement mort. Si vous me portez, vous devrez aussi abattre Palm. J'irai avec un des hommes.

— Nom de Dieu, ne discutez pas ! Un homme est plus important qu'un cheval. Vous monterez avec moi.

Breedlove regarda le revolver, puis sa monture couchée. Il secoua la tête.

— Je ne peux pas. Si vous le faites pour moi, je serai éternellement votre obligé.

— Retournez-vous.

Breedlove obéit, clignant des yeux dans la réverbération du soleil levant sur la glace. Charles leva son revolver en espérant que le mécanisme ne serait pas gelé. Prolonger cela, serait une torture pour le sergent. Lentement, il pressa la détente. Le coup partit. Des lambeaux de chair sautèrent en l'air pour atterrirent sur la glace, en fumant.

Le sergent laissa tomber sa tête entre ses mains et pleura.

A huit cents mètres du poste, Palm tomba à genoux, incapable d'aller plus loin. Bouleversé, Charles tira deux balles dans la tête de son cheval. Breedlove et lui firent le reste du chemin à pied, les pieds en sang. Le médecin-major déclara que Charles avait été bien près de perdre trois orteils gelés.

Charles dormit dix-huit heures. Peu après son réveil, Breedlove vint le voir et lui faire timidement des excuses. Le sergent avoua qu'il était de ceux qui n'avaient jamais eu vraiment confiance en lui parce qu'il était du Sud.

— Je vous ai drôlement mal jugé, mon lieutenant. Je le regrette de tout cœur. Vous avez fait preuve d'un sacré cran quand ça comptait. Je n'ai jamais vu ça chez aucun des Sudistes de ce régiment.

— Pas chez le colonel Lee ou Van Dorn ?

— Non.

— Eh bien ! croyez-moi, ils ont autant de cran que d'autres, que des Yankees, par exemple, répondit Charles avec un sourire railleur. Vous n'avez peut-être pas bien cherché, sergent.

— Oui, marmonna Breedlove, contrit. Ça doit être ça, probable.

Ce soir-là, Charles écrivit à Harry. Sa colère se devinait au crissement nerveux de sa plume sur le papier. Il alla droit au but.

*J'ai la chance d'être vivant pour t'écrire ceci, pour des raisons que je vais t'exposer. Je sais que tu vas trouver cela ahurissant, mais sache que je ne mens pas en affirmant que je suis maintenant presque certain que mon commandant de compagnie souhaite qu'il m'arrive malheur, à cause de vexations imaginaires et d'incidents d'insubordination qui existent plus dans son esprit que dans la réalité. Harry, je me trouve à la merci d'un sacré aliéné et comme il a à peu près ton âge et qu'il est sorti de l'Académie, je viens te demander si par hasard tu le connais.*

Il s'interrompit pour plonger rageusement sa plume dans l'encrier. La flamme vacillante de sa lampe faisait danser des ombres sur sa figure crispée, quand il ajouta :

*Il s'appelle Elkanah Bent.*

CHAPITRE XLIII

Le plan de Bent avait fait long feu. Non seulement Charles Main avait survécu à la mission de secours ordonnée par un temps qui aurait dû le tuer ou le laisser infirme à vie, mais son détachement et lui avaient été cités à l'ordre de l'armée par le quartier général de la Région militaire du Texas. La citation parlait de « l'accomplissement d'une mission humanitaire face à d'extrêmes dangers naturels » et figurait dans les états de service de chacun des hommes qui y avaient participé. Le commandant avait présidé un banquet en l'honneur du détachement et levé son verre au courage de Main.

En particulier, cependant, dans son bureau, le commandant mit en question le choix et le courage de Bent.

— Quand je vous ai chargé de rechercher la diligence, capitaine, pas un instant je n'ai imaginé que vous enverriez des hommes avant que la tempête ne commence à se calmer. De plus, je note que vous n'avez pas commandé le détachement mais préféré rester sur place, en exigeant que le lieutenant Main affronte le plus gros du danger. Une seule raison m'empêche de signaler ces fautes. Grâce à Main, tout s'est bien terminé et on ne déplore aucune perte humaine. Vous avez de la chance. Pour cette fois.

La critique était dure. Bent cessa immédiatement de harceler le cousin d'Harry Main et s'appliqua au contraire à chanter ses louanges, surtout quand d'autres pouvaient l'entendre. Mais il le supportait mal. A la suite de la mission dans la tempête, le premier sergent était le ferme partisan de Charles ainsi que la plupart des hommes. O'Dell le soutenant également, Bent se trouvait complètement isolé. Il en rendait Charles responsable ! Charles qui n'était plus seulement un représentant haï des Main mais un ennemi personnel.

Il avait tout de même compris une leçon. Jamais plus, il n'enverrait le sous-lieutenant vers un danger, en restant lui-même à l'arrière. Il irait aussi et trouverait le moyen de lui régler son compte, à la faveur d'une escarmouche quelconque. Cette technique lui avait déjà réussi dans le passé.

L'occasion de frapper Charles se présenta en août, au cours d'une période de sécheresse. Un fermier affolé arriva au poste sur une mule. Le commandant convoqua Bent et lui annonça :

— C'est la ferme Lantzman. A trois kilomètres au-delà de Phantom Hill.

Phantom Hill était un fortin abandonné dont les cheminées calcinées servaient de point de repère. Le vieux fermier expliqua :

— J'habite près de chez les Lantzman. Ils ont vu des Comanches Penatekas dans le voisinage, alors ils se sont retranchés chez eux et ils m'ont envoyé chercher du secours.

— Des Penatekas, dites-vous ? grommela Bent. Des Indiens de la réserve ?

— Il est plus probable qu'ils appartiennent à la bande de Sanaco, précisa le commandant.

Sanaco était un chef indien qui avait refusé de s'installer dans la réserve.

— Les Indiens les ont attaqués ? demanda Bent.

— Non. Lantzman pense qu'ils veulent s'amuser un brin, pendant un jour ou deux peut-être, avant de voler ses chevaux.

Le commandant confia l'affaire à Bent. Après le fiasco de la diligence, le capitaine désirait paraître aussi compétent que prudent. Il feignit de réfléchir profondément, puis il marmonna :

— Une demi-douzaine ? Vous êtes sûr que Lantzman n'en a pas vu davantage ?

— Sûr, affirma le fermier.

Bent n'avait aucune raison d'en douter. Les bandes de Comanches maraudeurs étaient rarement importantes. Il réfléchit encore et déclara :

— Je vais prendre vingt hommes, y compris les deux lieutenants et notre pisteur.

Le commandant parut sceptique.

— Vous êtes sûr de ne pas vouloir toute la troupe ?

La panique prit un instant Bent à la gorge. On suspectait encore une fois son jugement. Il fanfaronna :

— Vingt-quatre contre six, c'est une marge de sécurité, mon commandant. Surtout avec des hommes comme les miens.

Cette réplique bravache plut au commandant. Bent quitta rapidement le bureau, le cœur battant et non sans inquiétude à la pensée d'aller se mesurer avec des Indiens hostiles. Cependant, conduire un détachement contre une bande de Comanches, même réduite, ferait bon effet sur ses états de service. Cela pourrait même effacer la tache laissée par l'incident de la diligence.

— *Colonne... halte!*

Devant eux, au-delà de la plaine de mesquite, Charles aperçut les ruines des cheminées se dressant dans la rougeur du soir. O'Dell et lui trottèrent en tête. Bent convoqua le pisteur Delaware. Quelques instants plus tard, O'Dell et l'éclaireur galopaient vers les ruines de Phantom Hill et disparaissaient au-delà de la crête.

Les hommes mirent pied à terre, pour boire un peu d'eau tiède de leur bidon et causer tout bas. Charles n'avait rien à dire à Bent, qui s'éloigna brusquement d'une cinquantaine de mètres et sauta de sa selle. Charles le surveilla. Rien ne parvenait à chasser une peur lancinante devant le gros homme, une peur d'autant plus inquiétante que son origine échappait à son entendement. Les raisons qui lui venaient à l'esprit étaient vraiment trop banales ou trop incroyables.

— Les voilà! s'exclama un caporal.

Delaware et O'Dell au pas pour ne pas soulever de poussière descendaient du sommet. Les éclaireurs allèrent tout droit à Bent. Charles comprit à leur expression qu'ils n'apportaient pas de nouvelles encourageantes. Il s'approcha et d'autres hommes l'imitèrent. Tous entendirent le pisteur annoncer:

— Beaucoup Penatekas, maintenant. Braves de Sanaco. Aussi de bande de Chef Bosse-de-Bison. Mauvais.

De la sueur perla au front de Bent.

— Combien sont-ils?

— J'en ai compté près de quarante, répondit O'Dell.

— Quarante! s'écria le capitaine. Décri... décrivez la situation.

O'Dell dégaina son couteau, s'accroupit et traça un grand fer à cheval dans la poussière.

— C'est la boucle du ruisseau. Les Indiens sont là, dit-il en posant la pointe de la lame sous l'arc de cercle et, à l'intérieur, il dessina un rectangle représentant la maison des Lantzman et un carré, leur corral.

Il ajouta deux carrés plus petits sur le côté de la maison faisant face au corral.

— Deux garçons sont embusqués derrière des balles de foin, là et là. Ils ont des mousquets. Ce sont sans doute les fils du fermier. Ils protègent une douzaine de chevaux.

— Qu'est-ce qu'il y a derrière la maison? demanda Charles.

O'Dell traça trois lignes parallèles à l'ouverture du fer à cheval.

— Un terrain plat. Des rangées de maïs tellement brûlé par le soleil qu'il ne donnera rien cette année. Le maïs est assez bas et clairsemé pour que deux fusils puissent empêcher n'importe qui de se glisser par là.

— Que font les Indiens en ce moment?

Les yeux illuminés de rouge par le coucher de soleil, O'Dell se releva lentement.

— Ils mangent. Ils boivent. Ils laissent leurs victimes mijoter encore un peu.

— Quarante, murmura le capitaine en secouant la tête. C'est trop. Nous devrions faire demi-tour.

— Demi-tour ? cria Charles.

Pour exprimer sa pensée, O'Dell se râcla la gorge et cracha entre ses bottes poussiéreuses. Précipitamment, Bent ajouta :

— Pour rassembler des renforts.

Les murmures et les sourcils froncés de la troupe apprirent au capitaine qu'il aurait mieux fait de se taire. Les regards qu'échangeaient les hommes le jugeaient : *Lâche*.

Il rendit les deux lieutenants responsables de cette réaction ; leur expression l'encourageait. Celle de Main surtout qui insistait :

— Il faudrait au moins une journée entière pour appeler des renforts. Pendant ce temps, les Lantzman risquent d'être incendiés et scalpés.

— Que proposeriez-vous, lieutenant ?

— De faire sortir la famille de là.

— Il faudrait donc y aller.

— Oui. Delaware, y a-t-il un moyen ?

La brise agita les franges de la veste de peau du pisteur quand il tendit le bras.

— Trois kilomètres, peut-être quatre. En coupant par les collines. Un cercle et on revient par le maïs. Ça prendrait presque toute la nuit, mais alors Comanches ivres et endormis. Doit y en avoir qui surveillent le maïs. Endormis aussi, peut-être.

Charles essuya ses mains moites sur son treillis sale. Le vent apportait le son lointain d'un chant et le faible battement d'un tambourin. Il se dit qu'il ne devait pas trop pousser le capitaine. Bent risquait de se hérisser, d'ordonner le repli, condamnant ainsi à mort le fermier et sa famille. D'une voix dépourvue de toute émotion, il déclara :

— Je me porte volontaire pour conduire un peloton jusqu'à la ferme, mon capitaine. Nous devrions tenter le coup ce soir, au cas où les Comanches décideraient d'attaquer à l'aube.

Bent fit un effort pour parler aussi calmement que son subordonné.

— Vous avez raison, naturellement. Ce que je disais n'était en rien mon dernier mot. Je réfléchissais tout haut, simplement.

Il vit que les hommes n'étaient pas convaincus, mais que pouvaient-ils faire ? Dissimulant sa frousse, il ajouta :

— Nous enverrons deux hommes chercher du renfort. Les autres se mettront en mouvement dès la tombée de la nuit.

— Tous, mon capitaine ?

Pendant une seconde, les yeux de Bent révélèrent sa haine. Il pensa en lui-même : *Je jure que je le verrai mort avant le jour.*

— Tous, répliqua-t-il.

— Parfait, dit O'Dell en repoussant enfin son couteau dans sa gaine.

Les soldats étaient nerveux mais satisfaits. Le pisteur aussi. Par-delà les collines rougies par le couchant, on entendait les chants et les cris de guerre des Comanches.

## CHAPITRE XLIV

CHARLES CLIGNA DES YEUX.
La ferme était à quatre cents mètres, un peu plus peut-être. Il n'y avait aucune lumière, mais Lantzman et sa famille devaient monter la garde dans l'obscurité.

Il craignit qu'ils commencent à tirer dès que les cavaliers surgiraient du maïs et se dit que Bent aurait dû ordonner une sonnerie de clairon, pour avertir de la présence des soldats.

Un cheval hennit doucement de l'autre côté de la ferme. Le toit cachait la lueur d'un feu sur la pente, au-delà du ruisseau. Tout était silencieux dans le camp des Comanches. S'ils entendaient attaquer à l'aube, ils ne se préparaient pas encore.

Soudain, une noire silhouette d'épouvantail se dressa dans le maïs à dix mètres de la maison. Charles distingua vaguement des cheveux longs et une arme levée en position de tir. Un des soldats cria un avertissement. Le mousquet de l'Indien cracha le feu. Entre Charles et le centre, un cavalier tomba de sa selle. D'autres sentinelles comanches, cinq ou six, se dressèrent soudain et se mirent à tirer.

On criait dans la ferme, à présent. Une nouvelle fusillade. Une balle tirée de la maison abattit un soldat. Charles jura. Qu'est-ce que le capitaine attendait pour sonner le clairon ? Que la famille Lantzman les tue tous ?

Bent tremblait. Enfin, il hurla :

— Clairon ! Sonnez le trot !

L'homme vacillait sur son cheval comme s'il avait trop bu. Furieux, Bent rengaina son épée, changea son revolver de main et maîtrisa son cheval effrayé. Il se pencha pour saisir la chemise de flanelle du clairon. Sa main se referma sur une humidité poisseuse.

Sans réfléchir, il poussa le soldat qui tomba, la tête rejetée en arrière. Dans la pénombre, Bent découvrit qu'une balle lui avait crevé l'œil droit.

Deux ou trois Indiens restaient entre les soldats et la ferme. Le capitaine sauta à terre, des balles sifflaient autour de lui. Egaré, affolé, il ne pensait qu'à l'indispensable sonnerie de clairon.

— Serrez les rangs ! Serrez et avancez ! cria quelqu'un.

Qui donne des ordres ? pensa Bent en se baissant pour ramasser le clairon. Main, bien sûr ! Plus tard, on dirait que c'était lui qui avait pris l'initiative. Bent le maudit avec violence.

Le clairon ensanglanté à la main, il remonta en selle et vit Charles passer au galop de droite à gauche. Jetant l'instrument, il arracha son revolver de l'étui et regarda vivement de tous côtés.

Personne n'était près de lui, personne ne le voyait. La colonne se dispersait, chaque soldat se défendant comme il pouvait. Bent visa le dos de Charles. Il serra les dents. Lentement, son index se crispa sur la détente. A ce moment, la balle d'un Indien frappa son cheval à la hanche. L'animal se cabra en hennissant de douleur ; et Bent, surpris, tira, sa balle se perdit et Charles continua de galoper, indemne.

Fou de colère, Bent allait recommencer, oubliant toute prudence. Un mouvement dans le maïs attira son attention. Il tourna la tête. Un cavalier était à moins de trois mètres...

— O'Dell ! Je ne vous avais pas vu...

Terrifié d'être découvert Bent sentit sa vessie se vider.

— Que diable faites-vous, mon capitaine ? lança O'Dell. Pourquoi tirez-vous sur un de vos hommes ?

L'accusation eut un effet inattendu. Elle rendit son sang-froid à Bent, lui fit comprendre le danger où sa haine l'avait poussé. Aucun mensonge ne pouvait plus le sauver. Il répondit en levant sa carabine.

O'Dell ouvrit la bouche mais n'eut pas le temps de crier. La balle de Bent lui emporta la moitié de la figure et le projeta de côté. Sa botte gauche glissa de l'étrier mais l'autre resta accrochée. Le cheval partit au galop en traînant son cavalier la tête en bas. Son crâne fut rapidement réduit en bouillie sur la terre durcie.

Luttant contre la panique, Bent examina les environs. Personne. Il faisait encore trop sombre, la fumée de poudre et la brume gênaient la visibilité. Bent remit sa carabine dans les fontes et dégaina son épée. Tenant la lame en tierce, il hurla l'ordre d'avancer au trot.

Charles l'avait précédé. Trois soldats abattirent la dernière sentinelle indienne. L'un d'eux lui trancha la gorge d'un coup de sabre pour plus de sûreté.

Risquant sa vie pour être certain que les Lantzman l'entendent, Charles avança à moins de six mètres de la ferme et cria :

— C'est le Deuxième de Cavalerie. Ne tirez pas !

Le silence tomba. La fumée se dissipa en se confondant avec la brume. Bent s'approcha au petit trot.

— Pied à terre ! Pied à terre !

Un par un, les soldats obéirent. Haletant, Bent sauta de sa selle parmi les chevaux hésitants. Il espérait que l'obscurité cacherait son pantalon mouillé.

— Beau travail, les gars. Nous avons gagné notre journée.

— Nous avons perdu trois hommes, répliqua Charles, toujours à cheval. Non, attendez. Où est O'Dell ? O'Dell !... O'Dell !

— Inutile, lieutenant, dit Bent. Un des sauvages l'a eu. Je l'ai vu tomber. Son cheval l'a entraîné.

Le cœur de Bent tonnait à ses oreilles. Si quelqu'un devait réfuter son mensonge, ce serait maintenant... maintenant...

— Mon Dieu, murmura Charles, et les autres gardèrent le silence. Bent respira. Il carra ses épaules.

— Je regrette cette perte autant que vous, mais nous devons consolider nos gains et préparer notre prochaine manœuvre. Il faut placer des sentinelles de ce côté de la maison, lieutenant. Occupez-vous de ça pendant que je vais voir ces gens.

Il pivota, une main sur la poignée de son sabre. Comme un général conquérant, il se dirigea vers la ferme en appelant :

— Lantzman !

Soudain, des cris se firent entendre du côté du ruisseau. Charles sauta à terre et courut au coin de la maison. Dans le camp comanche, les Indiens galopaient en rond, brandissaient des lances, hurlaient. Un chariot descendait en grinçant au flanc de la colline. C'était le chariot de l'intendance qui suivait la troupe, mais il était conduit par des Comanches. Le côté gauche de la bâche était couvert de sang. Des soldats se massèrent derrière Charles, en chuchotant et en montrant le chariot.

— Les salopards, gronda un homme. Qu'est-ce qu'ils ont fait de nos gars, mon lieutenant ?

— J'aime autant ne pas le savoir, marmonna Charles.

Il avait encore les jambes flageolantes quand il entra dans la ferme. La pièce unique empestait la poudre et bien pire. Il vit des mouches sur deux corps cachés jusqu'au cou sous des couvertures. Le premier, un vieil homme aux cheveux gris, devait être Lantzman et l'autre son fils aîné, Karl, dont la jambe estropiée avait empêché la famille de fuir. Charles supposa que tous deux étaient morts dehors.

Il restait quatre membres de la famille : Mrs Lantzman, une petite femme usée, des verrues sur le menton ; deux fils adolescents qui se traînaient comme des somnambules, les yeux vitreux. La quatrième survivante paraissait moins frappée par le siège, sans doute parce qu'elle était plus jeune.

Charles lui donna environ douze ans. Elle avait un joli visage de petite fille, mais déjà un corps de femme. Il vit le regard de Bent s'attarder sur les rondeurs révélées par le corsage serré de la robe de cretonne.

Elle ne remarqua pas cette attention, très occupée à retirer des balles d'une sacoche de cuir accrochée à son épaule. Un mousquet Augustin était appuyé contre sa hanche, une arme autrichienne. L'intendance en avait beaucoup importé.

— Comment pouvons-nous rester ici, capitaine ? demanda Mrs Lantzman au bord des larmes. Nous n'avons plus rien à manger. Mon mari a été tué en essayant d'aller chercher de l'eau au ruisseau.

— Nous avons des rations. De l'eau aussi, répondit Bent avec assurance. Mes hommes vont se retrancher autour de la maison pendant que nous attendons des renforts. S'ils ne sont pas retardés par le mauvais temps, ils devraient arriver avant la fin de la journée.

— Je ne crois pas, mon capitaine, déclara Charles un œil contre une fissure du mur et sans se retourner.

— Vous dites ?

— Venez voir. Une demi-douzaine de braves viennent d'arriver. Regardez les lances.

Bent s'approcha et blêmit. Les nouveaux venus brandissaient victorieusement leurs armes. Deux d'entre elles portaient des trophées : c'était les têtes des deux soldats envoyés à Camp Cooper.

Charles crut que le capitaine allait s'effondrer, puis il le vit se mettre à marcher de long en large, en marmonnant tout seul, le regard vague, presque fou. Chaque seconde comptait maintenant. Il toussota avant de risquer :

— Mon capitaine...

Bent pivota et hurla :

— Qu'est-ce que c'est ?

— J'aimerais avoir l'autorisation d'envoyer des éclaireurs dans le champ de maïs. C'est notre seule issue.

Le capitaine leva une main molle et s'assit sur un tabouret.

— Allez... allez.

Charles sortit précipitamment. Vingt minutes plus tard il était de retour, la mine sombre.

— Ils se sont déjà installés dans les ravines au-delà du champ. Ils sont au moins quinze, d'après le caporal Ostrander. Nous sommes cernés.

Pourquoi ne sommes-nous pas partis plus tôt ? se demanda-t-il avec colère. Pourquoi Bent nous a-t-il obligés à attendre l'arrivée des renforts ?

Bent passa une main sur sa figure en sueur.

— Cernés ? répéta-t-il. Alors nous devons nous retrancher et attendre des secours.

— D'où ? s'exclama Charles.

— Je ne sais pas ! Quelqu'un viendra...

— Un instant, reprit Charles et il s'adressa plus aux hommes qu'à son supérieur. Voilà, reconnaissons que nous sommes dans une sale situation. Nous sommes écrasés par le nombre et personne ne viendra de Camp Cooper nous secourir. Les Comanches peuvent augmenter leurs forces et attaquer selon leur bon plaisir. Je crois qu'aucun de nous n'a envie de rester ici pour se faire tuer, ou être prisonnier, ajouta-t-il avec un regard vers la petite Martha, ce que la mère Lantzmann comprit très bien.

— Que proposez-vous ? gronda Bent.

— De tenir jusqu'à la nuit et de tenter ensuite une sortie. J'ai pensé à un moyen de distraire...

— Non ! glapit Bent en se levant si brusquement qu'il renversa le tabouret.

Charles éprouva alors une curieuse sensation, comme s'il venait de décider de sauter dans un précipice, ce qui était un peu le cas. Mais quel autre choix avait-il ? Bent avait perdu ses moyens, il était incapable de maîtriser la situation.

— Je regrette, mon capitaine, mais la fuite est la seule solution.

Bent rougit. Il saisit un petit pichet sur la table, le jeta contre le mur et marcha sur Charles.

— Vous me tenez tête ? Vous réfutez mon autorité ?

— Si vous comptez rester ici, mon capitaine, eh bien, oui.

— Lieutenant, gronda Bent d'une voix frémissante, n'ajoutez pas un seul mot. C'est un ordre. Sortez d'ici jusqu'à ce que je vous fasse appeler.

Charles fut navré d'en arriver à l'affrontement de leurs deux volontés, à cette remise en question de l'autorité, alors qu'ils auraient dû s'allier pour se sauver eux et tous les autres. Mais comment convaincre un fou ?

— Je sortirai, mon capitaine, mais je ne puis vous obéir. Si nous restons ici, nous sommes perdus.

Bent le dévisagea, puis il dit posément :

— Lieutenant Main, vous m'obéirez ou vous passerez en conseil de guerre.

— Mon capitaine, nous partirons.

Bent empoigna le col de Charles et le tordit.

— Nom de Dieu, je vous ferai casser !

Charles se dégagea. Il dut faire un effort surhumain pour ne pas frapper le gros officier. Il répondit d'une voix sourde :

— Si nous nous en tirons la vie sauve, vous pourrez toujours essayer. Nous partirons dès qu'il fera nuit. J'emmènerai avec moi tous ceux qui voudront partir.

L'expression résolue de la jeune Martha montra qu'elle avait déjà pris sa décision. Charles se tourna vers le capitaine.

— Je ferai la même proposition à nos hommes. Personne ne sera obligé de partir.

— Foutez le camp, souffla Bent.

Plié en deux, Charles courut vers le bord du champ. Dans les ravines, de l'autre côté, un coup de feu claqua. La balle siffla dans les tiges de maïs près de lui. A genoux, il arracha quelques feuilles et les roula entre ses doigts.

Elles étaient sèches comme de la poudre. Il pensa que s'il pouvait persuader Mrs Lantzman de lâcher ses chevaux — que les Comanches voleraient de toute façon — ils auraient tous une chance, une chance bien mince de se sauver.


## CHAPITRE XLV


A L'OUEST, SEULE UNE FINE ligne de soleil se dessinait au-dessus des collines. Le ciel et la terre s'assombrissaient rapidement. Charles avait repassé dix fois dans sa tête son plan d'évasion.

Une heure plus tôt, suivant ses instructions, des soldats avaient allumé un feu à mi-chemin entre la maison et le champ, là où les Indiens le remarqueraient. A l'intérieur, Mrs Lantzman et sa fille avaient entouré de chiffons l'extrémité de plusieurs branches de peuplier et les avaient trempées dans du pétrole. Les fils avaient sellé des chevaux pour la famille et ils étaient maintenant en attente derrière les balles de foin, de l'autre côté de la ferme, prêts à la brève course dangereuse vers le corral. Le caporal Ostrander se glissa dans l'ombre vers Charles.

— Tout est prêt, mon lieutenant.

— Bien. C'est le moment. Nous...

Charles s'interrompit en voyant le caporal ouvrir des yeux ronds. Il se retourna. Du seuil de la ferme, Bent annonçait :

— Je vais avec vous.

Le capitaine jusque-là avait été le seul à résister. Charles essaya de lui tendre un rameau d'olivier en répondant aimablement :

— Parfait, mon capitaine.

Cela ne lui servit à rien.

— Je pars surtout pour avoir la satisfaction de vous faire foutre hors de l'armée. Profitez de votre commandement. C'est le dernier.

Martha sortit avec les torches préparées. En les tenant près du sol pour ne pas attirer l'attention des sentinelles au bout du champ, elle les tendit à Ostrander qui les remit aux hommes qui feignaient de se reposer près du feu. Dans l'obscurité, de chaque côté de la maison, des chevaux s'ébrouaient; les autres soldats étaient déjà en selle et tenaient les montures des hommes qui allumeraient les torches.

— A vos chevaux, lança Charles à Mrs Lantzman et à sa fille.

Elles s'éloignèrent vivement. Il regarda fixement Bent, qui, incroyablement, eut l'air de rire avant de les suivre.

Charles se retourna et considéra le champ, en se demandant s'ils allaient tous y mourir. Soudain, comme un courant tumultueux dans une crue de printemps, une puissante volonté de vivre l'envahit. Jugeant que la situation était presque désespérée, il comprit qu'il n'avait pas de temps à perdre. Par conséquent, il devait faire preuve d'audace. Son masque sale et barbu s'éclaira d'un sourire.

Certains hommes le notèrent et se mirent à sourire aussi. Charles comprit qu'il avait découvert un des secrets qui faisaient les bons officiers dans les moments difficiles. Il souhaita s'en sortir pour le mettre à profit une autre fois. Regardant chacun des hommes pour indiquer que le moment était venu, il leva son revolver et tira en l'air.

Au bruit de la détonation, toute activité s'arrêta dans le camp comanche. Puis, Charles entendit un martèlement de sabots dans le corral et les cris d'un des jeunes Lantzman :

— Yah! hah! Yah!

Les chevaux s'enfuirent au galop. Certains plongèrent dans le ruisseau, juste avant le premier coup de feu des Comanches. Les Indiens n'avaient pas de cibles visibles mais devinaient qu'il se passait quelque chose.

Charles tira encore deux fois. En réponse au signal, les soldats plongèrent les torches dans les braises. Les chiffons s'embrasèrent en crépitant. Chaque homme courut vers les positions prévues, à droite et à gauche, et mirent le feu au maïs, le plan prévoyant qu'une allée d'une quinzaine de mètres de large serait laissée libre au milieu. Charles comptait sur l'absence de vent pour que cette allée reste ouverte assez longtemps pour leur permettre de s'échapper tous.

Il sauta en selle. Des flammes montaient déjà des tiges sèches; le champ brûlait plus vite qu'il ne l'avait prévu. Il trotta jusqu'à l'entrée de l'allée, arrêta son cheval d'un côté et abattit son bras.

— Colonne par deux! Au trot!

De chaque côté de la maison, des cavaliers surgirent et se formèrent rapidement. Charles avait placé les plus expérimentés en avant et les Lantzman au milieu, où ils seraient le mieux protégés.

Au grand trot, les chevaux s'élancèrent. Déjà le feu menaçait l'entrée. Un faible bruit d'éclaboussures révéla que les Comanches traversaient le ruisseau.

— Vite, plus vite! cria Charles aux hommes chargés des torches.

Ils montèrent et trottèrent dans l'allée. Charles sentait la chaleur du feu dans son dos. Le cheval de Bent broncha mais il le poussa en avant, à la suite de la colonne.

Des flammes jaillissaient à droite et à gauche, se croisaient. Un Indien peinturluré apparut au coin de la maison. Charles l'abattit. Puis, piquant des deux, il plongea dans le feu, couché sur l'encolure de son cheval. Devant lui, l'incendie avait réduit la largeur du passage à trois mètres. Bent était à vingt mètres de lui et, au-delà, il ne voyait pas grand-chose à part les silhouettes dansantes de ses hommes se profilant sur la clarté du brasier.

La fumée tournoyait autour de Charles. L'incendie consumait le maïs en rugissant. Juste devant, le passage était presque fermé.

Charles se courba encore plus bas sur l'encolure, en murmurant des encouragements à son cheval alors que la barricade de flammes approchait.

L'alezan sauta sans peur, comme le meilleur jumper de l'Académie. La lumière aveugla Charles. La chaleur lui brûla les joues. Et puis sa monture et lui se retrouvèrent dans la fraîcheur et l'obscurité.

L'alezan atterrit bien mais durement. Charles fut presque désarçonné. Il tint bon et deux secondes plus tard une figure de cauchemar — striée de jaune, les yeux cerclés de blanc — jaillit sur sa droite.

C'était une sentinelle comanche, à pied. L'Indien abattit une hache en visant la cuisse de Charles qui planta ses éperons. L'alezan bondit. La hache manqua Charles mais s'enfonça dans le flanc de l'animal traversant le muscle et sectionnant une artère. Il se cabra et Charles fut jeté à terre.

En tombant, il parvint à fourrer son revolver contre la poitrine du Comanche et à presser la détente. L'Indien partit à la renverse dans le maïs en feu. En quelques secondes, il ne fut plus qu'une torche.

Charles était cloué au sol, sous le cheval qui se débattait en hennissant de douleur. Il parvint à se dégager, et vida son arme dans la tête de l'alezan.

Le maïs crépitait bruyamment. Charles regarda de tous côtés mais ne vit plus ses hommes. Il fut pris de panique et se mit à courir à leur poursuite. En se souvenant que le capitaine fermait la marche, il hurla :

— Bent ! Bent ! A moi !

Haletant, il continua de courir en chancelant, sans savoir si le capitaine ou quelqu'un l'avait entendu.

— *Attention !*

C'était la voix d'un soldat qui avait entendu son appel au secours et fait demi-tour. En se tournant vers le cavalier, Charles poussa un cri. Un autre Comanche bondissait sur lui, armé d'une lance. Il pivota pour présenter son côté droit et para le coup avec son revolver vide. Le canon écarta juste assez la lance pour éviter une blessure mortelle, mais le fer lui déchira la manche à l'épaule.

La course de l'Indien l'avait amené presque sur Charles, qui dégaina son couteau de la main gauche. La bouche peinte grimaça ; l'Indien ne put reculer assez vite. Charles planta le couteau jusqu'à la garde et l'arracha du ventre peint.

La réaction se fit alors. Une nausée, des tremblements, la vue brouillée. Il ne reconnut pas le soldat qui avait entendu son appel, et avait lancé un avertissement.

— Bent ?

Il s'abrita les yeux avec son avant-bras mais ne vit pas davantage.

— Non, mon lieutenant, c'est le soldat Tannen. Le capitaine a filé devant.

*Après m'avoir entendu appeler au secours !*

— Montez en croupe, mon lieutenant. Nous allons nous en sortir. Tous.

Ils rejoignirent la colonne en fuite. Charles ferma les yeux, un bras autour de la taille du soldat, muet de soulagement.

## CHAPITRE XLVI

Bent COMPTAIT COUVRIR LA
distance jusqu'au Camp Cooper en une seule journée mais, vers trois
heures de l'après-midi, un des jeunes Lantzman fut pris de fortes
crampes d'estomac et sa mère supplia le capitaine de faire halte, pour
que le garçon puisse se reposer quelques minutes. Les minutes
devinrent une heure. Un orage grondait au nord. Bent donna l'ordre de
construire un abri pour les civils et décida, puisqu'aucun danger ne
menaçait, de camper pour la nuit. Les hommes grommelèrent, mais
Bent ne les écouta pas. Il était fatigué, il avait mal aux cuisses et il
était heureux de l'occasion de rétablir son autorité.

Un vent violent se leva, souleva de la poussière et des détritus
pendant une demi-heure, mais aucune pluie ne tomba. L'orage passa,
laissant les soldats encore plus maussades à la pensée qu'ils auraient
pu continuer et être dans leur lit avant l'extinction des feux.

Le camp avait été dressé sur un terrain plat près d'un ruisseau à sec.
Quelques peupliers le bordaient et ce fut là que Bent étala ses
couvertures et se fit un feu, à une dizaine de mètres de l'abri. Caché
dans l'ombre des arbres, il attrapa son flacon plat et, après deux
solides rasades de whisky, il se détendit un peu. Il savoura l'odeur du
feu de bois, le bourdonnement des insectes, les conversations à voix
basses des hommes. Il but encore, l'esprit peuplé de visions d'Alexandre, de Gengis Khan, de Bonaparte. En lui-même, il avait déjà excusé
son comportement à la ferme en rejetant le blâme sur d'autres
facteurs : pas assez d'hommes, meurtre infortuné des soldats envoyés
pour chercher des renforts, hostilité de ses lieutenants.

Un des officiers traîtres était déjà éliminé, l'autre le serait bientôt. Il
se délectait à la pensée de ce que ressentirait Harry Main lorsqu'il
apprendrait que son cousin était cassé. En ricanant, il leva de nouveau
son flacon. Un léger bruit attira son attention. Il se figea, dissimulé
sous les arbres.

La jeune Martha se dirigeait vers les peupliers. En passant près de
Charles qui s'efforçait de fixer un pansement propre autour de sa
vilaine coupure à l'épaule, elle s'arrêta un instant pour l'aider, puis
repartit. Charles, la suivit des yeux jusqu'à ce qu'elle eût disparu dans
l'obscurité.

Bent aussi regarda la fillette dont les seins déjà se dessinnaient sous
la blouse. Il y avait longtemps qu'il n'avait pas touché une femme.
Bien entendu, aucun officier ne se risquerait à porter la main sur une
fille aussi jeune, mais quel mal y aurait-il à l'approcher d'un peu près ?
Portant le flacon plat à ses lèvres, il le vida.

Martha n'était pas loin. Au bord du ruisseau, de l'autre côté des
peupliers, elle s'était assise au clair de lune, avait croisé les bras, rejeté
sa tête en arrière et poussé un soupir d'aise. Tout à coup, elle se
redressa.

— Qui est là, jeta-t-elle, effrayée.

— Seulement le capitaine Bent, mon enfant.

Il surgit de sous les arbres, tête nue et la démarche mal assurée. Le cœur de la fillette se mit à battre plus rapidement, mais elle se calma vite. Qu'avait-elle à craindre d'un officier ?

— Il m'avait semblé apercevoir quelqu'un par ici, reprit-il en s'approchant. C'est une chance que ce soit quelqu'un de gentil...

Cette fausse cordialité alarma Martha. Le capitaine sentait la sueur et le whisky.

— Belle nuit, n'est-ce pas ? ajouta-t-il.

— Je ne sais pas. Enfin, oui. Il faut que je retourne...

— Déjà ? Pas encore, voyons.

Il parlait d'une voix douce, basse, comme un bon oncle, mais l'adolescente, d'instinct, se sentit déroutée, inquiète. Bent prit son immobilité pour un consentement.

— Voilà, n'ayez crainte. Nous sommes tranquilles ici.

Il est ivre, pensa-t-elle. Elle avait assez souvent vu son pauvre père dans le même état pour en reconnaître les symptômes.

— Quelle charmante enfant vous êtes ! commença Bent. Et jolie, pour une fille aussi jeune. J'aimerais que nous devenions amis.

Il tendit la main vers la tête de Martha, et souleva ses cheveux soyeux. Aussitôt, elle fut pétrifiée de terreur. Il caressa une mèche, la frotta entre son pouce et son index. Puis, lentement, il la tira vers lui. Enfin, il tira plus fort, entraînant la tête. Sa respiration oppressée fit soudain un bruit de locomotive à vapeur.

— Lâchez-moi, s'il vous plaît, souffla Martha, affolée.

Il se raidit et durcit sa voix.

— Pas si fort, enfant, n'attirons pas l'attention.

Et il lui saisit vivement le bras. Elle poussa un petit cri.

— Taisez-vous, bon Dieu, gronda Bent. Assez ! Taisez-vous !

Brusquement, il la secoua avec colère sans remarquer à côté d'eux une présence, et avant de noter du soulagement dans les jeunes yeux. Il pivota comme un homme face au peloton d'exécution et recula en découvrant d'abord Charles Main et, derrière lui, bondissant hors des peupliers, l'aîné des fils Lantzman et sa mère. La lune brillait sur le long canon du mousquet autrichien que cette dernière braquait sur lui.

Les deux visages, celui de la fillette et celui de Bent, apprirent à Charles ce qu'il avait besoin de savoir. Mrs Lantzman se précipita vers sa fille en prononçant des mots incompréhensibles.

— Silence, lança Charles. Taisez-vous tous !

Ils obéirent. Une sentinelle, suivie par plusieurs soldats, accourait, Charles agita les bras et cria :

— Retournez au camp. Tout va bien.

Ils firent demi-tour. Charles attendit qu'ils eussent disparu au-delà des arbres, puis il toisa Bent. Le capitaine transpirait, vacillait, évitait le regard de son subordonné.

— Martha, vous n'avez aucun mal ? demanda Charles.

— Non...

— Ramenez-la dans l'abri, Mrs Lantzman. Et gardez-la avec vous.

Les mains crispées sur le mousquet, la mère protesta :

— Qu'est-ce que c'est que ces hommes qu'on envoie servir au Texas ? Des voyous sans morale, sans principe ?

— Mrs Lantzman, assez. Votre fille va bien. L'incident est malheureux mais nous avons tous été soumis à une telle tension nerveuse... Je suis sûr que le capitaine regrette cet incident.

— Incident ? grommela le frère de Martha. Il est soûl comme une vache. Sentez-le !

— Insolent ! hurla Bent.

Charles saisit le bras levé du capitaine et le força à le baisser. Bent geignit et laissa tomber son bras. Charles prit Martha et son frère par les épaules, les retourna et ordonna :

— Restez dans l'abri et oubliez tout ça. Je suis certain que le capitaine vous fera des excuses.

— Des excuses ! En aucun cas, je ne...

Mais Bent s'interrompit et puis marmonna :

— Bon. Considérez qu'elles sont faites.

Mrs Lantzman gardait son air belliqueux. Charles lui parla tout bas, avec insistance.

— Allez, je vous en prie.

Elle passa le mousquet à son fils, prit sa fille par la taille et l'entraîna. Bent pressa ses deux mains sur sa figure, les y laissa pendant dix secondes, puis il releva la tête.

— Merci, dit-il enfin.

Charles ne répondit pas.

Bent poursuivit :

— Je ne comprends pas pourquoi vous m'avez aidé mais...

— Cela n'aurait servi à rien qu'elle vous tue. Et elle l'aurait regretté ensuite. S'il doit y avoir un châtiment pour ce qui vient de se passer, il faut qu'il vienne de haut.

— Un châtiment ? Que voulez-vous dire ?

Charles garda le silence. Il tourna les talons et s'éloigna dans les hautes herbes couchées par le vent.

Les Lantzman passèrent la nuit au Camp Cooper et repartirent pour leur ferme accompagnés d'une escorte. Bent, en proie à une nouvelle crise de dysenterie, disparut dans ses quartiers. Charles ne connaissait pas grand-chose à la médecine, mais il soupçonna que les récents événements avaient provoqué cette rechute.

De Washington, Charles et le capitaine reçurent bientôt une citation pour le sauvetage de la famille Lantzman. Lafayette O'Dell reçut la sienne, à titre posthume ; son corps ne fut jamais retrouvé.

Bent sollicita et obtint une permission de maladie à San Antonio. Ce fut Charles qui dut écrire aux familles d'O'Dell et des trois autres l'officier, l'homme, qui était parti quelques jours auparavant avec le détachement de secours.

Quand il eut terminé la dernière lettre, il prit conscience d'une impression qu'il sentait confusément depuis deux jours : il n'était plus ni l'officier, ni l'homme, qui était parti quelques jours auparavant avec le détachement de secours.

Apparemment, bien sûr, rien n'avait changé. Il était toujours aussi dynamique. Il souriait toujours autant. Cependant, cela dissimulait une profonde métamorphose, une transformation née de ce qu'il avait vu et de ce qu'il avait été amené à décider au cours de la mission. Le fringant cadet de West Point n'était plus qu'un souvenir plaisant mais pas très réel. Le romantique amateur était devenu un professionnel endurci.

Un jeune garçon était mort et, de ses cendres, un homme était né, tel un phénix.

## CHAPITRE XLVII

AU COURS DE CET ÉTÉ ET DE cet automne-là, Harry vit la fièvre de la sécession s'étendre comme une épidémie. Huntoon voyageait dans toute la Caroline du Sud et dans les Etats voisins pour prendre la parole dans des églises, des salles de réunion, à des barbecues. Il sollicitait des inscriptions à l'African Labor Supply Association, consacrée au rétablissement du commerce des esclaves. Il continuait de réclamer un gouvernement autonome pour le Sud en évoquant toutes sortes de raisons spécieuses. Anne l'accompagnait partout et Harry admirait leur énergie, sinon leurs opinions.

Cooper partageait son temps entre les affaires du parti démocrate et le chantier naval de James Island. Il assurait que la construction du gigantesque *Star of Carolina* commencerait au premier de l'an. Harry décida d'aller en personne apporter la nouvelle à George. Son meilleur ami lui manquait et il avait hâte de le revoir.

Quand Beth apprit son projet, elle supplia son frère de l'emmener. Elle souhaitait s'arrêter à Saint-Louis, au retour, et Harry lui servirait de chaperon dans sa visite à Billy. Un aussi long voyage ne séduisait guère Harry, mais il comprit le désir de sa sœur et céda sans beaucoup discuter.

Ils n'étaient pas loin lorsqu'il regretta déjà sa décision. En Caroline du Nord, où ils changèrent de train, Harry s'informa des horaires auprès d'un employé de la gare.

— J'en ai point, répliqua l'homme avec l'accent nasillard des montagnards du coin.

— Vous pouvez au moins me dire quand notre train doit arriver à...

Il n'eut même pas à terminer sa phrase car l'employé avait grossièrement fermé son guichet. Il alla rejoindre Beth sur le banc où elle s'était assise.

— Eh bien, dit-il, ils n'aiment pas les questions par ici ! A moins que ce soit les Caroliniens du Sud qui leur déplaisent ?

Les anti-esclavagistes étaient nombreux en Caroline du Nord et Harry supposa que son accent particulier du Sud avait été reconnu.

A l'étape suivante, un porteur noir — un affranchi — s'arrangea pour laisser tomber une des valises de Beth, celle qu'elle l'avait prié de manier avec précaution car elle contenait des cadeaux fragiles pour les Hazard. Les larmes aux yeux, Beth défit le papier de soie enveloppant un pélican de verre soufflé qu'elle avait acheté pour Constance : l'objet était en trois morceaux.

— Mille excuses, mame, dit le porteur, mais Harry surprit une lueur de mauvaise joie dans ses yeux.

A Petersburg, en Virginie, un nouveau contrôleur monta dans le train. Harry montra ses billets, portant le tampon de la gare de Charleston. L'homme devint très sec.

— Changez à Washington, puis à Baltimore, dit-il d'une voix suggérant qu'il était de Nouvelle-Angleterre.

— Merci. Nous avons sept bagages. Pourrai-je trouver un porteur à la gare de Washington ?

— Je n'en sais rien. Je n'ai rien à voir avec les porteurs. Vous auriez dû amener un de vos esclaves nègres.

A Baltimore, Harry faillit en venir aux mains dans le buffet de la gare, après avoir été bassement insulté.

A Belvedere, l'accueil fut chaleureux. Les visiteurs offrirent leurs cadeaux et Beth promit à Constance de lui envoyer une réplique du pélican cassé. Ils s'émerveillèrent devant les enfants et montèrent se coucher enfin après avoir dégusté un excellent caneton.

Harry dormit neuf heures, mais ne se sentit pas reposé au réveil.

— J'ai hâte de te montrer le convertisseur Bessemer, annonça George au petit déjeuner.

Il débordait d'énergie et d'enthousiasme. Curieusement, cela augmenta la mauvaise humeur d'Harry, car tout à coup George incarna pour lui tout le Nord. Il espéra de tout cœur que cette exaspération ne gâcherait pas leur visite.

Cependant, plus tard, au déjeuner, quand il mit George au courant de l'état de son investissement, il vit de plus en plus en lui un étranger.

— Voilà d'excellentes nouvelles, s'exclama George. Je suis ravi de...

Il fut interrompu par la porte de la salle à manger qui s'ouvrait.

— Ah, voilà Virgilia !

Précipitamment, Harry repoussa sa chaise et se leva.

— Bonjour, Virgilia.

— Bonjour, Harry, répliqua-t-elle sur un ton impliquant qu'elle s'adressait à un porteur de choléra.

Harry l'examina. Son aspect lui causa un choc. Elle avait vieilli de dix ans. Son teint était jaunâtre, maladif, sa robe était loin d'être nette, ses cheveux mal coiffés. Une lueur fanatique brillait au fond de ses yeux creux.

— Je ne savais pas que vous étiez ici, dit-il.

— Je suis arrivée ce matin.

Comme toujours, elle s'arrangeait pour transformer une réflexion banale en proclamation. Harry se demanda ce qu'était devenu son amant noir, Grady le fugitif, car des rumeurs de leur liaison, de plus en plus sensationnelles à force d'être colportées, avaient atteint et scandalisé Charleston. Il se demanda aussi si elle vivait toujours avec lui mais se garda de poser la question.

— Demain, je dois me rendre à Chambersburg, déclara-t-elle et elle regarda Harry dans les yeux avant de poursuivre : Je participe à l'œuvre entreprise par un abolitionniste nommé Brown, John Brown.

Harry en avait entendu parler, naturellement. Il avait vu la maigre figure de Brown et sa longue barbe blanche dans *Harper's Weekly*. Né dans le Connecticut, Brown était depuis longtemps un abolitionniste militant. Il était devenu célèbre dans le Kansas où avec ses cinq fils il avait livré des combats sanglants pour le mouvement « terre libre »

En 1856, des hommes commandés par Brown avaient tué cinq colons esclavagistes au cours de ce qui fut appelé le massacre de Pottawatomie.

— Je ne comprends pas que l'on puisse aider un assassin, répliqua Harry.

Beth et Constance échangèrent un regard consterné. Virgilia pinça les lèvres.

— J'aurais dû m'attendre à ce que vous fassiez une réflexion de ce genre. L'insulte est le meilleur moyen de discréditer ceux qui disent la vérité sur l'esclavage ou sur le Sud. Eh bien, vous et votre espèce pouvez vous tenir pour avertis. Vous n'allez pas sauver longtemps votre barbarie, ni diriger vos fermes secrètes d'élevage.

— Qu'est-ce que vous voulez dire ?

— Un jour prochain, un messie guidera tous vos esclaves vers une grande révolution. Les Blancs qui ne la soutiendront pas seront anéantis.

Un silence de mort tomba. Beth elle-même était furieuse. La colère d'Harry explosa. Il repoussa sa chaise et lança sèchement vers George :

— Je te prie de m'excuser.

Constance jeta un coup d'œil sévère à sa belle-sœur.

— Ce n'est pas vous qui devriez sortir, Harry, dit-elle.

Virgilia sourit méchamment.

— Mais, bien entendu, il sortira. Les Sudistes ne supportent pas la vérité.

Debout, Harry serra les poings.

— Quelle vérité ? Je n'en ai entendu aucune à cette table. Je suis fatigué d'être traité comme si j'étais responsable de tous les méfaits commis par le Sud, ceux qui sont réels comme ceux que conçoit votre esprit dérangé.

Le rouge monta au front de George.

— Harry, tu vas trop loin !

Harry l'entendit à peine et poursuivit :

— Des fermes d'élevage ! D'où vous viennent de telles lubies ? Les trouvez-vous dans vos romans spéciaux ? demanda-t-il, et George sursauta à cette allusion à la pornographie. Est-ce qu'elles vous excitent ? Est-ce pour cela que vous en parlez constamment ?

Constance fit précipitamment sortir les enfants. Le sourire de Virgilia devint angélique.

— Qui s'étonnerait que le mal soit né par ceux qui l'entretiennent !

La vue d'Harry se brouilla. Il ne pouvait plus tolérer cette voix satisfaite, odieuse. Oubliant toute retenue, il cria :

— Femme, vous êtes folle !

— Et vous fini, vous et tous ceux de votre espèce !

— Taisez-vous ! hurla-t-il. Taisez-vous et retournez à votre place, dans les bras de votre amant nègre !

A peine eut-il parlé que la honte l'envahit. Il eut l'impression que le plancher s'effondrait sous ses pieds. Quelques instants plus tôt, il avait vu trouble, maintenant il distinguait chaque visage avec une parfaite netteté : ils étaient furieux et le plus furieux de tous était celui de George. Virgilia s'efforçait de conserver son sourire mielleux. Les yeux de Beth fulguraient. Une fois de plus, Constance tenta de rétablir la paix.

— Je crois que c'est vous, Virgilia, qui avez exagéré.

— Vraiment ?

— Vous devriez vous excuser.

— Pourquoi ? C'est inutile.

Harry eut envie de saisir son verre de vin et de lui lancer le contenu à la figure. Malgré sa honte, sa fierté blessée prenait le dessus. Comment pouvait-on juger et condamner en bloc les bons avec les mauvais. Ce n'était pas supportable. Il remarqua que George fronçait sévèrement les sourcils et lui jeta :

— Toi, au moins, tu devrais te formaliser de sa conduite !

— Je me formalise contre la façon dont elle parle, mais c'est pour la bonne cause.

L'hostilité de son ami frappa Harry comme un coup d'épée. La rupture, depuis longtemps redoutable possibilité, devenait inévitable. Il se ressaisit, redressa ses épaules et répliqua d'une voix cinglante :

— Je crois que nous n'avons plus rien à nous dire.

— C'est évident, riposta George.

Harry le dévisagea. Il lui était impossible de ne pas voir la fureur de George, de nier celle qu'il éprouvait. Jamais ils n'avaient été ennemis et voilà qu'ils l'étaient devenus à présent.

— Allons, dit-il à sa sœur. Viens, nous partons.

Beth, muette de stupeur, ne s'attendait pas à cela. Il dut la prendre par le bras et l'entraîner dans le vestibule.

— Ayez l'amabilité de faire porter nos bagages à l'hôtel, lança-t-il sans se retourner.

Quelques secondes plus tard, la porte d'entrée se referma sur eux. Dans la salle à manger, une seule personne souriait : Virgilia.


## CHAPITRE XLVIII


Harry trouva Saint-Louis animée, énergique, mais vulgaire et mal élevée. Grossière aussi comme le bois brut sans peinture de beaucoup de ses bâtiments. Il se sentait plus que jamais fier de l'élégante Caroline du Sud, alors que Billy et lui se promenaient, ce matin-là, sur les quais.

Billy toussota, Harry savait ce qu'il allait dire et aurait préféré ne pas l'entendre.

— Je vous remercie d'accepter de me parler.

Harry fit un petit moulinet avec sa canne et tenta de plaisanter.

— Qu'est-ce que cela a de nouveau ? Voilà des années que nous nous parlons.

— Oui, monsieur, mais aujourd'hui c'est important. Cela concerne Beth.

— Je m'en doutais, murmura Harry en reprenant son sérieux.

Un chariot passa, plein de balles de coton. Les sabots de la mule sonnèrent sur les pavés. Les deux hommes firent encore quelques pas en silence. Parfois, Harry avait trouvé Billy trop prudent, contrairement à son frère aîné. Il regrettait que cette conversation eût lieu maintenant, bien que sa colère contre George n'eût aucun rapport avec Billy. En vérité, il s'estimait même en grande partie responsable de ce qui s'était passé à Lehigh Station. Il se promettait d'écrire à George, au bon moment, pour essayer d'arranger les choses.

Un délicieux arôme de café émanait d'un café sur leur gauche. D'un saloon voisin venaient un bruit de voix fortes et une odeur de sciure. Du coin de l'œil, Harry vit l'expression anxieuse de Billy. Pour le mettre à son aise, il parla le premier.

— Tu veux l'autorisation d'épouser Beth?

Le soulagement illumina la figure du jeune homme.

— Oui! Je puis me charger d'elle, maintenant, pas luxueusement, mais elle ne manquera de rien, je vous le promets. Je pense que mes perspectives dans l'armée sont excellentes. Je vais bientôt quitter Saint-Louis...

— Sais-tu où tu seras muté?

— J'ai demandé à être affecté à l'un des forts fédéraux du Sud : Fort Pulaski, à Savannah. La forteresse Monroe. Le poste idéal serait Charleston. Il paraît qu'il y a un projet de réparation des fortifications de la rade.

— Beth sera certainement heureuse de t'avoir plus près de Mont Royal.

— Monsieur, nous ne voulons plus nous rendre seulement visite. Nous voulons nous marier.

Cette déclaration était un peu brusque. S'arrêtant au bas d'une jetée animée, Harry fit face au jeune homme en fronçant les sourcils.

— Je le comprends, Billy, mais je crains de ne pouvoir accorder ma permission.

Les yeux de Billy exprimèrent son ressentiment.

— Pourquoi? Vous pensez que je serais un mauvais mari pour Beth?

— Je suis sûr que tu serais un excellent mari. Cela n'a rien à voir avec ton caractère.

— Qu'est-ce donc, alors? Avez-vous changé d'avis sur l'armée? Pensez-vous que ce soit une mauvaise carrière?

— Non, et je suis certain qu'en temps normal tu t'y distinguerais. Mais, hélas, les temps ne sont pas normaux. L'avenir est incertain, sinon réellement sombre... surtout pour deux jeunes gens de régions différentes.

— Vous voulez dire que c'est parce que je suis de Pennsylvanie et Beth du Sud? Vous croyez que nous ne pourrons pas nous entendre? Ne nous jugez pas d'après ce qui s'est passé entre George et vous!

Harry maîtrisa sa colère et parvint à parler calmement.

— Beth t'a raconté?

— Oui.

— Je l'avoue, je ne puis prétendre que ma décision est sans rapport avec cette querelle, mais pas de la manière que tu crois. Ton frère et moi ne sommes pas définitivement fâchés. Il demeure mon meilleur ami. Du moins, je l'espère. Cependant, il est indéniable que, George et moi, nous nous sommes disputés à propos de questions qui sont impossibles à éluder de nos jours. Ces même questions risquent d'imposer d'insupportables tensions à ma sœur et à toi. Supposons que ces bruits insensés de sécession aboutissent à quelque acte d'hostilité concret, quelle sera la position de l'armée? En particulier, quelle sera la situation d'un officier qui doit à la fois sa loyauté à son gouvernement et à sa femme sudiste ?

— Il me semble que vous vous donnez bien du mal pour trouver des objections.

La voix de Billy était devenue cassante. Celle d'Harry le fut aussi quand il répliqua :

— Je t'explique la raison de mon refus.

— Ce refus est-il définitif ou simplement temporaire ?

— Temporaire. Crois-moi, je serais heureux que Beth épouse un Hazard, mais pas avant que l'avenir soit un peu plus clair.

— Et si nous décidions tous deux de nous marier sans votre bénédiction ?

La figure d'Harry se fit glaciale.

— Je ne pense pas ma sœur capable d'une chose pareille. Naturellement, je te laisse libre de le lui proposer.

— Oui, monsieur. C'est ce que je vais faire. Vous m'excusez ? Le devoir m'appelle.

Tristement, Harry suivit des yeux le dos raide du jeune homme qui s'éloignait le long du fleuve.


Ce soir-là, dans le petit salon de leur appartement à l'hôtel, Beth dit à son frère :

— Je suis déçue par la réponse que tu as faite à Billy.

— Quand l'as-tu vu ?

— Il y a un moment. Il est persuadé que tu ne l'aimes pas, personnellement.

Harry claqua le bras de son fauteuil.

— Ce n'est pas vrai ! Je n'ai pas su me faire comprendre. Je veux simplement réfléchir encore un peu. Tu sais aussi bien que moi que les gens prennent position, dans ce pays. Ton milieu et le sien vous jetteraient fort probablement dans des camps opposés. Je ne voudrais pas te voir engagée dans un mariage soumis à ce genre de tension.

— Il me semble que cela me regarde, cria Beth en tapant du pied. Il me semble que c'est à moi de décider !

— Ne parle pas comme Anne, fit-il durement en se levant. Si tu dois me défier, dis-le-moi franchement.

— J'ai répondu à Billy que je ne pouvais pas accepter de l'épouser sans ta permission. Du moins pas tant qu'il y a une chance de te voir changer d'avis.

La menace était vague, mais indiscutable. La résolution de Beth provoqua chez Harry une mélancolie soudaine, inattendue, sans doute parce qu'il avait tendance à oublier qu'elle était maintenant adulte, qu'à vingt et un ans son destin lui appartenait. Il fallait un incident comme celui-là pour lui rappeler qu'elle n'avait plus besoin d'être guidée et qu'elle ne le voulait plus. Pour lui montrer aussi que le temps passait vite et provoquait d'implacables changements.

Par la fenêtre, il contempla un grand bateau à roues qui descendait le Mississippi. Des étincelles montaient de sa cheminée, scintillantes dans la nuit et vites disparues : comme les ambitions d'un homme, comme ses rêves...

Pour rien au monde, il ne voulait refuser le bonheur à d'autres parce qu'il lui avait été refusé. Il n'était pas égoïste à ce point. Il revint donc vers Beth et lui prit la main.

— J'aime beaucoup Billy. Je sais qu'il t'aime et qu'il prendrait soin de toi, mais le mariage est un engagement pour la vie entière... (*Ah !* *que Madeline serait fière de toi,* chanta une petite voix dans les ténèbres de ses pensées) alors il faut que tu sois sûre de tes sentiments.

— Je le suis, Harry ! Je connais Billy depuis des années ! Je l'attends depuis des années !

— Cela te serait-il très pénible d'attendre un peu plus longtemps ?

La nuit envahissait le petit salon. Ils ne se voyaient plus très bien. Beth soupira.

— Non, sans doute pas.

Harry avait gagné. Ce n'était pas une victoire. Un répit, simplement.

Trois jours plus tard, un jeudi, Billy les accompagna à la gare. Harry avait peu parlé au jeune officier depuis leur conversation qui avait failli dégénérer en dispute. Sur le quai, près de leur voiture, il comprit que c'était la dernière occasion d'aller au-delà des froides amabilités creuses, de rendre de l'espoir à Billy. Il lui tendit la main et le surprit par un sourire.

— Je crois que Beth et vous pourrez surmonter ensemble n'importe quel orage. Accordez-moi un mois ou deux pour m'en convaincre ; d'accord ?

— Vous voulez dire que nous pouvons...

— Pas de promesses, Billy. Je n'ai pas claqué la porte. Je suis désolé que tu l'aies pensé. Comme toi, j'ai toujours été prudent. Demande à ton frère.

— Merci, monsieur !

Radieux, Billy serra vigoureusement la main offerte. Beth embrassa son frère.

Il laissa les jeunes gens chuchoter entre eux, leurs têtes rapprochées. Sa conscience était apaisée mais, en montant dans le train, il se sentit plus que jamais inquiet de l'avenir.

## CHAPITRE XLIX

DES CRIS RÉVEILLÈRENT Harry, des cris de femme, stridents, aigus. Il se frotta les yeux. Le train s'était arrêté. Des voyageurs couraient dans le couloir. Un homme heurta la lanterne à pétrole accrochée au bout de la voiture. Elle se balança violemment, projetant sur les parois des ombres difformes.

En face de lui, Beth ouvrait les yeux. Harry se leva, complètement désorienté. Dehors, la voyageuse criait toujours. Une voix masculine irritée la fit taire. Dans le couloir, le contrôleur parlait précipitamment.

— Ils veulent que tout le monde descende. Je ne sais pas ce qui se passe, mais je suis sûr que nous ne risquons rien. Dépêchez-vous, s'il vous plaît. Attention aux marches.

L'employé se débattait contre la marée humaine qui déferlait vers lui.

— Je vous en prie, dépêchez-vous. Tout le monde doit descendre.

Encore mal réveillé, Harry tira sa grosse montre d'argent de son gousset. Beth souleva le store de la fenêtre sur un rectangle d'obscurité.

Il était une heure et demie de ce lundi 17 octobre. Le dimanche, de bonne heure, ils avaient quitté Wheeling par l'express de Baltimore, où Harry devait acheter pour plusieurs milliers de dollars de matériel naval destiné au chantier de Cooper. Beth colla son front à la vitre, les mains de chaque côté des yeux. Soudain, elle recula, le visage pâle.

— Je viens de voir passer un homme armé d'un mousquet!

— Ce n'est pas possible!

Harry se pencha à côté d'elle et regarda dehors. Quelques lumières clignotaient faiblement. Ce signe de civilisation le rassura. Soudain, une main tomba sur son épaule. Il pivota, prêt à frapper, mais ce n'était que le contrôleur.

— Monsieur, s'il vous plaît, descendez du train, suppliait-il. Je suis le représentant de cette compagnie. Je m'appelle Phelps. Tous les voyageurs sont sous ma responsabilité. Je vous en prie, faites ce que je demande, jusqu'à ce que nous ayons l'autorisation de continuer le voyage.

— L'autorisation de qui?

— De ces hommes armés, là dehors. Ils ont pris possession de la gare. Ils disent qu'ils se sont emparés aussi de l'arsenal fédéral et des usines d'armement Hall. Ils m'ont l'air extrêmement résolus.

— Où sommes-nous?

— A Harper's Ferry. Le dernier arrêt en Virginie avant que nous traversions le fleuve pour entrer dans le Maryland.

Harry suivit le couloir et descendit. Sur le quai, il vit cinq hommes armés, quatre Blancs et un Noir. Sur la droite, d'autres hommes portant des revolvers ou des carabines poussaient les voyageurs dans un petit bâtiment attenant au quai. Sur la gauche, un autre homme gisait sur le dos à côté d'un chariot vide. Un porteur, sans doute. Le devant de sa blouse était éclaboussé de sang.

Harry aida sa sœur à descendre du marchepied, puis il se plaça devant elle. Phelps s'adressa aux hommes armés.

— Quand allez-vous permettre au train de continuer vers sa destination?

Sa voix était moins assurée que ses paroles. Le Noir glissa sa carabine sous son bras, s'approcha de Phelps et le frappa en pleine figure.

— Vous n'avez rien à demander!

Le contrôleur se frotta la joue.

— Vous oubliez les peines dont vous êtes passibles pour entrave à l'acheminement du courrier. Quand la nouvelle sera télégraphiée à Baltimore...

— Les fils sont coupés à l'est comme à l'ouest, interrompit un Blanc. Allez éteindre les lampes dans toutes les voitures, et ensuite entrez avec les autres. Vous avez le choix entre la salle d'attente ou l'hôtel à côté.

L'hôtel était le petit bâtiment noirâtre.

— Qu'est-ce qui se passe? demanda Harry et l'homme à la carabine lui jeta un regard mauvais.

— Sudiste, hein ? Je vous conseille de vous taire, ou je lâche nos nègres. Probable qu'ils auraient quelques comptes à régler avec vous.

Harry mit son bras sur l'épaule de Beth et la guida vers l'hôtel. Elle était très pâle et ouvrait de grands yeux effrayés.

— Qu'est-ce qu'ils font, Harry ? Ce sont des bandits ?

— Sans doute, marmonna-t-il, ne voyant pas d'autre explication.

Un jeune homme armé d'un fusil montait la garde à l'entrée de l'hôtel. A l'intérieur, une femme sanglotait et un homme lui conseillait d'une voix tendue, mais calme, de délacer son corset et de ne pas avoir peur. Près de la porte, Beth trébucha. Le gardien surpris la repoussa, craignant manifestement une attaque. Elle chancela et tomba contre une fenêtre. Harry jura, voulut se jeter sur le garde qui recula en levant son fusil.

— Un pas de plus et vous ne verrez jamais Baltimore.

Harry s'immobilisa, les poings crispés.

— Baisse ce fusil, Oliver. Nous n'en voulons pas à ces personnes-là.

La voix profonde, sonore, était celle d'un homme d'un certain âge, grand et maigre, qui arrivait de l'extrémité obscure du quai. Il portait une chemise de paysan et un pantalon de velours côtelé glissé dans des bottes boueuses. Sa barbe blanche était coupée court. Sa tête rappela quelque chose à Harry. Le jeune homme braquait toujours son fusil sur lui.

— Oliver, voyons, reprit le barbu.

— Bon, bon, grogna le garçon en baissant son arme.

Harry se tourna vers le nouveau venu.

— Vous êtes à la tête de ces vauriens ?

Avec une politesse exagérée, l'homme répondit :

— Surveillez votre langage, monsieur. Vous vous adressez au commandant en chef du gouvernement provisoire des Etats-Unis. Je m'appelle Brown.

Ainsi, c'était John Brown. Harry se rappela les gravures des hebdomadaires, mais il avait cru la barbe beaucoup plus longue. Les yeux bleus de Brown ressemblaient à des glaçons.

— Mon fils ne voulait pas de mal à la demoiselle. Il se protégeait, simplement. Les nerfs sont à vif, dans une entreprise de cette importance.

— Une entreprise ? Un bien grand mot pour le vol d'un train !

— Vous m'insultez, monsieur. Nous ne sommes pas des voleurs. Je viens du Kansas pour libérer les nègres de cet Etat.

Malgré le ton calme, Harry lut de la folie dans l'éclat féroce des yeux de cet homme. Il songea alors à Virgilia. Etait-ce là son messie révolutionnaire ?

— Pour fomenter la révolte, voulez-vous dire ?

— En effet. Je suis déjà en possession de l'arsenal des Etats-Unis. Aucun train n'aura plus le droit de passer par cette gare. Entrez là et gardez le silence jusqu'à ce que je décide de ce que nous ferons de ce train. Si l'on met des obstacles devant moi, j'incendierai la ville et ferai couler le sang. Est-ce assez clair ?

La mine sombre, Harry hocha la tête. Puis, soutenant Beth, il la conduisit vers un petit canapé dans le foyer de l'hôtel. Dix-huit voyageurs y étaient déjà, assis ou debout.

En face de la porte par laquelle ils étaient entrés, il y en avait une autre, donnant sur la rue. Entrouverte, elle permettait de constater qu'un autre homme de Brown, un Noir, allait et venait lentement, un

Colt à la main. Il avait de gros souliers de fermier et un pantalon effrangé trop court.

Harry s'assit à côté de Beth et frotta sa main sur son genou. John Brown avait dû recruter des esclaves ou d'anciens esclaves. De vieilles peurs d'enfant remontaient au cœur d'Harry.

Phelps s'avança bientôt.

— J'essaye de négocier avec le capitaine Brown, pour la libération du train et du courrier. Je vous en prie, tous, restez calmes et soyez patients.

Il disparut. Une horloge au balancier de cuivre tictaquait derrière le comptoir de la réception. Un petit garçon pleurait. Harry bâilla. Il se souvint des yeux de John Brown et il eut peur de nouveau. Beth le poussa du coude et chuchota :

— Harry, cet homme nous observe.

— Quel homme ?

— Le garde, dehors.

— Le fils de Brown ?

— Non, l'autre. Le nègre. Le revoilà.

Harry se retourna et comme si un cauchemar ne suffisait pas, il en affronta un autre.

Dans l'entrebâillement de la porte, il découvrit un visage noir, ravagé par les soucis et la faim. Il reconnut cette tête, il l'aurait reconnue n'importe où.

— C'est Grady, souffla-t-il, et il se dirigea vivement vers la porte.

Grady recula quand Harry sortit en fermant derrière lui. Quelques lumières embrumées brillaient dans les maisons à flanc de coteau mais on ne voyait pas grand-chose de la ville.

— Grady, tu te souviens de moi ?

— C'est sûr, Mr Main. N'avancez pas. Le capitaine Brown a dit de tirer si quelqu'un cause des ennuis.

Il semblait l'espérer. Il arma le Colt.

— Combien êtes-vous ?

— Dix-huit, répliqua Grady. Treize Blancs, le reste, des nègres.

— Comment diable avez-vous pu monter un coup pareil ?

— C'est le capitaine Brown, il le prépare depuis longtemps. Ça fait un bon moment que nous habitons dans une ferme louée, de l'autre côté de la rivière. Nous recevons des provisions et des armes de Chambersburg.

Un nouveau choc s'ajoutait aux autres : Virgilia avait bien dit qu'elle se rendait à Chambersburg.

— Est-ce que votre... Est-ce que la sœur de George Hazard est avec vous ?

— Oui, à la ferme avec les autres femmes.

— Mon Dieu !...

— Rentrez dans l'hôtel, Mr Main. Restez tranquille, ne nous provoquez pas et peut-être le capitaine laissera repartir le train. Avec les armes et les munitions de l'arsenal, nous allons remporter la victoire. Si quelqu'un nous tient tête, le sang coulera.

— Vous ne pouvez pas gagner, Grady. Le sang sera le vôtre.

Soudain, la colère de Grady explosa. Il tendit le bras droit. Sa main tremblait, mais il était impossible de savoir si c'était d'énervement ou d'incertitude. Le canon du Colt frémit à deux doigts du nez d'Harry qui resta immobile, pétrifié. Cinq secondes s'écoulèrent.

Et cinq encore...

Alors, la porte de l'hôtel s'ouvrit.

— Grady !

Grady, l'air écœuré, abaissa vivement le Colt.

— Rentrez là-dedans !

Il poussa Harry vers sa sœur et vers l'intérieur. Du bout de son gros soulier de paysan, il claqua la porte sur eux.

Le foyer était silencieux. Les voyageurs s'étaient assoupis ou regardaient dans le vague. Des heures avaient passé. Il y avait longtemps que personne n'avait pleuré ni même parlé.

Beth dormait, la tête sur l'épaule de son frère. Harry regardait le va-et-vient du balancier de cuivre. Le mouvement ralentit, l'horloge parut flotter. Il se frotta les yeux.

Phelps entra, l'air hagard.

— En voiture, s'il vous plaît. Tout le monde en voiture. Ils nous laissent repartir.

Il chuchotait cette nouvelle, comme s'il craignait que Brown changeât d'avis s'il parlait trop fort.

Les voyageurs s'exclamèrent et se précipitèrent vers la porte. Harry réveilla Beth et sortit avec elle sur le quai, en passant devant les fusils de quatre hommes. Ils montèrent dans leur voiture obscure et quelques minutes plus tard le train s'ébranla et roula lentement vers le pont couvert sur la Shenandoah.

Phelps marchait devant la locomotive, cherchant des traces de sabotage de la voie. Une par une, les voitures émergèrent de l'obscurité du pont. Le jour se levait sur les monts de Blue Ridge. Harry était assis le front contre la vitre et contemplait le soleil dorant le sommet des montagnes. La voiture passa devant Phelps qui sauta sur le marchepied.

Harry était épuisé et convaincu, pour la première fois, que seule la force armée pourrait répondre à la menace de Yankees comme John Brown. Même si l'on reconnaissait que l'esclavage devait être aboli — et tout au fond de son cœur, il le pensait parfois — une révolution violente n'était pas la solution. On devait éviter toute révolution.

C'était son intime conviction alors qu'il regardait des bouts de papier voler derrière la vitre. C'étaient des messages jetés par les voyageurs qui avaient vécu cette affreuse nuit. Ces messages transmettraient la nouvelle de Harper's Ferry au monde entier.

Trois jours plus tard, Harry acheta un journal au kiosque de l'hôtel de Baltimore. Dans le hall, dans les restaurants, dans la rue, on ne parlait que du raid de répression qui s'était terminé en ne laissant que deux insurgés indemnes. Les hommes de Brown avaient tué quatre habitants de la ville, en commençant par le porteur noir qu'Harry avait vu sur le quai. Pendant un moment, un arrière-petit-neveu du président Washington avait été retenu en otage.

Les révoltés avaient été finalement maîtrisés par un détachement de Marines envoyé en toute hâte, de Washington. Son commandant était Robert Lee et il était accompagné par un vieil ami de Charles, Stuart. Brown avait été blessé en défendant un hangar à locomotives où il s'était réfugié. Il était maintenant en prison à Charleston, en Virginie. Harry emporta le journal dans son appartement.

— Ils donnent la liste des hommes de Brown qui ont été tués, annonça-t-il en entrant dans le petit salon. L'un d'eux s'appelle Grady Garrison, un nègre.

— Garrison ?

— Il a dû adopter le nom d'un ancien fauteur de troubles de Boston.

— Est-il question de Virgilia ?

— Non, pas du tout. On suppose que les conspirateurs qui n'ont pas pris part au raid se sont enfuis quand la fusillade a commencé. La ferme n'était pas si loin de Harper's Ferry et ils ont dû l'entendre.

— J'ai beau détester Virgilia, j'espère qu'elle a pu s'échapper.

— Moi aussi. Pour George...

Les événements de Harper's Ferry demeurèrent dans la mémoire d'Harry comme une obsession. Ils furent responsables de la décision qu'il prit au sujet de Beth, à la fin du mois de décembre.


## CHAPITRE L


L'ARBRE DE NOËL BRILLAIT de toutes ses bougies dans le grand salon de Mont Royal. Beth entra et referma la porte coulissante derrière elle.

— On m'a dit que tu voulais me voir, s'informa-t-elle.

Harry, debout devant la cheminée où pétillait un feu de bois, hocha la tête. Sa sœur fronça les sourcils. Elle sentait la tension. Elle essaya de la dissiper en plaisantant.

— Ta barbe commence à avoir des touches de blanc très seyantes. Encore un an ou deux et tu pourras jouer les saints Nicolas.

Il ne sourit pas.

— Pour le moment, j'ai un autre rôle à jouer, celui de ton tuteur. J'ai pensé que nous devions parler de toi et de Billy.

— Sa lettre est le plus beau cadeau que je pouvais espérer !

En effet, Billy lui avait écrit pour annoncer qu'il avait d'excellentes chances d'être affecté au groupe du génie qui allait bientôt commencer les réparations au fort Moultrie, dans l'île Sullivan, près de l'entrée de la rade de Charleston. Beth examina son frère de plus près.

— J'espère que tu rendras mon Noël parfait en me faisant l'autre cadeau dont je rêve.

— Je ne peux pas t'autoriser à l'épouser, Beth... du moins pas encore.

Il parla avec une telle brusquerie qu'elle eut envie de pleurer, mais elle se maîtrisa, jugeant cela indigne d'une dame.

— Peut-être auras-tu la bonté de me donner tes raisons ?

Le ton de Beth exaspéra Harry.

— Elles sont toujours les mêmes. Nous courons vers un affrontement avec les Yankees. Les hommes raisonnables discutent de la nécessité d'un compromis, mais rien n'est fait. Et si quelqu'un a bien poussé le Sud à réclamer un gouvernement indépendant...

— Est-ce ce que tu souhaites ?

— Non, mais cela va venir. Laisse-moi finir, je te prie. Si quelqu'un a poussé à la sécession, c'est John Brown. Des hommes de l'autre camp sont de cet avis. Dans le *Mercury* de samedi dernier, on citait le professeur Longfellow, à propos de la pendaison, à laquelle il s'opposait, naturellement. Sais-tu ce qu'il a dit, ce grand poète, cet humaniste ? « C'est semer le vent pour récolter la tempête qui viendra bientôt. » Bientôt !

— Harry, pourquoi ne veux-tu pas comprendre ? Billy et moi connaissons le triste état des choses dans ce pays. Ça n'a pas d'importance. Nous nous aimons. Nous sommes capables de surmonter le pire.

— Tu le crois, mais je continue à penser que la situation rendrait votre vie impossible.

Au fond de son cœur, Harry n'oubliait pas le raid de Brown et ses suites mais il pensait surtout au malheur de Madeline et à ses souffrances. Il croyait sincèrement que sa sœur serait malheureuse, bien que pour des raisons entièrement différentes. Il voulut mettre fin à la discussion.

— Je regrette, Beth. Je ne peux pas te le permettre. Je te demande de transmettre mes regrets à Billy.

— Je n'en ferai rien.

— Explique-toi, s'il te plaît.

— C'est très simple. Si je n'ai pas ta bénédiction, je m'en passerai.

— L'approbation de ta famille ne compte plus pour toi ?

— Si, bien sûr. J'aimerais mieux l'avoir. J'aimerais bien mieux que la paix règne entre nous. Mais si, pour avoir la paix, je dois perdre Billy, alors la paix peut aller au diable !

— Surveille ta langue ! Tu n'as pas le droit de décider, de dire ce que tu feras ou ne feras pas. Tu n'es qu'une jeune fille. Et bien sotte par-dessus le marché !

— Mieux vaut être sotte que d'être semblable à ce que tu es devenu, répliqua Beth d'une voix basse et frémissante.

— Que veux-tu dire ?

— Comment peux-tu dicter leur conduite aux autres ? Tu ne souris jamais. Tu es contre tout. Je regrette que tu sois obligé de vivre seul. Je regrette que ça te rende si malheureux, mais je refuse de vivre comme toi.

Harry fut suffoqué par son désir de la gifler. Il parvint à se retenir et montra la porte du doigt.

— Monte dans ta chambre !

Avec un dernier regard, elle retroussa ses jupes et prit la fuite.

Une heure plus tard, dans sa chambre, Harry s'approcha de sa glace. La bouteille de whisky vide échappa à sa main et roula sur le tapis.

Il s'examina attentivement, cherchant ce qui pourrait démentir l'accusation de sa sœur. Il ne trouva rien. Saisissant le miroir de son unique main, il le jeta à terre. Il ne tomba pas sur le tapis, mais sur le parquet ciré, à grand fracas, en se brisant en mille morceaux. Harry, le gilet déboutonné, le col ouvert, chancela jusqu'à la porte. Il marmonnait d'une voix pâteuse des vers à demi oubliés, des vers d'Edgar Poe qu'il avait lus naguère avec Madeline. Il souleva une chaise fragile et la balança contre le mur, la réduisant en petit bois. Sortant dans le couloir, il avisa une autre glace dans un cadre doré. Il l'arracha du mur et la piétina. Puis, il descendit.

Des visages noirs alarmés le regardèrent dans l'entrebâillement des portes du rez-de-chaussée. Cramponné à la rampe, il réussit à atteindre le bas de l'escalier sans se rompre le cou. Un autre miroir apparut sur sa gauche, grand et lourd, qu'Anne avait acheté autrefois à Charleston. Jamais il ne s'était aperçu qu'il en existait tant dans la maison. Et ces glaces lui montraient ce qu'il était vraiment : un raté, un raté dans tout ce qu'il avait jamais tenté d'entreprendre...

Il arracha le grand cadre de son piton, le porta dehors dans la nuit glaciale et le jeta contre l'arbre le plus proche. Des éclats de verre tombèrent alentour en pluie argentée.

Il rentra en courant dans la maison, chercha une autre bouteille de whisky et se traîna dans l'escalier, sans cesser de crier des phrases incohérentes d'une voix rageuse.

— A Charleston ? En pleine nuit ? Où allait-elle ? A l'hôtel ?

C'était le lendemain matin et Harry plissait les yeux dans la lumière crue.

— Non, missié, répondit nerveusement l'esclave. Chez Mr Cooper. Elle a emporté quatre malles. Elle a dit qu'elle allait y rester un moment.

— Bon Dieu...

Harry ressentait une migraine épouvantable. Ainsi, Beth s'était enfuie pendant qu'il ronflait, ivre mort, dans le désordre de sa chambre. Jamais il ne s'était conduit de cette façon, jamais. Sa honte était pire que son malaise physique, et sa fierté, en miettes. Sa propre sœur l'avait battu. Il aurait peut-être été possible de la ramener de force du Mills House ou d'un autre hôtel, mais elle avait habilement choisi Tradd Street. Elle savait, et lui aussi, que Cooper lui donnerait asile aussi longtemps qu'elle en aurait besoin.

Il poussa du bout du pied des débris de miroir.

— Nettoie tout ça, jeta-t-il.

Malade de dépit et de détresse, il remonta dans sa chambre d'un pas lourd.

## CHAPITRE LI

A LA MI-AOÛT, ANNE RENDIT visite à Tradd Street.

— Seigneur, Beth, j'aurais pensé que ton promis serait déjà arrivé à Charleston !

— Moi aussi. Il leur faut des mois pour tout préparer.

— L'armée a toujours avancé comme un escargot, bougonna Cooper.

Il avait maigri. La fatigue cernait ses yeux. Le projet du *Star of Carolina* allait mal et Cooper n'était pas encouragé par le calamiteux accident survenu l'année précédente au grand cargo de Brunel. Le bateau avait quitté l'embouchure de la Tamise en septembre et presque aussitôt avait été éventré par une explosion. La nouvelle de la catastrophe était parvenue à son propriétaire juste avant sa mort, le 15 septembre.

Naturellement, Anne ne s'intéressait jamais à ces histoires. Avec une jolie moue, elle tapota la main de sa sœur.

— Je suis bien triste pour toi reprit-elle. On ne sait toujours rien de précis ?

— Si, heureusement, intervint Judith. La nouvelle date d'avant-hier.

Les yeux d'Anne étincelèrent.

— Racontez-moi !

— Billy doit se présenter au capitaine Foster dans la première semaine de septembre, expliqua Beth. Foster est l'ingénieur qui vient d'arriver. Celui qu'on envoie pour réparer Fort Moultrie.

— Mais c'est merveilleux ! Ce sera tellement commode d'avoir Billy ici.

Cooper s'étonna de la singulière expression de sa sœur, du choix bizarre de ses mots. La présence de Billy serait sans doute agréable, mais pourquoi serait-elle commode pour toute autre que Beth ? Il pensa qu'Anne devait parler de la situation de sa sœur.

Il resta cependant un peu perplexe, en se rappelant l'étonnante étincelle qui avait fusé dans les yeux d'Anne. Qu'est-ce que cela signifiait ? Il constata une fois de plus qu'il comprenait encore moins Anne qu'Harry, ces derniers temps.

Du haut du dernier balcon, Cooper écoutait Huntoon s'adresser à la foule qui emplissait à craquer Institute Hall. C'était le dernier de ses nombreux discours en faveur du candidat à la présidence, Breckinridge. En réalité, l'allocution d'une demi-heure se résumait à une violente diatribe contre Lincoln.

— C'est un vulgaire voyoucrate ! tonna Huntoon en tapant sur le lutrin, et la foule l'acclama. Un rustre illettré qui a juré de provoquer la haine du Sud et l'égalité des nègres !

Des cris, « Non ! Non », s'élevèrent de tous les coins de la salle. Incapable d'en supporter davantage Cooper se leva, indifférent aux regards furieux de ses voisins. Alors qu'il partait, Huntoon prononça de nouveau le nom de Lincoln, ce qui provoqua des huées, des sifflets et finalement un grand cri rauque :

— *Tuons le babouin !*

Un tonnerre d'applaudissements suivit. Décidément, ce public souhaitait se battre. Il refusait d'écouter ce que répétait Lincoln, qu'il adhérerait au programme de son parti et ne s'opposerait pas à l'esclavage là où il existait déjà. Ces sourds ne voulaient entendre que leur propre voix hurlant à la trahison et à la résistance. Cooper se sentit plus découragé qu'il ne l'avait jamais été.

Billy fut sidéré en arrivant à Fort Moultrie. Il le fut a plusieurs reprises.

Il gardait de Charleston le souvenir d'une ville aimable, hospitalière, où la vie était facile et nonchalante. Et voilà qu'il respirait partout une atmosphère de suspicion et presque de folie. Les gens s'entretenaient avec chaleur d'une probable sécession, et de Lincoln avec haine. De plus, ils considéraient l'uniforme de Billy d'un œil nettement hostile.

Ce qui l'étonna aussi, ce fut la nature des travaux à effectuer au fort de l'île Sullivan. Le sable amoncelé devait être dégagé du parapet afin que des hommes armés ne puissent trop aisément grimper par ces pentes et prendre d'assaut les remparts. Certains des cinquante-cinq canons devaient être déplacés pour fournir une meilleure protection au Château Pinckney et à Fort Sumter, dans la rade. C'étaient des préparatifs de guerre.

Personne, civil ou militaire, n'ignorait que la garnison fédérale ne pourrait résister à une attaque sérieusement organisée par des soldats ou même par des émeutiers résolus. L'île Sullivan était un long banc de sable, face au large. Autour du vieux fort, s'élevaient de nombreuses résidences d'été. L'intérieur de la forteresse serait vulnérable à des tirs de francs-tireurs installés sur les toits voisins.

De plus, la garnison de Moultrie se trouvait réduite à soixante-quatre hommes et onze officiers et l'essentiel de la force combattante se composait de deux compagnies du Premier d'Artillerie — y compris huit musiciens de la fanfare du régiment — sous le commandement du colonel John Gardner, un ancien de la guerre de 1812 et proche de la retraite. Gardner, Yankee du Massachusetts aux manières brusques, ne cachait pas sa méfiance envers tous les Sudistes, ce qui était inconcevable pour un commandant obligé d'employer et d'avoir affaire à du personnel local.

Le plus âgé des capitaines, Abeh Doubleday, officier dur, capable, sorti de West Point l'été où George Hazard y était entré, était particulièrement détesté à Charleston parce qu'il ne cachait pas ses opinions abolitionnistes.

Quatre membres du génie étaient stationnés à Moultrie : le capitaine John Foster et les lieutenants Meade, Snyder et Hazard. Pendant la journée, s'y trouvaient des ouvriers civils que Foster avait embauchés en ville et quelques artisans venus du Nord.

Pendant sa première semaine de service, Foster envoya deux fois Billy à Charleston, en mission. De nouveau, le jeune officier remarqua l'hostilité évidente dirigée contre tout représentant du gouvernement fédéral. Il signala sa consternation à Doubleday, alors qu'ils se tenaient dans le vent du soir près d'un gros mortier braqué sur l'Atlantique et qui venait d'être chargé.

— Qu'est-ce que vous espériez ? répliqua le capitaine. Ce peuple de Caroline du Sud se prépare à la guerre. Si vous ne me croyez pas, attendez le résultat de l'élection.

D'un œil inquiet il désigna le long parapet. Toute l'artillerie de Moultrie était montée « en barbette », à découvert, sans être protégée par des casemates. Une centaine d'hommes, sur les toits des résidences d'été pourraient mettre le Premier d'Artillerie dans l'impossibilité de se servir de ses canons.

— Vous comprenez pourquoi nous tirons tous les jours avec ce joli joujou ? ajouta-t-il. Pour que la population locale ne s'imagine pas que nous sommes sans défense, ce qui est malheureusement le cas par certains côtés.

Il cria l'ordre de faire feu. Le mortier tonna et recula, effrayant les estivants qui se promenaient sur la plage et criblant l'océan de redoutables débris métalliques.

Par un beau samedi de la fin octobre, le capitaine Foster accorda enfin la permission de dîner hors du fort. Billy en fut reconnaissant. Il avait déjà plusieurs fois vu Beth et il était au courant de sa querelle avec son frère. Mais quand il lui parlait de mariage, elle changeait de conversation. Il se demandait si elle l'aimait encore.

Ils dînèrent ce soir-là à l'élégant Moultrie House. L'hôtel était situé à Moultrieville, village situé à l'extrémité de l'île la plus proche de la rade. Après le repas, ils se promenèrent sur la plage. Le reflet de la lumière sur les nuages donnait à l'océan une teinte blanche. Dix pélicans, se suivant à la file, volèrent bas au-dessus de l'eau qui venait se briser sur le sable dans un murmure soyeux.

— Beth, pourquoi ne nous marions-nous pas ?

— Parce que tu es trop occupé à ôter le sable des murs du fort et que tu n'as pas une minute libre.

— Sois sérieuse ! Tu as dit à Harry que tu te passerais de sa permission...

— Pas tout à fait. Je lui ai dit que je n'en avais pas besoin, mais j'aimerais bien l'avoir. J'étais furieuse contre lui, le soir où j'ai quitté Mont Royal. J'ai dit des choses que je regrette... Je t'aime, tu sais, murmura-t-elle en caressant la manche de l'uniforme. Je t'épouserai en dépit de tout, mais je ne voudrais pas me brouiller avec ma famille. Je les aime tout autant que tu aimes les tiens. Tu ne comprends pas ?

— Si, bien sûr. Mais nous avons déjà attendu si longtemps... Je ne veux pas perdre cette chance. La situation est tendue. Tout peut arriver.

— Billy, tu as l'air fâché contre moi.

— C'est contre ce retard que je suis fâché. Je comprends que tu ne veuilles pas te brouiller avec ton frère, mais verra-t-il jamais les choses à notre façon ? Peut-être pas.

Elle ne répondit pas. Le pli de la bouche de Billy durcit.

— Je t'aime, Beth, mais je ne peux pas attendre éternellement.

— Moi non plus, mon amour. Cooper a promis de parler de nouveau à Harry. Accordons-leur encore un peu de temps.

Billy contempla l'océan, où l'obus de mortier était tombé l'autre soir.

— Le temps est la seule chose qui risque de bientôt nous manquer. Viens, retournons à l'hôtel pour voir si ton batelier n'est pas déjà ivre mort.

Il paraissait si contrarié que Beth n'osa plus dire un seul mot tandis que dans le crépuscule ils se hâtaient vers Moultrieville.

Le jour de l'élection présidentielle, le colonel Gardner envoya Billy à Charleston. Inquiet de l'atmosphère de la ville, il avait rédigé un message pour Humphreys, l'officier responsable de l'arsenal fédéral afin qu'il se prépare à charger une importante quantité d'armes légères et de munitions dès le lendemain, dans une vedette de Fort Moultrie. Entreposée à Charleston, l'artillerie était trop à la portée d'une bande d'émeutiers.

Billy rama lui-même péniblement jusqu'à la Battery. Gardner lui ayant donné la permission de dîner à Tradd Street, il ne voulait pas qu'une jeune recrue eût à l'attendre. En arrivant, il vit des ouvriers qui dressaient un mât de la liberté. Plusieurs maisons arboraient des banderoles bleu foncé ornées de la palmette, emblème de la Caroline du Sud. Quelques oisifs traînaient en haut de l'escalier par où Billy devait monter après avoir amarré sa barque. L'un d'eux, un gars à l'air dur, un bandeau de cuir graisseux sur un œil, désigna l'embarcation.

— Qu'est-ce que vous allez ramener au fort là-dedans, militaire ?

Billy atteignit la dernière marche et laissa tomber une main sur la crosse de son Colt.

— Moi-même. Ça vous gêne ?

— Fiche-lui la paix, Cam, dit un autre vaurien. Le négro ne sera pas élu avant des heures. Après ça, on le retrouvera, ce freluquet.

Le cœur battant, l'estomac crispé, Billy avança vers les voyous. Au dernier moment, ils s'écartèrent pour le laisser passer. Il pressa le pas. Sa main posée sur le revolver n'avait été que du bluff. Il savait qu'il ne devait pas s'en servir, même pour se défendre. Un tel incident aurait risqué de déclencher un assaut contre le fort.

Il alla remettre le message du colonel Gardner au commandant de l'arsenal.

— Tout sera prêt, promit Humphreys, mais je parie qu'il sera difficile de faire quitter le quai à la cargaison. Les têtes brûlées ne le permettront pas.

En se rendant chez Cooper, Billy passa devant le Mills House. Huntoon et Anne en sortaient. En le croisant, Huntoon porta une main à son chapeau, mais Anne se contenta de le saluer d'un petit signe de tête méprisant.

A Tradd Street, l'atmosphère était mélancolique. Cooper n'était pas encore rentré. Judith essaya de distraire l'invité en se mettant au piano pour faire chanter les enfants, mais ils se turent bientôt. L'enthousiasme manquait. Cooper arriva enfin et s'excusa de son retard. Il venait de James Island, où de nouveaux problèmes se posaient dans la construction du *Star of Carolina*.

Judith avait préparé un délicieux pâté d'huîtres en croûte, mais Billy n'avait pas faim, Beth non plus. La conversation traîna. Judith servait une glace aux fraises dans des coupes d'argent quand des cloches se mirent à sonner. Cooper fronça les sourcils.

— Saint-Michael. Le télégraphe a dû donner les premiers résultats du Nord.

— Est-ce vrai que demain sera déclaré jour férié ? demanda Judith.

— C'est vrai. En rentrant, j'ai rencontré Bob Rhett. Il jubilait. Il m'a dit qu'aujourd'hui marquait le début de la révolution américaine de 1860, grommela Cooper.

Ils entendirent une fanfare.

— J'aimerais aller voir ce qui se passe, dit Billy. Les couleurs de l'armée ne seront peut-être pas très bien vues d'ici une semaine ou deux. Tu n'as pas peur de sortir, Beth ?

Elle secoua la tête. Quelques minutes plus tard, tous deux se dirigeaient vers la Battery. La rue était exceptionnellement animée pour un début de soirée, mais dans l'ensemble la foule paraissait de bonne humeur. Billy remarqua bien quelques froncements de sourcils, provoqués par son uniforme. Soudain, Beth s'exclama :

— Ils jouent la Marseillaise !

— Ils sont fous, déclara sèchement Billy.

Une sourde détonation et un éclair de la Battery le firent sursauter. Le canon ? Puis, il maudit sa nervosité. Ce n'était qu'un salut, pas un signal pour des hostilités.

Comme ils traversaient Water Street, Beth chuchota :

— Tu connais ces hommes ? Ils nous observent.

— Non, je ne... Attends. Si, j'en reconnais un, c'est un voyou que j'ai rencontré en amarrant mon bateau cet après-midi.

Le borgne trapu fit signe à ses copains et traversa Meeting Street.

— Allons parler à cette jeune dame, lança-t-il d'une voix forte. J'aimerais bien savoir ce qu'elle fait avec un sale Yankee.

— Faudrait lui expliquer que ce n'est pas patriotique.

— On la persuadera, assura le troisième en ramassant une pierre sur la chaussée.

Ils étaient sept. Quatre ou cinq portaient déjà des pavés.

— Reste derrière moi, chuchota Billy.

— Mais nous ne risquons tout de même rien sur la voie publique ! protesta Beth.

La petite bande atteignit le trottoir. Les passants qui couraient vers la Battery ne faisaient attention ni à Billy ni à Beth. Le borgne ôta sa casquette crasseuse, voûta ses épaules et prit un air suppliant.

— Faites excuses, mademoiselle, mais les patriotes de Charleston vous prient respectueusement de ne pas vous salir en vous associant avec la vermine du fort.

Le canon tonna encore. Une lueur rouge apparut au-dessus des toits.

— Allez au diable, répliqua Beth. Je m'associe avec qui je veux.

— Ah ! oui ? C'est ce qu'on va voir.

Le borgne se rapprocha. Billy dégaina et arma son Colt. C'était du bluff, toujours. Avec tant de monde, à pied et en voiture autour d'eux, il n'oserait pas tirer. Derrière lui cependant, une femme vit le revolver et poussa un cri. Plusieurs piétons changèrent précipitamment de trottoir.

Le borgne feinta vers le revolver. Billy l'évita. Un autre voyou lança une pierre. Elle manqua Billy mais frappa Beth à l'épaule. Billy jura, bondit et abattit le canon du Colt sur la joue du lanceur de pierre. L'homme hurla et recula, la figure en sang.

Billy, avec inquiétude, comprit la situation. Les voyous formaient déjà un demi-cercle et se rapprochaient. Il ne fallait pas déclencher une bagarre où Beth risquait d'être blessée. A contrecœur, il lança un mot qui allait à l'encontre de toute son éducation et de tout son caractère :

— Fuyons !

Beth hésita. Il lui saisit le bras et l'entraîna vers Tradd Street. Comme une bande de loups, le borgne et ses camarades les poursuivirent. Des pavés volèrent. Une pierre atteignit Billy au cou et entama la peau.

Au coin de Meeting et de Tradd, le borgne et ses amis s'arrêtèrent. Billy poussait Beth dans le jardin de Cooper. Haletants, ils refermèrent la grille derrière eux et s'appuyèrent contre le mur. Un double coup de canon retentit sur la Battery.

— Je ne m'étais encore jamais enfui devant rien ni personne, grommela Billy.

— C'était la seule chose à faire. Mais comment des gens de Caroline du Sud peuvent-ils se conduire ainsi ?

Il lui prit la main et ils entrèrent dans la maison. Billy jusque-là ne s'était pas rendu compte à quel point la haine s'était répandue, ni combien elle était profonde. Il ne s'étonna plus que Gardner déteste son poste ou que Doubleday tire des avertissements au mortier. Charleston avait perdu tout contrôle.

Le lendemain, alors que la victoire de Lincoln apparaissait certaine, la liesse augmenta. Quand la vedette de Fort Moultrie se présenta, une foule surexcitée interdit le chargement des armes légères et des munitions, ainsi que l'avait prédit le commandant de l'arsenal.

Dans la soirée, toute la ville en fête se déchaîna. Des fanfares parcouraient les rues, des lampes et des bougies brillaient à toutes les fenêtres. Des groupes de fêtards, ivres ou non, faisaient grand bruit autour de la maison de Huntoon, à East Battery.

Anne et son mari s'apprêtaient à partir pour assister au feu d'artifice tiré sur la Battery. Huntoon avait retrouvé une vieille cocarde de satin bleu, symbole de la résistance. Il l'épingla à son chapeau haut de forme. Anne se coiffait devant la glace d'une capote ornée de plumes blanches et noires. C'était, comme l'affirmaient les élégantes, la capote de la sécession. Cette mode faisait fureur.

— Est-ce que l'on compte vraiment organiser une convention spéciale ? demanda-t-elle.

— Absolument. On l'a annoncée pour le dix-sept décembre, afin de déterminer les rapports futurs de l'Etat avec le Nord. Elle va venir, ma chérie, cette indépendance. A Washington, le sénateur Chestnut s'est démis de ses fonctions aujourd'hui, le sénateur Hammond aussi.

Il prit sa femme par la taille et la fit valser. Cette réjouissance fut interrompue par l'apparition d'un esclave.

— Un missié pour vous, missié Huntoon.

— Va au diable, Rex. Je ne reçois personne.

— Il dit que c'est important.

— Il t'a donné son nom ?

— Missié Cameron Plummer.

— Ah ! Envoie-le à la porte de service.

L'esclave sortit. Huntoon échangea un coup d'œil avec sa femme, puis il quitta la pièce.

Dans l'ombre de la porte de service, un homme chuchota :

— J'ai fait de mon mieux, Mr Huntoon. Exactement comme vous avez demandé. J'ai guetté jusqu'à ce qu'ils sortent, et puis je les ai suivis. Mais avant que nous puissions les rosser, ils ont tourné les talons et ils ont couru à la maison de Tradd Street. Faut quand même que je paie mes gars. Nous avons fait de notre mieux.

— Je sais, je sais, baissez la voix.

Huntoon n'était pas surpris que le complot n'ait rien donné. C'était une idée d'Anne et il s'y était opposé. Elle avait pleuré et tempêté jusqu'à ce qu'il cède. Sa menace de faire chambre à part pendant un mois avait également pesé sur sa décision.

Ensuite, il l'avait regrettée. Un ambitieux comme lui ne devait pas se permettre de courir des risques stupides. A l'avenir, se promit-il, Anne cédera à sa nature vindicative si ça lui plaît mais, moi, je refuserai de m'en mêler. Il en prit la ferme résolution, alors qu'il glissait des pièces de monnaie au borgne.

# CHAPITRE LII

— Une visite ? s'interrogea Harry en suivant l'esclave sur le palier. Je n'attends personne... Dieu du ciel, est-ce vraiment toi, George ?

— Je le crois, répondit le voyageur avec un sourire incertain. Attendons que les escarbilles soient tombées de mes cheveux et lavons ma figure pour en être sûrs !

Harry se précipita dans l'escalier.

— Cuffey, porte ces valises dans la chambre d'amis. As-tu mangé, George ? Nous dînons dans une demi-heure. Pourquoi ne nous as-tu pas avertis de ton arrivée ?

— Il y a quelques jours encore, je ne savais pas que je viendrais. Je me suis décidé brusquement. Et puis j'ai pensé que si j'écrivais pour te dire que je voulais te voir, tu ne me répondrais peut-être pas. Tu n'as répondu à aucune de mes lettres...

Harry rougit.

— J'ai été extrêmement occupé. La récolte... et puis la Caroline du Sud est en plein chaos, comme tu dois le savoir...

— Je puis en témoigner, certes. Quand je suis descendu du train à Charleston, je me suis presque cru en pays étranger.

— D'un jour à l'autre, tu pourrais avoir raison, dit Harry avec un rire amer. Dis-moi, est-ce que cette impression existe dans le Nord ?

— Je t'avoue qu'elle est presque universelle.

Harry secoua la tête. La convention spéciale organisée par le gouverneur Pickens s'était déjà réunie dans l'église baptiste à Columbia. Tout le monde s'attendait à ce que les délégués votent la sécession. George toussota pour rompre le silence.

— Veux-tu m'offrir un verre ? Ensuite, nous causerons.

L'expression d'Harry s'éclaircit un peu.

— Certainement. Viens par ici.

Il emmena George dans la bibliothèque. Il était enchanté de revoir son vieil ami mais leur récente discussion dressait entre eux une barrière qui l'empêchait de l'avouer. Il offrit tout de même son meilleur whisky. Alors qu'il le servait, George lui raconta qu'il avait passé deux heures avec Cooper.

— Mais je ne suis pas venu spécialement pour le voir, ajouta-t-il en se jetant dans un fauteuil.

Son verre à la main, Harry resta debout, le dos à la fenêtre. Un pâle jour d'hiver éclairait sa tête et ses épaules.

— Pourquoi, alors ? fit-il brusquement.

George surmonta son irritation en se rappelant la profonde tristesse qui avait fini par le pousser à ce long voyage.

— Pour deux raisons. La première était d'essayer de sauver notre amitié.

Le silence devint écrasant. Pris de court, Harry ne trouvait pas ses mots. George se pencha en avant, les épaules voûtées, la mâchoire pointée, et reprit.

— Cette amitié est importante pour moi, Harry. Après Constance et les enfants, c'est ce que j'ai de plus précieux au monde. Non, attends, laisse-moi finir. Je t'ai présenté des excuses par écrit, mais je n'ai jamais trouvé que cela suffisait. Toi non plus, probablement. Alors je suis venu te parler de vive voix. Ne laisse pas les têtes brûlées d'ici, ni les extrémistes comme ma sœur, détruire nos sentiments mutuels.

— As-tu des nouvelles de Virgilia ?

— Non. Elle se cache. Franchement, je m'en moque. Je n'aurais pas dû prendre son parti l'autre soir. Je me suis laissé emporter.

— Oh ! la réaction a été des deux côtés, murmura Harry.

— Je ne viens pas te faire des reproches, mais demander ton pardon. Il est évident que la Caroline du Sud est prête à se séparer de l'Union, encore que je craigne que ce soit un mauvais calcul. Certains accommodements avec l'esclavage auraient été et sont toujours possibles, mais si j'ai bien compris l'état d'esprit de Washington, rien n'est possible si l'on en arrive à une coupure. Si la Caroline du Sud prend les devants, d'autres suivront probablement et cela aura de redoutables conséquences. Le pays est comme un énorme bateau sur un haut-fond, incapable de se dégager et lentement mis en pièces. Mais, depuis de longues années, les Hazard et les Main sont amis intimes. Je ne veux pas que cette amitié soit détruite.

Harry regarda George dans les yeux. Son émotion le submergea. Ce fut pour lui un soulagement de dire ce qu'il pensait :

— Ni moi. Je suis heureux que tu sois venu. Cela me donne l'occasion de faire des excuses. Passons l'éponge, veux-tu ?

George se leva et s'approcha de lui.

— Passons-la le mieux possible par les temps qui courent.

Comme des frères, les deux amis s'étreignirent.

Harry retrouva son calme. Il se sentait soudain plus heureux qu'il ne l'avait été depuis des mois. La tension, produite autant par les événements que par leur brouille, se dissipait soudain. Il souriait quand George aborda le second but de sa visite.

— Je voudrais aussi parler de mon frère et de ta sœur. Ils veulent se marier. Pourquoi t'y opposes-tu ?

— Tu sais, Beth fait ce qu'elle veut maintenant.

— Nom de Dieu, Harry, ne te bute pas contre moi !

Contrit, Harry rougit et détourna les yeux. George insista :

— Elle ne t'a pas défié au point de se marier sans ton consentement. Et je n'arrive pas à comprendre pourquoi tu le refuses.

— Non ? Et pourtant, tu sais que des troubles graves nous menacent, peut-être même la guerre.

— Raison de plus pour qu'ils aient un peu de bonheur alors que c'est encore possible.

— Tu n'ignores pas de quel côté est Billy. Celui de l'armée et du gouvernement de Washington. Et à très juste titre. Beth, elle...

— Bon Dieu, s'exclama George, ne laisse pas la haine de fanatiques et de politiciens gâcher leur vie. C'est injuste. De plus, ce n'est pas nécessaire. Billy et Beth sont jeunes. Ils sont forts, résistants. Bien sûr, ils subiront des tensions mais je puis te dire ceci : à eux deux, mon frère et ta sœur survivront à la tempête bien mieux que nous. Ils s'aiment, et ils appartiennent à deux familles qui sont liées par une profonde affection.

Ses paroles se répercutèrent dans la pièce tapissée de livres. George se dirigea vers l'armoire contenant le whisky. Harry fronça les sourcils. Son moral s'effondrait, tout espoir s'évaporait.

Dans le silence pesant, il dit enfin :

— C'est bon.

George arracha le cigare de sa bouche, craignant d'avoir mal entendu.

— Tu dis... ?

— C'est bon. J'ai toujours pensé que tu étais trop téméraire. Mais la plupart du temps, tu avais raison. Soit, Billy et Beth ont droit à une chance. Nous allons la leur accorder.

George poussa une exclamation joyeuse, se précipita vers la porte et l'ouvrit.

— Appelle un de tes domestiques, Harry. Envoie-le tout de suite à Charleston. Mets fin au chagrin de cette enfant !

Harry sortit. Il écrivit un laissez-passer pour Cuffey et fut surpris de sa propre bonne humeur. Il se sentait soudain rajeuni, plein d'un bonheur sans nuages comme il n'en avait pas ressenti depuis des années.

Lorsqu'il revint dans la bibliothèque, George prit un air faussement sérieux et félicita son ami de sa sagacité. Ils écoutèrent décroître le pas du cheval de Cuffey, puis ils échangèrent des nouvelles. George parla de Constance et de leurs enfants, Harry, de la déconcertante retraite de Madeline, de sa santé si apparemment déclinante. Puis George aborda le problème du *Star of Carolina*.

— Comme je te l'ai dit, j'ai vu Cooper. J'avoue avoir du mal à me résigner à une possible perte de deux millions de dollars.

— Cooper pourrait rembourser jusqu'au dernier centime s'il liquidait tout. Je crois qu'il refusera de le faire parce que ce serait reconnaître son échec.

— Même s'il croit lui-même que le bateau ne peut être terminé ? Ma foi... Je l'admire un peu. Ou je l'admirerais si mon investissement était moins important. Quel gâchis nous avons fait, tous, autant que nous sommes.

— C'est l'éternelle plainte des vieillards, murmura Harry.

— Quoi ? Tu penses que nous sommes vieux ?

— Toi, je ne sais pas. Moi, certainement.

— Moi aussi sans doute. Dieu ! que c'est moche ! soûlons-nous, mon vieux.

— Bonne idée ! Permets-moi de faire les honneurs. Je suis devenu un expert en ivrognerie.

Ils rirent tous deux, feignant de croire à une bonne plaisanterie.

CHAPITRE LIII

L<small>E JOUR DE L'ARRIVÉE DE</small>
George à Mont Royal, les délégués de la convention de la sécession
allèrent, par le train, de Columbia à Charleston, à cause d'une menace
de variole dans la capitale de l'Etat. Ainsi, Huntoon rentra plus tôt que
ne l'attendait Anne, mais comme la plupart des habitants de la ville,
elle fut satisfaite que de si importantes délibérations eussent bientôt
lieu à Institute Hall. Et elle était enchantée que son mari y participe
car elle était sûre qu'il graviralt les échelons du pouvoir de la nouvelle
nation et qu'elle partagerait son ascension.

Elle se hâtait de terminer sa toilette pour aller assister à la
première séance dans la salle de Meeting Street quand sa sœur fit
brusquement irruption dans sa chambre sans se faire annoncer.

— Anne ! Ecoute la nouvelle la plus merveilleuse ! Cuffey est venu à
la maison hier soir. George Hazard est là-bas...

— Qu'est-ce qu'il veut ? Il vient se moquer de nos délibérations
patriotiques ?

— Ne sois pas méchante. Il est venu parler à Harry, pour Billy et
pour moi. Et devine quoi !

Déjà un petit soupçon désagréable effleurait Anne et gâchait son
plaisir.

— Comment veux-tu que je devine ? dit-elle avec indifférence en se
retournant vers sa glace pour remettre une boucle en place.

— Harry s'est ravisé. Nous pourrons nous marier quand nous
voudrons !

C'était ce que craignait Anne. Il lui fallut toute sa volonté pour ne
pas montrer son dépit. Beth pépiait toujours.

— J'ai immédiatement expédié Cuffey au fort avec la bonne
nouvelle. Je n'en reviens pas. Tout s'arrange, après tout !

— Je suis si heureuse pour toi.

Jamais Anne n'avait eu tant de mal à sourire, mais elle sourit. Puis,
elle embrassa sa sœur. Beth était trop éperdue de bonheur pour
remarquer l'éclair de fureur dans les yeux de son aînée.

— Nous devrons parler de tout ça, reprit Anne en se précipitant vers
la porte. Ce sera un plaisir de t'aider à tout préparer. Mais il te faudra
attendre un jour ou deux, jusqu'à ce que la convention ait fini de
délibérer. Je te jure, jamais je n'ai vu Charleston dans une telle
effervescence...

Sur ce, elle partit, folle de jalousie haineuse et plus décidée que
jamais à détruire ce jeune bonheur.

Institute Hall était silencieux ; l'atmosphère électrique. Au balcon
bondé, le public se penchait pour écouter le rapport du comité chargé
de préparer le décret de sécession.

Deux jours s'étaient écoulés depuis l'arrivée des délégués. Des
motions avaient été proposées, amendées, repoussées. Des groupes

d'observateurs, envoyés par les Etats du Mississippi et de l'Alabama, avaient été reçus en grande pompe. Mais à présent, dans cet après-midi du 20, les délégués atteignaient le cœur révolutionnaire de la question. L'Honorable Mr Inglis, président du comité, monta à la tribune pour lire la proposition.

Assis au premier rang du balcon, Cooper s'accouda à la balustrade : on se pressait contre lui. Des yeux il examina le parterre, passant de l'ancien gouverneur Gist au sénateur Chestnut et à Huntoon, rose et souriant comme quelque assassin angélique.

Il y avait beaucoup de femmes dans la salle, la plupart coiffées de la capote de sécession. Assez loin sur la droite de Cooper, Anne, le front moite et la bouche entrouverte, observait tout. Elle avait l'air d'éprouver des sensations infiniment plus charnelles que ne pouvait inspirer l'audition d'une proclamation. Il trouva son expression surprenante et presque écœurante.

— *Nous, le peuple de l'Etat de Caroline du Sud, réunis en convention, déclarons et ordonnons que le décret adopté par nous le vingt-troisième jour de mai de l'an de grâce mil sept cent quatre-vingt-huit, en vertu duquel la Constitution des Etats-Unis fut ratifiée...*

Lentement, tristement, le regard de Cooper parcourut la foule au-dessous de lui. Presque sans exception, tous ceux qui avaient embrassé cette cause étaient des hommes éminents, des hommes intelligents et responsables. Il comprenait leur colère, vieille d'une génération, mais jamais il n'admettrait les moyens qu'ils avaient choisis pour l'exprimer.

— *... et aussi tous les actes, ou parties d'actes de l'Assemblée Générale de cet Etat, ratifiant les amendements de ladite Constitution, sont abrogés par les présentes.*

Autour de Cooper, les spectateurs acclamèrent et applaudirent l'orateur. Il reconnut un employé des douanes fédérales, la femme d'un pasteur. Il était difficile de dire qui hurlait le plus fort. Cooper baissa la tête, les mains croisées, s'attirant des regards réprobateurs.

— *... et que l'union existant entre la Caroline du Sud et d'autres Etats, sous le nom d'Etats-Unis d'Amérique, est de même dissoute.*

Le vacarme fut à son comble. Tout le balcon était debout, comme s'il obéissait à un signal. Cooper resta assis. Le douanier l'empoigna par l'épaule.

— Debout, bon Dieu !

Cooper posa ses doigts sur la main de l'homme, le pouce dessous, et le retira avec une douceur apparente. Mais l'homme grimaça de douleur. Cooper le dévisagea un instant, puis il reporta son attention sur le parterre.

Les gens se tapaient dans le dos, se serraient la main, se félicitaient bruyamment. C'était une scène de folie collective. Il se demanda comment diable cet Etat, ou même tout le Sud, pourrait exister seul. Comment serait-il possible d'avoir deux gouvernements pour un continent, pour un seul peuple ?

Enfin, les délégués et le public se calmèrent. Sans débat, le décret fut voté à l'unanimité des 169 voix. Il serait signé et scellé dans la nuit.

Dès que cela fut annoncé, la folie reprit. Cooper soupira, se leva et joua des coudes dans la cohue, où il distinguait bien peu de visages soucieux. Il se précipita dehors, presque incapable de maîtriser sa colère.

Sur la Battery, entourée, écrasée par la foule en liesse, Anne se sentait curieusement énervée. Elle avait l'impression que la cohue créait des courants électriques qui s'enfonçaient dans la terre et remontaient par ses jambes jusqu'à son ventre. Cette excitation secrète lui donnait le vertige.

Comme toujours, ce n'était pas ce déferlement de patriotisme qui lui embrasait les sens mais sa signification, la grande chance qui s'offrait à elle. Ces serments, ces menaces, ces slogans étaient le premier cri d'une nation nouvelle. James prédisait que les autres Etats cotonniers suivraient l'exemple de la Caroline du Sud, qu'un gouvernement serait bientôt établi. Il y jouerait un rôle prépondérant. En quelques semaines, un vieux rêve deviendrait réalité : Anne aurait le pouvoir à portée de sa main.

Une nouvelle fusée du feu d'artifice lui éclaboussa le visage de lumière écarlate. D'autres explosèrent et tombèrent en pluie étincelante sur l'île Sullivan, illuminant brièvement les remparts du fort. Les traits d'Anne se crispèrent. Puis, comme en surimpression sur l'image de Billy Hazard, elle vit une autre figure, tout aussi familière, à quelques mètres.

— Forbes ! s'écria-t-elle et, tenant d'une main sa capote de sécession, elle se fraya un chemin vers lui. Forbes !

— Mrs Huntoon, dit-il avec la courtoisie exagérée qu'il lui manifestait en plublic.

Il s'inclina. Elle sentit des vapeurs de whisky mêlées à son odeur masculine, et cela accrut son excitation, mais ce n'était pas le moment de songer à des ébats amoureux.

— Forbes, il faut que je te parle, chuchota-t-elle. Demain. Dès que possible. Harry a donné son consentement au mariage de ma sœur avec Billy. Je ne peux pas le supporter. Je ne le permettrai pas !

La bouche de Forbes Lamotte eut soudain l'air d'un coup de sabre en travers de sa figure. Autour d'eux d'autres fusées jaillissaient, les cloches et les canons faisaient un tintamarre assourdissant. Il dut se pencher tout près d'Anne pour entendre ce qu'elle disait.

— La Caroline du Sud est passée à l'action, ajouta-t-elle. Il est temps que nous en fassions autant.

Il se détendit et retrouva son sourire nonchalant.

— Certainement. Je suis à ta disposition, murmura-t-il.

# LIVRE QUATRIÈME

# LA MARCHE DANS LES TÉNÈBRES

*Je vous dis qu'il y a le feu. Ils ont aujourd'hui appliqué une torche au temple de la liberté constitutionnelle et, Dieu nous en garde, nous n'aurons plus jamais de paix.*

JAMES PETIGRU, avocat de Charleston,
au cours de la fête de la sécession.
20 décembre 1860

## CHAPITRE LIV

De JOUR EN JOUR FORT Sumter ressemblait davantage à une prison. Billy occupait une cellule humide aux murs de brique, dans le quartier des officiers. La pièce était d'autant plus lugubre qu'il y faisait presque perpétuellement sombre. La provision de bougies et d'allumettes, que Mrs Doubleday avait achetées en janvier, la veille de son départ vers le Nord avec les autres femmes de la garnison, ne tarderait pas à être épuisée. Billy n'avait plus qu'un petit bout de chandelle. Il l'allumait quelques instants seulement chaque jour afin d'ajouter une marque à son calendrier improvisé : des lignes verticales tracées dans le mur avec un morceau de brique cassée. En février, vingt-deux barres étaient tracées.

Il ne voyait plus Beth car il ne faisait pas partie de ceux que l'on envoyait en ville tous les deux jours pour acheter du porc salé et des légumes. Ce réapprovisionnement était tout juste toléré par le gouverneur Pickens, à la demande pressante de quelques éminentes personnalités de Charleston.

D'autres, tout aussi éminentes, n'appréciaient pas du tout que la garnison reçoive des provisions et du courrier et le déclaraient fréquemment. Par une lettre de Beth, Billy apprit que Rhett, du *Mercury*, préconisait même d'affamer la garnison pour la forcer à s'incliner. On soupçonnait le gouverneur d'avoir la même intention mais de s'y prendre autrement. Il avait simplement refusé de permettre aux quarante-trois maçons civils de quitter Fort Sumter. Ainsi les vivres seraient plus vite épuisés et cela hâterait sans aucun doute la reddition d'Anderson. Certains officiers assuraient que le gouverneur bluffait car il n'avait pas autorité pour imposer cette décision. Doubleday proposa de renvoyer les ouvriers à terre sous le couvert de la nuit, mais il n'en parla pas devant le commandant Anderson qui, sensible à l'immense danger de toute confrontation avec les autorités locales, se gardait bien d'aborder la question.

Beth racontait que la corvée de marché devait se faire protéger par des mousquets chargés. La foule suivait toujours les soldats et souvent quelqu'un injuriait Doubleday, l'homme le plus détesté parce que abolitionniste avéré. Si jamais il se risquait à mettre le pied en ville, prédisait-elle, il serait lynché.

Tout comme Billy, Doubleday était donc prisonnier.

La gravité de la situation rendait les soldats plus francs, moins soucieux du protocole. Cela fut démontré un après-midi, alors que Doubleday et Billy regardaient du haut du parapet un petit schooner manœuvrant pour aller s'amarrer à la jetée de Morris Island. Il transportait des plaques de fer destinées à renforcer le redan de bois d'une batterie en construction à la pointe de Cummings, à douze cents mètres à peine.

— Regardez ça! s'exclama Doubleday. Nous leur donnons tout le temps qu'ils veulent pour placer leurs canons et faire venir leurs munitions.

C'était vrai. De Moultrie, maintenant lourdement fortifié avec des balles de coton et des sacs de sable, jusqu'à Cummings, des canons menaçaient le fort de la rade. Leurs servants s'entraînaient régulièrement. De sa place, Billy voyait des hommes s'activer autour d'une douzaine de canons tandis qu'au-dessus d'eux claquaient au soleil des drapeaux inconnus portant l'emblème de la palmette ou du pélican.

Comme beaucoup, dans la garnison, Billy trouvait le commandant Anderson consciencieux, honnête, bien qu'assez vieux et plutôt dévot. Il se sentit obligé de répondre à la critique sous-entendue.

— Si le commandant entravait leur manœuvre, il risquerait de plonger le pays dans la guerre. Je ne voudrais pas avoir cette responsabilité, mon capitaine.

— Ni moi, rétorqua Doubleday. Croyez-moi, je comprends le dilemme, mais ça ne change rien au fait que nos hésitations aggravent le danger. J'aimerais bien que le commandant oublie les ordres pendant une heure et nous permette de réduire ces batteries, sans quoi nous serons bientôt entourés par un anneau de feu.

*Un anneau de feu*. L'image est bien trouvée, pensa Billy en regardant les dockers décharger le schooner. Les canons de la Caroline du Sud étaient pointés sur Fort Sumter, de toutes les directions, sauf du large. N'était-il pas inévitable que quelqu'un, sur un coup de colère, décharge une de ces pièces sur le fort et déclenche ainsi la guerre?

Dans sa lettre suivante, Beth confirma la menace pressante. La fièvre guerrière faisait rage à Charleston. Doubleday supposait que c'était pourquoi le président Davis s'appliquait à reprendre les batteries de Charleston au nom du nouveau gouvernement. Il avait également envoyé des émissaires confédérés officiels à Washington, pour exiger la reddition de Fort Sumter.

Quelques jours plus tard, Billy apprit, de la bouche même d'Anderson, une nouvelle encore plus étonnante.

— Davis envoie son chef d'état-major pour commander nos batteries, annonça le commandant en soupirant. Beauregard.

— Le capitaine Beauregard, de Louisiane?

— C'est le général de brigade Beauregard, maintenant, des Etats Confédérés d'Amérique. Quand je donnais les cours d'artillerie, il était mon meilleur élève. Si bon même que je l'ai gardé comme instructeur-adjoint quand il eut passé son diplôme. Vous verrez avant peu un déploiement plus technique de toutes ces pièces.

Puis, il se tourna vers son subordonné. Le soleil se couchant derrière les toits de Charleston accentuait ses rides.

— Mais je voulais vous demander des nouvelles de votre fiancée, lieutenant. Est-elle toujours en ville?

— Oui, mon commandant. Elle m'écrit presque tous les jours.

— Vous voulez toujours vous marier ?

— Oh ! oui, mon commandant, mais ce n'est pas très commode en ce moment.

— N'en jurez pas. Comme vous le savez, le capitaine Foster ne veut pas que le génie serve en première ligne, alors quand votre travail sera terminé, je songerai à votre situation.

L'espoir inonda Billy, mais il fut vite en conflit avec un autre sentiment.

— Je vous remercie beaucoup, mon commandant. Cependant, je ne voudrais pas partir s'il doit y avoir des hostilités.

— Il n'y en aura pas, Hazard. Du moins pas de notre fait. Pensez à la catastrophe que ce serait si des Américains ouvraient le feu sur d'autres Américains ? Cela n'arrivera pas par ma faute et je n'ai pas honte d'avouer que je tombe à genoux chaque soir et que je prie Dieu de m'aider à respecter ce vœu.

Ces paroles contrastaient fort avec le caractère belliqueux du capitaine Doubleday. Billy regarda le soleil plonger derrière les toits, se réjouissant de l'espoir donné par Anderson. Il osait à peine y penser, de peur d'être affreusement déçu.

Lentement, son regard fit le tour de la rade, s'arrêtant sur les diverses batteries, sur le sable et les hauts-fonds. *L'anneau de feu* attendait d'être allumé par ordre ou par malchance. Quand les dernières lueurs du couchant s'éteignirent, il sentit revenir tout son pessimisme.

Ce même soir, Harry descendit d'un bateau fluvial à Mont Royal. Vingt minutes après il rejoignit à la bibliothèque Charles qui avait démissionné dès l'annonce de la sécession, pour rentrer chez lui au plus tôt.

— Quelle est la situation à Charleston ? demanda le jeune homme en servant deux whiskies.

— Mauvaise. Le commerce stagne. Les négociants se plaignent.

— Les gens s'en vont-ils ?

— Au contraire. La ville n'a jamais eu autant de visiteurs, mais ils ne dépensent que le strict minimum. La population locale aussi.

— Ça ne m'étonne pas. Qui va jeter l'argent par les fenêtres alors que la guerre civile peut éclater d'une minute à l'autre, et que, d'ici quinze jours, le pain coûtera vingt dollars le kilo ?

Avec un sourire qui n'était guère qu'une grimace, Charles se jeta dans un fauteuil et passa une jambe sur l'accoudoir. Son retour avait été agréable pendant un jour ou deux mais, très vite, cette satisfaction l'avait abandonné. Avec Harry, il avait assez longuement parlé d'Elkanah Bent, et, bien que peu de faits nouveaux soient venus s'ajouter à ce qu'il savait déjà, il se sentit encore plus déprimé par l'ampleur de la haine de cet homme. Il espéra qu'elle s'anéantirait au feu de la guerre, si celle-ci éclatait. Et puis surtout, il avait la quasi-certitude que leurs chemins ne se croiseraient plus.

Bent n'était pas l'unique cause de son malaise. L'Ouest lui manquait et, à son étonnement, il ne se sentait plus entièrement chez lui dans son Etat natal. Il n'osait pas avouer qu'il ne voyait qu'un seul remède à son malaise : le combat.

— Les nouvelles empirent, reprit Harry après avoir bu une gorgée. Le nouveau gouvernement suscite beaucoup de rancœur. En le formant, Davis semble avoir oublié la Caroline du Sud.

Charles voulut changer la conversation.

— Comment ça va à Tradd Street ?

— Cooper, aussi bien qu'on puisse l'espérer, si l'on considère que son cargo est maintenant fichu et qu'une partie du chantier a été réquisitionnée pour l'installation d'une nouvelle batterie. Il a sans doute choisi d'accepter pour ne pas courir le risque de voir une bande d'émeutiers tout incendier. Judith et Beth s'occupent bien de lui mais il est assez déprimé. Ses pires craintes se sont réalisées.

— Tu as vu Anne ?

— Non. Il paraît que James est au mieux avec Pickens et que, malgré le dédain évident du gouverneur pour les Caroliniens du Sud, il manœuvre afin d'obtenir un poste. Ah ! autre chose. Je sais de bonne source que tous les préparatifs de guerre ont mis les caisses de l'Etat à sec.

— Et cet emprunt de sept cent mille dollars qu'ils essayaient de placer ?

— Pas de preneurs.

— Alors tout redeviendra peut-être normal. La question du fort pourrait se régler pacifiquement.

— Le président Davis a déclaré qu'il prendrait Sumter par la négociation ou par la force. Lincoln entre en fonction dans quinze jours. Nous saurons sans doute alors comment cela se passera.

Dans la bibliothèque assombrie les deux anciens militaires se regardèrent. Ni l'un ni l'autre ne doutait de l'issue souhaitée par ceux qui étaient à la tête de l'Etat.

### CHAPITRE LV

— VOUS INSINUEZ QUE leur maudit président est arrivé *furtivement* à Washington ?

— Parfaitement. Il portait un vieux costume laissé pour compte tout comme son détective privé Pinkerton. Ils sont descendus du wagon-lit en pleine nuit, comme des voyageurs ordinaires. Comme des criminels !

— Pourquoi Lincoln a-t-il pris le train régulier ?

— Il craignait un assassinat, paraît-il. Si j'avais été dans les parages, j'aurais volontiers donné un coup de main pour... Ah ! bonsoir, Mr Main.

— Salut, messieurs.

L'air dégoûté, Cooper salua de la tête mais n'ôta pas son chapeau. Les deux hommes qui s'entretenaient ainsi étaient caporaux d'une unité d'artillerie carolinienne envoyée au commandant des forces de James Island, le major Evans.

Cooper avait surpris leur conversation en passant derrière un baraquement que les autorités de l'Etat avaient fait construire sur son chantier naval, en l'avisant par écrit qu'il y serait installé avec ou sans son autorisation. A l'intérieur, on avait placé une chaudière d'artillerie spéciale, destinée à chauffer au rouge des boulets pendant un bombardement, sans doute en vue d'allumer des incendies à l'intérieur de Fort Sumter.

Quels crétins, pensa Cooper en s'éloignant. L'air humide de la nuit le fit tousser. Là-bas du côté de Fort Sumter, un feu de signalisation bleu brillait. En l'observant, Cooper évitait de regarder, dressée dans la brume, triste parodie de tous ses rêves pour le Sud, la carcasse de son vaisseau inachevé.

Il remarqua des lumières dans une batterie de mortiers un peu plus loin le long de la plage et il décida de ne pas aller dans cette direction. Accroupi, il laissa couler entre ses doigts des poignées de sable, en contemplant l'océan.

Il devait prendre une décision. Le ministre de la Marine Mallory avait télégraphié pour annoncer qu'il envoyait des membres de la Commission des Affaires navales rendre visite à Cooper. Ils seraient là dans la matinée.

Il savait ce qu'ils voulaient : son entrepôt, son chantier, ses bateaux.

Quoique considérant le nouveau gouvernement comme incapable et néfaste, Cooper, profondément attaché à son Etat, se sentait tiraillé avec une force qu'il n'aurait jamais crue possible.

Il se releva et retourna vers le baraquement de la chaudière. Il se souvint qu'il n'avait rien mangé depuis le matin, mais qu'importait. Rien ne comptait en dehors de la décision qu'il devait prendre. Que faire ?

Il voyait bien que tout homme doué de raison devait actuellement fuir le Sud alors qu'il en était encore temps. Alors ?

Il n'avait qu'une nuit pour décider.

— Rex, qu'est-ce que tu chuchotes ?

Anne, en passant devant l'office, avait entendu un jeune garçon et le vieil esclave Homer parler à voix basse, furtivement et avec animation. Rex recula peureusement.

— Je chuchotais rien du tout, Miz Huntoon.

— Sale nègre menteur, je t'ai entendu ! J'ai entendu distinctement le mot *Linkum*. Qui ose parler de Lincoln ici ?

— Linkum ? Non, madame, je jure que jamais...

La pression de la main de Homer sur son bras l'interrompit. Homer, la quarantaine passée et voûté par les années de travail, contempla le garçon d'un air résigné.

— Ça sert à rien de mentir. On risque pire tous les deux si tu continues. Mieux vaut dire.

Il se tourna docilement vers Anne, mais Rex se rebella.

— Non, Homer, je ne...

Homer lui serra le bras si fort qu'il poussa un cri.

— Baissez votre culotte, tous les deux, ordonna Anne d'une voix rauque, sifflante.

Sa cravache était accrochée à sa place habituelle dans la cuisine. La cuisinière et deux servantes échangèrent des regards alarmés quand leur maîtresse entra en trombe, décrocha la badine et ressortit précipitamment.

Il fallait étouffer dans l'œuf cette fascination exercée par Lincoln, avant que cela ne prenne des proportions dangereuses. Dans tout Charleston, dans tout l'Etat d'ailleurs, les esclaves s'agitaient, chuchotaient cet unique mot : *Linkum*. Ceux qui savaient lire expliquaient que c'était le nouveau dirigeant du Nord. Les autres ignoraient à peu près tout de lui, sinon qu'il était un Républicain-Noir. Leurs maîtres haïssaient si violemment les Républicains-Noirs que Lincoln devait forcément être l'ami des nègres.

Dans l'office, Homer et Rex avaient baissé leur pantalon et se tenaient face au mur. Anne leur ordonna de baisser aussi leur caleçon en loques. A contrecœur, ils obéirent. A la vue des flancs lisses et musclés du jeune garçon, Anne frémit.

— Cinq chacun, déclara-t-elle. Et si jamais j'entends encore l'un de vous prononcer le nom de ce misérable singe, vous en aurez dix, ou plus. Qui commence ?

— Moi, Miz, répondit calmement Homer.

Anne haletait presque. Elle vit Rex risquer un regard peureux par-dessus son épaule.

— Bon, murmura-t-elle, et elle leva la badine.

Le premier coup résonna comme une détonation. Homer n'avait pas assez fermement plaqué ses mains contre le mur. Son menton fut projeté en avant et il se cogna douloureusement. Il cria, et jeta derrière lui un coup d'œil, un regard affolé, rancunier, presque meurtrier.

— Regarde le mur, nègre, lança Anne en frappant de nouveau de toutes ses forces.

Homer serra les poings, baissa la tête et ferma les yeux.

CHAPITRE LVI

L e LENDEMAIN APRÈS-MIDI, de bonne heure, Billy faisait les cent pas devant le bureau du commandant Anderson, sa casquette de permission sous le bras. Il devait attendre pendant que l'officier terminait une lettre pour s'excuser d'un boulet d'entraînement qui avait frappé, par erreur, les balles de coton de Fort Moultrie. Les batteries de Sumter étant fréquemment soumises à l'entraînement, les accidents étaient inévitables. Ensuite, les coupables se hâtaient d'envoyer des excuses au camp d'en face. Les explications étaient toujours longues, extrêmement courtoises et protocolaires, mais la possibilité d'une guerre accidentelle demeurait.

Hart, l'ordonnance d'Anderson, apparut avec la lettre.

— Il va vous recevoir maintenant, mon lieutenant, dit le sergent avant de s'en aller le long du corridor obscur.

Billy entra dans le bureau, lugubre cellule de brique éclairée par un bout de chandelle. Anderson répondit à son salut réglementaire par un geste las. Puis, il indiqua un tabouret.

— Repos, lieutenant, asseyez-vous. Vous n'allez guère vous amuser dans les jours qui viennent, dit-il en posant une main mal assurée sur une grosse enveloppe de toile huilée. J'ai rédigé de nouveaux avis pour le général Scott. J'aimerais que vous les portiez.

— A Washington, mon commandant ?

— Oui. Je veux avertir le général qu'à mon avis la pénétration des défenses de la rade et le renforcement de cette garnison exigerait maintenant une force d'au moins vingt mille hommes. Il y a également d'autres communications aussi confidentielles dans l'enveloppe. Faites votre paquetage et soyez prêt dans trois heures.

Billy fut pris de vertige. Echapper à ce fort oppressant, c'était le rêve de tous les hommes de la garnison, encore que peu l'avouassent. Il se demanda s'il aurait l'occasion de passer un peu de temps avec Beth, avant de quitter Charleston.

— Je peux être prêt plus tôt que cela, mon commandant.

— Inutile. Hart portera ma lettre d'excuses au capitaine Calhoun. Il doit aussi aller voir Pickens, au Charleston Hotel, pour obtenir votre laissez-passer. Même avec le consentement du gouverneur, un départ est une affaire délicate. Il paraît que chaque fois qu'un bateau quitte notre appontement, des bandes d'individus envahissent la Battery. Ils espèrent voir arriver Doubleday. Quoi qu'il en soit, Hart ne reviendra pas tout de suite. Vous partirez à la nuit tombée ou un peu plus tard.

— Bien, mon commandant.

— Et, lieutenant... Faites tous vos bagages. Contrairement à d'autres courriers que j'ai envoyés à Washington, vous ne reviendrez pas.

— Mon commandant ?

Pâle, Billy regarda fixement l'officier. C'était une nouvelle écrasante : devrait-il abandonner Beth dans une ville que la guerre risquait de dévaster d'un moment à l'autre ? Le commandant ne l'ignorait pas. Pourquoi avait-il donc ce curieux petit sourire ? Devenait-il fou ?

Anderson expliqua rapidement :

— Vous êtes en permission jusqu'à demain soir, auquel moment je compte que vous prendrez un train pour le Nord. Hart a préparé vos ordres de route à cet effet. Profitez de ces quelques heures pour aller voir votre fiancée. Si vous parvenez à lui transmettre promptement un message, vous aurez même assez de temps pour vous marier. Hart accepte d'attendre ce message si vous l'écrivez en dix minutes.

Billy resta sans voix. Il croyait à peine à sa bonne fortune. Anderson le remarqua.

— N'ayez pas l'air aussi stupéfait, lieutenant. Quelqu'un doit aller à Washington. Pourquoi pas vous ? J'ai envoyé le lieutenant Meade voir sa mère malade en Virginie. Vous avez plus de chance. Certes, j'empiète sur les prérogatives de votre supérieur du génie, mais je pense qu'il me pardonnera quand je lui expliquerai les circonstances. Même avec un laissez-passer du gouverneur, cependant, vous risquez d'avoir du mal à traverser la ville. C'est pourquoi je vous retiens jusqu'à la nuit.

Billy jugea qu'il était temps de cesser de douter et d'en profiter.

— Mon commandant, si le schooner pouvait me déposer au dock de la C.S.C., au-dessus de la Douane, je demanderais à Cooper Main de venir me chercher en voiture fermée. Il me conduirait à Tradd Street. Beth et moi pourrions sortir de Charleston avant le jour.

— Vous ne voulez pas vous marier chez les Main ?

— Je crois qu'il serait plus sûr d'aller à Mont Royal. Il y a une halte de chemin de fer pas très loin de la plantation.

— Bien, mais quoi que vous décidiez, le plus dur sera la traversée de la ville. Je vous conseille vivement de garder votre revolver chargé à portée de main.

Billy salua et fit demi-tour, laissant le commandant regarder la chandelle d'un œil mélancolique.

— Grâce à Dieu, j'étais à la maison quand l'ordonnance d'Anderson est arrivé, dit Cooper lorsque Billy sauta sur le quai de la C.S.C. Judith attend dans la voiture.

— Où est Beth ?

— A la maison. Elle voulait venir, mais Judith lui a conseillé de rester pour faire ses bagages. Elle n'a pas beaucoup de temps pour rassembler son trousseau. Nous serons en route bien avant le jour. J'ai déjà envoyé un homme à Mont Royal. Harry aura le pasteur sur place demain à une heure de l'après-midi.

— A quelle heure passe le train ?

— A quatre heures et demie.

Tout en parlant, ils marchaient rapidement vers le bout du quai où attendait la voiture. Leurs pas rapides s'accordaient avec la cadence du cœur de Billy. Malgré sa tension, il était en pleine exaltation, heureux pour la première fois depuis des mois.

— Merci, Gerd, dit Cooper au gros homme qui lui tendait les rênes. Je vais conduire, Billy. Ne te montre pas à la portière. Il y a toujours des indiscrets qui traînent autour de la Douane et tes boutons d'uniforme brillent comme des lanternes.

Il s'efforçait de parler sur un ton léger mais son anxiété perçait dans sa voix. Il glissa en grimpant sur les rayons de la roue avant, grimaça, se rattrapa et plaisanta :

— C'est parfois bien incommode de ne pas avoir d'esclaves. On doit tout faire soi-même. Pas étonnant que l'institution ait duré.

Billy parvint à rire un peu en ouvrant la portière de gauche. Judith était assise à droite. Il la salua et toucha en même temps la serviette de cuir accrochée à son épaule, pour s'assurer qu'elle était bien fermée.

Cooper claqua les rênes et la voiture s'ébranla. A la lueur d'une lanterne au-dessus de la porte de l'entrepôt, Billy aperçut des larmes sur les joues de Judith.

— Que vous arrive-t-il ?

— Rien, rien, dit-elle en souriant et pleurant à la fois. Je suis idiote, mais je n'y peux rien. Il y a bien peu de raisons d'être joyeuse, en ce moment, mais c'en est une. Excuse-moi.

— Non. Je suis comme vous.

— Attention ! cria Cooper. Il y a plus de monde que d'habitude, ce soir.

Billy déplaça son sabre pour pouvoir bouger plus facilement. Puis, il dégaina à demi son revolver. Devant eux, sur la droite, des hommes riaient et parlaient fort. Soudain, l'un d'eux s'écria :

— Vous, là. Arrêtez !

L'estomac de Billy se crispa. Cooper laissa échapper un juron exaspéré. Les voix se rapprochaient. Billy se glissa vers le milieu du siège, à l'endroit le plus obscur. Par la portière de droite, il entrevoyait le bâtiment de la Douane, naguère propriété fédérale. La voiture s'arrêta. Judith retint sa respiration.

— Votre nom ? Votre destination ? demanda une voix dure.

— Je m'appelle Main, je suis citoyen de Charleston et ma destination me regarde. Je vous prie de lâcher mon cheval et de vous écarter.

— Il a l'air honnête, Sam, déclara un autre homme, et le premier recula un peu.

Billy perçut du mouvement à l'extérieur. Judith lui serra le bras.

— Baisse-toi! Ils viennent voir.

Au moment où elle chuchotait, Cooper claqua le fouet, mais la voiture ne bougea pas.

— Lâchez mon cheval! ordonna-t-il.

Au même instant, une figure mal rasée apparut à la portière de droite. L'homme sauta sur le marchepied. Les lanternes de la douane éclairaient l'intérieur. L'homme s'accrocha au bord de la fenêtre en ouvrant des yeux ronds.

— Un soldat là-dedans!

Des vociférations suivirent.

— Est-ce que c'est Doubleday?

D'autres apparurent à la portière en se bousculant. Billy dégaina son revolver. Simultanément, quelqu'un ordonna à Cooper de descendre. La réponse fut un claquement de fouet. Un homme hurla. Cooper brailla comme un muletier et fouetta le cheval.

La voiture repartit. Cependant, l'homme sur le marchepied avait ouvert la portière et s'efforçait de se glisser à l'intérieur. Sa main droite se cramponnait toujours au rebord de la vitre baissée. Billy se pencha devant Judith et abattit le canon du revolver sur ses doigts.

L'homme tint bon. Billy appliqua son pied gauche contre la porte et poussa. La portière s'ouvrit tout à fait et l'homme disparut.

Ils virent, en un éclair, des poings levés, des yeux fulgurants, puis Cooper lança la voiture dans l'obscurité au-delà de la douane. Il tourna à droite, à une allure folle. Billy faisait des efforts pour saisir la portière et la refermer. Il faillit tomber sur les pavés la tête la première avant d'y parvenir.

Haletant, il se laissa retomber contre le dossier, son revolver posé sur sa cuisse.

— Tu as été très rapide, dit Judith.

— Fallait bien. Je ne veux pas rater mon mariage.

Mais son sourire était forcé. Son cœur battait encore à grands coups et il savait qu'il mettrait longtemps à oublier ces trognes assoiffées de sang. Elles lui révélaient toute la profondeur du schisme.

Ce soir-là, peu après dix heures, Cooper fit une brève visite à la maison d'East Battery. En l'écoutant, Anne eut beaucoup de mal à garder son calme. Après son départ, elle courut au bureau rapporter la nouvelle à Huntoon. Il rejeta rageusement le document qu'il lisait.

— Je n'ai vraiment aucune envie d'assister au mariage d'un sale Yankee.

— James, c'est ma sœur. Nous y allons.

Avant qu'il puisse discuter, elle retroussa ses jupes et partit en courant. Dans le vestibule, elle s'arrêta, plaqua ses mains sur ses joues et tenta de mettre de l'ordre dans ses pensées. Demain à cette heure, si personne n'intervenait, Billy et sa sœur seraient partis pour tout de bon. Il fallait profiter de l'occasion.

En souriant légèrement, elle repartit. Assise devant son secrétaire où elle tenait les comptes de la maison, elle écrivit un mot à Forbes, en le priant d'aller à Resolute dans la matinée à la première heure. Elle lui indiqua qu'il pouvait emmener un assistant s'il voulait, mais que ce soit une personne de toute confiance. Il devrait attendre là-bas d'autres instructions. Elle ajouta quelques lignes d'explications, plia, cacheta la lettre et courut à la cuisine avec le mot et un laissez-passer.

— Rex, porte ça à Mr Forbes Lamotte. S'il n'est pas chez lui à Gibbes Street, va au bar du Mills House. Le barman sait généralement où le trouver. Et ne t'avise pas de revenir avant de lui avoir remis ceci en main propre.

Maté par la punition qu'il avait reçue, Rex inclina la tête. Mais tandis qu'il se glissait dans l'escalier vers la porte de service, ses yeux luisant de rage exprimaient son désir intense de se venger.

La voiture de Cooper arriva à Mont Royal en fin de matinée. Le soleil de mars était doux, le ciel sans nuages, de ce bleu léger que Beth croyait unique à la Caroline. Elle se demanda si elle le reverrait jamais.

Les enfants sautèrent à terre dès que la voiture s'arrêta. Le cousin Charles ébouriffa affectueusement les cheveux de Judah, puis il prit Marie-Louise par la taille, la souleva et la fit tournoyer. Elle se cramponna à son cou en poussant des cris de joie.

Judith suivit Beth, et enfin Billy apparut engoncé dans le costume de drap neuf obtenu d'un tailleur allemand que Cooper avait réveillé à minuit. Il fut surpris de voir Charles en grand uniforme, les boutons astiqués, le sabre à la ceinture. Les deux amis s'embrassèrent.

— Pourquoi diable es-tu sur ton trente et un ? s'exclama-t-il.

— Pour te faire honneur, mon vieux. J'ai pensé que si un officier demande à un autre d'être son témoin, ledit témoin doit s'habiller en conséquence. A vrai dire, l'uniforme me manque. L'armée aussi.

Harry, l'air plus sombre encore dans sa longue redingote noire, sortit de la maison. Au bruyant groupe de la terrasse, il annonça :

— Le Révérend Saxton sera là à midi et demi. Je lui ai dit de venir de bonne heure. C'est un tel poivrot qu'il aura sans doute besoin d'un verre pour le soutenir pendant la cérémonie.

Tout le monde rit. Cooper déchargea une petite malle de cuir dans laquelle Billy avait rangé son uniforme, son revolver et la serviette de cuir des dépêches. Il la laissa tomber par terre à côté de celle de Beth et s'épongea le front.

— Comment va maman ? demanda Beth.

— Pas de changement. Je lui ai expliqué à trois reprises que tu te mariais. A chaque fois, elle a assuré qu'elle comprenait mais je suis certain du contraire.

Judah se mit à sauter sur place en tendant le bras.

— Regardez, quelqu'un arrive !

En effet, entre les grands arbres de l'allée, une voiture roulait dans un nuage de poussière.

— C'est Anne, dit Beth sans grand enthousiasme.

La voiture s'arrêta derrière celle de Cooper. Sur le siège du cocher, Homer considéra les Blancs d'un œil impassible tandis que Rex sautait à terre pour ouvrir la portière à Anne et à son mari.

Les félicitations de Huntoon furent nettement de pure forme. Anne courut de Beth à Billy, les serra tour à tour dans ses bras et les éblouit par son sourire.

— Comme je suis heureuse pour vous ! Je sais ce que je dis puisque je suis mariée moi-même !

Ses yeux étincelaient comme des escarboucles. Billy ne savait trop ce qu'elle pensait vraiment mais, au souvenir de leur courte intimité, il rougit quand elle pressa sa joue contre la sienne. Cooper remarqua que Homer regardait sa maîtresse d'un air mauvais. Il se demanda pourquoi.

On entra dans la maison.

Charles s'étonna des joues si brillantes d'Anne. Etait-elle aussi réellement heureuse du mariage de sa sœur ? Il éprouva une curieuse sensation, une sourde inquiétude : l'impression très nette qu'elle jouait la comédie.

## CHAPITRE LVII

La TOUFFEUR DE LA JOURnée assoupissait Madeline. Elle revenait de la cuisine, où elle avait surveillé la préparation d'un jambon braisé pour le dîner. Pourtant, les servantes prétendaient qu'il faisait bon, et même assez frais. Pourquoi donc était-elle en nage ? Justin lui reprochait de toujours se plaindre de la chaleur. Depuis quelques années, elle la supportait mal et se demandait pourquoi. Mais elle se sentait constamment trop fatiguée, trop ensommeillée pour y réfléchir longtemps.

En traversant lentement la terrasse de Resolute sans but particulier, elle essaya de se rappeler où était son mari. Elle se souvint qu'il était parti dans les champs avec son vieux mousqueton, pour s'entraîner au tir. Il prédisait joyeusement que d'ici quelques semaines il participerait à de vraies fusillades.

— ... heure est-il ?

— Près d'une heure. Elle ne devrait pas tarder à nous envoyer un autre message.

Près d'une des fenêtres ouvertes de la bibliothèque, Madeline s'arrêta. Qui parlait ainsi ? Il lui fallut plusieurs secondes pour identifier Forbes, le neveu de Justin, et son ami Preston Smith. Les deux amis étaient arrivés à cheval, à l'improviste, dans la matinée. Forbes n'avait pas dit pourquoi il s'arrêtait là au lieu de continuer, le long de l'Ashley, vers la plantation de son père. On n'expliquait plus grand-chose à Madeline. Elle était traitée comme un objet, un meuble et, en général, elle était trop épuisée ou indifférente pour s'en soucier.

Ce jour-là, cependant, une certaine nervosité, dans ces voix familières, perça la brume mentale qui l'enveloppait si souvent. Forbes avait dit « elle ». Pourquoi une femme lui enverrait-elle un message à Resolute ? Pour lui donner rendez-vous ? Madeline rejeta cette possibilité en entendant la question suivante :

— Les pistolets sont prêts ?

— Oui.

— Tu as rempli la poire à poudre ?

— Bien sûr. Fais attention. Il ne faut pas en verser trop dans un des pistolets.

— T'inquiète pas !

Les deux jeunes gens rirent, d'un rire sans joie, presque brutal. Une vague peur se mit à palpiter dans l'esprit de Madeline. Elle s'écarta du mur. Rassembla ses jupes le plus silencieusement possible et se hâta vers l'extrémité de la terrasse, à l'opposé de la fenêtre ouverte. Ces mots sentant la conspiration : messages, pistolets, avaient réussi à secouer sa léthargie. Soudain, elle voulait en savoir plus, mais ce n'était pas facile.

Luttant contre cette langueur qui menaçait de l'envahir de nouveau, elle se glissa dans la maison par la porte de service. Et, tout à coup, elle fut sûre qu'il se tramait quelque chose à Resolute, quelque chose d'anormal et, par ce qu'elle avait entendu, de sinistre aussi.


Charles remit une enveloppe à Billy.

— Les billets de chemin de fer pour la... pour Washington. J'allais dire la capitale, mais ce n'est plus que *ta* capitale. Les vieilles habitudes ont la vie dure.

Billy rangea l'enveloppe dans une poche et Charles lui tendit un petit écrin de velours.

— Tu vas aussi avoir besoin de ça.

Billy fit sauter le couvercle et rougit.

— Mon Dieu ! J'avais complètement oublié l'alliance !

— Harry s'en est douté, continua Charles en s'apprêtant à allumer un énorme cigare. J'aimerais bien en avoir quelques-uns à envoyer à George, mais aurait-il le cœur à les fumer ?

Billy rit. Harry passa la tête à la porte de la bibliothèque.

— Si le marié et son témoin sont prêts, nous devrions commencer. Le pasteur a déjà ingurgité trois verres de xérès. Un de plus, et il ne pourra pas lire son livre de prières.


— Ah ! tu es absolument ravissante ! s'exclama Anne en battant des mains.

Beth se pomponnait devant la glace. Elle fit bouffer les manches de sa nouvelle robe de soie orangé foncé.

— Je suis si heureuse d'être là pour t'assister, reprit Anne. Et je te suis reconnaissante de me l'avoir demandé.

Beth se tourna vers elle et lui prit les mains avec une grande affection.

— Tu es ma sœur. Je n'aurais voulu personne d'autre. Mais c'est moi qui devrais te remercier. Je sais ce que tu as éprouvé pour Billy, autrefois.

— Ce n'était qu'un engouement idiot, assura Anne en se dégageant, et elle lui tourna le dos. J'ai l'homme que j'ai voulu : James est un merveilleux mari, prévenant, il...

Harry du bas de l'escalier les appela avec impatience. Beth courut prendre, sur le lit, son bouquet de fleurs séchées.

— Il faut y aller.

— A quelle heure votre train passe-t-il à la halte ?

— Billy a dit quatre heures et demie. Pourquoi ?

— Je veux que Homer vous conduise tous les deux dans notre voiture.

— Voyons, Anne, ce n'est pas né...

— Tais-toi. J'y tiens. Notre voiture est beaucoup plus confortable que la vieille guimbarde de Cooper. Et puis, Cooper n'a pas de cocher. C'est honteux de voir un Main faire un travail de nègre. Descends vite. Je te rejoins dans un instant. Je veux simplement voir Homer, pour que tout soit prêt.

Ce fut Rex, et non Homer, qu'Anne chercha après être descendue par l'escalier de service. Elle lui ordonna de courir à pied à Resolute pour remettre un nouveau message à Forbes Lamotte en personne. Elle ponctua cet ordre en enfonçant ses ongles dans le maigre bras du jeune Noir jusqu'à ce qu'elle lui voie des larmes aux yeux. Elle le trouvait insolent depuis qu'il avait reçu les coups de cravache et devinait qu'il rêvait de vengeance. En l'effrayant suffisamment, il n'oserait pas broncher.

Elle rédigea aussi un laissez-passer et poussa Rex vers l'office. Puis, elle tapota ses cheveux parfaitement coiffés, fixa sur ses lèvres un doux sourire et retourna dans le salon pour participer à ce qu'elle considérait, la haine au cœur, comme les derniers moments heureux de Billy Hazard.

Harry s'était assis au troisième et dernier rang des chaises, craignant sa réaction au cours de la cérémonie. Il resta heureusement les yeux secs, bien qu'en proie à une puissante émotion.

Il pensait à Madeline, à la vieillesse, au temps qui passait dans la solitude. Il songeait à la crise de Sumter. Un an plus tôt, il lui aurait été inconcevable qu'une famille américaine comme les Main vive sous un nouveau drapeau.

Il admit qu'il était si profondément tourmenté parce que tout mariage est une borne, une joyeuse décision, mais qui marque de grands changements. Il se résolut à n'en considérer que le côté heureux. Lorsque ce fut terminé, il embrassa sa sœur et la félicita chaleureusement.

— J'espère que tu penses tout ça, dit-elle, appuyée contre Billy qui la tenait par la taille. J'espère que mon mariage unira plus étroitement encore nos deux familles, quoi qu'il arrive.

Harry examina le marié : il était beau, compétent et le frère de son meilleur ami. Pourtant, ce jeune homme au large sourire un peu surpris portait d'habitude un uniforme, et non un simple costume de drap élégant.

— J'aimerais le penser aussi, déclara-t-il en s'efforçant de dissimuler les doutes qui l'assaillaient soudain. Allons, venez, passons à la salle à manger tant que le vin est encore frais.

Il poussa les jeunes mariés dehors et ils passèrent tous devant Anne, pendue au bras de son mari maussade. Elle les regarda d'un œil cruel que, par bonheur, personne ne remarqua.

Dans le vestibule de Resolute, Forbes prit le message et envoya Rex à la cuisine chercher en récompense une galette de maïs. Justin sortit alors de la bibliothèque, avec Preston Smith qui portait une grande sacoche de cuir sur une épaule.

— Quatre heures et demie, confirma Forbes.

Preston se tourna vers la pendule posée sur un beau coffre de merisier, juste au-dessous d'un vieux sabre accroché au mur.

— Alors, nous avons tout le temps.

— Je préférerais quand même que nous partions tout de suite. Je ne veux pas risquer de les manquer.

— Moi non plus, dit Preston avec un sourire en biais.

Justin sourit aussi. Il s'approcha du mur, humecta son pouce et essuya un peu de poussière que lui seul pouvait voir sur la lame ébréchée du sabre, qui étincelait dans le rayon de soleil tombant d'une imposte.

— Mes gars, je vous souhaite bonne chance, dit-il. Vous rendrez service au pays en supprimant ce jeune Mr Hazard. Ça fera un officier de moins dans l'armée yankee. Et ça donnera une bonne leçon à ces imbéciles de Mont Royal.

— C'est bien mon avis, répliqua Forbes en riant.

— J'attendrai ici la nouvelle de votre réussite, lança Justin.

Avec un soupir de satisfaction, il retourna vers la bibliothèque. Il n'avait fait que quelques pas quand il entendit un léger bruit en haut de l'escalier.

— Que diable fais-tu là, Madeline?

C'était évident. Elle avait écouté.

La main crispée sur la rampe, Madeline descendit quelques marches, avec plus d'animation que d'habitude. Justin fut pris d'une soudaine anxiété, et se demanda si les dernières doses de laudanum n'avaient pas été trop faibles.

Raidie, la soie noire de son corsage se soulevant, Madeline avança. Ses yeux cernés brillaient.

Justin, au milieu du vestibule, s'arrêta, les jambes écartées, les pouces dans sa ceinture.

— Tu espionnes nos invités? demanda-t-il d'une voix menaçante.

— C'est involontaire. Je... J'allais à la lingerie. De quoi parlaient-ils? Qui vont-ils tuer?

— Personne.

— J'ai entendu le nom de Hazard.

— Tu as rêvé. Retourne dans ta chambre.

— Non.

Son front pâle luisait de gouttelettes de transpiration. Il comprit qu'elle luttait contre les effets de la drogue.

— Non, répéta-t-elle. Pas avant qu'on m'explique. J'ai sûrement mal compris. Tu ne peux pas envoyer ton neveu assassiner quelqu'un!

Il fut pris de panique.

— Pauvre idiote, retourne dans ta chambre! Immédiatement!

Madeline secoua la tête et rassembla ses forces pour continuer, laborieusement.

— Je n'irai pas, et je m'en vais.

Il lui fallut plus de dix secondes pour faire encore trois pas. Justin se jugea ridicule d'avoir peur. Sa femme était bien trop faible pour faire quoi que ce soit au sujet de ce qu'elle avait surpris. Il se détendit un peu et demanda ironiquement :

— Vraiment? Pour aller où?

— Cela me regarde.

Elle se frotta le front avec un mouchoir roulé en boule dans sa main. Elle entendit alors un bruit de sabots dans l'allée. Une frayeur lui rendit des forces, l'aida à surmonter sa terrifiante léthargie. Elle se dirigea vers la porte. Justin se plaça devant elle.

— Laisse-moi passer, je te prie, fit-elle.

— Je t'interdis de quitter cette maison.

Il avait une voix stridente. Elle comprit que le complot n'était que trop réel. Quelqu'un allait être tué à Mont Royal. Elle en ignorait la raison, mais savait qu'elle devait l'empêcher... à tout prix.

Elle voulut passer devant son mari. Il leva le poing et la frappa violemment à la tempe. Elle tomba en poussant un gémissement.

Un instant, elle leva les yeux vers lui puis, haletante, elle se releva et repartit vers la porte. Justin la frappa encore. Cette fois, elle heurta de la tête le coin du coffre de merisier. Son cri de douleur fut plus fort. Elle se redressa sur un genou, en essayant désespérément de se relever.

Une porte s'ouvrit. Deux visages noirs examinèrent peureusement Justin qui se penchait sur sa femme.

— Si tu tiens à te conduire comme un animal obstiné, c'est comme ça que tu seras traitée! gronda-t-il, et il lui envoya un coup de pied dans les côtes.

Madeline retomba contre le coffre et le sabre pendu au-dessus frémit. La petite pendule tomba et se brisa. Madeline, le souffle coupé, les larmes aux yeux n'y voyait plus très clairement. Justin pivota et hurla :

— Bon Dieu, que foutez-vous là? Fermez cette porte ou ça sera le fouet!

Les esclaves terrifiés disparurent. La vue de Madeline s'éclaircit un peu. Elle tâtonna sur le bord du coffre et, par un effort de volonté, s'y appuya, se remit debout. Justin jura. Elle l'entendit, derrière elle, vociférer des injures obscènes. Au prix d'un nouvel effort désespéré, elle arracha le sabre du mur, se retourna vivement et avec tout ce qui lui restait de forces, elle frappa.

La lame ébréchée ouvrit le visage de Justin du sourcil gauche à la pointe du menton. Pendant une seconde, la chair rose fut visible dans l'estafilade. Puis, le sang commença à sourdre, coula sur la joue et tomba sur la chemise de soie. Il plaqua une main sur la blessure.

— Sale putain! lança-t-il en tentant de se ruer sur elle.

Rejetant le sabre, elle s'écarta. Justin, emporté par son élan, alla heurter le mur la tête la première, comme un comédien dans une farce populaire, et s'affala sur les genoux. Il reposa sa figure en sang sur le coffre et gémit.

Les deux esclaves, attirés par le bruit, apparurent de nouveau. Madeline reconnut l'un d'eux.

— Ezéchiel, viens avec moi. J'ai besoin de la carriole. Toi, dit-elle à l'autre, occupe-toi de ton maître.

Deux minutes plus tard, elle fouettait le cheval dans l'allée conduisant à la route qui bordait le fleuve.


CHAPITRE LVIII


Peu avant trois heures, la famille Main se réunit pour dire au revoir aux jeunes mariés. Billy voulait partir assez tôt pour atteindre la petite halte du chemin de fer sans avoir besoin de se presser.

Charles aida Homer à hisser et à arrimer malles et valises sur le toit de la voiture de Huntoon. Pendant ce temps, Beth et Billy firent leurs adieux, en terminant par Anne.

— Je vous souhaite un bon voyage et beaucoup de bonheur. Et aussi une longue vie, chuchota-t-elle en embrassant sa sœur.

— Merci, Anne, dit Billy.

Il lui serra gauchement la main. La gaucherie est bien le mot qui convient pour décrire l'attitude de Billy, pensa Charles. Il ne s'en étonnait qu'à moitié. Il savait que Billy avait été amoureux d'Anne pendant assez longtemps. Dieu merci, il avait choisi la meilleure des deux sœurs. Anne avait de l'esprit, de l'intelligence, mais une sorte de perfidie dangereuse.

— Mon vieux, fit Billy en s'approchant de lui, prends bien soin de toi, surtout si ça commence à chauffer à Sumter !

— Je ferai de mon mieux. Et n'oublie pas d'écrire. Oh ! je sais que tu ne le pourras pas tout de suite. Un jeune marié a bien autre chose à faire.

— J'y compte bien !

Clarissa souriait et plissait ses yeux comme une enfant qui ne comprend pas ce qui se passe mais qui est résolue à être aimable. Plusieurs esclaves étaient sortis pour participer aux adieux si bien qu'il y eut une petite foule pour applaudir et encourager les jeunes gens quand Billy aida sa femme à monter en voiture.

Il se pencha à la portière et agita la main. Beth aussi. Le soleil brillait sur ses larmes de bonheur. Homer claqua les rênes sur la croupe des chevaux. La voiture s'éloigna au trot et tous agitèrent les bras en criant des souhaits de bon voyage. Charles dégaina son sabre et salua très protocolairement les nouveaux mariés, pour rire.

En glissant un œil d'un côté de la lame dressée devant son nez, il remarqua qu'Anne se tamponnait les yeux d'une main avec un petit mouchoir, tout en agitant l'autre. Au moment où il rengainait son arme, il la regarda mieux et surprit un sourire satisfait, qui ne dura qu'une seconde et que personne d'autre ne vit.

Soudain inquiet, il recula derrière une colonne. Quoi qu'Anne eût déclaré aux jeunes mariés, elle n'avait certainement pas l'air de leur vouloir du bien. A quoi diable pensait-elle ? Avec elle, on ne savait jamais, et il décida de la surveiller, les yeux et les oreilles ouverts.

Il demanda à Cuffey de lui apporter un verre de champagne. Puis il déboutonna le col de son uniforme et s'installa dans un fauteuil à bascule, à l'ombre. Seul et content de l'être, il se balança lentement. Il termina son verre avant que sa patience soit récompensée. Un jeune Noir apparut enfin au coin de la maison, hors d'haleine et couvert de poussière.

— Homer est là, missié ?

— Non, il est parti avec la voiture. Il va bientôt revenir.

Soudain Charles reconnut le garçon : Rex, l'autre esclave d'Anne. D'où venait-il ? Sa chemise bleue fanée était maculée de sueur comme s'il avait beaucoup couru. Evitant le regard de Charles, il alla s'asseoir par terre, de l'autre côté d'une colonne.

Du bruit et un nuage de poussière dans l'allée attirèrent l'attention de Charles. Le martèlement de sabots et le grincement des roues d'une carriole devinrent plus forts. Il se leva d'un bond quand il aperçut la conductrice, la mine hagarde et terrifiée.

— Madeline ! cria-t-il en jetant son cigare et en s'élançant.

Quelques instants plus tard, il saisissait la bride du cheval fourbu et aidait la jeune femme à descendre. Elle se cramponna à lui quand il voulut lui lâcher la taille.

— Madeline, vous avez l'air morte de peur. Que se passe-t-il ?

Elle leva les yeux vers lui, encore en pleine confusion, et fit un effort pour se ressaisir. Tout à coup, elle remarqua Rex.

— J'ai vu ce garçon à Resolute, il y a un petit moment. J'en suis sûre ! cria-t-elle.

Mais déjà Rex s'était enfui.


Le mouvement de la voiture berçait Beth, créant une sensation d'euphorie. Les ombres des pins et des chênes dansaient sur les coussins, projetées par le soleil tombant en biais entre les branches. Billy la serrait contre lui.

— Heureuse ? murmura-t-il.

— Merveilleusement. Je n'aurais jamais cru que nous atteindrions ce moment.

— Je n'aurais jamais cru qu'Harry nous le permettrait.

— C'est ton frère qui l'a attendri, tu sais.

Billy rit tout bas.

— Les anciens prétendent que si l'on est passé par West Point on reste sous son influence toute sa vie. Je finis par le croire.

Beth réfléchit un moment.

— Combien de temps penses-tu être retenu à Washington ?

— Aucune idée. Des jours, des semaines, ou même...

— Y a des cavaliers qui arrivent, lieutenant Hazard !

La voix de Homer fit tourner Billy vers la portière. L'esclave ne paraissait pas alarmé. Cependant, l'avertissement était plus qu'un renseignement. Déjà on entendait les sabots qui martelaient la terre. Les chevaux approchaient entre les arbres.

— Qui est-ce ? demanda Beth.

Billy se pencha au-dehors. Des nuages de poussière transpercés par le soleil se déployaient derrière la voiture. Deux silhouettes semblables à des centaures en surgissaient, mais il ne put bien les distinguer avant que les chevaux se mettent au galop. Alors il vit plus nettement et d'instinct la main de Billy se crispa sur le rebord de la portière.

— C'est un de tes vieux amis. Le jeune Lamotte !

Même à cet instant, Beth fut plus étonnée qu'inquiète. Forbes talonna sa monture. Son maigre compagnon, élégamment vêtu, le suivait de près. Beth se pencha à l'autre portière.

— Tiens, c'est Preston Smith. Que font-ils donc tous les deux sur ce chemin perdu ?

Billy soupçonna qu'ils ne galopaient pas pour le plaisir de la course. Ils ne recherchaient pas non plus de la compagnie par là. Depuis plusieurs kilomètres, la voiture n'était passée devant aucune habitation. Chaque cavalier s'approchait d'un côté de la voiture.

— Homer, arrête-toi ! cria Forbes.

Il souriait largement, mais ce sourire paraissait faux. Il fit un geste impérieux, et cria plus fort.

— Je te dis de t'arrêter !

Anxieux, le vieux cocher tira sur les rênes et mit un pied sur le frein. La voiture stoppa en se balançant. Tout autour, la poussière s'éleva comme un rideau. Des branches frôlaient les bagages sur le toit. En cet endroit, le chemin était étroit ; ce n'était que deux ornières parallèles séparées par de hautes herbes.

Preston Smith toussa, puis il mit dans sa poche le mouchoir qu'il avait tenu sur son nez et sa bouche. Forbes contourna la voiture pour venir du côté de Billy. Il accrocha sa jambe gauche au pommeau de la selle et s'accouda sur son genou. Beth se pencha vers lui.

— C'est une surprise de vous rencontrer par ici, Forbes.

Les cheveux de Forbes étaient couverts de poussière. Il paraissait détendu, amical, et pourtant Billy se méfiait. Il voyait un curieux éclat dans ses yeux. Il pensa à son revolver d'ordonnance, rangé là-haut dans la malle, et pesta en lui-même.

— Je voulais vous présenter mes félicitations, assura Forbes. Vous connaissez mon ami Preston Smith, je crois.

— Oui, nous nous sommes rencontrés, murmura froidement Beth.

— Voilà, reprit Forbes. Je ne pouvais pas laisser partir les jeunes mariés sans leur faire mes vœux de bonheur. Je sais que vous me pardonnerez si je ne dis pas que le meilleur a gagné.

Hors de la vue de Forbes, Beth posa une main sur le genou de son mari et le serra. Le cœur de Billy battit plus vite. Il exprima tout haut sa pensée.

— Comment savez-vous que nous sommes mariés, Lamotte ?

Smith flatta son cheval nerveux et répondit :

— Oh ! nous l'avons entendu dire quelque part, mais je ne crois pas avoir l'honneur... Vous êtes bien le lieutenant Hazard ?

Le ton impliquait que ce n'était pas du tout un honneur de faire la connaissance de Billy.

— En effet.

— Preston Smith.

Le sourire de Smith était méprisant. Tout à coup, Billy flaira un piège. Homer interrompit le dialogue.

— Faites excuse, l'eutnant, mais si nous attendons nous allons manquer le train.

Forbes se tourna vers le Noir.

— Tu allais à la halte du chemin de fer ?

— Oui, missié, il faut repartir.

— Tu partiras, nègre, quand je l'ordonnerai.

— Repartez, Homer ! cria Billy avec colère.

Du coin de l'œil, il vit Smith se pencher en arrière, plonger une main dans une sacoche et en retirer un énorme pistolet de duel. Le mouvement avait été rapide, aisé. Smith sourit en pointant l'arme vers Homer.

— Si tu touches à ces rênes, fit-il, il y aura du sang de nègre sur le chemin.

— Nous ne cherchons pas querelle, reprit Forbes, son sourire plus large que jamais, mais nous avons fait une longue route pour vous présenter nos respects et nous avons l'intention de le faire tout de suite. Alors, monsieur le soldat yankee, vous allez descendre et cesser de vous cacher dans les jupons de votre femme pour que je puisse vous féliciter comme il convient.

La main de Beth se crispa.

— Non, Billy...

Mais il était furieux. Il la repoussa, ouvrit la portière d'un coup de pied et sauta à terre. Forbes soupira.

— C'est vrai, monsieur, je ne peux pas dire que le meilleur a gagné. Encore qu'il semble bien que pour le moment vous êtes dessus !

Billy rougit. Smith rit, d'une sorte de hennissement. Alors qu'une grande aigrette immaculée s'envolait du sommet d'un sapin, Billy fit un pas vers le cheval de Forbes.

— Faites attention à ce que vous dites devant ma femme !

Forbes et son ami échangèrent un regard ironique.

— Quoi ? Mr Hazard, voilà qui ressemble à une menace. Et une menace est une insulte personnelle. Mais peut-être ai-je mal compris ?

— Billy, viens, supplia Beth. Ne perds pas ton temps avec ces imbéciles.

Forbes tourna vers elle son sourire.

— Vous savez, ma chère, j'avoue avoir encore de la tendresse pour vous, même si votre langue vous transforme en harengère. Je parie même que vous forniquez de la même façon.

— *Lamotte, bougre de salaud, descendez de ce cheval !*

Avec un grand éclat de rire, Forbes manœuvra sa monture hors d'atteinte de Billy. Puis il glissa à terre, lissa ses cheveux sur les tempes et s'avança sans se presser.

— Je ne crois pas m'être mépris cette fois, monsieur. Vous m'avez insulté.

Smith hocha gravement la tête.

— C'est sûr.

Forbes toisa Billy, qui avait une tête de moins que lui.

— J'exige réparation, monsieur.

Consterné, Homer regarda Beth sauter hors de la voiture.

— Ecarte-toi de lui, Billy ! Tu ne vois pas qu'il est venu ici pour te provoquer ? Je ne sais pas comment il a appris notre départ mais ne joue pas son jeu.

Les yeux fixés avec méfiance sur son adversaire, Billy répondit d'un petit signe de tête négatif.

— Ne te mêle pas de ça, Beth. Lamotte...

— Je dis que je demande réparation, interrompit Forbes et, levant la main, il gifla Billy à toute volée. Ici même et toute de suite.

— Sale individu ! cria Beth. Je savais que vous étiez jaloux mais j'ignorais que cela vous avait rendu fou. Depuis combien de temps préparez-vous cette comédie ?

— Depuis longtemps, je ne le nie pas. Mais c'est la manière la plus juste et la plus honorable pour moi de régler mon différend avec Mr Hazard. Preston a un autre pistolet dans ses fontes. Il sera mon témoin. Quand au vôtre... Homer fera l'affaire. Ce n'est pas mal, pour un Yankee, d'avoir un témoin nègre !

— Ne fais pas ça, Billy ! implora Beth d'une voix brisée.

— Tais-toi, je t'en prie.

Il la prit par les épaules, la conduisit de l'autre côté de la voiture et lui chuchota :

— Il faut que je me batte contre lui. Tu ne vois pas qu'il nous a suivis pour me tuer ? Si nous tentons de partir, il trouvera un prétexte pour m'abattre. De cette façon... j'ai au moins une chance.

Elle secoua la tête, doucement, puis avec plus de véhémence. Des larmes emplirent ses yeux. Billy lui serra le bras et retourna vers ses adversaires. Elle l'entendit déclarer :

— Très bien, Lamotte. Allons dans ce pré-là, au bord du marécage.

— Serviteur, monsieur, dit Forbes en s'inclinant.

Billy ôta son habit, sa cravate et son gilet qu'il jeta sur les feuilles épineuses d'un yucca. Homer s'approcha, mais il le renvoya.

— Restez auprès de ma femme. Je n'ai besoin de personne.

— Certainement. C'est assez simple, reconnut Smith.

Il escorta les duellistes au soleil, au centre du pré aux herbes agitées par un vent léger. Il tendit les mains. Dans chacune, il y avait un pistolet de duel. Des armes assorties, remarqua Billy, prouvant que la rencontre n'était pas accidentelle. On ne partait pas pour une simple promenade à cheval avec de tels pistolets dans ses fontes.

— Je les chargerai de poudre et de balles sous vos yeux, messieurs. Puis, en commençant dos à dos, vous ferez chacun dix pas à mon commandement. Au dixième, vous pourrez vous retourner et tirer à volonté. Pas de questions ?

— Non, dit Forbes en retroussant ses manches.

— Finissons-en, grommela Billy.

Avec un nouveau petit salut railleur, Smith s'accroupit dans l'herbe, ouvrit sa sacoche et y prit deux poires à poudre, l'une plus petite que l'autre. Avec la plus grande, il versa de la poudre dans le canon du premier pistolet. Il inséra la balle, un petit tampon d'étoffe, puis il amorça l'arme avec la poudre plus fine de la petite poire.

Il remit le pistolet à Forbes, qui l'examina rapidement et approuva. Il semblait plus intéressé par ce que faisait son ami, qui tenait le second pistolet entre ses genoux, le canon en l'air. Billy vit Smith reprendre la grosse poire. Forbes toussota et se tourna vers lui.

— Vous ne vous opposez pas à ce qu'un homme se soulage avant le combat, n'est-ce pas ?... Merci. Peut-être auriez-vous l'obligeance de me tenir ceci ?

Déjà il tendait le pistolet. Billy fut obligé de le prendre ce qui l'empêcha de voir que Smith avait déplacé la poire au-dessus de l'arme qu'il chargeait. La plus grande partie de la poudre tomba dans l'herbe épaisse.

Tout avait été parfaitement mis au point et accompli en un clin d'œil. La prière de Forbes avait distrait l'attention de Billy au bon moment ; la manœuvre avec la poudre était passée inaperçue. On ne voyait que Smith accroupi, le pistolet à moitié caché par ses genoux et les hautes herbes.

Smith introduisit la balle, amorça l'arme et se releva. Le lourd pistolet ne contenait pas assez de poudre pour propulser la balle. Ce n'était plus une arme dangereuse.

A l'endroit où Smith s'était accroupi, Billy remarqua bien quelques grains de poudre. Il songea à exiger l'échange des pistolets, mais chassa vite ses soupçons. Pour lui, jamais un soupirant éconduit, même fou de jalousie, ne s'abaisserait à saboter des armes employées dans une affaire d'honneur.

Forbes revint. Billy lui rendit le premier pistolet et prit le second que lui tendait Smith.

— Merci, dit-il.

Smith attendit quelques secondes, puis demanda :

— Messieurs, voulez-vous que nous commencions ?

## CHAPITRE LIX

— Est-ce que billy Hazard est ici ? demanda Madeline.

Il y avait environ cinq minutes qu'elle était arrivée à Mont Royal. Charles l'avait fait entrer dans la bibliothèque et avait envoyé chercher Harry, qui, la mine grave, se tenait maintenant adossé à la porte.

— Il est parti, répondit Charles. Avec Beth. Ils vont attraper le train du Nord à la halte. Ils se sont mariés il y a deux heures.

— Mariés ? murmura Madeline. Cela doit avoir un rapport...

— Avec quoi ? demanda Harry.

Il avait parlé plus sèchement qu'il ne le voulait, mais il était trop bouleversé, tant par la joie de cette arrivée inattendue que par le chagrin de voir Madeline en aussi pitoyable état. Elle avait encore maigri mais, en plus, elle semblait complètement défaite.

— Forbes, souffla-t-elle. Forbes et son ami Preston Smith. Ils ont quitté Resolute juste avant moi. Je les ai entendus parler à Justin de... de tuer Billy. Quelqu'un d'ici a dû venir leur annoncer que Beth et lui s'en allaient.

Charles serra les dents sur son cigare éteint.

— Ce ne serait pas le Noir que vous avez vu dehors ?

— Je ne sais pas. Sans doute.

— Quel Noir ?

— Le jeune nègre d'Anne, Rex. Je vais le chercher.

Charles avait maintenant une expression menaçante. Il alla à la porte et croisa Harry qui s'approchait de Madeline.

— Vous êtes certaine qu'ils parlaient d'attaquer Billy ? demanda-t-il avant d'ouvrir.

— De le tuer. J'ai bien entendu : *de le tuer !*

Harry fronça les sourcils.

— Bon Dieu, mais Justin...

— Nous n'avons pas le temps ! cria Madeline. Et Justin n'a plus d'importance. Je l'ai quitté.

Harry ouvrit de grands yeux, sans comprendre.

— Quitté, répéta-t-elle. Jamais je ne retournerai à...

Sans pouvoir terminer sa phrase, elle tomba évanouie contre Harry, qui n'eut que le temps de la prendre dans ses bras.

— Envoie-moi quelqu'un pour m'aider, cria-t-il à Charles.

Charles hocha la tête et sortit, les yeux pleins d'orage.

Sur le perron de la cuisine, Charles se pencha sur Rex en le tenant cloué au mur.

— Pas de mensonges, Rex, tu entends ?

Les yeux désespérés regardaient la pelouse derrière Charles. Le Noir savait qu'il était pris. D'une petite voix, il murmura :

— Oui, missié.

— Tu as couru jusqu'à Resolute et tu es revenu à la course, n'est-ce pas ?

Rex se mordit la lèvre. Furieux, Charles se pencha plus près encore.

— Rex...

— Oui.

— A qui as-tu parlé là-bas ?

Une hésitation, puis :

— Missié Lamotte.

— Justin Lamotte ?

— Non, Missié Forbes. On m'a dit...

— Qui t'a dit ? Je veux que tu me dises qui t'a envoyé à Resolute !

Charles savait maintenant : une fois passés la surprise et le dégoût, le complot devenait clair. Il se redressa et détacha une main du mur pour la poser sur l'épaule du jeune Noir.

— Je te promets que si tu me le dis, il ne te sera fait aucun mal.

Rex examina Charles avec méfiance, et finit par le croire. Un curieux sourire retroussa ses lèvres. Seulement Charles perdait patience.

— Bon Dieu, petit, le temps presse. Dis-moi qui...

— Rex ? Te voilà ! Je te cherche partout.

Charles se retourna et vit accourir Anne. Haletante, elle monta sur le perron.

— Viens, Rex. J'ai besoin de toi immédiatement.

— Il doit d'abord me répondre.

— Mais Charles, je dois me préparer et rentrer, fit-elle avec une jolie moue où Charles crut déceler de la peur.

— Tu ne peux pas partir avant qu'Homer revienne avec la voiture. Si nous en croyons Madeline, ce ne sera pas tout de suite.

— Madeline Lamotte ? Elle est ici ?

— Tu m'a vu la soutenir sur la terrasse. Je t'ai aperçue, qui essayais de te cacher derrière le rideau de ta fenêtre.

Anne rougit violemment, bredouilla et Charles en profita pour se retourner vers Rex.

— J'attends, Rex. Qui t'a envoyé à Resolute pour dire que Billy et sa jeune femme étaient partis prendre le train ?

Anne vit se refermer le piège. Il ne servait à rien de mentir mais son instinct de conservation était trop fort. Elle bouscula Charles et leva le poing.

— Rex, tais-toi ou tu sais ce qui t'attend... Aïe !

Le Noir regarda le poing trembler sous son nez. Charles avait paré le coup en saisissant le poignet d'Anne. Il ouvrit de grands yeux et Anne en trembla. Elle savait qu'il n'avait pas oublié les coups de cravache.

— C'est *elle*.

Rex avait craché les mots. Charles soupira et lâcha sa cousine. Elle se frotta le poignet.

— Mais qu'est-ce qu'il raconte ? Je n'ai pas la moindre...

— Ça suffit, trancha Charles. Madeline nous a raconté ce qu'elle a entendu à Resolute. Ça ne te servira à rien de mentir, ni de menacer ce gamin. Quant à toi, Rex, file.

Rex s'enfuit en courant. Charles assista alors à la métamorphose d'Anne : ses joues devinrent livides, son faux sourire disparut. Il en croyait à peine ses yeux. D'une voix basse, furieuse, il gronda :

— Mon Dieu, c'est donc vrai. Tu veux faire blesser ou tuer ton beau-frère !

Le silence d'Anne et ses yeux fulgurants furent un aveu. Il ne perdit pas de temps en récriminations. Maintenant son sabre contre sa hanche, il courut comme un fou vers les écuries. Derrière lui, Anne hurla :

— Ce n'est pas la peine. Tu arriveras trop tard. *Trop tard !*

— Un, cria Smith d'une voix forte.

Les duellistes se mirent en marche dans des directions opposées, regardant droit devant eux, le pistolet contre la jambe.

— Deux.

Le vent faisait onduler l'herbe et la surface étincelante du marais. De la sueur coulait dans le cou de Billy et trempait le col de sa fine chemise de mariage.

— Trois... Quatre.

Homer était près de Beth. Alors que les duellistes se séparaient, il surprit un regard de connivence entre Lamotte et son témoin. Le vieux Noir avait ramassé une pierre et la faisait sauter nerveusement d'une main dans l'autre. Toute cette affaire n'était pas claire du tout...

— Cinq.

Sur la gauche de Beth, Preston Smith se tenait près des chevaux, près des fontes au cas où quelque chose tournerait mal.

— Six.

Billy avançait, la gorge sèche. Il percevait vaguement un sourd martèlement régulier. Jamais, son cœur n'avait fait un tel bruit.

— Sept... Huit.

Beth aussi se méprit sur le bruit, pendant quelques instants. Puis, elle reconnut le galop d'un cheval arrivant par la route de Mont Royal. Un homme criait. Smith l'entendit aussi. Un des chevaux qu'il tenait encensa et hennit, ce qui couvrit en partie le cri :

— *Billy, at...*

— C'est Charles ! s'exclama Beth.

— Neuf, cria Smith.

Forbes se retourna et son assurance l'abandonna. Il n'avait pas besoin de voir la figure blême de peur de Smith pour comprendre que l'intrus signalait l'échec de leur complot. Billy s'était écarté. Le dos tourné vers lui, il regardait la route. La rage et le désespoir s'emparèrent de Forbes. Smith avait oublié de crier « dix ». Aucune importance, Forbes leva son bras et visa.

Homer savait ce qu'il risquait en attaquant un Blanc mais il ne put laisser commettre un assassinat. Il lança sa pierre.

Smith ne comprit pas ce que faisait le Noir mais le geste lui parut menaçant. Il poussa un cri et bouscula Beth. Tout en courant, il se baissa et allongea la main vers sa botte droite.

La pierre vola vers Forbes alors qu'il pressait la détente. Beth vit qu'elle le manquerait d'au moins un mètre. Elle fit son office tout de même, en coupant le champ de vision du tireur et en le distrayant. Une détonation, une bouffée de fumée...

La pierre tomba dans l'herbe. Forbes resta bouche bée. Billy se retourna vers lui. Smith avait repoussé Beth contre la voiture en passant. Elle se redressa ; Billy était indemne. Le cavalier arrivait.

— Charles ! cria-t-elle.

Son appel fut couvert par une plainte affreuse. Elle pivota, les mains sur sa bouche. La figure de Smith était un masque grimaçant, alors qu'il ramenait vers lui sa main droite. Le couteau qu'il avait tiré de sa botte s'était planté dans le ventre de Homer.

A retardement, Billy s'aperçut qu'une balle avait sifflé à son oreille. Sans la distraction causée par la pierre de Homer, elle l'aurait probablement frappé.

Charles arrêta son cheval écumant. Le fourreau de son sabre heurta sa jambe quand il sauta à terre. Billy ramena ses yeux vers Forbes... Forbes avait donc tiré avant la fin du compte. Il avait voulu lui tirer dans le dos. Tremblant de fureur, Billy leva le pistolet et visa. Il effleura la sensible détente. Un éclair, une sourde détonation.

Forbes ne bougea pas. Billy avait visé au cœur. Il s'étonna que sa balle ait pu manquer une cible aussi grande. A moins de cinq pas devant lui, un objet attira son attention. Il s'en approcha. C'était sa balle. *La balle de son pistolet...*

Il se rappela la poudre qu'il avait vue dans l'herbe et comprit. Poussant un juron, il jeta son pistolet.

— Forbes !

Au cri de Smith, Forbes tourna la tête. Son ami lui lançait le couteau. Il le laissa atterrir à ses pieds, le ramassa vivement de la main gauche et, de l'autre, il tira un couteau semblable de sa botte. Le soleil fit étinceler les lames quand il marcha sur Billy. Le vent lui souleva les cheveux et les plaqua sur son front moite. Les mains vides, Billy recula. Un pas, un autre. Forbes avançait toujours.

— Tu n'aurais pas dû toucher à Beth. Tu n'aurais jamais dû venir chez nous ! On va te renvoyer chez toi dans un sac mais je te garantis que ta famille ne voudra pas l'ouvrir pour te regarder, après ce que j'aurai fait de ta figure ! gronda-t-il avec un rire de fou.

— *Billy !* Le cri le fit regarder vers la voiture. Smith avait disparu. Charles, auprès de Beth, le col déboutonné, son pantalon bleu clair maculé de terre, lançait son sabre dans le pré. Au même instant, Smith apparut derrière la voiture. Il avait contourné le cadavre de Homer pour atteindre les fontes de son cheval.

Le sabre tomba près de Billy qui courut le ramasser.

Smith tira de ses fontes un derringer à quatre canons. Charles l'aperçut, jura et s'élança. Smith fit quatre pas rapides dans le pré et vida les quatre canons sur Billy. A la quatrième détonation, Billy sentit une balle le frapper. Il gémit de douleur et chancela.

Charles saisit Smith par derrière, le fit pivoter, lui arracha le derringer et lui expédia un direct du droit et un crochet du gauche. Smith grogna ; une fontaine de sang jaillit de son nez. Billy était tombé. La manche gauche de sa chemise était imprégnée de sang. Sur le ventre, il voulut se redresser. Son bras gauche refusa de le soutenir. Devant lui, des étoiles d'argent paraissaient scintiller. Il se traîna, attrapa la poignée du sabre mais faillit le lâcher en se relevant. Une ombre s'allongea sur l'herbe près de lui. Il se jeta d'un côté. Le couteau de Forbes le manqua de peu.

Beth cria quelque chose, mais il n'osa se retourner. Il trébucha sur des racines et se trouva soudain plaqué, le dos contre un tronc d'arbre. Les yeux de Forbes brillaient de satisfaction en tentant de frapper Billy à la figure avec le couteau de sa main droite. Billy arracha son épaule gauche de l'arbre. Le couteau se planta dans le tronc. Plutôt que de le dégager, Forbes frappa avec l'autre. Billy se tordit de l'autre côté. La lame déchira sa chemise, lui frôla les côtes et se planta aussi dans le bois.

Forbes était contre lui. Désespérément, il avançait les deux mains pour dégager ses couteaux. Billy comprit que c'était sa dernière chance. Levant un genou, il l'enfonça dans le ventre de Forbes qui recula en chancelant. Billy avait maintenant un peu de place pour manœuvrer. Il leva le sabre et frappa de la pointe, de toutes ses forces, poussant jusqu'à ce qu'il sente la lame heurter la colonne vertébrale.

Forbes s'écroula à plat ventre. L'impact enfonça le sabre jusqu'à la garde. La pointe ressortit dans son dos. Tremblant, Billy se détourna. La douleur de son bras n'était rien à côté des spasmes qui le déchirèrent quand il vida son estomac, appuyé contre l'arbre.

Avec un cri, Beth se précipita vers lui. Charles lui cria :

— Ramène-le ici, que je puisse examiner sa blessure.

Puis il accorda son attention à Smith, le prit au collet et le poussa contre la voiture. Smith, les joues trempées de larmes, se tenait le bas-ventre. Charles le secoua.

— Cesse de miauler et écoute ! Dans le temps, j'ai réglé son compte à ton cousin Whitney et je peux recommencer avec toi. Ça me ferait même plaisir, mais nous avons assez versé de sang. Alors fous-moi le camp d'ici avant que je me ravise.

En gémissant, Smith boitilla vers son cheval.

— A pied ! lança Charles. Je garde les montures.

Sans se retourner, Smith chancela sur la route. Charles céda à une tentation ; il lui lança un caillou. Smith cria, se frotta la nuque et se mit à courir.

Le sourire de Charles disparut quand il regarda l'esclave mort, puis le cadavre de Forbes à demi caché par les hautes herbes. La pointe du sabre brillait au soleil et des mouches s'y agglutinaient déjà.

Billy arriva, soutenu par Beth, le bras gauche inerte et sanglant.

— Ils m'ont provoqué en duel, haleta-t-il et, en quelques phrases brèves, il raconta tout.

— Quels salauds ! gronda Charles, puis il déchira la manche de la veste et examina la blessure. La balle a traversé le bras. Plus de sang que de dégâts. Beth, donne-moi des bandes de ton jupon. Je vais le panser.

Elle tourna le dos et souleva sa jupe. Charles leva les yeux vers le soleil.

— Va falloir se dépêcher pour attraper ce train. Tu t'en sens capable ?

— Et comment ! J'ai hâte de quitter cet endroit maudit.

— Je ne peux pas te le reprocher.

— Jamais je n'aurais cru que Forbes soit aussi fou ni aussi mauvais, dit Beth en déchirant son jupon. Comment nous as-tu trouvés à temps ?

— Madeline Lamotte les a entendu parler, à Resolute. Elle est venue nous avertir. Je vous ai suivis.

— Mais comment Forbes savait-il que nous partions ? Que nous prenions le train ?

Charles prit les bandes ornées de dentelle que Beth lui tendait et les enroula autour du bras de Billy, qui reprenait des couleurs.

— Sais pas trop, éluda Charles en s'appliquant pour éviter le regard de sa cousine. Je poserai des questions quand je ramènerai le corps de Homer à la plantation. En attendant, en voiture tous les deux. Et cramponnez-vous, parce que je ne vais pas traîner.

Fidèle à sa parole, Charles conduisit jusqu'à la halte au grand galop. Le train sifflait, au sud, quand la voiture s'arrêta. Charles traversa la voie en courant, se précipita dans l'abri, prit le drapeau rouge et le hissa au mât. A peine avait-il fini que la locomotive surgissait. Dans le sifflement de vapeur et le bruit de la cloche, Billy essaya de parler.

— Je ne sais pas comment te...

— Laisse. Le devoir avant tout. Un ancien de l'Académie vole au secours d'un autre, c'est normal.

— Mais tu as lâché l'armée.

— Ça ne veut pas dire que West Point m'a lâché !

Charles était surpris, même irrité, de se sentir au bord des larmes. Les divers chocs de l'après-midi y avaient sans doute contribué. Cachant de son mieux ses sentiments, il se précipita pour décharger les bagages et les mettre sur le quai. Le train ralentit, les voitures de marchandises et le fourgon postal passèrent. Puis vinrent des visages étonnés derrière les vitres poussiéreuses, devant ce soldat, cette jeune fille, ce jeune homme, l'habit sur les épaules et la chemise ensanglantée.

Beth monta en voiture, Billy la suivit. Sur la seconde marche du marchepied, il se retourna vers son ami et ils se serrèrent la main.

— Je ne sais pas quand nous nous reverrons, mon vieux.

— Moi non plus.

— Prends soin de toi.

— Toi de même. Et bon voyage.

— Merci. Nous nous reverrons.

— J'en suis sûr.

Mais Charles avait des craintes. Dans les circonstances actuelles, leur prochain lieu de rencontre risquait d'être un champ de bataille, avec chaque ami d'un côté différent.


CHAPITRE LX


H ARRY AVAIT CHASSÉ ANNE et son mari en leur ordonnant de ne plus jamais remettre les pieds à Mont Royal. Il en était encore accablé de tristesse et de dégoût.

— Mon Dieu, dit-il en soupirant, je ne sais pas ce qui est arrivé à cette fille.

Charles craqua une allumette sur la semelle de sa botte et ralluma son cigare.

— Moi, si. La même chose est arrivée à des tas de gens que j'ai rencontrés depuis mon retour. Une bouffée de pouvoir et leur bon sens s'envole.

Secouant la tête, Harry s'assit à son bureau pour se remettre. Charles annonça qu'il allait prendre l'air.

— Avant de partir, demande à Cuffey de venir ici. Je dois envoyer un mot à Resolute.

— D'accord. J'aimerais que tu fasses monter la garde par quelques-uns de nos gens. Quand Francis Lamotte apprendra que Billy a tué son fils, nous risquons d'avoir de la visite. Est-ce que tu serais opposé à ce que certains nègres portent des mousquets pendant quelques jours ?

— Non.

— Alors je vais m'en occuper.

Un peu de fumée traîna derrière Charles quand il sortit.

Harry prit une feuille de papier à lettres et la regarda fixement. Un an plus tôt seulement, il aurait été incapable d'imaginer une brouille définitive avec sa sœur. Ce qui venait de se passer lui apparaissait comme une nouvelle preuve de la dégradation de la famille. Ses sombres réflexions provoquèrent bientôt de la colère, contre les Huntoon, les Lamotte, contre tous les hommes insensés qui plongeaient le Sud dans le chaos. Un peu de cette fureur s'exprima dans ses coups de plume rapides et rageurs.

En cinq minutes, il eut fini. Il envoya Cuffey, à dos de mulet, porter la lettre. L'esclave partit sous une pluie fine qui commençait à tomber. Dès qu'il eut disparu, Harry rentra dans la maison.

Dans le vestibule, il retint sa respiration. En haut de l'escalier, Madeline lui souriait.

Justin, cramponné aux deux bras de son fauteuil, enfonça son pied gauche dans la bottine. L'esclave accroupi à ses pieds, le crochet à boutons en main, était nerveux à juste titre. Le maître de Resolute avait passé la soirée à boire, à hurler et à tempêter en attendant l'arrivée de son frère.

Une longue bande de gaze maintenait une compresse sur sa blessure, recouvrant les oreilles, le sommet du crâne et attachée sous le menton. Elle dissimulait les points de suture du Dr Sapp. Le whisky avait un peu apaisé la douleur qui, d'après le médecin, disparaîtrait dans un jour ou deux. Mais il resterait une cicatrice, une affreuse balafre, qui se maintiendrait jusqu'à la fin de ses jours.

Il entendit des chevaux dans l'allée, poussa son pied dans la bottine et se leva en renversant l'esclave. L'imposte du vestibule était illuminée par les torches des cavaliers. Quand la porte s'ouvrit brusquement, les torches fumèrent. Francis entra.

— Il m'a fallu un moment pour choisir trois nègres à qui je pouvais confier des mousquets, mais nous voilà.

— C'est bien, répondit Justin. Nous ramènerons cette catin avant le lever du jour.

Francis essuya la pluie sur sa figure.

— Je ne savais pas que tu tenais tant à elle.

— A elle, pas du tout, mais à mon honneur. Ma réputation... Qu'est-ce que c'est encore ?

La mule de Cuffey apparaissait dans le cercle de lumière. L'esclave mit pied à terre et ôta respectueusement son chapeau ruisselant, puis il présenta une feuille de papier pliée et cachetée.

— Pour vous, Missié Lamotte.

Justin la lui arracha des mains. Cuffey se doutait que le message ne produirait pas une réaction agréable, aussi se hâta-t-il de remonter sur sa mule et de repartir aussi vite que possible.

— Le salaud ! souffla Justin, la figure empourprée. L'intolérable salaud !

Voyant les Noirs de Francis qui l'observaient, il tourna les talons et rentra pour cacher son exaspération. Son frère le suivit. Il prit la lettre, s'approcha d'une lampe et la lut d'un bout à l'autre, puis il secoua la tête.

— Pourquoi est-ce que Main donne asile à ta femme ?

— Tu es complètement idiot, Francis ! Ce salaud me hait ! Il m'a toujours détesté. Il serait ravi de me voir humilié aux yeux de tout le voisinage.

— Il dit que si tu mets le pied sur ses terres, il te tuera. Tu le crois ?

— Non.

— Moi, si, dit Francis et il conseilla anxieusement : Laisse-la donc partir. Aucune femme ne vaut ta vie. Les femmes sont interchangeables comme les pièces d'une mécanique. Tu obtiendras de l'une le même service que d'une autre.

Ce sophisme grossier ne manquait pas de séduction. Certes, Justin voulait se venger de Madeline et d'Harry, mais il n'avait aucune envie de battre la campagne et de proclamer son échec. Surtout, il n'avait vraiment aucun désir d'affronter une arme tenue par Harry.

Il servait deux solides rasades de whisky quand les esclaves du vestibule poussèrent des cris. Les deux frères se précipitèrent et virent arriver Preston Smith, les yeux fous, aussi maculé de boue que son cheval. Il sauta à terre et chancela vers Francis.

— J'ai couru à pied jusqu'à votre plantation. On m'a dit que vous étiez ici.

— Qu'y a-t-il, Preston ?

— Le Yankee a tué Forbes !

Madeline était d'une extrême pâleur, mais elle avait les yeux plus animés qu'à son arrivée. Harry la regarda descendre. Elle relevait ses cheveux défaits sur son front, d'un air embarrassé.

— Je dois être affreuse.

— Vous êtes ravissante.

— Ma robe est un désastre...

— Cela n'a pas d'importance. Vous êtes là, Madeline, c'est tout ce qui compte.

Il avait envie de la prendre dans le creux de son bras, de la serrer contre lui, de l'embrasser. Il en rêvait. Des souvenirs de leurs rendez-vous à la chapelle du Salut lui revenaient. Il se rappelait ses efforts pour refouler ses sentiments. Tout à coup, le même combat recommençait.

— J'aimerais marcher un peu dehors, dit-elle.

— Il pleut.

— Oui, j'ai entendu en me réveillant, mais l'air est si bon et si vivifiant. Je me sens revivre... Harry, que va faire Justin, au sujet de mon départ ?

— Rien du tout, je pense.

— Je ne retournerai jamais là-bas.

Elle traversa le vestibule et il la suivit, lui ouvrit la porte.

— J'en suis très heureux. Je le serais plus encore si vous restiez avec moi.

Elle regarda tomber la pluie, les bras frileusement croisés.

— J'aime vous l'entendre dire, mon cœur. Mais êtes-vous bien certain de vouloir risquer un tel scandale ?

Il éclata de rire et posa sa main sur son épaule.

— Qu'est-ce qu'un brin de scandale dans un monde qui perd la tête ? Je risquerais l'enfer pour vous, Madeline. Ne le savez-vous pas ?

— Je ne parlais pas de commérages à propos d'adultère.

— De quoi donc, alors ?

Elle se retourna et aspira profondément.

— D'une chose que personne ne sait, à part quelques habitants de La Nouvelle-Orléans qui sont très vieux maintenant... Mon arrière-grand-mère est venue d'Afrique sur un bateau d'esclaves. J'ai un huitième de sang nègre en moi. Vous savez ce que cela signifie dans cette partie du monde ? murmura-t-elle en lui montrant sa main d'une blancheur de lis. Aux yeux de la plupart des gens, ma peau pourrait aussi bien être noire comme du charbon.

Cette révélation suffoqua Harry, mais un instant seulement. A côté de tout ce qu'avait apporté la journée, cela n'avait plus le pouvoir de l'affecter. Il caressa la joue de Madeline et murmura avec tendresse :

— C'est tout ?

— Pas tout à fait. L'origine de ma mère indique qu'elle ne pouvait fréquenter de Blancs, sinon d'une certaine façon, qu'elle était incapable de se libérer sinon d'une seule manière. C'était donc une prostituée. Mon père l'a découverte dans une maison de La Nouvelle-Orléans, mais il l'a assez aimée pour l'arracher à cette vie et l'épouser, en dépit de ce qu'il savait d'elle.

— Je vous aime tout autant, Madeline.

— Je ne voudrais pas que vous vous croyiez obligé...

— Tout autant, répéta-t-il avant de lui prendre la bouche.

Leur premier baiser fut timide. Après tant de mois de séparation, ils se sentaient presque des étrangers, et si fatigués. Mais bientôt leur passion flamba, le feu qui avait couvé si longtemps se ralluma. Madeline se renversa en arrière, les mains accrochées au cou d'Harry. Le vent de la nuit chassa la pluie pour rafraîchir leurs fronts et faire briller leurs yeux pleins d'espoir.

— Harry, il y a peu de chances que mon secret soit dévoilé. Les rares personnes qui le connaissent sont très vieilles et loin d'ici.

— Je m'en moque. Vous entendez ? Je m'en moque !

Avec un cri heureux, elle se jeta contre lui.

— Ah ! Dieu, il y a si longtemps que je vous aime !

— Moi aussi.

— Emmenez-moi dans votre chambre...

— Madeline, vous êtes sûre...

Elle le fit taire d'un baiser.

— Nous avons attendu trop longtemps, Harry, bien trop longtemps.

— Oui, murmura-t-il en l'entraînant vers l'escalier. C'est vrai.


Charles fit monter la garde aux esclaves armés pendant deux semaines. Il n'y eut aucune visite des frères Lamotte, pas la moindre menace. Il était clair cependant que le duel n'était pas resté secret. Cuffey était allé examiner le pré et avait constaté que le corps de Forbes avait été emporté.

Un après-midi, Charles, à cheval, croisa Francis Lamotte sur la route au bord du fleuve. Il tira sur ses rênes, le cœur battant. L'accusation du vieil homme fut brève et dure :

— Votre ami a assassiné mon fils.

— Tué, rectifia Charles. Il a tué Forbes après avoir relevé un défi. Et le combat n'a pas été loyal. Preston Smith a saboté le pistolet de mon ami. Je regrette la mort de Forbes, Francis, mais je suis prêt à témoigner des circonstances quand on le voudra. **Devant un magistrat ou sur le pré, à votre choix.**

Francis le regarda longuement, avec amertume, puis il poussa sa monture.

Ce fut la fin de l'affaire.

La situation nationale fit réfléchir Harry. Il pensa à l'argent que George avait investi dans le *Star of Carolina* et son remords lui pesa de plus en plus lourdement. Au mois d'avril, de nouvelles rumeurs coururent dont une, insistante, affirmant que des renforts pour Fort Sumter avaient pris la mer, à New York. Huntoon et les autres braillards réclamaient à grands cris une action contre le fort de la rade. Cela amena Harry à prendre une décision.

Il monta dans le train pour Atlanta et y resta soixante-douze heures. Quand il rentra chez lui, il portait une petite sacoche. Il arriva à Charleston dans la nuit du 11 avril, et, à travers une foule grouillante, il parvint à Tradd Street. Cooper fut ahuri de le voir.

— Je suis allé à Atlanta, expliqua Harry. J'ai hypothéqué Mont Royal.

— *Quoi ?*

— Nous devons rendre à George au moins une partie de son investissement, sinon la totalité. Il le faut, maintenant, avant que les hostilités ne commencent. J'ai obtenu six cent cinquante mille dollars. En espèces, précisa Harry en poussant la sacoche du bout du pied.

— Pour toute la plantation ? C'est une fraction de sa valeur !

— J'ai eu de la chance d'obtenir quelque chose. Je veux que tu me donnes tout ce que tu peux rassembler, et je le veux immédiatement.

— Où veux-tu que je trouve une somme pareille ?

— Tu as des garanties. La compagnie de navigation et la propriété de James Island ont toujours de la valeur.

— Les banques locales ne font pas de prêts en ce moment, voyons !

— Essaye.

Cooper examina le visage fatigué de son frère et ne discuta plus.

— Très bien, dit-il en soupirant. J'irai demain. Je vais te conduire à ta chambre. Tu as besoin de repos.

Harry se réveilla en pleine nuit croyant entendre le tonnerre. Une lueur rouge brillait derrière les volets fermés. Il les ouvrit. Un obus passa très haut au-dessus des toits et tomba.

Harry se précipita en bas. Cooper, Judith et les enfants étaient aux fenêtres.

— Quelle heure est-il ?

— Quatre heures, quatre heures et demie, à peu près, répondit Judith d'une voix ensommeillée.

— On dirait que ça vient des batteries de la rade.

Une nouvelle explosion se fit entendre. Une lueur rouge parut au-delà des toits et des clochers. Le plancher trembla. Cooper enlaça ses enfants d'un geste protecteur. Harry ne l'avait jamais vu aussi triste.

— Tout est fini. C'est la guerre, murmura Cooper. Je ne crois pas que les banques ouvriront dans la matinée.

## CHAPITRE LXI

HARRY ARRIVA A LEHIGH Station dans la soirée du mardi 16 avril. La petite ville s'était agrandie. Un nouveau faubourg de quelques dizaines de masures et de maisons à bon marché, South Station, s'étendait de l'autre côté de la rivière. Dans la gare, un homme collait une affiche à la lumière jaune d'une lanterne. Harry constata que c'était une annonce de recrutement pour un régiment de volontaires, organisé en réponse à l'appel du président Lincoln.

Il s'éloigna de la lumière, mais pas avant d'avoir été remarqué par quelques flâneurs, devant l'hôtel Station House. Comment cet homme grand et maigre, aux vêtements poussiéreux, portant une valise et une sacoche et n'ayant qu'un seul bras aurait-il pu passer inaperçu? Il entendit des réflexions au passage.

— Drôle de pistolet! Quelqu'un le connaît?

— Non.

— Il ressemble un peu au vieil Abel, non?

— Pourrait être son frère, dit un des hommes, et il courut derrière Harry. Vous voulez un fiacre, monsieur? Seulement dix cents pour n'importe où en ville.

Harry, craignant de parler à cause de son accent du Sud, haussa les sourcils et indiqua de la tête les lumières de Belvedere au sommet de la colline.

L'homme se gratta le menton, pensant que ceux qui allaient chez l'unique millionnaire de Lehigh Station devaient être riches aussi.

— Chez les Hazard? Alors, ça sera cinq cents de plus.

Harry acquiesça. Le fiacre, qui n'était qu'une carriole, gravit la colline abrupte. Soudain, une mince ligne blanche étincelante apparut dans le ciel noir et tomba vers la terre presque à la verticale. Le rayon lumineux disparut juste au moment où Harry comprenait que c'était une étoile filante.

Quand le cocher le déposa devant la maison, il eut un instant d'inquiétude. Il n'avait pas pensé à télégraphier pour s'annoncer. Et si George était absent?

Un jeune garçon souriant, haletant d'avoir couru, lui ouvrit la porte. Il était plus grand que George, moins trapu, mais la ressemblance était indéniable.

— William! Tu ne me reconnais pas?

Harry ôta son chapeau et sourit. L'apparition de ce sourire dans la barbe embroussaillée lui donna un air moins impressionnant. La méfiance de William disparut. Il tourna vivement la tête.

— Papa? Papa, viens voir qui est là!... Entrez, Mr Main.

Harry entra et William prit ses bagages.

— Merci, William. Te voilà grand comme un arbre. Quel âge as-tu maintenant?

— Treize ans... Presque.

Harry s'avança dans le vestibule brillamment illuminé. Il entendit une porte s'ouvrir et se refermer sur le palier du premier, mais ne prit pas la peine de lever les yeux car George sortait de la salle à manger, les manches de chemise retroussées et son éternel cigare aux doigts.

— Harry! Bon Dieu, je n'en crois pas mes yeux!

Il se précipita. Constance arriva de la cuisine, tout aussi stupéfaite. George ne se tenait plus de joie.

— Qu'est-ce que tu fabriques en Pennsylvanie?

Constance le serra dans ses bras.

— C'est merveilleux de vous voir. N'est-ce pas épouvantable, ce qu'on raconte de Fort Sumter?

— Abominable, oui. George, je viens ici pour affaires.

Son ami fut encore plus surpris.

— Je ne crois pas que l'on fasse beaucoup d'affaires en ce moment. Je n'arrête pas de me demander comment la sécession va influer sur les choses les plus terre à terre. Les transactions bancaires. Le service postal... Mais nous n'avons pas besoin de rester là debout pour parler de ça. As-tu faim? Nous venons de dîner. Deux superbes canetons rôtis. Il en reste assez.

— Je mangerais volontiers un morceau.

— Alors viens. Bon Dieu, je ne peux pas croire que tu sois là. C'est comme autrefois.

Harry l'aurait bien souhaité, mais tout ce qu'il avait constaté durant ce voyage lui prouvait que ce n'était qu'un vœu pieux. Jamais plus il n'y aurait de journées comme celle de 1842 où tous deux s'étaient accoudés à la rambarde d'un vapeur de l'Hudson avec leurs espoirs et leurs illusions encore intacts.

Ils étaient vieux, maintenant. Gris. George avait beaucoup blanchi. Et ils avaient laissé, sans trop savoir comment, leur monde s'engouffrer dans la guerre. La joie des retrouvailles en était gâchée. La mine sévère, Harry suivit George et son cigare dans la salle à manger.

Pendant qu'il soupait, ils échangèrent des nouvelles. Billy était bien arrivé à Washington avec sa jeune femme.

— Et avec une blessure superficielle, ajouta George. Billy n'est pas entré dans les détails, mais j'ai compris qu'il avait eu une altercation avec un ancien soupirant de Beth.

— Oui, dit Harry sans donner d'explications.

— On lui a promis quelques jours de permission. Je les attends ici tous les deux d'un jour à l'autre.

— J'aimerais les voir, mais je ne peux pas attendre. Tout est trop chaotique, chez nous.

— Le chaos est partout, murmura Constance en soupirant.

George hocha tristement la tête.

— Il paraît que la Virginie va se déclarer pour la sécession demain ou après-demain. Elle entraînera la plupart des hésitants. Tous les états frontaliers risquent de se séparer.

Après un silence, Constance annonça à contrecœur :

— Virgilia est revenue.

Harry faillit lâcher sa tasse de café.

— D'où?

— Nous ne le lui avons pas demandé.

— Elle est ici ce soir?

George l'avoua. Harry se rappela cette porte ouverte et fermée au premier étage et se demanda si Virgilia l'avait vu. Puis, il se dit que cela n'avait pas d'importance. Malgré les précautions élémentaires qu'il avait prises en ville, il n'avait pas cherché à rendre cette visite secrète.

— La pauvre fille est dans la misère, dit Constance.

— C'est sa faute, trancha George. Je ne veux pas en parler. Dismoi, Harry, quelle affaire a pu être assez importante pour te faire venir jusqu'ici ? Ne me dis pas que Cooper est prêt à lancer le grand bateau !

— Hélas ! je le voudrais bien. J'ai bien peur qu'il ne le soit jamais. C'est pour ça que je suis venu, avec cette sacoche que j'ai laissée dans le vestibule. Elle contient six cent cinquante mille dollars. Je regrette qu'il n'y en ait pas davantage, mais c'est tout ce que j'ai pu réunir.

— Réunir ? Comment ça ?

— Peu importe. Je ne voulais pas que ton investissement reste dans le Sud, au risque d'être confisqué. Tu ne nous as pas prêté cet argent pour ça.

George fronça les sourcils, regarda sa femme, puis son ami.

— Nous ferions mieux d'en parler dans la bibliothèque.

— Viens, Billy, dit Constance en se levant et Harry sourit.

— Billy ? Vous l'appelez Billy ?

— Oui. Quand le frère de George est ici, il est le Grand Billy et notre fils, le Petit Billy. Cela prête parfois à confusion mais ne nous gêne pas.

— Parlez pour vous, grommela William.

— Il a raison, déclara Constance par taquinerie. Stanley juge que ce n'est pas digne de lui donner un diminutif.

— Et c'est pourquoi cela nous plaît, déclara George.

Harry éclata de rire, spontanément. Pendant un instant, il put presque croire que le bon vieux temps était revenu.


— Tu dis que la blessure de Billy se cicatrise bien ? demanda-t-il dès que George eut fermé la porte et haussé la mèche de la lampe.

— Il paraît. Beth et lui sont heureux, même si le pays ne l'est pas. Je crois que nous avons tous deux besoin d'un whisky.

D'autorité, il servit deux solides rasades. Harry prit son verre et en vida la moitié en trois gorgées. La chaleur de l'alcool l'apaisa un peu. Il tira une petite clef de sa poche et ouvrit la sacoche qu'il avait apportée du vestibule, pleine de grosses coupures.

— Non, le pays ne l'est pas. Et, comme je te l'ai dit, c'est la raison pour laquelle je t'apporte ceci.

George prit une des liasses et la contempla un moment, le souffle coupé. Puis il murmura :

— C'est un beau geste, Harry.

— Cet argent est à toi. Tu le mérites plus que le gouvernement. Qui est composé, en fait, d'hommes aux solides tendances conservatrices.

— Je l'ai remarqué : Jeff Davis, Alec Stephens, de Géorgie...

— La bande de Caroline du Sud, y compris notre ami Huntoon, a été pour ainsi dire ignorée. Ils ne sont pas contents.

— Pourquoi ont-ils été écartés ?

— Je ne sais trop. On doit les trouver trop extrémistes. On a craint qu'ils nuisent à la respectabilité du nouveau gouvernement. Quoi qu'il en soit, j'ai pensé que tu ne voudrais pas que ton argent soit confisqué par des hommes dont les principes ne sont pas précisément compatibles avec les tiens.

George haussa un sourcil.

— Et avec les tiens ?

— J'avoue que je n'en sais plus rien... Quoi qu'il se passe maintenant, quel que soit le camp qui dicte les conditions et celui qui les accepte, nous serons tous perdants. Nous avons abdiqué, George. Nous avons laissé régner les fous.

Rejetant la tête en arrière, Harry vida son verre d'une seule lampée. Au bout d'un moment, il ferma les yeux et frémit. Puis, il se redressa, croyant entendre un lointain tumulte.

— Oui, les fous règnent, murmura George. Mais qu'aurions-nous pu faire ?

— Je ne sais pas. Cooper nous a toujours mis en garde en citant Burke. « Quand les mauvais hommes s'allient, les bons doivent s'associer, de crainte de tomber un par un... » Ah ! je ne sais ce que nous aurions pu faire, mais je sais que nous ne nous sommes pas posé cette question assez tôt, ni avec assez de force. Ni assez souvent.

— La réponse paraît simple. Trop, peut-être. Le problème est inexplicablement embrouillé. Un homme est si peu de chose. Comment pourrait-il changer quoi que ce soit quand de grandes forces se mettent en mouvement ? Des forces qu'il ne comprend pas et ne reconnaît même pas ?

— Je ne sais pas, répéta Harry. Mais si les grandes forces et les événements ne sont pas entièrement fortuits, ils doivent bien être créés par des hommes, par une action positive et aussi par manque d'action. Je crois que nous avons eu une chance et que nous l'avons laissée partir.

Pendant quelques secondes, les deux amis se regardèrent sans autre émotion que du remords et la peur de ces bandes d'émeutiers scandant des slogans, au Nord comme au Sud, en marche vers la nouvelle apocalypse...

Emeutiers. Le mot, et certains bruits, pénétrèrent les sombres réflexions d'Harry. Il se tourna vers une fenêtre. Il entendait des voix, au-dehors. Une foule criarde pas très importante approchait. George fronça les sourcils.

— On dirait la bande de braillards du village. Que crois-tu qu'ils veulent ?

Il alla écarter le rideau de velours. La porte s'ouvrant à la volée le fit pivoter.

— *Virgilia !*

Dès qu'il la vit, Harry comprit pourquoi les émeutiers étaient là.


CHAPITRE LXII


Dehors, le tumulte augmentait. George montra la fenêtre et s'exclama d'une voix où la stupéfaction se mêlait à la rage :

— Est-ce que tu es responsable de ça, Virgilia ?

Son sourire fut une réponse suffisante.

— Comment diable sont-ils montés ici ? demanda-t-il.

Une pierre cassa un carreau. Les lourds rideaux empêchèrent les débris de verre de voler dans la pièce mais ils tintèrent bruyamment sur le parquet. Harry crut entendre hurler le mot « traître ». Il se passa une main sur le visage.

— J'ai envoyé un des domestiques les prévenir, dit Virgilia en regardant son frère. Dès que je l'ai vu entrer.

— Au nom du ciel, pourquoi ?

Harry aurait pu répondre à la question de George. Il avait beaucoup de mal à réprimer la répulsion que lui inspirait Virgilia. Elle était son aînée de quelques années à peine mais en paraissait vingt de plus. Sa robe de cotonnade, fanée par de nombreux lavages, la serrait trop. Elle avait grossi d'au moins huit kilos, mais ce n'était qu'un des symptômes de sa détérioration. Elle avait le teint brouillé, les yeux creux, des cheveux graisseux et décoiffés, et quand elle tourna la tête pour répondre à George, Harry vit qu'elle avait le cou sale.

— Parce que c'est un traître. Un Sudiste et un traître ! Il a assassiné Grady !

— Il n'a rien à voir avec la mort de Grady ! Tu as complètement perdu la...

— Il l'a assassiné ! répéta-t-elle en regardant de nouveau Harry avec une telle haine qu'il en frémit. C'est vous qui l'avez tué, vous et votre espèce !

— Les troupes fédérales ont tué Grady ! hurla George.

Mais elle était incapable d'entendre raison et Harry comprit alors ce qui était entré avec elle dans la pièce. C'était plus qu'une odeur de vêtements souillés et de corps malpropre. C'était la puanteur de la mort.

— J'ai fait venir ces hommes, déclara-t-elle. J'espère qu'ils le tueront !

Soudain, elle bondit comme un fauve vers les rideaux tirés sur la fenêtre cassée.

— Il est ici ! glapit-elle.

George se jeta sur elle, l'empoigna par le bras et la tira en arrière. Elle perdit l'équilibre et tomba lourdement sur les mains et les genoux. Soudain, elle se mit à sangloter, à grands cris déchirants. Ses cheveux dénoués tombaient comme un rideau de chaque côté de sa tête baissée. Ils cachaient miséricordieusement sa figure de folle.

George se tourna vers la fenêtre qu'elle avait failli ouvrir et murmura :

— Un train de marchandises local part à destination de l'Est, à onze heures. Je crois qu'il serait prudent, pour ta sécurité...

— Entièrement d'accord, interrompit Harry. Je vais partir. Je ne veux pas mettre ta famille en danger. Je me glisserai dehors par la porte de service.

— Pas question. Ils doivent la surveiller. Laisse-moi faire.

George se dirigea vers la porte. Virgilia se releva. Il se retourna vers elle.

— Virgilia...

Il ne put en dire plus, car c'était inutile. Ses yeux et sa figure congestionnée exprimaient ses sentiments. Elle recula et il sortit dans le vestibule.

Constance, les deux enfants et six domestiques regardaient anxieusement la porte d'entrée. On voyait danser des flammes par l'imposte. Les hommes, dehors, avaient des torches. Harry vit tourner le bouton de porte mais quelqu'un avait eu la présence d'esprit de pousser les verrous avant l'arrivée des émeutiers.

— Qui sont ces hommes ? demanda Constance. Que font-ils ici ?

— Ils veulent Harry. C'est l'œuvre de Virgilia. Emmène les enfants en haut.

— Virgilia ? Oh, mon Dieu, George...

— Emmène-les ! Vous autres, dégagez le vestibule. Harry, attends-moi un moment.

Les domestiques se dispersèrent, Constance monta avec les enfants et George disparut dans un débarras sous l'escalier.

Il reparut en enfilant un manteau. Au revers, Harry remarqua une cocarde tricolore. George portait sur le bras un ceinturon militaire. Il dégaina de l'étui un Colt à répétition modèle 1847 et jeta le ceinturon sur une chaise.

— Je garde cette arme chargée à portée de la main, au cas où je recevrais des visites importunes, des ouvriers licenciés, sait-on jamais...

Il fit tourner le barillet et marcha vers la porte. Une pierre brisa. l'imposte et des éclats de verre volèrent en tous sens.

— Bande de salauds ! gronda George. Suis-moi, Harry.

Et sans hésitation, il tira les verrous... Harry était sur ses talons, effrayé mais au fond de lui-même, enchanté. Les années se télescopaient et ils étaient de nouveau au combat, George en tête comme d'habitude.

Ce dernier ouvrit la porte en grand, avec une audace qu'Harry jugea calculée. Cela n'impressionna pas du tout la meute hurlante qui envahissait le perron en vociférant des injures. Ils étaient douze à quinze, armés de pierres et de gourdins.

— Voilà le sale Sudiste ! cria un homme quand Harry sortit derrière George. Voilà le traître !

Un autre brandit une torche fumante.

— Nous le voulons !

George rejeta ses épaules en arrière. L'air belliqueux, redoutable, il leva le Colt et allongea le bras. Braquant le canon sur le front de celui qui venait de parler, il rabattit le chien.

— Prenez-le. Je vous garantis que vous et quelques autres ne survivrez pas à cette tentative.

Harry s'avança sur la gauche de son ami, à quelques pas des hommes qui se bousculaient sur les marches. Il crut reconnaître deux des flâneurs de l'hôtel.

— Attaquons-le ! hurla un autre.

George pointa le Colt sur le braillard.

— Venez donc. C'est un vieil adage de l'armée. Celui qui donne l'ordre mène la charge.

— Nom de Dieu, Hazard ! protesta un autre individu, c'est un Sudiste. Un Carolinien. Nous voulons simplement lui montrer ce que nous pensons des sécessionnistes, des traîtres.

— Ce monsieur n'est pas un traître. Nous sommes sortis ensemble de West Point, nous sommes allés jusqu'à Mexico, avec le général Scott. Mon ami a combattu pour ce pays aussi courageusement que moi et cette manche vide vous montre ce que cela lui a rapporté. Je vous connais presque tous. Je ne veux pas avoir la mort d'un seul d'entre vous sur la conscience. Mais si vous tenez à faire du mal à un homme honorable comme mon ami, vous devrez d'abord m'éliminer.

Le tumulte se calma un peu. Harry vit des regards se détourner du revolver de George vers d'autres parties du large perron. Certains émeutiers cherchaient comment les prendre de flanc. Deux hommes s'écartèrent de la foule mais George se hâta de les menacer.

— Le premier qui bouge sera le premier à tomber.

Les deux hommes s'immobilisèrent. Cinq secondes passèrent, dix, quinze...

— Nous pouvons les prendre, gronda une voix, mais il n'y eut pas de réaction.

Le cœur d'Harry battait à grands coups. Le fléau de la balance attendait...

— Merde, maugréa quelqu'un, ça ne vaut pas la peine de se faire tuer.

— Voilà un peu de bon sens, répliqua George. Si c'est l'attitude des autres, vous êtes libres de bouger. A condition que ce soit à reculons, que vous descendiez la colline et débarrassiez ma propriété.

Il prit un temps, puis il les fit tous sursauter en rugissant de sa plus belle voix de West Point :

— Rompez ! Ouste !

Ils répondirent au commandement et à la menace du Colt en se dispersant lentement. Par deux, par petits groupes, ils s'éloignèrent, en ne laissant que quelques jurons dans leur sillage.

Une minute s'écoula, puis une autre. Harry et George restèrent sur le perron, aux aguets, au cas où l'humeur de la foule changerait encore. Finalement, George baissa son arme et s'appuya contre une colonne.

— Il s'en est fallu de peu, souffla-t-il, mais nous ne sommes pas encore sortis de l'auberge. Va chercher ta valise pendant que j'envoie quelqu'un atteler. Plus vite tu prendras le train, mieux ça vaudra.

Harry ne discuta pas.

Il arriva à Philadelphie le lendemain matin. A quatre heures de l'après-midi, il partit pour Washington, sous une pluie battante. Assis près de la fenêtre, le front contre la vitre ruisselante, il avait l'air en transe. Un souvenir, une image le soutenaient : Madeline.

A la nuit tombée, le train s'arrêta dans une petite gare. Des lanternes éclairaient un quai de bois. Harry vit un train à destination du Nord stationné sur l'autre voie. Des voyageurs descendaient sur le quai, heureux de l'occasion d'échapper un moment aux voitures enfumées. Les voisins d'Harry se levèrent pour les imiter. Il n'avait pas envie de bouger.

— Où sommes-nous ? demanda-t-il au contrôleur qui passait.

— A Relay House.

— Pourquoi les deux trains sont-ils arrêtés ?

— Pour prendre les passagers d'un omnibus d'intérêt local de la côte atlantique. Il y a des voyageurs qui vont dans le Nord, d'autres dans le Sud.

— C'est logique, dit Harry et l'employé l'examina comme s'il le jugeait déséquilibré.

En regardant tomber la pluie, Harry aperçut soudain des visages familiers. Il se leva d'un bond et courut dans le couloir, puis, brusquement, il s'arrêta.

Penché à une autre fenêtre, il voyait sur le quai Beth et son mari.

N'allait-il pas compromettre le jeune couple ou le mettre en danger s'il lui parlait ? Billy était en uniforme. Pendant une seconde, il s'était mis à penser comme ces émeutiers. *Si tu es un Sudiste, tu es un traître.* Il repartit vivement vers l'avant de la voiture.

La pluie le gifla quand il sauta sur le quai.

— Beth ! Billy !

Surpris, déroutés, les jeunes gens se retournèrent. Quelques personnes regardèrent Harry d'un air soupçonneux, mais il portait à son revers la cocarde tricolore que George lui avait épinglée en lui disant au revoir et cela les rassura.

— Que diable fais-tu ici ? s'exclama Beth.

— Je rentre à la maison. Je suis allé à Lehigh Station. George m'a dit qu'il vous attendait d'un jour à l'autre.

— Je suis en permission, dit Billy. Après, ma foi, je ne sais où on m'enverra.

— Comment va ton bras ?

— Très bien. Pas de dégâts permanents. Ces moments-là ne me font plus que l'effet d'un mauvais rêve. Je ne comprends toujours pas pourquoi cela est arrivé.

— Ni moi, ajouta Beth.

Harry pensa que jamais il ne serait capable de leur révéler la culpabilité d'Anne.

— Où as-tu trouvé ça ? demanda-t-elle en remarquant la cocarde. Ce n'est pas une conversion, au moins ?

— Pas précisément. George me l'a donnée. Pour me permettre de franchir les lignes ennemies, si l'on peut dire.

L'omnibus de l'Est entrait en gare. Des voyageurs en descendirent et se précipitèrent avec leurs bagages vers les autres trains.

— Comment va George ? demanda Beth.

— Très bien.

— Et toi ? murmura-t-elle en lui posant une main sur le bras.

— Mieux que je ne l'ai jamais espéré. Vous ne savez sans doute pas que Madeline Lamotte a quitté son mari. Elle est à Mont Royal. Nous étions... amis, depuis des années.

Beth ne parut pas étonnée. Elle sourit.

— Je m'en doutais un peu. Ah ! j'ai tant de choses à te demander, Harry, et je ne retrouve rien du tout !

Le contrôleur du train du Nord cria impatiemment :

— En voiture, s'il vous plaît. Nous avons déjà une heure de retard.

Beth se jeta au cou de son frère.

— Quand allons-nous te revoir ?

— Pas avant longtemps, je pense. Je crois bien que Mr Lincoln et Mr Davis eux-mêmes ne savent ce qui va se passer à présent. Quoi qu'il arrive — même s'il y a la guerre — je veux que les Hazard et les Main conservent leurs liens intacts. Il existe peu de choses au monde aussi importantes que l'amitié et l'amour. Elles sont toutes deux très fragiles. Nous devons les préserver, en attendant que passent les mauvais moments.

— Je te le promets, dit-elle en pleurant soudain.

— Voilà le lien le plus solide, dit Billy en levant la main de sa femme pour montrer l'alliance.

— Oui. J'ai fini par le comprendre. C'est ce qui m'a fait changer d'avis sur le mariage.

— J'en suis bien heureux, répondit Billy en souriant.

— *En voituuuuure!*

Le contrôleur du train d'Harry répéta son cri. Celui du train du Nord sauta sur un marchepied et fit signe au mécanicien. Le bruit — vapeur, cloches, voix — devint assourdissant.

Billy et son beau-frère se serrèrent la main. Harry se hâta de remonter dans sa voiture. Un nuage de vapeur s'éleva et cacha le quai brusquement désert. La locomotive du train du Nord s'ébranla et, bientôt, les deux convois partirent dans des directions opposées, laissant une petite île de lumière derrière eux alors qu'ils fonçaient dans les ténèbres.